Les accoucheuses
Tome II

d'Anne-Marie S.

est le huit cent quarante

publ.

La collection « Roman »
est dirigée par Jean-Yves Soucy.

VLB éditeur bénéficie du soutien de la Société de développement des entreprises culturelles du Québec (SODEC) pour son programme d'édition.

Gouvernement du Québec – Programme de crédit d'impôt pour l'édition de livres – Gestion SODEC.

Nous reconnaissons l'aide financière du gouvernement du Canada par l'entremise du Programme d'aide au développement de l'industrie de l'édition (PADIÉ) pour nos activités d'édition.

Nous remercions le Conseil des Arts du Canada de l'aide accordée à notre programme de publication.

LES ACCOUCHEUSES

Tome II

DE LA MÊME AUTEURE

Gratien Gélinas: la ferveur et le doute, Montréal, Québec Amérique, 1995 (t. I) et 1996 (t. II).

Circonstances particulières (en collaboration), Québec, L'instant même, 1998.

Gratien Gélinas: du naïf Fridolin à l'ombrageux Tit-Coq, Montréal, XYZ, coll. «Les grandes figures», 2001.

Justine Lacoste-Beaubien: au secours des enfants malades, Montréal, XYZ, coll. «Les grandes figures», 2002.

Les amours fragiles, Montréal, Libre expression, 2003.

Le lutin dans la pomme, Laval, Trois, 2004.

Quartiers ouvriers d'autrefois, Québec, Publications du Québec, coll. «Aux limites de la mémoire», 2004.

Marie Gérin-Lajoie: conquérante de la liberté, Montréal, Éditions du remue-ménage, 2005.

Les accoucheuses. Tome I: La fierté, Montréal, VLB éditeur, 2006.

Femmes de lumière: les religieuses québécoises avant la Révolution tranquille, Montréal, Fides, 2007.

Anne-Marie Sicotte

LES ACCOUCHEUSES

Tome II

roman

vlb éditeur

VLB ÉDITEUR
Une division du groupe Ville-Marie Littérature
1010, rue de La Gauchetière Est
Montréal (Québec) H2L 2N5
Tél. : 514 523-1182
Téléc. : 514 282-7530
Courriel : vml@sogides.com

Maquette de la couverture : Anne-Maude Théberge
Illustration de la couverture : d'après Henry
Jules Jean Geoffroy, *The Drop of Milk of Belleville : The Weighing Session.*

Catalogage avant publication de Bibliothèque et Archives nationales du Québec
et Bibliothèque et Archives Canada
Sicotte, Anne-Marie, 1962-
    Les accoucheuses : roman
    (Roman)
    Sommaire : t. 1. La fierté – t. 2. La révolte.
    ISBN 978-2-89005-951-1 (v. 1)
    ISBN 2-89005-951-0 (v. 1)
    ISBN 978-2-89649-003-5 (v. 2)
    I. Titre. II. Titre : La révolte.
PS8587.I238A64 2006   C843'.6   C2006-941109-3
PS9587.I238A64 2006

DISTRIBUTEURS EXCLUSIFS :

• Pour le Québec, le Canada
  et les États-Unis :
LES MESSAGERIES ADP*
955, rue Amherst
Montréal (Québec) H2L 3K4
Tél. : 514 523-1182
Téléc. : 450 674-6237
*Une division du Groupe Sogides inc. ;
  filiale du Groupe Livre Quebecor Média inc.

• Pour la France et la Belgique :
  Librairie du Québec / DNM
  30, rue Gay-Lussac
  75005 Paris
  Tél. : 01 43 54 49 02
  Téléc. : 01 43 54 39 15
  Courriel : direction@librairieduquebec.fr
  Site Internet : www.librairieduquebec.fr

• Pour la Suisse :
  TRANSAT SA
  C. P. 3625, 1211 Genève 3
  Tél. : 022 342 77 40
  Téléc. : 022 343 46 46
  Courriel : transat-diff@slatkine.com

Pour en savoir davantage sur nos publications,
visitez notre site : www.edvlb.com
Autres sites à visiter : www.edhexagone.com • www.edtypo.com
www.edjour.com • www.edhomme.com • www.edutilis.com

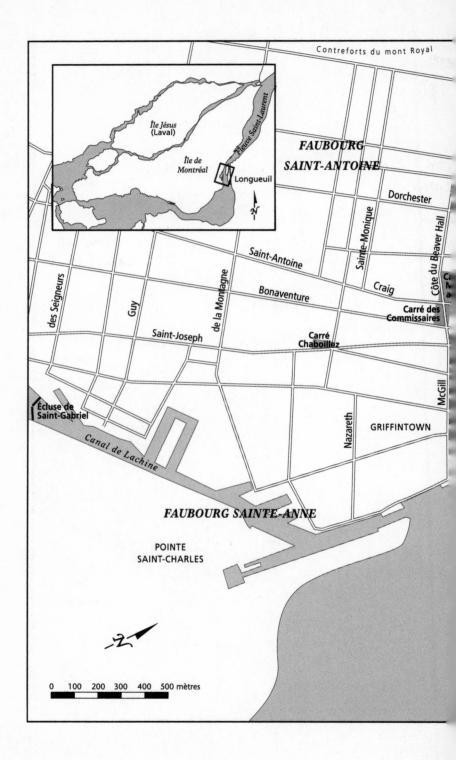

Contreforts du mont Royal

Île Jésus
(Laval)

Fleuve Saint-Laurent

Île de
Montréal

Longueuil

FAUBOURG
SAINT-ANTOINE

Dorchester

Sainte-Monique

Côte du Beaver Hall

Saint-Antoine

des Seigneurs

Guy

de la Montagne

Bonaventure

Craig

Carré des
Commissaires

Saint-Joseph

Carré
Chaboillez

Écluse de
Saint-Gabriel

Canal de Lachine

Nazareth

McGill

GRIFFINTOWN

FAUBOURG SAINTE-ANNE

POINTE
SAINT-CHARLES

0   100   200   300   400   500 mètres

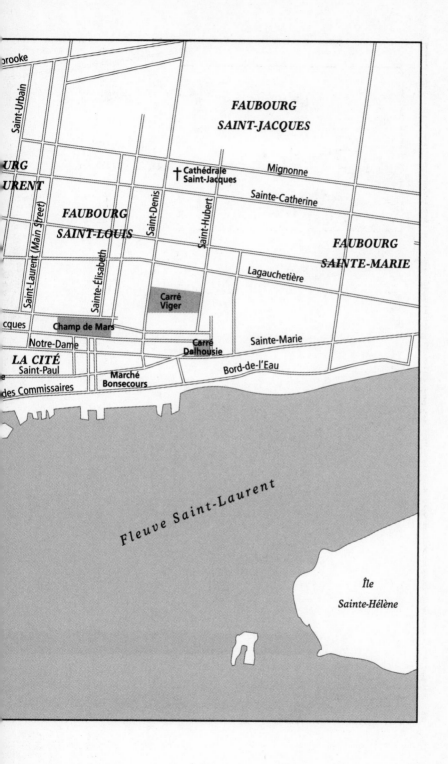

Chapitre premier

Les fins rideaux de la chambre à coucher sont illuminés par les rayons du soleil levant. Tout en se réveillant, Flavie observe leur joli mouvement ondulatoire provoqué par la légère brise matinale qui souffle sur les hauteurs de la ville. Cette promesse d'un rafraîchissement, même fugace, fait descendre un paresseux frisson de plaisir jusqu'aux extrémités de son corps. En ce début du mois de juin 1850, une lourde chaleur pèse sur Montréal comme une chape de plomb.

Plutôt chiffonnée après une nuit à ne dormir que d'un œil, Flavie bâille à s'en décrocher la mâchoire. Son mari repose sur le ventre, un bras au-dessus de la tête, complètement à découvert puisque la courtepointe et le drap gisent au pied du lit. Elle caresse ses formes d'un regard nonchalant. Il fait bien trop chaud pour avoir envie d'une étreinte, mais dans la lumière feutrée, elle admire la douceur du grain de sa peau et les vaguelettes que forment les muscles de son dos.

Flattant mollement sa propre cuisse, elle soupire d'aise à l'idée de pouvoir, dans le secret de son antre, dormir nue à sa guise. Dans les premiers temps de son mariage avec Bastien, l'automne précédent, elle ne pouvait s'y résoudre, d'autant plus qu'il faisait plutôt frisquet. Mais peu à peu, elle a négligé de remettre sa chemise les nuits où son jeune époux la lui enlevait et maintenant que la belle saison est arrivée, elle se vautre ainsi dans la débauche…

Ne pouvant s'attarder au lit, car elle doit se rendre à la Société compatissante de Montréal pour sa journée de travail à l'accueil et au soin général des patientes, Flavie pousse un soupir de regret en se levant sur la pointe des pieds. Comme Bastien peut encore jouir d'une bonne heure de sommeil, elle verse le plus silencieusement possible de l'eau dans le large bol et s'en asperge doucement le visage, le cou et les aisselles.

Elle tresse ses cheveux, puis elle se vêt : en tout premier, ses pantalettes courtes d'été, qui descendent à peine jusqu'à ses genoux, puis une fine chemise dont les manches vont aux coudes, ensuite une jupe légère, ni trop pâle ni trop foncée pour ne pas qu'elle soit salissante, et enfin un corsage sans manches lacé sur le devant, largement échancré et qui, soulignant son torse qui s'amenuise jusqu'à sa taille, s'évase ensuite pour couvrir le début de ses hanches, par-dessus la jupe.

Cette tenue familière, trop commode pour qu'elle l'abandonne, Flavie ne l'a modifiée depuis son mariage qu'en s'offrant des tissus de meilleure qualité, plus souples et plus doux au toucher. Cet hiver, pour la première fois depuis qu'elle sait manier une aiguille, elle a pu se permettre de confier à une couturière la confection de deux nouveaux corsages. Jusqu'alors, la jeune accoucheuse cousait chaque année deux tenues entières, l'une pour la saison froide et l'autre pour l'été.

Sur le point de s'approcher de Bastien pour le réveiller gentiment, elle sursaute : la sonnette d'urgence, exclusivement réservée à l'usage de Bastien, vient de retentir à la porte d'entrée. Comme chaque fois qu'elle résonne à une heure indue, Flavie ne peut retenir une légère grimace. Les parents de Bastien ne s'en plaignent jamais, mais bien évidemment, ils n'avaient pas songé à ce détail lorsqu'ils ont proposé au jeune couple de venir habiter chez eux, rue Sainte-Monique, après leur mariage ! Seule Julie, sa belle-sœur, ose parfois faire allusion à son sommeil troublé.

Le jeune médecin n'a pas réagi et Flavie lui presse l'épaule. Dès qu'il ouvre les yeux, elle l'informe qu'on l'appelle et qu'elle va immédiatement aux nouvelles puisque Lucie, la domestique, n'est pas encore descendue de sa petite chambre du grenier. Une minute plus tard, ayant ôté le loquet, Flavie ouvre toute grande la porte d'entrée. Un adolescent dégingandé, dont le pantalon est si court qu'on lui voit les genoux, lui explique qu'il est envoyé par M. Daunay, qui sollicite Bastien auprès de sa femme immédiatement.

Flavie remercie le garçon en lui offrant un grand verre d'eau, une tranche de pain et un morceau de fromage, puis elle le renvoie en lui demandant de faire le message que le docteur Renaud accourt. Lorsqu'elle se retourne, Bastien est en train de descendre les escaliers tout en tentant de discipliner ses cheveux bouclés avec ses mains. Il a revêtu en un temps record pantalon, chemise et redingote courte de travail, négligeant l'ajout du col, insupportable lors des grandes chaleurs. La jeune femme ouvre la bouche pour l'informer que la délivrance de Mariette Daunay est imminente, mais avec un sourire mutin, il lui vole d'abord un long baiser.

Tous deux se rendent ensuite à la cuisine. Pendant que Flavie se prépare le dîner qu'elle emportera à la Société compatissante, elle ne peut s'empêcher de glisser vers lui des regards préoccupés. Même si deux années ont passé depuis le geste malencontreux que Bastien a commis en compagnie de son collègue Isidore Dugué, geste ayant causé la mort accidentelle d'un nouveau-né, il n'a pas encore réussi à dominer la nervosité qui l'envahit chaque fois qu'il accompagne une cliente au moment de son accouchement.

Flavie commence à se demander si son mari n'en est pas marqué à jamais. Ce serait bien cher payé, songe-t-elle encore une fois avec accablement, pour une faute dont il n'était même pas à moitié responsable! Le jeune médecin réussit généralement à sauver les apparences et il s'est bien promis d'appeler à la rescousse une sage-femme ou, à défaut, un collègue plus expérimenté pour le seconder en cas de complications. Mais cette lutte contre sa propre angoisse l'épuise et il lui faut ensuite plusieurs jours pour retrouver son calme.

Négligemment, tout en attachant deux boutons de sa redingote, Bastien laisse tomber :

— Je suis vraiment soulagé que nous passions chez le notaire après-demain pour notre association. Tu voulais prendre le temps de t'habituer à ta nouvelle vie, mais tu as beau dire, il me semble que c'était fait après trois jours…

— Trois jours ? s'insurge Flavie. Trois jours pour m'accoutumer aux mœurs étranges de la famille Renaud ? Tu veux rire ! J'en suis encore à peine remise…

Mais déjà Bastien ne l'écoute plus, préoccupé par la difficile journée qui s'annonce. Après un moment de silence, elle ajoute, avec un soupir :

— Tu as raison, il est fièrement temps de mettre notre équipe sur les rails.

Il ne peut s'empêcher de sourire en entendant cette expression à la mode depuis que les lignes de chemin de fer poussent comme des champignons, puis il s'assombrit et balbutie d'une voix sourde :

– J'ai vraiment besoin de toi. Je suis fatigué de me battre contre moi-même...

Tous deux échangent un long regard et Flavie l'encourage d'un sourire qu'elle veut le plus rassurant possible. Après avoir avalé quelques bouchées de pain beurré, le jeune homme embrasse distraitement Flavie sur le front et disparaît. Au même moment, Lucie entre dans la cuisine et, après un échange courtois de salutations entre les deux jeunes femmes, elle entreprend les préparatifs du déjeuner d'Édouard Renaud, de son épouse Archange et de Julie, leur fille.

Pour sa part, Flavie a déjà garni son assiette et elle mange rapidement. Lorsque l'horloge du salon sonne les huit heures, elle se prépare au départ. Incapable de se résoudre à coiffer un bonnet, elle se charge de son baluchon et sort dans la toute relative fraîcheur du matin. La métropole du Canada-Uni, nappée de brume et séparée en deux par le mince ruban du canal de Lachine, s'étend sous ses yeux jusqu'au fleuve Saint-Laurent.

Chaque fois qu'elle sort de son nouveau logis, Flavie ne peut s'empêcher de contempler longuement le faubourg Sainte-Anne, plissant les yeux pour tenter de distinguer la rue Saint-Joseph et la maison de son enfance. Elle imagine avec émotion le va-et-vient de ses parents, Simon qui se rase devant un minuscule miroir en tenant un plat sous son menton et Léonie qui brosse ses longs cheveux poivre et sel avant de les nouer sur sa nuque.

Son père partira ensuite pour l'école du faubourg, où il enseigne, tandis que sa mère vaquera à l'une des diverses occupations qui meublent son quotidien : recevoir une femme affligée d'un mal quelconque à la suite d'une récente délivrance, planifier le cours qu'elle donnera plus tard à ses élèves de l'École de sages-femmes de Montréal ou, comme ce matin, rejoindre sa fille à la Société compatissante de Montréal.

De son pas rapide et léger, Flavie franchit en quinze minutes à peine la distance qui la sépare du quartier irlandais de Griffintown, en périphérie duquel le refuge pour femmes enceintes démunies s'est installé. Devant la porte grande ouverte du bâtiment, un cabrouet est stationné et un commis est en train de transporter à l'intérieur les denrées alimentaires qui s'y trouvent. Le gratifiant d'un bienveillant signe de tête, Flavie se charge au passage d'une poche de farine avant de pénétrer dans les lieux.

Elle adore ce moment de la journée, quand elle est seule avec les patientes et les deux employées, la concierge veuve Martinbeau ainsi que Marie-Zoé, la domestique. La fillette de cette dernière, Mathilde, court vers Flavie et la jeune femme n'a que le temps de déposer précipitamment son fardeau avant que la petite lui saute dans les bras. Toutes deux causent un court instant puis, sa poupée de chiffon bien serrée contre elle, l'enfant repart trotter. Le refuge est son royaume et elle distribue avec une grande générosité ses faveurs à toutes et à tous, même aux sévères médecins visiteurs !

Trois des cinq patientes vont et viennent en la saluant, occupées à vider les pots de chambre ou à se préparer pour quelque corvée. Flavie observe leurs allées et venues avec une satisfaction secrète. En vraies femmes du peuple qui n'ont pas de temps à perdre en frivolités, et qui n'ont d'ailleurs aucun argent à leur consacrer, elles sont habillées pour souffrir le moins possible de la chaleur d'une chemise sans manches au corsage échancré et d'une jupe qui, portée tout en haut de leur ventre rebondi, découvre leurs mollets et leurs pieds nus. Lorsqu'elles se penchent, les dames patronnesses à la robe bien lacée par-dessus leur corset, aux pieds finement chaussés, et qui sont obligées d'agiter perpétuellement leur éventail pour ne pas suffoquer, se sentent obligées de détourner le regard...

Flavie monte ensuite à l'étage examiner les deux autres patientes alitées, Adeline et Marie-Geneviève. Sous-alimentée et épuisée à son arrivée, la première est sur le point d'accoucher; de jour en jour, les sages-femmes s'étonnent que le bébé tarde tant. La seconde s'est délivrée quelques jours auparavant d'un enfant qui a été immédiatement envoyé chez les sœurs grises. Si l'affluence n'est pas trop grande, elle ne quittera la Société que dans deux semaines. L'été, les huit lits sont rarement occupés simultanément.

Se portant plutôt bien, elles bavardent un moment avec Flavie, qui indique à Marie-Geneviève qu'elle peut se lever et descendre s'asseoir en bas pour échapper à l'atmosphère étouffante de l'étage. Le courant d'air créé par les fenêtres ouvertes aux deux extrémités de la pièce étroite et longue n'est qu'un soulagement factice, puisqu'il charrie surtout de ces odeurs fétides qui stagnent, à la belle saison, dans les bas quartiers de la ville. Ruisseaux pollués de déchets humains et de carcasses d'animaux, ruelles et cours arrière encombrées de rebuts, latrines débordantes, tout cela dégage des miasmes qui soulèvent les cœurs peu endurcis !

De retour au rez-de-chaussée, Flavie salue aimablement trois demoiselles timides, les élèves de l'École de sages-femmes, qui passeront l'avant-midi sur les lieux et s'attarderont si une délivrance ou une complication médicale surviennent. Enfin, sa mère et sage-femme en chef de la Société compatissante, Léonie Montreuil, fait d'un pas rapide son entrée dans le refuge.

Elles échangent un large sourire, puis Léonie, après avoir salué toutes celles qui se trouvent dans les environs, fait signe à sa fille de la suivre dans le seul bureau de tout le bâtiment, une petite pièce encombrée d'un secrétaire et d'une bibliothèque aux tablettes recouvertes de livres et de paperasse. Léonie dépose sa valise et coule vers sa fille un regard affectueux en lui étreignant la main.

Physiquement, les deux femmes se ressemblent très peu. Léonie domine Flavie d'une demi-tête et ses formes longilignes contrastent avec celles de la jeune femme, aux épaules larges et aux hanches généreuses qui s'épanouissent sous la taille souple. Visage aigu aux pommettes hautes pour Léonie, visage tout en rondeur aux joues rouges pour Flavie, elles ne se rejoignent en apparence que par la teinte des yeux, dont le brun s'éclaire d'une nuance verte selon la lumière ambiante, et par leur luxuriante chevelure d'un riche châtain sombre… même si strié de gris pâle pour la plus âgée. Mais leurs proches savent que le caractère bien trempé de Léonie, cette volonté farouche d'accomplir le destin qu'elle croit le sien, au risque de contrarier les usages, se retrouve tout entier en sa fille.

– Tu as bien dormi ? s'inquiète Léonie. Par cette chaleur… Moi, j'ai tournaillé une partie de la nuit.

– Je n'ai pas à me plaindre. C'est ici qu'on crève, à l'étage...

Après une courte discussion sur l'état des patientes, toutes deux s'empressent de monter à l'étage, où un spectacle inusité s'offre à leurs yeux. Adeline est debout, immobile en plein milieu de la pièce, tandis que les trois futures sages-femmes sont à moitié penchées pour regarder à ses pieds. L'une d'elles, Marie-Julienne, explique que la jeune femme se dirigeait vers le pot de chambre lorsqu'elle a senti quelque chose glisser entre ses jambes. Léonie finit par trouver la trace de l'écoulement sur sa cuisse et, après l'avoir examiné un moment, elle se redresse en souriant:

– C'est le bouchon, ma chère dame. Un signe que vos douleurs vont commencer très bientôt. Vous avez repris vos forces depuis votre arrivée ici, n'est-ce pas?

Adeline hoche faiblement la tête. Habitant une petite cabane du faubourg Saint-Laurent, négligée par son mari ivrogne et batailleur, elle survit en faisant des ménages et des blanchissages. Contrastant avec sa frêle constitution, si commune parmi ces femmes pauvres, mal nourries pendant toute leur vie, son ventre est énorme.

Léonie et Flavie s'éloignent de quelques pas pour décider à voix basse de la suite des opérations. Il faut préparer l'alcôve, où Adeline se retirera pour l'expulsion, et tout le matériel nécessaire. Flavie propose de prendre la délivrance en charge et Léonie accepte avec empressement avant de s'élancer dans l'escalier. Elle y croise Céleste d'Artien, l'une des membres du conseil d'administration. Ses cheveux blancs remontés en un strict chignon, la petite dame gratifie Léonie d'une salutation courtoise. En retour, cette dernière lui adresse un regard où perce une lueur d'admiration.

La plupart des bourgeoises ne songent qu'à troquer la touffeur de la ville pour l'air pur de la campagne ; Céleste est l'une des seules dont le zèle ne faiblit pas. Après une charmante inclinaison de la tête vers Flavie, elle s'empresse de prendre sa place auprès d'Adeline, qu'elle accompagnera jusqu'à la toute fin de la délivrance selon une routine maintenant bien établie. Les contractions d'Adeline, encore ténues, sont cependant bellement rythmées ; Flavie appelle les trois élèves sages-femmes à son chevet avant de faire subir à la parturiente une première évaluation.

Nul besoin, pour le moment, de procéder à un examen interne. Flavie sait déjà que le bébé présente son occiput. D'après ses mouvements, il est bien vif ! Comme c'est le premier d'Adeline, elle peut raisonnablement espérer qu'il poussera son premier cri avant la tombée de la nuit.

Elle se redresse enfin et fait savoir à Céleste qu'il est temps d'accompagner Adeline au rez-de-chaussée, pour lui permettre de respirer plus à son aise. Les heures s'égrènent aussi languissamment que les allées et venues de chacune des femmes présentes. Par cette chaleur, il faut mesurer ses gestes… La veuve Martinbeau s'ébranle pour une course urgente et Marie-Zoé dépose son balai pour offrir une promenade bien méritée à sa fille. À leur tour, Léonie et les élèves sages-femmes quittent les lieux pour quelques heures. Une patiente coud, l'autre fait une sieste et Flavie vaque à ses occupations habituelles de garde-malade.

Pendant ce temps, le souffle d'Adeline se précipite et ses tempes se couvrent de sueur à chaque contraction.

Vers quatre heures, Flavie juge qu'il est plus que temps de la faire remonter ; en effet, Céleste et elle doivent la soutenir dans l'escalier. Dorénavant incapable de tenir sur ses jambes, Adeline s'affale sur sa couche dans une position semi-assise. Céleste lui propose régulièrement de l'eau ou de la nourriture, que la patiente refuse maintenant avec obstination.

De retour, Léonie et ses trois élèves font irruption à l'étage. Aussitôt, Flavie les renseigne d'abondance sur le rythme des contractions et sur la dilatation du col de la matrice et la progression supposées du fœtus. Elle leur fait observer longuement les subtiles variations de forme du ventre bombé, qu'elle n'hésite pas à dénuder tout en dissimulant les parties intimes de la jeune femme.

Enfin, sous l'étroite supervision de Flavie, chacune des trois s'approche en rougissant pour un examen interne, le seul auquel elles ont droit si la délivrance est qualifiée de « naturelle ». Lorsque la dernière, toute pâle mais le rouge aux joues, extirpe enfin ses doigts, elle entraîne à sa suite une bonne quantité d'eau d'une belle transparence. Elle s'effraie, mais Flavie la rassure :

— Rupture des membranes. Vous avez bien suivi mes recommandations ? Alors vous n'avez rien à vous reprocher. Vous avez remarqué, mesdemoiselles ? La tête n'a pas encore franchi l'orifice de la matrice, mais la dilatation est complète. Lorsque vous serez plus expérimentées, vous ferez comme moi : tenter de déterminer, en touchant les sutures du crâne, dans quelle position le bébé se présente. La fontanelle postérieure, qui est la moins étendue, est ordinairement la plus accessible…

Le cœur réchauffé par une douce exaltation, Léonie a admiré la concentration tout empreinte de calme de

Flavie, de même que ses gestes mesurés et délicats. Son attention requise, Flavie se tait, tandis que Léonie dit gaiement :

— La palpation exige un certain doigté et une bonne connaissance de l'anatomie crânienne, comme je vous l'ai répété plusieurs fois, mesdemoiselles. Il faut distinguer les espaces durs, convexes et égaux, séparés par les espaces mous. Croyez-le ou non, Flavie s'est exercée sur tous les bébés du refuge qui lui ont passé entre les mains dans les heures suivant une délivrance.

Après une dizaine de secondes, la jeune accoucheuse murmure :

— Comme l'écrit Mme Lachapelle, quand l'angle de la postérieure est caché par des tuméfactions de la peau, ça ne se mesure pas si facilement… Mais aucun problème dans ce cas-ci. Occiput antérieur. Le visage vers le dos de sa mère. C'est la position idéale, et la plus fréquente.

Flavie prend place devant Adeline et les élèves s'assoient à proximité, imitées par Léonie. Un quart d'heure plus tard à peine, la parturiente pousse son tout premier gémissement en s'arquant encore davantage et en retenant fortement son souffle, les yeux exorbités. Le message est clair. Sans plus tarder, aidée de Céleste, elle se laisse glisser vers le sol, au bout de son lit, pour s'installer sur un bas tabouret en forme de croissant. Céleste s'assoit derrière elle sur le lit et elle place commodément sa jupe avant de lui entourer le dos de ses deux jambes. Si nécessaire, au cours d'exigeantes poussées, elle supportera son torse de ses bras.

À mi-voix, Flavie dit à l'intention des pupilles de l'École :

– Le bébé a déjà franchi les principaux obstacles. En fait, des obstacles qui n'en sont pas vraiment… Dans quatre-vingt-dix-neuf cas sur cent, aidé par les contractions puissantes de la matrice, le bébé se fraie un chemin sans encombre! Quelle que soit sa position exacte, le dos vers la droite, au centre ou vers la gauche, les contractions entraînent souvent un pivotement. En quelque sorte, le bébé se contorsionne et s'ajuste au passage qui, comme vous le savez, n'est pas une ligne droite, mais un virage plus ou moins serré…

Léonie intervient avec un demi-sourire narquois:

– Il a fallu longtemps aux obstétriciens les plus célèbres pour comprendre que le fœtus était capable de pivoter au besoin, à moins que le chemin ne soit réellement étroit. Si vous lisez quelques-uns de leurs livres, vous verrez qu'ils ont parfois commis des erreurs de jugement en installant les cuillères de leur forceps…

La jeune mère prêtant attention, entre chaque poussée, à la conversation, Flavie lui adresse un sourire rassurant. D'un ton à la fois docte et serein, Léonie poursuit:

– La fréquence de la présentation par la tête peut s'expliquer par son poids: il semble que les obliquités utérines soient favorables aux positions de l'occiput, du pariétal et du front. Bien entendu, si le bébé s'est placé tête en bas, mais dos à dos avec sa mère, cela signifie qu'il se présentera le visage vers le pubis. Cette position n'entraîne généralement pas de complications majeures, même si le fœtus doit fléchir outrageusement la tête et si ses rotations sont plus exigeantes. Mme Lachapelle a même vu trois ou quatre expulsions transversales, le front vers l'une des cuisses…

Flavie reprend :

– Le bébé doit aussi franchir l'ouverture du bassin, laquelle constitue le principal réel obstacle dans une très faible proportion des accouchements. Généralement, si sa tête est grosse ou les os de sa mère plutôt refermés, la mobilité des plaques des os de son crâne lui permet de franchir le cap. Vous avez appris, à l'École, à quel point la souplesse de la boîte crânienne est adaptée aux exigences de l'accouchement. De plus, le coccyx est un os légèrement mobile qui peut reculer, estime-t-on, de près d'un demi-pouce. Parfois, hélas, la disproportion est telle...

Flavie s'interrompt à cause d'une poussée d'Adeline, ponctuée par un cri étranglé. Elle glisse sa main sous la jupe remontée jusqu'aux cuisses et vient toucher la vulve, déjà bien ouverte. Son cœur fait une embardée :

– Adeline, il est là, votre bébé, tout paré à sortir ! Beurrée de sirop ! On ne croirait pas qu'il s'agit de votre premier !

La jeune parturiente esquisse un faible sourire si plein d'embarras que Flavie fronce légèrement les sourcils, avant de jeter un rapide coup d'œil à sa mère qui hausse les épaules avec philosophie. Adeline ne sera pas la première à mentir sur son passé ! Peut-être a-t-elle conçu et accouché bien avant son mariage... Adeline est emportée par une autre exigeante poussée que Flavie accueille avec des paroles apaisantes. Elle s'enquiert ensuite :

– Tout va bien, Céleste ?

La dame patronnesse hoche placidement la tête. Se tournant brusquement vers les trois jeunes femmes, Flavie porte son choix sur celle, fort rondelette, qui semble la plus jeune.

— Venez, Adèle. Vous allez soutenir le périnée.

L'interpellée pâlit, puis s'empresse auprès de Flavie et place sa main suivant ses consignes. Flavie murmure :

— Regardez, mesdemoiselles, à quel point le périnée saille maintenant. Remarquez que la tête sort non par le bas, mais par le devant. C'est le périnée poussé en bas – constatez sa forme d'une grosse tumeur arrondie – qui donne cette direction à la vulve. Vous voyez cet anneau circulaire ? C'est l'anus. Touchez, Adèle, les scrupules n'ont pas leur place ici. Vous sentez la tête du bébé tout juste en dessous. À chaque douleur, la tête s'avance davantage et l'ouverture s'agrandit, puis à chaque repos, la tête remonte et elle rétrécit…

À mi-voix, Léonie recommande à ses trois élèves d'en profiter pour confronter leur savoir théorique à la réalité d'un organisme vivant. Dans un murmure, elle leur fait remarquer que les lèvres qui protègent l'ouverture du vagin sont formées par un prolongement de la peau qui prend la forme d'un tissu lamineux plus ou moins dense soutenant un grand nombre de ramifications vasculaires. La saillie et l'épaisseur des lèvres diminuent progressivement jusqu'au périnée où elles se terminent en formant une sorte de bride semi-lunaire, nommée commissure périnéale ou, plus vulgairement, la fourchette.

Léonie enchaîne sur les nymphes, deux petites éminences minces et oblongues plus ou moins vermeilles, que l'on aperçoit en écartant les lèvres de la vulve, tandis qu'expulsée par sa mère qui halète et geint sous l'effort, la tête du bébé sort à moitié. Flavie la soutient pendant qu'Adeline reprend son souffle et que les deux autres élèves, mues par une avide curiosité, s'inclinent pour bien voir. Flavie commente à mi-voix les mouvements de la tête : d'abord un renversement en arrière, ou extension, puis la détorsion du col, alors que la face se tourne vers l'intérieur de la cuisse.

— Adèle, maintenez une ferme pression sur le périnée. Il s'est échancré, mais à peine, et il ne faut pas empirer la déchirure…

Flavie fait venir à ses côtés Marie-Julienne, une jeune fille alerte et curieuse au corps souple et longiligne comme celui d'un adolescent.

— Prenez ma place. Si, si, n'ayez crainte… Tirez très légèrement sur la tête pendant la douleur. En fait, vous accompagnez la poussée naturelle… Dans ce cas-ci, nul besoin d'aller mettre la main sous l'aisselle du nouveau-né. D'habitude, dès qu'une épaule est sortie, le reste vient tout seul.

Une dernière poussée et, accompagné par une coulée de fluides, un garçon visqueux tombe dans les mains de Marie-Julienne qui en rit de plaisir, bientôt imitée par ses deux consœurs. Ravie par la capacité de sa fille d'évaluer la délivrance qui se déroule sous ses yeux à l'aune du savoir acquis, Léonie éprouve un souverain contentement devant la sage-femme accomplie que, à l'orée de ses vingt et un ans, elle est devenue.

Lorsqu'elle songe à quelques-uns de ses gestes d'autrefois à l'égard des parturientes, Léonie est prise de frissons. De même, elle a parfois abandonné trop tôt la partie au profit du chirurgien ! Au moment de la fondation de la Société compatissante, plus de quatre ans auparavant, Léonie s'enorgueillissait d'être considérée comme l'une des meilleures sages-femmes canadiennes de la ville. Elle sait aujourd'hui qu'il lui en restait énormément à apprendre.

Depuis deux ans, Flavie et elle ont pris soin de se perfectionner de toutes les manières possibles. La curiosité inextinguible de Flavie agissant comme un stimulant, elles se sont plongées dans quelques ouvrages magistralement écrits par des accoucheuses des vieux pays. L'intuition obstinée que Léonie porte depuis longtemps, celle de posséder au bout de ses doigts sensibles une science digne d'un profond respect, est devenue une conviction inébranlable. Les praticiennes *professionnelles* peuvent assister l'immense majorité des femmes sans user du moindre instrument, et en toute sécurité.

Euphasie Bernier, l'aïeule accoucheuse de Léonie, fut l'héritière à la fois d'une pratique intuitive remontant à des temps immémoriaux et d'une culture savante de grande valeur léguée par les sages-femmes envoyées auparavant en Nouvelle-France sur ordre du roi. Depuis la Conquête par les Anglais, voilà près d'un siècle, ce savoir se transmet d'une Canadienne à l'autre, de génération en génération. Euphasie a instruit sa fille Sophronie qui, à son tour, en a édifié sa nièce Léonie… Trop souvent méprisé des hommes de l'art, du moins ceux qui ont fréquenté une « grande école », ce savoir s'est raffiné au cours des derniers siècles grâce aux découvertes scientifiques, mais surtout grâce à plusieurs lignées de maîtresses sages-femmes des célèbres maternités d'Europe !

Flavie a ligaturé le cordon et elle est en train de démontrer aux trois demoiselles, preuves à l'appui, que la matrice se contracte rapidement et que l'arrière-faix s'est naturellement placé tout contre la sortie. Elle leur explique comment on procède à de légères tractions pour le faire émerger et comment, parfois, il est nécessaire d'aller porter sa main à l'intérieur pour accélérer le processus.

Après un rapide calcul mental, Léonie déclare avec satisfaction :

— Neuf heures de travail.

— N'est-ce pas un peu long ? s'étonne Marie-Julienne, dont les yeux noirs en forme d'amande brillent d'excitation.

— La durée est extrêmement variable. Je vous montrerai des tableaux…

Flavie lance avec bonne humeur :

— Une première délivrance s'étire généralement, n'est-ce pas, Adeline ?

Seules les deux sages-femmes expérimentées constatent que, déjà toute rouge à cause de l'effort qu'elle vient de fournir, la jeune mère s'empourpre encore davantage.

Chapitre II

Le disque rouge du soleil est en train de descendre derrière les maisons et Flavie se prépare à partir, fort lasse mais heureuse de savoir Adeline en train de cajoler son nouveau-né, lorsqu'on lui annonce une visite imprévue. Avec un tressaillement de tout le corps, Flavie aperçoit sa coéquipière, la jeune sage-femme Marie-Barbe Castagnette. Son air grave et embarrassé confirme les appréhensions de Flavie qui, incapable de sourire, fait un vague signe de bienvenue à sa consœur. Cette dernière grommelle, la voix rauque et le regard fuyant :

— Bien le bonsoir, Flavie… Je suis bien marrie de venir t'importuner ici, je sais que tu as beaucoup à faire, mais il fallait que je te cause…

— Je sais, ma pauvre. C'est moi qui devrais m'excuser, je laisse traîner une situation pourrie… Donne-moi quelques minutes, je partais justement.

Le cœur rempli d'amertume, à la fois fâchée contre elle-même et contre le monde entier, Flavie se débarrasse de son tablier et de sa coiffe. Si la vie d'épouse lui a réservé une mauvaise surprise, c'est bien celle-là : sa pratique privée a énormément souffert de son nouvel état matrimonial. Habituées à se faire accompagner par des matrones âgées, généralement veuves, les futures accouchées commençaient tout juste à apprivoiser la nouveauté consistant à engager une célibataire. Mais une jeune mariée!

La réaction des bourgeoises a d'abord décontenancé Flavie, qui avait cru naïvement que, dans ce domaine si intime, son prestige en serait accru! Mais ce qui saute aux yeux de la clientèle, c'est plutôt cette entorse à une coutume à laquelle les riches oisives tiennent comme à la prunelle de leurs yeux. Passe encore qu'une demoiselle s'adonne à quelque ouvrage utile, de préférence bénévole, mais une dame dont le mari devrait tirer une légitime fierté à lui assurer une existence sans souci aucun…

Dans la belle société, une dame ne travaille pas, point à la ligne! Ou alors, elle fait partie du menu peuple, et les bourgeoises répugnent maintenant à placer leur délicatesse entre des mains rougies et usées… Le réseau de clientes aisées que Flavie avait réussi à constituer, et qui prenait tranquillement de l'ampleur, s'est rétréci comme une peau de chagrin. Elle s'est acharnée, n'arrivant pas à croire que les femmes se priveraient de son aide pour une question de conventions, mais elle est devenue un véritable boulet au pied de Marie-Barbe. Depuis des semaines, elle tente de se convaincre de mettre un terme à leur association, mais elle ne peut s'y résoudre… ce qui a obligé son amie à effectuer la démarche pénible de ce soir.

Les deux jeunes femmes sortent et marchent un instant en silence. Flavie glisse son bras sous celui de Marie-Barbe et lui adresse un sourire navré. Elle s'attendrit devant les traits si familiers de son visage : sourcils broussailleux, yeux larges et ronds à l'iris presque noir, nez épaté, généreuse lèvre supérieure ornée d'un duvet brun d'apparence soyeuse… Ensemble, depuis deux ans, elles ont trotté dans plusieurs quartiers de la ville et elles ont délivré au moins une centaine de femmes. En présence de difficultés, elles discutaient ferme, mais trouvaient toujours un terrain d'entente…

Avant que Marie-Barbe ouvre la bouche, Flavie jette :

— Ne dis rien. Déjà que je t'ai obligée à venir me relancer jusqu'ici… Je te libère, Barbouillette.

Flavie inspire profondément pour se donner le courage d'ajouter :

— Il te faut une nouvelle coéquipière.

Bouleversée, elle est incapable d'en dire davantage. Après un temps, Marie-Barbe s'immobilise et lui donne une rapide accolade, puis elle s'évanouit dans la cohue du soir. Il faut à Flavie encore un bon quart d'heure pour monter d'un pas pesant jusque chez elle.

Assis sur les marches du porche, Bastien saute sur ses pieds pour venir la rejoindre et s'empresse de lui annoncer, tout réjoui, que Mariette Daunay s'est délivrée en deux heures à peine de son cinquième enfant, une fille. Flavie tente de lui sourire, mais elle est prise de vitesse par les larmes qui débordent de ses yeux. Sans piper mot, son jeune mari la pousse vers l'intérieur et lui fait rapidement grimper l'escalier qui mène à l'étage, jusqu'aux deux pièces qui leur sont dévolues.

Dès qu'il referme la porte de leur boudoir, elle se précipite dans ses bras et réussit à lui confier la source de son chagrin. Il la fait asseoir au bout du lit, épongeant ses joues avec son mouchoir. Elle balbutie que s'il ne lui reste que les secteurs pauvres des faubourgs, où on l'accepte sans jamais la juger, comment pourra-t-elle gagner sa vie? Il lui faut, comme n'importe quel praticien, une clientèle à tout le moins diversifiée!

Bastien la saisit par les épaules et l'écarte de lui. Souriant largement, il s'exclame :

– Ma belle accoucheuse, je comprends ta peine, mais n'oublie pas notre future association !

Il se tait ensuite, l'entourant de sa chaleur et sa tendresse. Réconfortée, Flavie reste contre lui, les yeux clos. Elle songe avec attendrissement que beaucoup d'époux auraient repoussé un tel chagrin d'un haussement d'épaules et ne lui auraient pas épargné moult paroles creuses. La Société compatissante l'occupe bien suffisamment, elle n'a aucun besoin d'un salaire supplémentaire et il est même inconvenant de seulement y songer : c'est au mari d'assurer une existence confortable à son épouse.

Bastien aura bien des quolibets à essuyer lorsque la nouvelle sera publique. Tous deux en ont discuté à plusieurs reprises et Flavie admire la sérénité dont il fait preuve à cet égard. Car on se moquera d'un couple où le mari est incapable de « contrôler » son épouse ! Plus subtilement, on leur reprochera un mépris des mœurs. La gent bourgeoise est si chatouilleuse de ce qui la distingue des « classes inférieures » !

Mais Bastien envisage ce branle-bas avec philosophie. Contrairement à nombre de ses confrères, son but ultime n'est pas de grimper l'échelle sociale le plus haut possible dans la vie ! Ce qui lui importe réellement, a-t-il assuré à Flavie, c'est d'abord de jouir de la présence de sa femme de toutes les manières possibles, puis de devenir un médecin avisé. Tout le reste est secondaire.

Flavie glisse les bras autour de son torse et l'étreint avec tant de vigueur qu'il émet une faible protestation. Son homme a raison : elle retrouvera sa puissance d'action grâce au couple de praticiens qu'ils sont sur le point de former! Maintenant, pour prospérer dans son métier de sage-femme, Flavie a autant besoin de son mari que lui compte sur elle pour le rassurer contre ses démons intérieurs.

Bien avant leur mariage, il a soumis à Flavie la proposition audacieuse de faire équipe pour les délivrances. Pour elle, c'est une chance inespérée, mais il lui faut demeurer réaliste. Cette innovation ne sera pas facilement acceptée! Dans la colonie du Canada-Uni, il y a si peu de ces couples de praticiens comme on en rencontre dans les vieux pays! L'homme est chirurgien ou plus rarement médecin, et son épouse, parfois accoucheuse ou, tout bonnement, son assistante. N'est-ce pas normal, comme on le voit pour bien d'autres occupations, que les conjoints forment une équipe?

Avant de s'engager dans une association professionnelle avec Bastien, elle a voulu prendre le temps de le connaître davantage. Si tous deux avaient partagé une réelle intimité physique, elle avait passé, à vrai dire, bien peu de temps en sa compagnie. Tant de femmes se laissent berner par un homme en apparence accommodant, pour se retrouver après la noce avec un maître plutôt qu'un compagnon, avec un amant égocentrique et froid plutôt que tendre et prévenant!

Bien entendu, la vie quotidienne révèle, chez Bastien comme chez Flavie, quelques aspérités de caractère. Parfois, il est à pic après une journée de travail, tandis que, de son côté, elle a envie de le bourrasser pour des riens! Si ces mésententes passagères la troublaient fort au début, Flavie a appris à temporiser. Elles comptent pour si peu à côté du bonheur qu'elle ressent en sa compagnie! Pendant leurs fréquentations, elle croyait avoir bien pris la mesure de sa générosité de cœur et d'esprit. Déjà, elle sentait son amour et sa sollicitude l'envelopper comme une couverture chaude et douce…

Après un temps, il grommelle :

– Un bon lavage, mon petit chat sauvage, ça ne te fera pas de tort !

Flavie soupire :

– Moi qui ai mis des vêtements frais ce matin ! Ça m'apprendra à faire la bourgeoise…

Dans la salle d'eau, Flavie s'accroupit nue dans la bassine de bois. Bastien, qui s'est débarrassé de sa chemise, fait couler délicatement sur son dos de larges filets d'eau froide et la peau de la jeune femme se couvre aussitôt d'une spectaculaire chair de poule. Lorsque le contenu des quatre seaux d'eau est transféré dans la bassine, il tire un tabouret, s'assoit à proximité et la contemple en souriant.

– Ce que tu as la couenne dure ! Si tu entendais les protestations de mes patients…

Un sourire mutin sur les lèvres, Flavie puise de l'eau avec sa main et la fait couler sur l'épaule de Bastien. Elle rit de son saisissement et lance avec gaieté :

– Ça t'habituera à l'eau du fleuve !

À cette évocation de leurs vacances toutes proches, il fait une mine gourmande. Il a tenu une autre promesse formulée pendant leurs fréquentations, celle de leur offrir à tous deux des vacances au bord de la « mer », à Cacouna, où ils ont loué une cabane sur la grève par l'entremise de l'un des membres du club de raquetteurs dont Bastien fait partie.

Flavie murmure paresseusement :

– J'aimerais bien que tu me frottes le dos avec le gant de crin.

Il s'agenouille et la frictionne lascivement. La jeune femme pousse des soupirs de satisfaction, puis elle inspire brusquement : son mari glisse une main très fraîche autour de son torse jusqu'à couvrir son sein à la pointe dressée. Il embrasse sa nuque avant de dire avec candeur :

— Avant toi, je me sentais comme un pantin qu'on fait tourner dans tous les sens. J'entendais les commérages sur les femmes, je lisais les ragots colportés par nos pédants lettrés et j'en étais tout étourdi ! Puis tu as déboulé dans ma vie comme un ouragan.

— Un ouragan ? Ce n'est pas très gentil... Je dirais plutôt comme le suroît...

— N'empêche... Tu as fait un grand ménage dans ma tête ! J'ai vite compris qu'à propos du genre féminin tu serais la plus compétente des institutrices...

Flavie grommelle :

— Tant de mâles, tous plus sots les uns que les autres, se croient justifiés de donner leur avis sur notre nature. Mais personne ne nous demande notre avis à nous, les principales intéressées ! C'est fièrement ridicule...

Les doigts de Bastien qui la frôlaient tout d'abord la pétrissent maintenant. D'une voix changée, il ajoute :

— Comme n'importe quelle créature vivante, le genre humain est gouverné par ses passions, par cette énergie vitale mystérieuse mais souveraine. Comme toutes les espèces animales ou végétales, il doit se soumettre aux lois naturelles pour préserver l'équilibre et l'harmonie du monde... Tout le reste est sans importance.

Avec délectation, Flavie s'abandonne contre lui. Lorsqu'elle sent ses lèvres entrouvertes se poser sur sa joue, elle se laisse aller vers l'arrière en tournant la tête. Elle a l'impression de n'avoir encore rien connu de plus suave que cette bouche humide, rien de plus sensuel que leurs peaux mouillées qui se pressent l'une contre l'autre au son d'un suggestif clapotis…

Par un plaisant samedi matin où Flavie a paressé au lit plus longtemps que d'habitude, elle se trouve, lorsqu'elle sort de son boudoir, nez à nez avec son beau-père, Édouard Renaud, qui se dirige lui aussi vers l'escalier en nouant maladroitement son col. Il ralentit le pas pour lui faire une salutation fort courtoise et Flavie le gratifie d'un large sourire. Il lui a fallu des mois pour s'habituer à partager le même espace que cet homme mûr, quasiment un étranger pour elle. Au début, tous deux rougissaient en se croisant, surtout si l'un ou l'autre émergeait de la salle d'eau en pleine nuit !

Flavie a réalisé très vite qu'elle ne pouvait se comporter comme rue Saint-Joseph où, dans l'intimité de sa famille, elle se promenait couverte d'une simple chemise. Dès qu'elle sort des deux pièces qu'elle partage avec Bastien, elle doit être toujours décente, au moins étroitement enroulée dans son peignoir.

Édouard Renaud s'enquiert brièvement de la santé de sa bru, qui lui répond courtoisement. Flavie a l'impression qu'il rajeunit à vue d'œil depuis que ses affaires, après avoir plongé au plus creux, reprennent de la vigueur. Il a le dos moins voûté, ce qui le fait paraître encore plus grand, son large front est plus lisse et ses yeux surmontés d'épais sourcils bruns, moins cernés. Même ses cheveux, ondulés comme ceux de son fils, semblent moins grisonnants !

Marchand prospère, propriétaire de vastes entrepôts et d'une flotte de petits navires qui sillonnaient les rivières et le fleuve jusqu'à des centaines de milles à la ronde, M. Renaud a subi, comme plusieurs de ses confrères, un pénible revers au cours des dernières années. Lorsque la mère patrie a aboli ses tarifs protectionnistes, une véritable crise économique s'est ensuivie et les échanges commerciaux ont dramatiquement diminué.

Depuis, il tente de diversifier ses activités. Il a investi prudemment son maigre capital dans une compagnie mise sur pied pour la construction d'un chemin de fer, le St. Lawrence & Atlantic, ainsi que dans la Montreal Gas Company. Il se passionne pour le sort de la Banque du Peuple, fondée par un groupe d'hommes d'affaires canadiens. Enfin, surtout, il rêve de tirer profit de la fièvre industrielle qui fait rage à Montréal, principalement aux abords du canal de Lachine où le gouvernement permet d'utiliser l'énergie de l'eau pour mouvoir de puissantes machines.

Constatant que le maître des lieux se bat avec son col, Flavie s'arrête au bord de l'escalier et lui propose son aide pour le nouer. Il acquiesce avec une grimace d'impuissance et elle s'exécute, Édouard laissant flotter un sourire gêné, mais ravi, sur ses lèvres. Des quatre membres de la maisonnée, c'est lui que Flavie préfère, Bastien mis à part. Ce sentiment d'affection est réciproque : son beau-père l'entoure d'une tendre considération dont il ne fait aucun mystère.

Son visage détendu s'illumine brusquement :

— Je voulais vous dire… J'ai pris le temps, hier soir, de parcourir les rayons de ma bibliothèque dans le but de répondre à votre requête.

— Ma requête ? répète Flavie, perplexe.

Pendant qu'elle glisse son bras sous le sien pour l'entraîner à descendre l'escalier, il précise en chuchotant, avec une mine de conspirateur :

– Concernant des ouvrages sur cette philosophie scandaleuse que l'on nomme le socialisme...

Flavie pouffe de rire. Il poursuit, l'air heureux :

– À vrai dire, je n'ai pas grand-chose. Mes bouquins sont plutôt âgés et poussiéreux... Il faudrait que je rajeunisse ma collection. Ne vous gênez surtout pas pour me conseiller en ce sens ! Cependant, j'ai trouvé quelques perles qui pourront peut-être vous plaire. Sans doute l'ignorez-vous, mais cette théorie politique moderne qui semble vous intéresser s'inspire de plusieurs vieilleries, notamment des idées républicaines qui m'ont fort passionné pendant mes vertes années !

– Mon père de même, s'empresse de souligner Flavie. Il nous a fièrement rebattu les oreilles de l'exemple des États-Unis ! Il paraît que depuis le début du siècle, au moins, le sentiment était général contre les régimes politiques européens décadents, la monarchie et tout le reste. Dans le Nouveau Monde, il fallait oser tenter la démocratie, l'égalité des chances !

Édouard Renaud soupire :

– Là aussi, la triste réalité a malmené l'utopie... L'homme reste le même, partout et de tout temps. S'il peut s'enrichir et jouir égoïstement de ses possessions et de ses privilèges, il le fera.

Avec hésitation, Flavie bredouille :

– Voilà où le socialisme innove, n'est-ce pas ? Il propose bien plus que les anciens systèmes politiques. Il propose une véritable refonte de nos institutions politiques et économiques...

Tous deux sont distraits par l'arrivée d'un Bastien en chemise et pantalon à bretelles, sa redingote sur le bras, qui doit se rendre à son cabinet pour sa dernière journée de travail de la semaine. Père et fils se saluent en se serrant mutuellement l'épaule, puis le premier s'éloigne vers la salle à manger. Glissant sa main sur la nuque de Flavie, le jeune homme se penche vers elle et l'embrasse d'abord avec précaution, puis de plus en plus hardiment, mêlant sans retenue sa langue à la sienne. Se détachant enfin, il murmure avec affection :

— Bonne journée, mon adorable chat sauvage.

Flavie l'embrasse de nouveau, puis elle chuchote :

— Toi de même, mon bel ange.

— Tu n'as pas oublié notre rendez-vous chez le notaire tout à l'heure ?

En fin d'après-dînée, tous deux signeront leur contrat d'association professionnelle et Flavie lève une main en signe de dénégation. Son mari disparaît dans l'entrée. Si Édouard se fait servir par Lucie son déjeuner dans la salle à manger, Flavie préfère le prendre à la bonne franquette, assise sur un tabouret dans la cuisine. Selon une routine bien établie, la famille Renaud ne se réunit qu'au soir, pour le souper ; le reste du temps, chacun vaque à ses occupations.

Au grand soulagement de la jeune mariée, sa belle-mère, Archange Renaud, fait un effort manifeste pour respecter son besoin d'indépendance, tâchant de se préoccuper le moins possible de ses allées et venues. Par amour pour Bastien, tous les membres de la famille Renaud ont accepté sa nouvelle épouse de bonne grâce. Tous ont fait des efforts pour s'adapter à sa présence, autant qu'elle en a fait – raisonnablement – pour se couler dans les us et coutumes de la maisonnée. De ce côté, elle n'a que des broutilles à reprocher à l'un ou à l'autre. Néanmoins, chaque mois qui passe lui fait découvrir de nouvelles facettes de ces personnalités complexes !

Par exemple, en cette période, la maison de la rue Sainte-Monique est sens dessus dessous, car la mère de Bastien prépare son départ, celui de son mari et de sa fille pour leur séjour estival à Terrebonne. Pour Archange, le déroulement des opérations semble extrêmement compliqué, au grand étonnement de Flavie qui a fini par soupçonner que sa belle-mère, contrariée dans ses habitudes, ne se gêne pas pour paraître complètement dépassée et pour se complaire dans une constante mauvaise humeur.

Pour la première fois de sa courte existence, Bastien ne passera pas ses trois semaines de vacances à ses côtés. Avec une patience d'ange, il a dû lui répéter à maintes reprises que son épouse et lui préféraient des vacances en couple. Un soir, après une énième allusion de sa mère, il a fini par se fâcher tout rouge :

– Mais enfin ! Fais-tu exprès pour ne pas comprendre ? Je veux être seul avec Flavie, c'est clair ? Je veux une liberté totale ! Je vous aime beaucoup, tous les trois, mais je n'ai pas du tout envie de partager une résidence d'été avec vous ! On passe l'année entière dans la même maison !

Archange s'est renfrognée et leur a fait grise mine pendant au moins vingt-quatre heures, avant d'abdiquer enfin. Cependant, il n'a pas fallu longtemps pour qu'un autre sujet de discorde surgisse : celui du revers de situation de Lucie, leur domestique, pendant l'absence des maîtres de maison. À la fin d'un souper, Flavie a avalé de travers quand elle a appris que les bourgeois avaient l'odieuse habitude de mettre leur personnel de la ville à pied pendant l'été, pour en réengager un nouveau à leur retour.

Lorsque, quelques minutes plus tard, Édouard Renaud s'est levé de table en ordonnant distraitement à Lucie d'effectuer une nouvelle corvée, selon lui urgente, bien mal lui en prit : Flavie a éclaté. Les bourgeois avaient l'ignoble coutume de considérer les domestiques comme des êtres point tout à fait humains, sans besoins ni émotions, n'hésitant pas à surcharger leurs journées de tâches toutes plus lourdes les unes que les autres !

Personne n'avait donc remarqué que, depuis le matin, la jeune femme était anormalement fatiguée ? Prenait-on Lucie pour une bête de somme ? Tous, ici, se révoltaient contre le sort réservé aux esclaves noirs des plantations du sud des États-Unis, mais chacun se permettait d'utiliser Lucie comme tel ! Ne lui versait-on pas des gages proprement ridicules pour la somme de travail qu'elle abattait ?

Fâché, Bastien a riposté :

— Flavie, tu exagères ! Pas plus tard qu'il y a une semaine, elle s'est reposée pendant quatre jours !

— Parce qu'elle était brûlante de fièvre !

Envahie par un vif sentiment d'injustice, Flavie a repris d'une voix vibrante, après avoir inspiré profondément pour retrouver son calme :

— Je le sais, moi, ce que c'est que de vider des pots de chambre. De nettoyer les latrines. De frotter du linge sale. C'est un travail héroïque ! Il faudrait donner à Lucie un salaire dix fois plus élevé !

Embarrassé, Bastien a baissé les yeux tandis que les regards ahuris des autres membres de la maisonnée valsaient de l'un à l'autre. Avant de quitter la pièce à grandes enjambées, Flavie a conclu :

– D'ailleurs, à partir de maintenant, je ne laisserai plus Lucie faire ces ouvrages dégradants. *Je* vais descendre mon pot de chambre et *je* vais laver mes pantalettes !

Au grand étonnement de Lucie, elle a tenu promesse. La surprise initiale passée, Édouard Renaud a été le premier à convenir que les propos de Flavie avaient du sens et que la justice sociale commençait à se pratiquer entre les murs de sa propre maison. En conséquence, il a doublé ses gages. Archange a boudé plus longtemps, puis un jour, elle a pris la peine de mieux organiser l'emploi du temps de leur domestique pour lui permettre non seulement d'avoir une pause pendant l'après-dînée, mais de remonter dans sa chambre dès le souper terminé.

Imitant Flavie, Bastien s'est résolu à prendre charge de quelques corvées malgré ses harassantes journées de travail. Julie a bien dû s'y résoudre à son tour… La transition n'a pas été si malaisée ; une année plus tôt, les finances du maître de maison étaient si mal en point qu'il ne pouvait même plus se permettre d'entretenir un seul domestique, et chacun avait dû collaborer aux tâches ménagères.

Dans ce contexte, Flavie n'a pas eu trop de misère à convaincre Archange qu'il était indécent de jeter Lucie sur le pavé pendant les vacances d'été. Non seulement il fallait continuer à lui verser ses émoluments, mais il convenait de lui accorder un séjour dans sa famille. À même son propre salaire, elle a glissé dans la main de la jeune servante, en catimini, la somme nécessaire pour couvrir les frais du voyagement et pour s'offrir quelques douceurs.

Dix heures viennent tout juste de sonner lorsque Flavie s'installe dans un coin de leur petite cour arrière pour laver des sous-vêtements dans un bac. Les parents de Bastien sont déjà sortis, chacun de son côté; quant à Julie, elle dort encore, selon son habitude. Flavie a fini par croire que, pour la tirer du lit avant onze heures du matin, il faudrait lui verser un seau d'eau froide sur la tête!

Elle est interrompue dans son travail par une Lucie essoufflée, les yeux ronds, qui s'écrie:

– Petite madame, venez voir! On dirait des flammes plus bas, en ville!

Alarmée, Flavie ne prend pas la peine de lui rappeler sa promesse de troquer le «petite madame» par son prénom. À sa suite, elle traverse le rez-de-chaussée et débouche sur le perron de la maison. Lucie tend le bras franc sud et Flavie plisse les yeux. Par ce temps clair, la brise ayant cédé au lever du soleil, d'innombrables filets de fumée montent tout droit vers l'azur. Mais aussitôt, elle repère un nuage foncé noyé parmi la brume pâle. Le cœur de Flavie fait une embardée: n'est-ce pas dans le faubourg Sainte-Anne, à proximité de la maison de ses parents, rue Saint-Joseph?

Aussitôt, elle tente de minimiser l'événement. Il s'agit sûrement d'un incendie localisé comme il en survient fréquemment dans les faubourgs où maisonnettes et hangars en bois sont cordés! Bien des citoyens réclament d'ailleurs à grands cris des règlements de construction plus stricts. On laisse spéculateurs et entrepreneurs s'enrichir impunément en érigeant ainsi, à tort et à travers, des rangées de misérables masures étroitement accolées! Dans les parties densément peuplées de la ville, les bâtiments devraient obligatoirement être en pierre ou en brique, les toits, recouverts de fer-blanc, de tôle ou d'ardoise.

Néanmoins, Flavie se précipite à l'intérieur pour se vêtir convenablement. Tandis qu'elle dévale la côte jusqu'au faubourg Sainte-Anne, elle a le temps de se rassurer : le fléau semble sévir plus à l'est, près de la place Chaboillez. En effet, dès qu'elle y parvient, Flavie constate un grand branle-bas de curieux qui observent les pompiers volontaires occupés à activer leurs assourdissantes pompes à incendie, pendant que de nombreuses familles s'empressent de vider leurs maisons, déposant leurs effets au milieu de la place.

Pour Flavie, c'est un spectacle désolant mais familier, qu'elle contemple pendant de longues minutes avant de reprendre la route. À chaque année qui passe, les faubourgs s'étendent comme une araignée tisse sa toile, mais les équipements techniques ne suivent pas au même rythme. Plusieurs voix s'élèvent pour dénoncer la faible quantité de réservoirs d'eau, le manque d'outillage et surtout l'organisation approximative du service des incendies de la corporation municipale.

CHAPITRE III

Un livre ouvert devant elle, Léonie s'y penche, son doigt errant sur le croquis dessiné par la maîtresse sage-femme Marie-Anne Boivin illustrant l'anatomie du bassin. Les deux jeunes femmes qui l'entourent observent attentivement son léger mouvement :

— Notez, sur l'os de la hanche, la cavité profonde destinée à l'articulation du fémur, qui sert à diviser cet os en trois régions différentes : la supérieure, ou saillie de la hanche, l'antérieure, ou les pubis qui soutiennent les organes qui se développent à la puberté, et enfin, l'inférieure... vous vous souvenez de son sobriquet, j'en suis persuadée !

— L'os de l'assiette !

Avec un sourire, Léonie ajoute :

— En effet, les anciens Français nommaient ainsi l'ischion, parce que le corps est appuyé sur cette partie dans la position assise. Si les anatomistes étaient moins sérieux, moins imbus de cette incompréhensible langue grecque, vous n'auriez aucune difficulté à retenir tous ces termes, n'est-ce pas ?

Ses deux élèves opinent fortement du bonnet.

— Les ouvertures du bassin sont généralement qualifiées de « détroits », parce qu'elles forment une sorte de rétrécissement. Leurs noms ?

– Le détroit supérieur, ou abdominal, et le détroit inférieur, ou périnéal.

– Très bien. Les deux bords inférieurs des os coxaux délimitent une grande partie du détroit périnéal. Disposés sur deux plans opposés, ils forment, par leur rencontre sur la tubérosité de l'ischion, un angle obtus qui partage l'étendue du détroit en deux portions distinctes par leur direction : l'une antérieure, sous-pubienne, et l'autre postérieure, ischiatique.

Léonie enchaîne ensuite sur le sacrum, cet os qui compose la partie postérieure du bassin et dont la face interne concourt à former l'excavation pelvienne.

– Les bords latéraux du sacrum portent beaucoup d'aspérités et d'ouvertures irrégulières. À quoi servent-elles ?

– À l'implantation des ligaments.

– Et à laisser passer quelques vaisseaux sanguins qui pénètrent dans le tissu de l'os. Ce qui m'amène à vous entretenir de l'importance des ligaments. C'est difficile à concevoir sur une illustration et même sur un squelette, mais les os du bassin sont soutenus dans leur contact par divers ligaments qui forment ainsi des articulations, cependant entièrement immobiles.

Léonie poursuit pendant un bon moment ses explications sur l'anatomie du bassin, puis elle se laisse aller contre le dossier de sa chaise en décrétant une période d'étude. Elle pousse un soupir discret et observe rêveusement l'air concentré des jeunes femmes penchées au-dessus du livre. Depuis trois semaines, le samedi matin, Léonie accorde une séance de rattrapage à ses plus faibles élèves. Elle doit avouer que la tâche est passablement essoufflante et qu'elle accueillera avec soulagement l'arrivée de la relâche estivale, au début du mois de juillet !

Léonie est morose en ce qui concerne l'avenir de l'École de sages-femmes de Montréal. Pour l'année 1850, la troisième depuis l'ouverture, elle a eu sept inscriptions seulement, un chiffre à la limite de l'insuffisant. Malgré l'excellente réputation dont jouissent les diplômées, le nombre d'élèves augmente si lentement! Comment pourra-t-elle la garder ouverte longtemps si elle reste perpétuellement à la frontière de la banqueroute?

Et surtout, pourra-t-elle lui donner l'ampleur qu'elle souhaite, une ampleur indispensable pour permettre à ses élèves d'acquérir une formation digne de ce nom? Léonie ne peut plus se satisfaire d'un cours étalé sur une année, à raison de quelques après-dînées par semaine et d'un stage à la Société compatissante. Le temps alloué est suffisant pour les notions de physiologie et d'anatomie comme pour l'exposé sur la science médicale donné par le vieux docteur Marcel Provandier. Mais pour avoir des yeux au bout des doigts, pour développer cette habileté qui ne s'acquiert qu'au chevet des femmes en couches, il faut suivre bien davantage de cas...

Léonie a la ferme volonté d'allonger le programme d'apprentissage de l'École de sages-femmes à deux années, accroissement qui serait principalement consacré aux stages à la Société compatissante. Il reste maintenant à convaincre les dames du conseil d'administration... Elle aimerait que la Société compatissante, même à échelle réduite, joue un rôle semblable à celui des grandes maternités d'Europe, lieux d'apprentissage de première classe pour les sages-femmes! Certes, pour l'instant, la comparaison entre le modeste refuge, qui a huit lits, et les établissements européens, qui peuvent recevoir plus d'une centaine de patientes à la fois, apparaît fort présomptueuse...

Un pas sonore sur la galerie : Léonie lève la tête pour voir Flavie faire bruyamment irruption dans la pièce. Aussitôt, sa fille aînée fait une mine contrite, sans pouvoir cependant se retenir de raconter, malgré son essoufflement, qu'un incendie vient tout juste de détruire cinq maisons du faubourg, mais que, par la grâce de Dieu et l'efficacité des pompes, il a été rapidement maîtrisé. Sans leur secours, dans ce quartier où toutes les maisonnettes sont en bois, les choses auraient pu être bien pires !

Léonie précipite le congé de ses élèves maintenant trop excitées pour se concentrer. Fidèles à leur habitude, mère et fille bavardent tout en se mettant à l'ouvrage, soit l'arrosage du potager. Léonie invite ensuite Flavie à casser la croûte. La jeune femme est sur le point de se décider à remonter rue Sainte-Monique pour terminer la lessive laissée en plan lorsque paraît brusquement sa meilleure amie et également la tendre moitié de son frère Laurent, Agathe, de retour de l'école de la paroisse.

Devant l'air sombre de la jeune institutrice, Flavie et sa mère échangent un regard navré. Depuis le départ de Laurent, en mai, Agathe erre comme une âme en peine. Attaché en qualité de clerc au parlement du Canada-Uni, le jeune homme a vu son destin vaciller en même temps que l'édifice s'écroulait dans les flammes, en avril 1849, victime de tories en colère. Les députés ont terminé la session en siégeant dans la grande salle encore inachevée du marché Bonsecours, sous la protection d'une garde nombreuse et d'une partie d'un régiment cantonné dans l'édifice.

Néanmoins, Montréal étant dorénavant considérée comme une capitale nationale peu sûre, les députés ont voté pour une alternance annuelle entre Toronto et Québec. Les discussions ont été vives entre Laurent et son épouse. Il aurait bien voulu qu'Agathe le suive, mais cette dernière n'a pu s'y résigner. Il lui aurait fallu abandonner non seulement son travail, mais sa famille, à laquelle elle est très attachée, pour aller s'enfermer dans une ville anglaise, loin dans le Haut-Canada!

Tout ce branle-bas a contrecarré un autre projet du jeune couple, celui d'emménager avec Léonie et Simon. De surcroît, un an plus tôt, la mère d'Agathe est tombée malade. Elle a repris un certain aplomb, mais sa santé reste fragile, peut-être pour toujours… Dès son mariage, Laurent s'est installé chez sa nouvelle épouse, mais le frère et les sœurs d'Agathe grandissent et ils peuvent maintenant donner un sérieux coup de main à leurs parents. Pour leur part, Simon et Léonie, seuls dans la vaste maison, s'essoufflent souvent! Leur vie quotidienne est surchargée de tous ces gestes indispensables à la bonne marche d'une maisonnée.

Agathe envisage franchement Flavie avant de lancer, sarcastique:

– Quel bon vent t'amène? Le nordet, assurément, qui n'a pas soufflé souvent dans le faubourg ces temps-ci! Fais attention de ne pas trop vite *désoublier* ton chemin…

Flavie retient une grimace amusée à son intention. Ne sait-elle pas que, dans les premiers temps de son mariage, une femme a fièrement moins de temps à consacrer à ses amies et à son ancienne vie? Se souvenant de son propre désarroi après l'union de son frère et d'Agathe, elle la considère avec indulgence.

– Même si j'ai seulement à débouler en bas de la côte, des fois ça me paraît loin comme d'icitte à demain!

Les deux amies échangent un regard narquois. Rieuse, Flavie ajoute :

— Il faut s'accoutumer à une belle-famille, n'est-ce pas ? Toi, tu avais beau jeu, tu connaissais les Montreuil comme si tu les avais tricotés ! Mais les Renaud...

— C'est si pire que ça ? s'inquiète Agathe. Pourtant, tu ne te plains de rien...

— Ce sont des gens prompts de comprenure, la rassure Flavie avec un clin d'œil. Mais ça aide, question simplicité, quand il n'y a qu'une seule servante. Impossible de compter sur elle pour s'attifer d'une de ces terribles robes qui se lacent uniquement dans le dos !

— Elles sont pourtant bien jolies. Sur le Champ-de-Mars, le dimanche à la relevée, les dames ont fière allure !

Flavie glisse à sa belle-sœur un regard plein d'affection. Les joies du mariage ont donné à cette jeune femme auparavant mince et déliée une rondeur bien plaisante à regarder. Elle propose subitement :

— Tu remontes rue Sainte-Monique avec moi ?

Bras dessus, bras dessous, les deux jeunes femmes marchent d'un pas vif vers le faubourg Saint-Antoine. À son amie de toujours, Flavie raconte comment, au fil des mois, elle a appris à connaître la personnalité de chacun des membres de sa nouvelle famille. Avec un rire, Agathe l'interrompt :

— Comme eux, ils ont pu prendre la mesure de ton caractère entier !

Faisant mine de n'avoir rien entendu, Flavie évoque les nombreuses qualités d'Archange Renaud.

— Son cœur est rempli de sentiments plaisants comme la générosité et l'amabilité. Mais elle a un gros défaut :

quand elle est de mauvaise humeur, elle se décharge sur l'un d'entre nous. Ces derniers temps, je trouve, mon tour est revenu vite...

Elle enchaîne sur le sujet de son énigmatique belle-sœur, Julie Renaud. Même si elle la côtoie depuis presque neuf mois maintenant, Flavie a encore l'impression de la connaître à peine. Lorsqu'elles se retrouvent pour le laçage d'une robe, l'échafaudage d'un chignon ou l'exécution d'une tâche ménagère, leur conversation en reste à un niveau assez formel. Flavie s'informe du déroulement de ses journées ou de son dernier cavalier en titre...

— Pour dire vrai, ma grande, Julie ne m'attire pas le moins du monde. Elle est comme un fantôme qui erre dans la maison... Et puis, elle est fièrement dévote!

Agathe grimace:

— Péché impardonnable à tes yeux! La pauvre, elle est mal amanchée dans ses affaires!

— La semaine dernière, tiens, au souper, je demande à M. Renaud si sa bibliothèque contient des livres sur le socialisme. Elle est devenue rouge comme si je l'avais giflée! «Le socialisme? Bien certainement que non! Ne savez-vous pas que la plupart de ces livres sont à l'Index? Leurs auteurs professent des idées si irrespectueuses de la religion!» Mon beau-père l'a interrompue secquement: «Je suis capable de répondre, je te remercie! La seule personne qui peut se permettre de juger du contenu de *ma* bibliothèque, c'est moi-même!»

Flavie se tait, encore troublée par le regard rancunier que sa belle-sœur lui a alors lancé. Mollement, elle a tenté de lui expliquer que plusieurs socialistes sont des chrétiens convaincus, mais le cœur n'y était pas. Flavie réalise que Julie est mortifiée par l'ombrage que sa belle-sœur lui porte, en apparence du moins, dans l'affection d'Édouard. Elle-même ne réussit que rarement à attirer l'attention de son père, une attention de surcroît fort distraite... Comment pourrait-il en être autrement? La jeune demoiselle est plutôt vaine et, parmi les membres de la maisonnée, seule sa mère s'intéresse aux sujets qui la passionnent!

Reprenant le fil de ses idées, Flavie conclut en expliquant que, malgré leur modestie naturelle, les Renaud ont tendance à se croire, de par leur style de vie, supérieurs aux Canadiens moins fortunés; ils estiment que leur jugement et leurs croyances sont plus valables que ceux de leurs concitoyens moins instruits. Flavie ne se gêne pas pour souligner cette attitude condescendante et avec une intense satisfaction, elle constate que ses prises de position sont rarement vaines. Son influence a entraîné certains changements de comportement qui lui apportent un réel soulagement intérieur.

Lorsque les deux jeunes femmes pénètrent dans le hall de la maison de la rue Sainte-Monique, en fin d'après-dînée, elles doivent contourner une montagne de bagages. Flavie adresse une grimace d'excuse à Agathe. Elle avait oublié qu'en cette veille du départ de la famille Renaud pour Terrebonne la maison aurait l'air d'un vrai champ de bataille! Elle souffle à son amie:

— Je ne leur dirai pas que Bastien et moi, nous allons nous contenter chacun d'une vulgaire besace!

Dans le dessein de faire monter son amie en catimini vers l'étage, Flavie l'entraîne dans l'escalier... où, comble de malchance, elles croisent une Archange hagarde et essoufflée. En peu de mots, Flavie lui présente sa belle-sœur, que la maîtresse de maison connaît déjà, puis elle baisse les yeux pour éviter de donner prise à une saute d'humeur. Peine perdue : avec brusquerie, Archange la tarabuste.

— Mais où étiez-vous donc passée ? J'ai cherché mon châle pendant une heure et je me disais que, peut-être, vous sauriez où il est…

— Derrière le fauteuil du salon, répond Flavie avec précaution. Je crois qu'il est tombé là.

— Vous n'auriez pas pu le ramasser ? Ou, si vous ne vouliez pas vous abaisser ainsi, demander à Lucie de le faire ?

La charge est mesquine, mais Flavie reste coite. Elle veut poursuivre son chemin vers sa chambre, Agathe sur ses talons, mais Archange envisage avec dédain sa belle-fille, au corsage léger à moitié délacé et à la jupe qui descend tout juste jusqu'à ses mollets, et l'apostrophe encore :

— J'espère qu'ainsi attifée vous n'êtes pas allée vous pavaner Grande rue Saint-Jacques ? Ma couturière a travaillé très fort pour vous coudre des robes élégantes, simples certes, mais vraiment de bon goût, que vous laissez dormir dans votre penderie !

Devant des propos aussi injustes, Flavie sent une bouffée d'exaspération lui monter à la tête. Sa belle-mère sait très bien qu'elle endosse ces robes lors de grandes occasions ! Le dédain pour la coquetterie féminine qu'éprouvait Flavie, séduite à son corps défendant par les parures soignées des deux dames de la maisonnée, a notablement diminué. Elle a même profité des quelques réceptions organisées par sa belle-mère pour observer le comportement des dames et il paraît qu'elle a déjà réussi, en société, à polir ses plus frustes manières, ce dont Mme Renaud s'enorgueillit!

– Et regardez-moi cette coiffure! ronchonne Archange en soulevant brusquement la lourde tresse qui pend dans le dos de Flavie. Elle vous donne l'allure d'une jeune fille des faubourgs! Si au moins vous la couvriez avec un bonnet!

Son interlocutrice sait pertinemment qu'elle ne peut se résoudre à abandonner ses tresses pour de bon. Flavie a quelquefois consenti à ce que Julie lui fasse un chignon compliqué, mais elle est bien incapable d'y parvenir elle-même! Elle n'a pas coutume de s'examiner dans le miroir ni de se laver en entier tous les jours. La vie est bien trop courte pour gaspiller un temps précieux à la seule et vaine tâche de bien paraître!

Jusqu'à présent, Flavie a supporté les critiques sans mot dire, mais elle estime que l'asticotage a déjà trop duré. Elle en a plus qu'assez de ces leçons humiliantes, et aujourd'hui de surcroît, en présence d'Agathe! Si la tierce personne avait été une dame de la belle société, jamais Archange ne se serait permis une telle familiarité. Flavie grimpe une marche pour être à sa hauteur et, capturant son regard, elle dit sans animosité, mais avec une froide détermination:

– Écoutez-moi bien, belle-maman. Je vous apprécie fièrement, vous le savez, n'est-ce pas? Vous avez donné beaucoup d'amour et de respect à vos enfants et à votre mari, ça se voit.

Flavie inspire profondément avant de poursuivre:

– En plus, je vous dois une fière chandelle. Sans vous, je n'aurais peut-être jamais retrouvé Bastien...

Alors qu'il était tout juste de retour des États-Unis, Archange était venue révéler à Flavie, rue Saint-Joseph, les circonstances réelles de la fuite de son fils, ce qui avait entraîné leur réconciliation.

— Votre geste, chère Archange, me prouve qu'à l'époque vous aviez une certaine considération pour moi. Les choses ont-elles changé depuis ?

Subjuguée, Mme Renaud secoue faiblement la tête.

— Cette dette de reconnaissance que j'ai envers vous m'a fait tolérer jusqu'ici vos remarques parfois... maladroites. Mais à présent, je ne les accepte plus. Elles me blessent. Je vous prie donc de *retenir votre langue* à l'avenir. C'est clair ?

Flavie juge qu'il n'est pas nécessaire d'en dire plus et elle grimpe dignement les marches. Archange acceptera-t-elle la leçon, elle qui se cabre souvent comme un cheval rétif ? Mais Flavie a pu constater que, généralement, son intelligence et sa grandeur d'âme prenaient le dessus... Avec un mélange d'appréhension et de soulagement, Flavie referme la porte de son boudoir derrière Agathe, qui fait des yeux ronds à son intention. Elle répond par une grimace narquoise :

— Ce n'est pas toujours ainsi, rassure-toi ! Mais enfin, nous voilà à l'abri. Assois-toi, prends tes aises...

Chaque fois qu'elle y vient, Agathe éprouve visiblement un sentiment de malaise dans cet environnement si inusité pour elle : le parquet luisant en lattes de chêne, le magnifique tapis rond tressé qui orne le centre de la pièce, les deux fauteuils profonds, le sofa au tissu bigarré, les lampes sur pied, la haute bibliothèque pleine de livres... C'est cependant un décor bien modeste pour un intérieur bourgeois, songe Flavie avec amusement. Le contraste avec l'opulent salon de Mme Renaud, tout juste en bas, est éloquent !

Les jeunes femmes font valser leurs sandales, délacent encore davantage leurs corsages, puis se rafraîchissent la nuque. Elles prennent enfin place nonchalamment dans les fauteuils et s'absorbent dans une conversation à bâtons rompus, sur leur métier et surtout sur leurs maris respectifs, dont elles évoquent en gloussant certains comportements très masculins et plutôt étranges...

Avec une gravité soudaine, Agathe confie à Flavie qu'elle a laissé Laurent partir seul pour la première et la dernière fois. Après Toronto, le Parlement siégera à Québec : elle abandonnera volontiers son poste à l'école de la paroisse pour l'y suivre ! Elle s'avoue très lasse des agaceries des marguilliers de la paroisse qui, chaque automne, tentent de lui enlever sa place. Tous, ils connaissent quelqu'un qui, prétendent-ils, a bien plus besoin d'un salaire qu'une femme mariée !

À peine Flavie a-t-elle refermé la porte d'entrée après le départ de son amie qu'elle se frappe le front. Le notaire ! Son lavage ! Mais elle aurait tort de s'en faire : elle a amplement le temps de dévaler la côte jusqu'à la Grande rue Saint-Jacques et, de surcroît, Lucie a étendu les vêtements sur la corde à linge. Croisant la jeune domestique, Flavie s'empresse de la remercier. Lucie rougit jusqu'aux oreilles, peu habituée à une telle manifestation de reconnaissance, et Flavie lui fait un clin d'œil complice devant lequel la servante, trop souvent privée de la plus élémentaire considération, s'épanouit de plaisir.

Flavie sort de la cuisine lorsqu'elle aperçoit Archange qui vient dans sa direction. La jeune femme se raidit, mais la mère de Bastien lui adresse un sourire engageant :

– Votre charmante belle-sœur vous a déjà quittée ?

Elle acquiesce sans desserrer les lèvres et, sur un ton résolument badin, Mme Renaud poursuit:

– Un teint laiteux mais des cheveux d'un noir si profond qu'il en est spectaculaire... Le contraste est magnifique.

Flavie grommelle avec une certaine gentillesse:

– Agathe a hérité de plusieurs traits du visage de sa mère, les pommettes hautes et le nez un peu épaté, et aussi de la même teinte de poil... Pour son grain de peau, par contre, c'est son père tout racopié.

Après une hésitation, elle ajoute:

– Selon les mauvaises langues du voisinage, Léocadie aurait du sang de Sauvage dans les veines.

Avec une moue désolée, Archange commente:

– La pauvre a dû se faire souvent achaler!

À la vérité, personne ne peut nier que le teint de Léocadie Sénéchal a la même dorure sombre que celui des Iroquois du Sault-Saint-Louis qui circulent dans les rues de la métropole. Vêtus à l'occidentale, les hommes passent davantage inaperçus, mais les femmes qui viennent vendre des souliers fort prisés en cuir d'orignal ou de chevreuil sont bien davantage spectaculaires, enveloppées de la tête aux genoux d'une couverture de laine blanche sous laquelle se devinent une jupe de drap bleu et des jambières, appelées mitasses, qui descendent jusqu'à la cheville.

– Je m'excuse, belle-maman, mais Bastien m'attend chez le notaire.

– C'est ma foi vrai! Allez, dépêchez-vous de prendre le large! Mais au cas où je serais trop affairée d'ici demain matin, laissez-moi vous souhaiter les vacances les plus bienfaisantes qui soient...

Contrite et chaleureuse, Archange la gratifie d'un clin d'œil maladroit, puis elle l'embrasse avant de s'éloigner brusquement. La jeune femme hausse les épaules avec une tendre indulgence. Elle va bien finir par s'habituer à l'humeur changeante de la maîtresse de maison! Archange est impatiente et malicieuse, mais son caractère est totalement dépourvu d'une quelconque méchanceté. Comme un enfant, elle est incapable d'une rancune durable. Par chance, elle a trouvé le mari qui lui est parfaitement accordé! Édouard fait contrepoids à sa légèreté par sa gravité, à son bavardage par son mutisme, à sa propension à papillonner par sa constance...

La pièce est plongée dans la pénombre, mais de fins rayons d'une lumière pâle se glissent par les interstices des volets clos. Encore endormie, Léonie les observe paresseusement, séduite par la lueur d'un blanc crémeux. Le ciel est sans doute couvert, songe-t-elle avec espoir, de gros nuages gris qui crèveront bientôt? Le mois de juin est particulièrement étouffant cette année... Mais elle corrige aussitôt son impression initiale. Émergeant soudain au-dessus des toits, le soleil fait pénétrer dans la chambre un rai magnifique.

Comme si elle répondait à ce signal, la respiration de Simon devient légère et désordonnée, et Léonie devine que son réveil est imminent. Se tournant à moitié vers lui, elle contemple ses paupières closes et ses sourcils froncés sous l'effet de l'un de ces rêves si fréquents au petit matin. Son mince visage est de proportions harmonieuses, comme tout le reste de son architecture. Quelques-uns se sont laissé berner par ce corps d'adolescent en apparence point tout à fait mûr, croyant y déceler un signe de faiblesse. Mais Simon est agile et vigoureux, d'une force étonnante compte tenu de son gabarit.

Ses cheveux gris encore épais et bien plantés sur ses tempes lui retombent sur le nez, ce qui le chatouille et lui fait enfin ouvrir les yeux. Il se donne le temps de reprendre contact avec la réalité en laissant son regard errer dans la pièce, puis il s'étire de tout son long. Enfin, il jette un œil à sa femme tout en glissant sa main jusqu'à la poser sur son bras.

Ce léger contact suffit pour que s'installe, au creux du ventre de Léonie, un appétit familier. Elle en est plutôt ennuyée et, pendant un moment, elle tente de l'ignorer en se concentrant sur l'évocation des tâches habituelles de chaque début de matinée : descendre le pot de chambre et le vider dans les latrines installées dans le fond de la cour, aller puiser de l'eau fraîche au puits, mettre le canard sur le poêle, se faire griller, comme à chaque dimanche, d'épaisses tranches de pain que Simon et elle dégusteront avec de la confiture…

Mais Léonie sait que la bataille est perdue d'avance. L'exigence qui l'habite en ce moment va demeurer bien vivante jusqu'à ce qu'elle y réponde. Absorbée par son travail, elle pourra l'oublier pendant une journée entière, mais chaque fois qu'elle croisera dans la rue un homme au corps avenant, chaque fois qu'elle frôlera Simon, à chaque coucher et à chaque lever, elle sera tarabustée par le besoin de soulager la tension qui s'installe au moindre prétexte dans ce lieu secret du plaisir, le clitoris, que, contrairement à bien des femmes, elle a appris à nommer.

L'urgence de cette envie de caresses est inusitée et Léonie en est réellement mortifiée. Selon sa propre expérience et selon quelques confidences qu'elle a reçues, elle sait que l'intensité du désir est variable au cours de la vie d'une femme. Très ardent pendant la jeunesse, il s'apaise un peu pendant les maternités. Plus tard, lorsque les enfants grandissent, il reprend de la vigueur... surtout si l'époux n'est pas dédaigneux de sa femme. Même chauves, même pansus, même voûtés par l'âge, trop d'hommes ne s'animent qu'en présence d'une jouvencelle ! Comme s'ils croyaient s'offrir une cure de rajeunissement...

Depuis que leurs enfants ont quitté la prime jeunesse, Léonie et Simon se sont coulés dans un rythme tranquille d'étreintes, une fois par semaine, le samedi soir ou le dimanche matin... quand elle n'est pas au chevet d'une cliente et quand il n'est pas enrhumé ou préoccupé. Leurs câlineries n'en sont que plus agréables, superbement intenses. Bien entendu, l'accord n'a pas toujours été parfait. Au tournant de la quarantaine, Léonie a traversé une période plutôt sombre et tourmentée, et sa disponibilité s'en est ressentie. Quelques années plus tard, lorsqu'elle a fondé son École de sages-femmes, Simon en a été jaloux et sa rancune l'a souvent détourné de sa femme.

Mais, en règle générale, Léonie est plutôt satisfaite de son sort. Un an plus tôt, cependant, au cours de l'hiver précédent, elle s'est sentie progressivement envahie par un goût quasi irrépressible de jouir. Elle a d'abord sollicité Simon, mais son mari, qui venait de franchir le cap de la cinquantaine, fut incapable de soutenir la cadence. Pour le stimuler, Léonie devait y consacrer une trop grande énergie ! Elle doit donc prendre son mal en patience, repoussant son besoin pour le faire correspondre à celui de son époux. Si elle pouvait vider son esprit de toutes les images concupiscentes qui l'envahissent même la nuit, dans ses rêves!

Léonie a fini par se dire qu'elle avait commencé son retour d'âge. Si certaines bourrassaient pour des riens, si d'autres avaient des bouffées de chaleur, si d'autres encore perdaient tout intérêt pour le mâle, elle était devenue une femelle en chaleur! Bien entendu, personne n'osait avertir les femmes que la chose était possible. Mais ce phénomène physique obscur, qui entraînait tant de changements corporels à l'adolescence, pouvait certes dérégler une femme à l'autre bout du cycle! Tant qu'à en subir des ennuis, Léonie préférait qu'il s'agisse de celui-là...

Elle sourit à Simon et, après un temps, elle souffle :
– Nous sommes seuls dans la maison. À certains moments, cela me plaît tant...

Léonie peste fréquemment contre toutes les corvées qui lui échoient, mais pour l'heure, ravie par ce matin de printemps paresseux, elle jouit intensément de se trouver avec son mari dans le cocon de leur lit. Cela lui arrive si rarement! D'habitude, l'absence de Cécile, sa fille cadette, la blesse comme une aiguille en plein cœur. Il y a deux ans et demi maintenant, Cécile est partie en mission dans le Haut-Canada avec une poignée de sœurs grises désirant y fonder un couvent. Jusqu'à l'année dernière, la jeune fille écrivait régulièrement à sa famille, mais ses missives se sont espacées avec le temps.

Cécile est en pays de colonisation, si loin d'elle! S'il lui arrivait malheur, Léonie ne pourrait rien faire pour la secourir… Cette pensée la torture littéralement. Quelle folie que d'avoir accepté son départ! Mais avait-elle réellement le choix? Cécile serait partie malgré tout, elle en est persuadée, même sans la protection d'une communauté religieuse! C'est du moins ce que Léonie se répète à satiété pour tenter d'amoindrir le pernicieux sentiment de culpabilité qui l'envahit chaque fois qu'elle songe à sa fille. Sentiment que, sans le vouloir, son mari attise lorsqu'il rumine à voix haute sur leur trop grand laxisme… Loin de sa famille, qui plus est en territoire hostile où les lois morales sont quasiment inconnues, Cécile est la proie rêvée pour n'importe quel beau parleur!

Prenant sa défense, Léonie s'évertue à rappeler à Simon avec quel soin, surtout pour leur éviter des conséquences fâcheuses, elle a transmis sa propre conviction à ses filles : sauf l'accouplement, tout est permis avant le mariage entre adultes consentants. C'est ainsi que sa propre mère l'a élevée, selon un gros bon sens paysan qui, malheureusement, se perd sous les assauts répétés des sermons qui tombent de la chaire sur les épaules courbées des fidèles. Mais il faut dire que, de surcroît, sa mère et ses tantes Bernier étaient habituées au langage des choses du corps. Leur propre mère n'était-elle pas sage-femme, héritière d'un vaste savoir?

Bien des parents, et à plus forte raison le curé de la paroisse, se scandaliseraient s'ils savaient la liberté de parole qui règne rue Saint-Joseph, dans l'intimité des Montreuil. Malgré la réalité des choses, beaucoup croient dur comme fer qu'il suffit de se taire pour qu'un jeune reste ignorant des « tentations du démon »! Un tel silence laisse de tristes séquelles, comme Léonie le constate souvent dans sa pratique. Bien des jeunes personnes trop naïves, troublées par des sensations qu'elles ne peuvent même pas nommer et qui sont recouvertes du voile de la honte, arrivent rarement à profiter en toute liberté de ce merveilleux cadeau dont le Créateur a gratifié les humains...

Un léger sourire s'est frayé un chemin sur le visage de Simon. Autant par besoin de réconfort que par envie de libertinage, Léonie se blottit contre lui, descendant la main jusqu'à la naissance de ses fesses le long du creux de sa colonne vertébrale. Elle a toujours trouvé émouvante cette transition soudaine entre la dureté et la mollesse, entre la ligne et le galbe... Elle pousse un profond soupir de satisfaction lorsque son mari la presse contre lui et qu'il glisse les mains sous sa légère chemise de nuit.

Au fil des mois, elle a fini par accepter le fait que, parfois, il lui fallait se satisfaire elle-même. Autrement, elle ne pourrait peut-être pas s'empêcher de faire les yeux doux à l'un ou l'autre de ses virils voisins! Le geste n'est pas totalement inusité pour eux deux: à quelques reprises, pendant ses étreintes avec Simon, elle a cédé à l'envie de se stimuler elle-même pour se transporter jusqu'au pic de la jouissance.

Léonie a l'intuition tenace que bien des couples, sauf peut-être les plus dévots, déploient une fabuleuse fertilité d'esprit lorsqu'il s'agit de profiter des plaisirs de la chair tout en empêchant la famille. Même les nombreuses périodes d'abstinence, imposées par l'Église pour se purifier, sont interprétées de manière créative... Mais ce matin, Léonie le sent déjà, elle n'aura qu'à s'abandonner à la danse en couple, leurs mouvements s'épousant à un rythme instinctif, presque magiquement accordé.

CHAPITRE IV

Simon et Léonie sont sur le point de s'attabler pour le souper quand une rumeur inusitée leur parvient de l'extérieur. Tous deux constatent avec étonnement que la foule est déjà nombreuse sur la principale artère du faubourg Sainte-Anne. Léonie se précipite jusqu'au trottoir et manque de se heurter à une pièce d'homme qui passe en coup de vent sous son nez tout en tentant frénétiquement de rentrer sa chemise dans son pantalon. Elle reconnaît Omère Ludsier, qui habite à quelques maisons d'ici et qui, en plus d'être porteur d'eau, remplit l'office de pompier volontaire.

Si, chaque année, plusieurs incendies éclatent à l'une ou l'autre des extrémités de la vaste cité marchande, personne ne s'habitue à la perspective d'un tel malheur. Dès qu'elle entend les cloches des casernes ou le tocsin, Léonie ne maîtrise sa frayeur qu'à grand-peine. Pour se dominer, elle se répète que la plupart des feux sont rapidement éteints. Mais il suffit que l'élément soit incontrôlable pour que des secteurs entiers soient rasés !

Un fort vent souffle, ce qui augure mal pour la suite des événements... Le couple Montreuil s'empresse de rejoindre le groupe formé par l'épicier Marquis Tremblay et sa femme Appolline, ainsi que leurs voisins les plus chers, la famille Sénéchal. Il ne faut pas longtemps pour que la nouvelle bondisse d'un groupe à l'autre: c'est dans le quartier irlandais, Griffintown, que l'incendie s'est déclaré. Il est fort peu probable que les flammes courent jusqu'ici!

Mais pour Léonie, le soulagement est de courte durée. La Société compatissante! En toute hâte, elle fait un décompte mental des lits occupés. Trois seulement, deux femmes enceintes et une jeune accouchée, une mère de famille très pauvre avec son bébé. Sûrement, elles ont déjà quitté les lieux? Le premier réflexe des Montréalistes, en cas d'incendie, est d'abandonner la maison et de s'éloigner, si nécessaire, du foyer d'incendie. Un bâtiment, ça se reconstruit...

Même si elle tente de se rassurer sur le sort de ses patientes, Léonie est remplie d'inquiétude. Agathe lui serre fortement le bras:

– Vous venez avec père et moi? On va aux nouvelles...

Léonie hoche la tête avec gratitude et, Simon sur leurs talons, ils se mettent à marcher à grandes enjambées. Le quartier irlandais est blotti tout juste à l'ouest du cœur de la cité, entre la rue Saint-Joseph et le canal de Lachine. Rapidement, Simon, Léonie, Cléophas et Agathe se heurtent à la foule compacte qui bloque la rue. Le large nuage de fumée, de cendres et d'étincelles crépitantes plane quasiment au-dessus de leurs têtes et une prenante odeur de bois brûlé sature l'atmosphère.

Il est impossible d'avancer davantage, car les soldats de la garnison montréalaise sont en train d'installer, vaille que vaille, un cordon de sécurité. De toute façon, personne ne serait assez fou pour demeurer inutilement à proximité d'un incendie. À moins de s'inquiéter pour un être cher… Simon refuse d'écouter Léonie, qui souhaite emprunter une rue transversale pour tenter de se rendre jusqu'à la Société. Mais elle sait parfaitement que le geste serait dangereux et inutile puisque, à coup sûr, les trois patientes, la concierge, la domestique Marie-Zoé et sa fille Mathilde se sont empressées de s'éloigner. Léonie obéit à son mari qui, la tirant par le bras, amorce un mouvement de retraite vers leur domicile.

Un fichu hâtivement noué sur ses épaules, Flavie dévale la côte vers les basses terres, suivie de près par Bastien. Si elle s'est d'abord alarmée en songeant aux patientes de la Société compatissante, la perspective d'une tragédie la frappe maintenant de plein fouet. Et si Léonie était sur les lieux, en compagnie d'une parturiente, au moment où les flammes ont pris naissance? Comment aurait-elle pu abandonner sur place une femme dans ses douleurs? Sans ralentir, elle se tourne vers Bastien et lui confie ses craintes d'une voix à peine audible. Il tente aussitôt de la rassurer:

— Ta mère est une femme pleine de ressources et courageuse. Je suis persuadé qu'elle aurait su se débrouiller, si vraiment… Mais les probabilités sont si faibles…

— Non! le contredit rageusement Flavie. Les probabilités ne sont pas si faibles! Sally aussi, et Magdeleine…

— Sois raisonnable, la presse-t-il. Ça ne sert à rien de s'en faire d'avance, alors qu'on ne sait même pas ce qui se passe réellement!

Mortifiée d'être ainsi rabrouée, Flavie se détourne et accélère le pas, sa colère remplacée par une angoisse qui lui serre les entrailles. Lorsqu'ils parviennent à proximité du quartier irlandais, leurs pires appréhensions semblent confirmées : les flammes dévorent un large périmètre du faubourg. En un éclair, Flavie se remémore les récits de Simon au sujet de son arrivée à Montréal, à la fin des années 1820. Le sud-ouest de Montréal n'était alors que maisons de ferme, champs cultivés et vergers abondants.

Depuis, Griffintown a littéralement jailli de terre : non seulement les logements ouvriers se sont multipliés, mais également les ateliers de fabrication les plus divers, ce qui en fait l'un des faubourgs les plus animés de la ville. Pourtant, tous ces secteurs situés en périphérie de la cité sont sous-équipés en matière de protection contre le feu. Les administrateurs de compagnie, les échevins et les élus habitent ailleurs, souvent dans l'un de ces beaux quartiers en développement, plus haut sur les flancs du mont Royal !

Sans plus attendre, Bastien et Flavie se remettent en route d'un pas rapide, sans parler, entièrement concentrés sur le but à atteindre, la rue Saint-Joseph. Ils franchissent d'une seule foulée les marches de la galerie. La porte est grande ouverte et Flavie repousse impatiemment le tissu diaphane qui sert de barrière aux insectes. Elle crie pour prévenir de leur arrivée, se déchausse et, quelques instants plus tard, au milieu des exclamations, elle débouche dans la cuisine. La jeune femme est tellement soulagée de voir sa mère tout à fait intacte qu'elle en a les jambes flageolantes ! Elle tire une chaise et s'assoit entre ses parents, les contemplant successivement avec un sourire heureux.

Personne ne songerait même à aller se coucher à un moment pareil, alors Léonie et Simon ont invité les Sénéchal à veiller. Les jeunes frères et sœurs d'Agathe se chamaillent et s'exclament sous l'effet de l'excitation générale. De la nourriture circule, mais, envahie par un sombre pressentiment, Léonie est incapable d'avaler une seule bouchée. C'est la première fois qu'un tel danger menace ses protégées et elle s'en veut terriblement de ne pas avoir été là, sur place, pour diriger l'évacuation.

Léocadie se souvient à haute voix que la dernière fois qu'ils ont été ainsi tous réunis en pleine nuit, c'était parce que le parlement du Canada-Uni brûlait, victime de la colère des tories exaspérés... Les réminiscences fusent de part et d'autre jusqu'à ce qu'Agathe remarque :

– Le tocsin a cessé !

En effet, le silence est frappant et, comme par enchantement, un calme inhabituel semble s'être installé dans le faubourg. L'incendie est donc maîtrisé ! Profondément soulagés, les Sénéchal et les Montreuil se donnent de vives accolades. Même la petite dernière de huit ans, Clémence, perd son habituelle retenue pour se jeter dans les bras de Flavie, qui la fait valser un court instant. Il est presque minuit et les Sénéchal prennent congé de leurs hôtes.

Léonie voudrait se rendre sur-le-champ à la Société, mais les trois autres réussissent rapidement à la décourager. Ce serait une expédition fort téméraire ! Dix minutes plus tard, les deux couples se retirent à l'étage pour une nuit courte et agitée, Flavie ayant tenu à accompagner sa mère jusqu'à Griffintown à la première heure.

Le lendemain, la presse est déjà grande sur l'artère principale du faubourg Sainte-Anne malgré l'heure matinale. Tous quatre sont à peine rendus à l'intersection suivante que Léonie entend qu'on la hèle. Une femme replète,

68

très petite, s'approche en sens inverse en trottinant le plus rapidement possible. Alarmée par le fait que la concierge de la Société a fait tout ce chemin pour venir à sa rencontre, Léonie lui tend spontanément ses deux mains et la veuve Marie-Flonorine Martinbeau les saisit avec gratitude.

À bout de souffle, elle est pâle et échevelée, a les yeux rougis ; il lui faut, pour retrouver l'usage de la parole, un bon moment pendant lequel Léonie refrène à grand-peine son impatience. Enfin, la dame balbutie, son visage se décomposant à vue d'œil :

— Un grand malheur, madame, un grand malheur ! C'est Mathilde...

— La petite ? Expliquez-vous, je vous en supplie !

Les larmes jaillissent des yeux de la veuve Martinbeau et, avec une sollicitude inquiète, Simon vient la soutenir en glissant son bras sous le sien. Après avoir avalé avec difficulté, elle finit par souffler :

— Nous étions tout à côté des premières flammes. J'avais réussi à faire sortir tout le monde, mais Mathilde s'est échappée des bras de sa mère pour aller quérir une quelconque mirlifichure qu'elle avait oubliée en haut... Mais la boucane était partout et je crois qu'elle s'est perdue... Marie-Zoé a voulu y retourner, mais un mur s'est effondré et c'est devenu un enfer... Madame, la petite y est restée !

Flavie se mord les lèvres pour retenir un cri tandis que Bastien bégaye, navré :

— Le bout de chou qui habitait à la Société avec sa mère ? Tu l'aimais tant...

Flavie balbutie en se laissant aller contre lui :

— Oh, Bastien...

Abandonnée contre Simon, la concierge sanglote maintenant de toute son âme. Atterrée, Léonie est incapable de lui offrir le moindre réconfort. La fillette ensoleillait la vie de toutes celles qui fréquentaient le refuge, et surtout des patientes les plus démunies qui avaient tant besoin de sa gaieté et de son innocence ! Comme Marie-Zoé doit souffrir, elle qui avait retrouvé le goût de vivre après avoir mis cet ange au monde… En un éclair, Léonie se remémore l'arrivée de la jeune «ébraillée» abandonnée de tous, sauf d'une dame visiteuse des pauvres qui l'avait trouvée dans une maison désertée. Il avait fallu à Léonie beaucoup de compassion pour l'apprivoiser…

– Hélas, la petite mignonne a été reçue au paradis ! Elle est heureuse, pour le sûr, dans le monde céleste, mais c'est une grande perte pour nous et surtout pour sa tendre mère !

Avant de prendre congé pour aller se réfugier chez sa sœur, qui habite dans le faubourg Saint-Laurent, Mme Martinbeau leur raconte que Marie-Zoé est retournée à proximité de la Société compatissante et qu'elle refuse farouchement de quitter les lieux. Dans un grognement, Simon souligne la folie de s'aventurer ainsi dans Griffintown, alors que des pans de mur peuvent encore s'écrouler et des braises rougeoyer sous les cendres, même en pleine rue…

Mais Léonie ne peut abandonner Marie-Zoé à son chagrin et bientôt, dans un silence consterné, le petit groupe parvient aux abords de la zone sinistrée. Çà et là, des familles sont installées en plein air au milieu des maigres possessions qu'elles ont pu sauver des flammes… Bientôt, ils cheminent avec précaution parmi les décombres encore fumants. Fort heureusement, ils n'ont qu'une courte distance à franchir dans le faubourg ravagé pour atteindre le bâtiment. Il était temps : l'absence presque totale des repères familiers les désoriente complètement.

Debout en plein milieu de la rue entre des amas de gravats, deux femmes enlacées sont immobiles comme des statues. Le visage maculé, la robe déchirée, Marie-Zoé ne semble même pas remarquer leur arrivée. Tout le corps tendu vers les ruines du refuge, les yeux fixes et les traits figés, elle donne l'impression de vouloir attendre, éternellement, le retour de sa fille.

— Léonie ! murmure l'autre femme, grande et solide. Je vous espérais ! Quelle tragédie, n'est-ce pas ?

— Chère Françoise, balbutie Léonie, la gorge serrée, vous êtes une soie, toujours là au bon moment…

Si peu de bourgeoises se préoccuperaient avec autant de compassion du sort d'une vulgaire domestique ! Les cheveux retenus à la nuque par un simple ruban, la robe boutonnée de travers, la vice-présidente du conseil d'administration de la Société compatissante de Montréal cligne des yeux comme pour retenir des larmes toutes proches, puis elle reprend, la voix rauque :

— J'ai bien essayé de raisonner notre pauvre amie, mais peine perdue… Bonjour, monsieur Montreuil, monsieur Renaud… Je m'attendais bien à vous voir ici…

Avec un sourire empreint de tristesse, Françoise Archambault ajoute :

— Vous êtes entourées d'hommes dépareillés.

— C'est un spectacle qui arrache le cœur, articule lentement Simon en désignant les environs dévastés. Je crois que je ne m'y habituerai jamais… Vous savez si on déplore d'autres… ?

Il n'ose pas terminer sa phrase et Françoise répond par un signe d'ignorance. Enfin, Léonie ose jeter un regard franc vers ce qui était jusqu'à cette nuit une belle et solide maison de deux étages surmontée d'un grenier, et où, à partir du printemps 1846, elle a accueilli des centaines de femmes enceintes. Il n'en reste plus que des murs à moitié écroulés et la haute cheminée de pierre... Tout a disparu, note Léonie avec effroi, le mobilier et les médicaments, les précieux registres et les dossiers de toutes les patientes qui s'y sont succédé... Le feu a détruit quatre années d'un travail acharné!

Françoise et Léonie échangent un regard anéanti. Les deux femmes envisagent parfaitement, à la seconde même, l'ampleur de la tâche qui les attend pour remettre le refuge sur pied. Cet incendie signera-t-il l'arrêt de mort de la Société compatissante? Incapable de réprimer un tremblement, Léonie ferme les yeux un court instant pour reprendre la maîtrise de ses émotions.

À mi-voix, Simon lui rappelle qu'ils doivent repartir le plus tôt possible. Faisant un effort de volonté, Léonie reprend contact avec la réalité et se tourne vers Marie-Zoé, dont la posture et l'expression n'ont pas changé. Il n'est plus temps de finasser. Avec un soupir, elle murmure à la cantonade :

– Vous êtes parés? Nous allons l'emmener rue Saint-Joseph.

Poussant un cri de révolte qui semble jaillir du plus profond de ses entrailles, Marie-Zoé refuse obstinément de les suivre. Elle déploie une énergie peu commune pour un si frêle bout de femme, se débattant si furieusement qu'il semble bien que, même à cinq, ils ne réussiront pas à l'entraîner sans recevoir coups de pied ou de poing.

Par l'arrière, Bastien la ceinture enfin, lui immobilisant les bras contre le corps. Elle est sur le point de ruer comme un cheval fou lorsque Léonie se décide soudain : elle la gifle fortement à deux reprises. Stupéfiée, Marie-Zoé considère Léonie avec égarement, puis elle se met à sangloter à fendre l'âme, secouée de gémissements puissants. Flavie et Françoise lui entourent la taille de leurs bras et dirigent aussitôt ses pas loin de cet endroit maudit.

Selon les papiers-nouvelles, apprennent-ils plus tard, l'incendie a pris naissance dans l'atelier d'un charpentier. Alimenté par les vents violents, il s'est étendu à la vitesse de l'éclair et seuls les entrepôts de farine en pierre de taille à proximité du canal de Lachine en ont arrêté la progression. Une femme âgée et quelques enfants y ont perdu la vie et près de deux cents maisons ont été détruites, ainsi qu'une énorme quantité de cette farine, sortie des voûtes avec tant de précipitation que les barils se sont disloqués en cours de route.

La rapidité de propagation des flammes a pris de court la plupart des familles d'artisans, qui n'ont pu sauver leurs biens ; elles se retrouvent maintenant sans rien, avec leur seule force de travail pour se reconstituer un patrimoine... Les *sheds* de la Pointe-Saint-Charles, qui ont servi à abriter les immigrants pendant tout le temps qu'a duré l'épidémie de typhus de 1847, sont rouvertes pour les sans-logis, auxquels la Ville fait parvenir des provisions.

Il faut quelques heures à peine aux sages-femmes pour retrouver la trace des trois patientes. La jeune accouchée restera chez elle, visitée par une dame patronnesse. Pour sa part, Brigitte est hébergée par Sally Easton. Elle et sa famille habitent un tout petit deux pièces à la Pointe-Saint-Charles. Il lui aurait été impossible de s'y reposer pendant ses relevailles ! Quelques jours plus tard, elle met son cinquième enfant au monde, mais, pris de convulsions, le nouveau-né rend l'âme.

De son côté, Léonie accueille Henriette. Lorsque Flavie rend visite à ses parents, plusieurs jours plus tard, y traînant son mari, elle découvre la jeune femme assise sur la chaise berçante, à côté du poêle, qui tient tout contre elle un poupon qui boit goulûment au sein. Flavie lui jette un regard ébahi, puis elle se ressaisit et s'exclame avec chaleur :

— Henriette ! Votre bébé est né ?

Elle se dépêche vers elle pendant que Simon grommelle à l'adresse de Bastien :

— Léonie l'a délivrée avant-hier matin. Il y a bien longtemps que j'avais entendu les gémissements d'une femme en train d'enfanter !

— Henriette s'est comportée comme une reine, s'empresse de préciser Léonie en lançant un regard de reproche à son mari. Et pourtant, elle a souffert. Il m'a fallu décoller l'arrière-faix et elle a saigné. C'est la première fois qu'elle se lève de son lit, et pour une petite heure seulement !

Agenouillée à côté de celle qui, rougissante, est la cible de l'attention générale, Flavie caresse la tête du nouveau-né avec un sourire attendri. Léonie jette un coup d'œil à son gendre, assis à califourchon sur une chaise au bout de la table. Bastien enveloppe sa femme d'un regard pensif dans lequel Léonie croit déceler une douleur sourde. Ce n'est pas la première fois qu'elle a l'impression que le jeune médecin, en s'inclinant devant la volonté de sa femme de repousser la maternité, se marche sur le cœur. Flavie a-t-elle conscience du sacrifice auquel il consent pour elle ? Léonie en doute sincèrement. Sa fille est emportée par son appétit de vivre...

— Cette pauvre Marie-Zoé, où est-elle ? demande Flavie. Que fait-elle ?

— Elle est chez Françoise Archambault. Elle ne fait rien.

Sourdement, Henriette ajoute :

— On dirait qu'en mourant sa fille a emporté l'âme de sa mère avec elle au paradis.

— Ou en enfer, grogne Simon. Croyez-moi, madame, Marie-Zoé est en enfer.

Un lourd silence s'installe, brisé seulement par les protestations du nouveau-né qui vient d'échapper le mamelon. Plus tard, se retrouvant un instant seule avec sa mère sur la galerie, Flavie lui demande à mi-voix :

— Henriette a gardé son bébé ? Elle était pourtant bien décidée à le confier aux sœurs...

Léonie répond avec tristesse :

— Un autre garçon qui sera élevé par un peu n'importe qui pendant que sa mère travaillera...

Henriette n'a pu se résoudre à se séparer de son nouveau-né, s'offrant une période de grâce, mais l'implacable réalité du monde moderne la rejoindra bien vite. Dans un mois, peut-être deux, cette jeune ouvrière sera bien obligée de retourner à l'atelier, confiant son nourrisson qu'elle devra sevrer avec des bouillies à sa vieille mère, infirme et à moitié aveugle. À moins qu'une voisine compatissante ou qu'une fillette du quartier s'offre pour en prendre charge pendant la journée. Il faudra que ce bébé ait une santé de fer pour survivre dans un monde si dur...

– Peut-être qu'Henriette rencontrera enfin un homme aimable, rétorque Flavie sourdement, qui sera disposé à la marier? Peut-être qu'elle aura eu raison d'espérer…

– Je le lui souhaite de tout mon cœur. Sans homme, les femmes sont bien démunies…

Se secouant, Léonie dit encore:

– Il y a une assemblée générale chez Marie-Claire demain, à la relevée. Tu y viendras? Mais rassure-toi, les nouvelles sont bonnes! Pendant un moment, j'ai eu peur que la destruction de la Société ne signe son arrêt de mort, mais j'avais tort de m'en faire…

Après un court mais intense épisode de découragement, les conseillères de la Société ont décidé de se retrousser les manches. Leur organisme charitable répond à un besoin trop crucial pour être abandonné à un funeste coup du sort. De surcroît, Marie-Claire Garaut et Françoise Archambault, respectivement présidente et première vice-présidente du conseil d'administration, forment un duo étonnamment bien accordé. Sous leur direction, la Société compatissante a prospéré d'une manière inattendue, réussissant même parfois, à la fin de l'année financière, à dégager de légers surplus. Ce qui ne veut pas dire, songe Flavie, que les victoires leur viennent aisément! Elle est bien placée pour savoir que toutes deux travaillent avec acharnement, consacrant à la Société l'essentiel de leurs loisirs… heureusement nombreux dans l'existence des bourgeoises.

Le lendemain, l'après-dînée est déjà bien avancée lorsque Flavie réussit à boucler toutes ses tâches ménagères. Quand elle se présente rue Sainte-Élisabeth, dans le chic faubourg Saint-Jacques, l'assemblée générale spéciale de la Société compatissante est commencée depuis une bonne demi-heure. Léonie brille par son absence et sa fille en conclut qu'elle a été retenue par une urgence. En attendant la réouverture de la Société, elle s'est mise disponible pour les délivrances et elle lui a raconté, la veille au soir, que l'une de ses patientes était sur le point d'enfanter.

Le salon est bondé de dames et Flavie se glisse silencieusement derrière elles. L'une des conseillères, Euphrosine Goyer, tourne lentement la tête vers elle et lui jette un regard teinté de fierté dédaigneuse. Flavie fait semblant de ne pas s'en apercevoir et se laisse tomber avec sa nonchalance habituelle sur les briques devant l'âtre éteint. Contrairement à la plupart des autres conseillères, la digne Euphrosine ne décolère pas. Elle a subi tout un choc en apprenant qu'une épouse de médecin aurait droit à un salaire, même symbolique, pour ses deux journées hebdomadaires de travail à la Société! Sa réprobation muette transparaît dans le moindre de leurs rares échanges.

Heureusement, pour soutenir Flavie dans ses entreprises, il y a Françoise Archambault, assise sur une chaise droite à une extrémité du salon à proximité de Marie-Claire et qui lui adresse justement une œillade amicale. Encore une fois, Flavie s'amuse du contraste entre les deux femmes : la première, grande et forte, plutôt osseuse, les traits virils de son visage adoucis par de magnifiques yeux pers encadrés de longs cils recourbés, et la deuxième, petite et grassouillette, le visage large et rond orné d'un nez acéré et d'une bouche aux lèvres minces.

La plus revendicatrice de toutes, Françoise n'hésite pas à réclamer ce qu'elle considère comme un dû. Flavie et elle ont de passionnantes discussions au sujet du féminisme et plus particulièrement de la question du travail qui, selon la vice-présidente de la Société, est le terrain d'une lutte sans merci. D'un côté, les tenants du libéralisme économique triomphant embauchent, sans vergogne aucune, ouvrières, vendeuses et domestiques et leur concèdent des salaires de misère. De l'autre, les idéalistes à tous crins souhaitent pour les femmes un seul destin, celui de mère au foyer, et poussent des hauts cris en constatant que la société canadienne s'en va à la dérive et que les enseignements divins, qui assignent aux femmes le rôle étroit de procréatrices, sont bafoués!

Mais comment les femmes pourraient-elles s'y retrouver, ronchonne Françoise, dans ce salmigondis de préceptes et de comportements contradictoires? Ce destin que ces commerçants et ces industriels repousseraient de toutes leurs forces pour leurs épouses ou leurs filles, ils le font subir à ces femmes des milieux populaires sous prétexte que Dieu lui-même a conçu le monde ainsi, avec une poignée de gens qui gouvernent et tous les autres qui courbent l'échine!

À cette conception manichéenne de l'ordre social, Françoise oppose toutes les philosophies modernes qui, au contraire, prônent une égalité des chances pour chacun, grâce notamment à l'instruction. Elle s'y oppose également de toute la force de son féminisme. Ce mot que l'on n'ose même pas prononcer à voix haute, parce qu'il est entouré des pires préjugés, Françoise s'en revêt comme d'une toge, avec superbe et dignité! Peu lui chaut que, dans bien des chaumières, et surtout dans nombre de demeures bourgeoises, on brosse le portrait des féministes avec une extrême cruauté. Femmes hommasses, viragos frustrées, rien ne leur est épargné...

Flavie tressaille : Marie-Claire est en train d'annoncer que c'est grâce aux démarches de Céleste d'Artien, l'une des conseillères, que la Société va pouvoir bientôt se réinstaller dans une nouvelle maison. L'assemblée applaudit la dame toute menue d'une soixantaine d'années qui baisse les yeux avec une mine embarrassée. Plus central, le refuge sera situé rue Henry, dans le petit faubourg des Récollets, tout juste à l'ouest de la rue McGill, dans un ancien hôtel particulier que les propriétaires louaient jusqu'à présent à des marchands qui s'en servaient comme lieu d'entreposage.

La maison est deux fois plus grande que l'ancienne, déclare Marie-Claire avec satisfaction, et le nombre de lits disponibles passera à quatorze. Sous les combles, deux des trois anciennes chambres de bonnes deviendront des chambres privées payantes, tandis que la dernière sera réservée à Marie-Zoé, la domestique. Quatorze lits ! Beaucoup plus d'occasions d'assister à des accouchements ! Flavie songe à quel point cela tombe à pic pour Léonie, qui souhaite allonger la formation de ses élèves à deux années.

Si l'indemnité des assurances va couvrir une bonne partie des dépenses reliées à l'installation, les dames devront quand même s'astreindre à une quête, soutenues en cela par le comité de messieurs formé plusieurs années auparavant. Flavie ne peut retenir un sourire de satisfaction. Cet hiver, elle a réussi à recruter son beau-père. Avec sa discrétion habituelle, Édouard Renaud leur a déjà trouvé plusieurs souscripteurs fortunés. Grâce à lui, sans aucun doute, mobilier et objets divers afflueront bientôt dans les nouveaux locaux de la Société !

La date de réouverture de la Société compatissante est fixée au 1er octobre suivant ; rapidement, les tâches sont distribuées entre les conseillères. Puisqu'un grand nettoyage sera nécessaire rue Henry, Marie-Claire demande à chacune de réserver le premier samedi de septembre à cette corvée et de prévoir enrôler, pour ce faire, de nombreux bras supplémentaires. Il faudra balayer, laver, sans doute plâtrer et donner une couche de peinture...

Enfin, Marie-Claire clôt la réunion et Flavie se lève prestement, déterminée à filer en douce. Toutefois, une conseillère récemment élue et encore intimidée par toutes ces femmes âgées, Delphine Coallier, vient vers elle avec un soulagement visible. Flavie n'est pas fâchée de prendre des nouvelles de la jeune femme qu'elle a rencontrée plusieurs fois à la Société, le printemps dernier, et qui manifeste une grande curiosité et une belle ouverture d'esprit envers son travail. D'une taille moyenne, Delphine a un visage sans éclat particulier mais plutôt avenant, rehaussé par de jolies taches de rousseur et des cheveux presque noirs qui contrastent avec ses yeux d'un bleu très pâle et surmontés de sourcils foncés. Mais elle n'a pas le temps d'ouvrir la bouche. Marie-Claire vient déposer sur les joues de Flavie deux baisers sonores.

– Chère Flavie, comment vas-tu ? Et ta mère, encore retenue par une de ses patientes, j'imagine ?

– J'imagine, fait-elle en écho. Je ne suis pas au courant de toutes ses allées et venues...

– Bien entendu, dit Marie-Claire avec un petit rire de gorge. J'ai tendance à oublier que tu es maintenant une femme mariée et que tu habites dans un palais !

Françoise Archambault vient les rejoindre. Posant sa main sur l'épaule de Delphine Coallier, qui n'ose ni partir ni s'immiscer dans la conversation, elle raconte que la jeune conseillère a accepté de prendre en charge le nouveau service de placement qui sera mis sur pied pour les clientes. Moyennant des frais minimes, ces dernières pourront consulter les diverses offres d'emploi acheminées à la Société, non seulement pour les positions de nourrices et de domestiques, mais pour celles d'employées de commerce et d'ouvrières d'atelier.

Françoise précise :

— Notre amie Delphine a comme responsabilité non seulement d'administrer le service, mais de créer des liens avec des employeurs éventuels pour élargir l'éventail d'emplois disponibles pour les femmes sans instruction.

— Tout un défi ! commente Flavie en souriant à la jeune femme. Vous savez sans doute à quel point les conventions sont rigides en ce domaine.

— J'en suis moi-même victime, répond l'interpellée avec une moue. J'avoue qu'en acceptant ce poste j'avais aussi un but intéressé...

Mais Flavie ne l'écoute plus, son attention distraite par le spectacle de Marie-Claire et Françoise debout côte à côte. Ce n'est pas la première fois qu'elle est témoin de manifestations affectueuses entre elles deux, sourires échangés, frôlements de corps... Mais depuis quelque temps, il lui semble que cette connivence a pris une dimension inhabituelle. Peut-être se leurre-t-elle, mais ce qui circule entre les deux femmes, même sans mots ni gestes, sort de l'ordinaire.

CHAPITRE V

Pour la centième fois depuis le matin, Flavie se plante dans le cadre de la porte grande ouverte pour contempler l'horizon. Elle ne se lasse pas d'admirer les mouvements du large fleuve qui coule à une dizaine de pieds du seuil de leur cabane. Même la seule rumeur des eaux l'enchante, et la première nuit de leur arrivée ici, à Cacouna, elle n'a presque pas fermé l'œil, ravie et excitée par le battement incessant des vagues sur les rochers.

Leur cabane est située sur un promontoire, en bas du village, à un endroit où les terres forment une avancée dans le Saint-Laurent. Elle n'a qu'à mettre les deux pieds dehors et, d'un seul regard circulaire, à embrasser le paysage d'est en ouest pour avoir l'impression grisante d'être sur une île. La plus proche habitation, une cabane d'été comme celle que Bastien et elle louent pour deux semaines, se trouve fort loin, et elle est de surcroît presque dissimulée par de hauts rochers.

Flavie inspire profondément l'air salin, tellement plus odorant que celui de Montréal, et c'est en sifflant doucement entre ses dents qu'elle termine son rapide balayage de la pièce. Il ne reste de leur déjeuner, ces excellents harengs tout frais pêchés, que les arêtes qu'elle s'empresse de jeter dans le seau à ordures. Cette cinquième journée de leurs vacances promet d'être chaude et lumineuse, et elle tremble déjà d'impatience à la perspective de la longue promenade que tous deux feront sur la grève, tout à l'heure, à marée basse.

Sa besogne terminée, elle enfonce sur sa tête son chapeau de paille et elle va s'asseoir tout au bord du rocher qui surplombe la grève d'une bonne hauteur d'homme. Le fleuve est enfin calme et le ciel sans même le plus léger nuage, contrairement aux deux derniers jours où la pluie et le vent ont fait gémir les murs de la cabane. Mais Bastien et Flavie n'en avaient cure. Ils ont dormi très tard le matin, ils ont chanté à tue-tête et ils se sont promenés à moitié nus dans la pièce, réchauffés par le feu du petit poêle et par les lentes valses qu'ils ont dansées, étroitement enlacés, au son d'une musique imaginaire.

Un pas fait rouler des cailloux et Flavie sourit, reconnaissant celui de Bastien qui revient du village. Elle tourne la tête vers son mari au moment où il parvient à sa hauteur, chargé de deux besaces bien pleines qui battent sur ses flancs. Il se décharge prestement de ses fardeaux et se laisse tomber à ses côtés. Elle contemple en souriant son visage où perle la sueur. Essoufflé, il lui fait une légère grimace et s'empresse de tirer de la poche de son pantalon un mouchoir avec lequel il s'éponge.

Gentiment, Flavie lui enlève son chapeau et l'évente avec vigueur, faisant à peine frémir ses boucles châtaines plaquées contre son crâne. Il s'ébroue et passe ses mains sur sa tête. Ainsi échevelé, parfaitement détendu par ses vacances, il ne ressemble plus du tout au médecin grave et préoccupé de vingt-six ans bien sonnés qu'il était une semaine auparavant! Approchant son visage de celui de Flavie, il demande, goguenard:

— Un petit bec salé, ma belle morue?

Flavie pouffe de rire et, d'un mouvement leste, elle va mordiller sa lèvre inférieure.

– Ça te va, mon éperlan adoré?

– On a vu mieux, réplique-t-il avec une moue. Parlant de poisson, je te ramène toute une prise pour le souper!

– Il faudra bien que je visite le village un jour, remarque la jeune femme. Pour le sûr, ce doit être pittoresque…

Elle a prononcé le dernier mot avec un mépris à peine voilé et Bastien, sans répondre, lui étreint légèrement la main. Depuis leur mariage, tous deux ont généralement fui les mondanités dont la plupart des collègues du jeune médecin sont friands. À deux reprises seulement, le couple s'y est astreint, mais Flavie, malgré toute sa bonne volonté, a été horripilée de la manière dont les bourgeois traitent avec légèreté de sujets pourtant sérieux. Ainsi, l'emploi à toutes les sauces du mot «pittoresque» pour décrire un paysage exotique!

Pour un peu, ils appliqueraient cette épithète au quartier où elle a grandi, le faubourg Sainte-Anne, et même à la rue Saint-Joseph, si charmante à leurs yeux avec les petites maisonnettes de bois, les jardins entourés de clôtures grossières et les plantes qui s'agrippent à tout ce qu'elles trouvent, espaces disjoints entre les planches ou troncs d'arbres morts! Il semble à Flavie que, parmi tous ces gens fortunés, bien peu osent inclure dans le portrait ceux qui en constituent pourtant l'essence, soit les habitants. Bien peu prennent en compte l'existence rude des paysans ou des habitants des faubourgs! Elle-même en a toujours eu conscience avec acuité, même si elle a eu une vie privilégiée, jouissant d'un peu plus d'aisance et d'une meilleure instruction que la majorité de ses voisins.

Bastien et elle en ont discuté à plusieurs reprises. Pour sa part, il est persuadé que, malgré leurs difficiles conditions de vie, les gens du peuple peuvent être sensibles à la beauté et à la poésie qui se dégagent parfois d'un décor en apparence banal. Pourquoi donc devrait-il en être autrement pour les bourgeois? La poésie, estime-t-il, permet justement de sublimer la banalité quotidienne et d'emplir son âme de mille petits bonheurs... Tout en étant d'accord avec lui, Flavie ne peut s'empêcher de fulminer contre l'attitude des riches, selon elle empreinte d'une détestable condescendance.

Le passage au large d'une petite goélette la distrait de ses réflexions et elle observe avec intérêt les manœuvres habiles du marin, qui sait tirer parti même de la légère brise qui souffle sur le fleuve. Bastien soliloque:

– Oui, il y a de jolies choses dans le village et j'ai hâte de t'y emmener marcher. Dans le jardin d'une des maisons, quelqu'un a installé de magnifiques cabanes à oiseaux, toutes peinturlurées. J'ai vu un chat qui dormait sur le dos, les pattes en l'air, dans un parterre de fleurs, et aussi deux très jeunes enfants, sales et à peine vêtus, qui riaient comme des fous parce qu'un chiot leur léchait le visage.

Se tournant vers son jeune mari, Flavie embrasse doucement sa joue piquante. Elle sait fort bien que l'existence de tout un chacun, sauf peut-être des plus miséreux, est faite autant de peines que de joies, de laideur que de beauté. Elle est intimement persuadée que même ceux qui luttent pour leur survie et dont le temps est rempli par un travail incessant, même ceux-là savent apprécier un moment d'harmonie... En fait, ils en ont impérieusement besoin, pour compenser ! C'est le regard des bourgeois sur eux ainsi que le jugement qu'elle a l'impression de lire sur leurs visages qui l'indisposent.

Bastien informe Flavie que le propriétaire de la cabane viendra dans l'après-dînée leur livrer de l'eau fraîche et de la glace pour leur petite glacière et il en profitera pour ramasser leurs ordures. Flavie explique à son tour qu'elle a lavé quelques sous-vêtements, à présent étendus sur la roche au soleil pour sécher. Avec un soupir, tous deux se lèvent, emportant les besaces vers la cabane.

À tout bout de champ, Flavie s'ébahit de l'absence totale de maringouins, qui leur permet de laisser la porte et les deux petites fenêtres ouvertes sans crainte de voir autre chose qu'une abeille désorientée entrer dans la cabane. Grisée par le vent qui virevolte autour d'elle, la jeune femme se vêt, depuis son arrivée, d'une simple chemise à larges manches et d'une jupe défraîchie dont l'ourlet bat contre ses mollets. Bastien, lui, remet chaque matin la même chemise d'excellente qualité mais d'un âge vénérable, grise à force d'être lavée, et un pantalon qu'il a raccourci de trois coups de ciseaux juste en dessous des genoux. Ainsi indécemment couverts, tous deux vont et viennent autour de la cabane et sur la grève, s'efforçant d'éviter les rares promeneurs.

Après avoir rangé leurs provisions, ils se couvrent la tête d'un chapeau et chaussent leurs souliers de cuir souple pour la promenade. À peine sortis, ils remarquent, au loin, un couple qui erre sur la plage. De toute évidence, il s'agit de ces bourgeois qui louent une chambre dans l'auberge qui vient d'être construite à proximité du village ou qui occupent la maison d'une famille de paysans qui, elle, s'installe pour l'été dans des quartiers temporaires. La femme est vêtue d'une robe qui s'épanouit en une large corolle et son chapeau sophistiqué est retenu par un large ruban, tandis que l'homme, en habit sombre, a néanmoins troqué le chapeau classique contre une casquette.

De telles rencontres sont rares ; la plupart des bourgeois préfèrent les randonnées à cheval ou en calèche. Saisissant la main de Flavie, Bastien est sur le point de l'entraîner dans la direction opposée lorsque, sans gêne aucune, l'homme lève sa canne dans leur direction à l'intention de sa compagne. Les jeunes gens échangent un regard amusé et, sans crier gare, Bastien fait un profond salut en leur direction. Immédiatement, l'homme rabaisse sa canne avant de faire promptement demi-tour, imité par sa bourgeoise.

Le propriétaire de la cabane, un homme jovial et un brin original, ancien notaire devenu riche négociant local, leur a raconté avec une étincelle dans l'œil la rumeur qui court parmi les vacanciers à propos des «Sauvages» qui habitent la cabane sur les rochers. On leur prête dix identités différentes et on explique leur existence de reclus par des circonstances mélodramatiques toutes plus loufoques les unes que les autres !

Flavie et Bastien dévalent le sentier menant à la grève qui, dévoilée par le ressac, s'étale à perte de vue. Les quelques personnes qui récoltent des moules et des coques ne leur accordent aucune attention et ils se promènent jusqu'à ce que leur estomac crie famine. Plus tard après une courte sieste, lorsque la marée remonte, ils se rendent jusqu'à une anfractuosité des rochers qu'ils ont découverte au début de leur séjour. Ils se trempent les pieds, puis, enhardis par la chaleur, ils se déshabillent pour se baigner dans l'eau froide et revigorante.

Ce soir-là, tous deux s'assoient dehors, adossés à la cabane, pour contempler le coucher de soleil. Sur le fleuve, les occupants de quelques barques s'empressent de rentrer avant la noirceur, tandis que les goélands et les mouettes exécutent un dernier ballet dans un concert de cris. C'est la plus belle fin de jour depuis leur arrivée et les deux jeunes gens sont muets d'admiration. Enfin, peu à peu, ils se plongent dans leur occupation intellectuelle favorite des vacances : la lecture du papier-nouvelles *L'Avenir* pour Bastien et, pour Flavie, l'écriture d'une lettre destinée à son amie Marguerite Bourbonnière.

Flavie songe à celle qui lui est devenue si chère, tâchant de former dans son esprit une image précise de son visage, ses traits aigus sans grâce particulière mais bellement illuminés par la passion qu'elle porte à son métier et à la mission qu'elle s'est donnée, celle de devenir une praticienne accomplie et de se consacrer aux femmes « déchues ». À cette pensée, une onde de chaleur l'envahit. Découragée par la concurrence des médecins auprès des bourgeoises enceintes, Marguerite est allée parfaire son savoir à la célèbre Maternité de Paris.

Selon une tradition séculaire européenne, lorsque des maternités ou des dispensaires ont été fondés dans les vieux pays pour recevoir les indigentes, ce sont des maîtresses accoucheuses qui en ont pris la tête et qui, depuis, y dirigent l'apprentissage. Comme Marguerite l'a écrit à Flavie :

« Les élèves de ces institutions ont été assez animées de l'esprit public pour communiquer leur science et leurs lumières à quantité de chirurgiens qui, depuis le dix-septième siècle, ont voulu se perfectionner en obstétrique. Ces derniers, selon Elizabeth Nihell, une sage-femme anglaise du siècle dernier dont je vous parlerai d'abondance à mon retour, n'ont jamais eu d'autre raison de rougir des leçons assidues qu'ils ont reçues de ces sages-femmes, que peut-être celle de n'avoir pu parvenir au même degré de perfection dans cet art. »

Flavie se souvient avec acuité du moment précis où la jeune femme lui a confié son projet, au printemps 1849. Alors, elle était tout enfiévrée par ses retrouvailles avec Bastien et par son prochain mariage… Cependant, un élan de jalousie l'a traversée de part en part comme le fer d'une lance. Oh ! jamais n'a-t-elle souhaité du mal à Marguerite, bien au contraire, mais pendant un éclair, elle aurait tant voulu l'enchaîner à Montréal et prendre sa place sur le navire qui lui ferait traverser l'Atlantique !

Tirant la langue, Flavie tient son flacon d'encre de sa main gauche et, appuyant son avant-bras droit sur l'écritoire, elle raconte à Marguerite les dernières nouvelles de la colonie du Canada-Uni. La fièvre annexionniste qui a flambé comme un feu de joie à la suite des troubles du printemps 1849 n'est pas encore tout à fait éteinte, même si elle est plutôt passée de mode ! Ceux qui croient que de se joindre aux prospères Américains serait le remède à tous les maux sont maintenant relativement isolés. De sa plus belle calligraphie, Flavie s'applique à écrire :

« Chez mes beaux-parents comme chez nous, rue Saint-Joseph, les discussions ont été franches ! Moi aussi, j'hésitais, je ruminais. Aux yeux de presque tout le monde, l'annexion aux États-Unis était séduisante. De l'autre côté du 45, ils sont riches, ils sont modernes ! Et surtout, ils habitent une république où la liberté de tous est encouragée... sauf celle des esclaves, je sais, mais c'est une question trop compliquée pour l'aborder sur papier! Quand même, nos voisins ont réussi à porter cet idéal politique qu'est la république à un degré de réussite inégalé dans les vieux pays. Je n'ai pas besoin de vous en faire la preuve par trois puisque la fameuse république française vacille... Vos parents doivent en remercier le ciel, eux qui ont tant tergiversé à vous laisser fouler le sol d'un pays en proie depuis 1848 à tant de désordres sociaux: droit au travail grâce aux ateliers nationaux, suffrage universel, Assemblée législative souveraine... D'ici, ce n'est pas facile de comprendre ce qui se passe en France ces temps-ci. J'espère que vous m'expliquerez! Pourquoi revenir en arrière en supprimant le suffrage universel? Mon père déteste la nouvelle loi Falloux. Il dit qu'en accordant à l'Église le droit d'assurer l'enseignement secondaire, l'Assemblée veut museler les instituteurs qui sont, on le sait, partisans de la république démocratique. »

Flavie lève les yeux et pousse un profond soupir. Le disque solaire vient de disparaître à l'horizon et le ciel est superbement peinturé de teintes rougeâtres et orangées. Elle a tant de choses à confier à Marguerite! Changeant abruptement de propos, elle raconte les événements des dernières semaines, terminant par sa visite chez le notaire en compagnie de Bastien.

« J'étais très triste à l'idée d'abandonner Barbouillette, mais j'ai compris depuis que c'est pour le mieux. En suivant Bastien, j'effectuerai une sorte d'apprentissage, n'est-ce pas? À son contact, j'apprendrai la science médicale. Ensuite, on verra bien... Notre annonce paraîtra dans les journaux au début du mois septembre seulement, lorsque les familles bourgeoises seront revenues de la campagne. Je vous l'enverrai… »

La plume dans les airs, Flavie reste un moment plongée dans ses pensées. Comme elle, Marguerite regrette amèrement de ne pouvoir s'exercer à la chirurgie et au maniement d'instruments, qui donnent aux médecins une supériorité incontestable sur les sages-femmes en cas de complications sérieuses. Leur intuition à toutes les deux est devenue une réelle conviction : adéquatement formée, une femme peut être aussi adroite qu'un homme!

Il est patent que, dans le cours de sa pratique, une sage-femme ne peut se familiariser avec les cas complexes, fort heureusement très rares. Il faut des spécialistes, lesquels, par une longue fréquentation des complications, acquièrent une finesse de jugement et une dextérité exceptionnelles. Pourquoi pas une sage-femme? L'interdiction, pour les femmes, d'étudier ce que les médecins-accoucheurs européens ont fini par nommer «obstétrique» repose sur des préjugés et une logique tordue!

Obnubilée par la nécessité d'élargir son bagage de connaissances et de mettre tous ses talents au service des femmes enceintes, Flavie est incapable de comprendre pourquoi les coutumes empêchent les femmes de convoiter le titre de médecin diplômé. Son être entier, corps et esprit, lui commande de poursuivre dans cette voie et elle ne pourrait se dérober à cette exigence sans trahir son tempérament et sa conscience.

Ce projet extrêmement osé auquel Marguerite et elle jonglaient avant le départ de son amie pour la France, il semble maintenant pour Flavie à portée de main grâce à son association avec Bastien! Elle brûle d'envie d'apprendre à manipuler le forceps, cet instrument sur lequel repose toute la gloire des médecins-accoucheurs... mais qu'ils refusent de partager avec les accoucheuses!

Bastien n'aura pas ces scrupules, Flavie en est persuadée! Du moins, c'est ce qu'elle veut croire de toutes ses forces. Elle se demande parfois, sans oser cependant le verbaliser, s'il aurait persévéré dans le projet de leur association n'eût été sa propre angoisse devant les délivrances. Mais à chaque fois, elle repousse farouchement cette idée saugrenue. Ne lui a-t-il pas prouvé à plusieurs reprises qu'il n'est pas du genre à renier sa parole?

Peu à peu, le ciel s'est drapé d'un bleu sombre, et les deux jeunes gens s'échangent un regard ravi. Du doigt, Bastien attire l'attention de Flavie sur la demi-lune aux reflets jaunâtres qui pare maintenant l'horizon. Ils se lèvent et, se tenant par la main, marchent jusqu'au bord du promontoire pour la contempler un moment. La brise s'est calmée et il fait encore très chaud, et il semble à Flavie que l'odeur d'algue et de sel les enveloppe et les frôle comme un épais brouillard.

Qu'y a-t-il d'autre à faire, en cette heure bénie, que de jaser d'un ton tranquille en se préparant pour la nuit? Dans leur cabane, une chandelle allumée illumine faiblement le carré de la porte, et Bastien tire gentiment Flavie vers l'intérieur. Comme chaque soir, quelques papillons de nuit se heurtent mollement contre le plafond et la jeune femme les suit du regard en buvant quelques gorgées de tisane refroidie.

Bastien retire avec lenteur son pantalon, qu'il pose sur le dossier de l'une des trois chaises qui entourent la petite table, observé pensivement par Flavie qui, l'imitant, détache sa jupe. À quelques reprises depuis leur arrivée, elle s'est demandé s'il était réellement content d'être ici avec elle, s'il ne regrettait pas la grande et confortable maison de vacances que ses parents louent actuellement. Ce soir, elle ose enfin lui poser la question, et c'est sur un ton fort surpris qu'il répond :

— Regretter ? Mais pas du tout ! Je suis très bien dans cette cabane, avec toi. Est-ce que j'ai dit quelque chose qui a pu te faire croire le contraire ?

Elle s'empresse de secouer la tête, commentant cependant :

— Le contraste doit te sembler tellement grand...

— La chose est entendue. Mais cette année, c'était cette cabane ou rien...

Venant à elle, il la prend dans ses bras et s'enquiert, d'un ton moqueur :

— Ne me fais pas croire que tu aurais préféré la vie mondaine de Terrebonne ou de Vaudreuil ?

— Je ne voudrais être nulle part ailleurs qu'ici, répond-elle avec ferveur. Mais toi ?

— Moi de même. Je ne sais pas si tu t'en rends compte, mais tu me fais découvrir... une autre manière de vivre. Tu me fais réaliser que ce ne sont pas les biens matériels qui rendent heureux. Il en faut si peu, dans le fond... C'est un luxe inouï, Flavie, que de pouvoir s'acheter des tonnes de choses... mais encore plus de choisir de s'en passer.

Frappée par la justesse de cette dernière affirmation, Flavie reste un moment à la retourner dans sa tête. Il ajoute :

— J'ai toujours été un peu à part des autres. Je ne goûtais pas aux amusements autant que mes amis. Peut-être que l'accumulation me lassait... Pour eux, la recherche du maximum de plaisirs faciles était un but en soi. Du moins, pendant l'été. Je crois qu'ils compensaient l'existence austère du collège et tout le sérieux que leurs parents attendaient d'eux...

– Et toi?

– Après une semaine, j'en avais assez.

Il incline la tête pour l'embrasser légèrement. Puis, la délivrant, il se dirige vers l'étroite desserte encombrée d'objets divers, dont un pichet d'eau posé dans un bassin. Il fait rapidement ses ablutions, suivi par Flavie, qui va ensuite jeter l'eau à l'extérieur. Lorsqu'elle revient, il est étendu, nu, sur leur couche, les bras noués derrière sa tête. Elle pouffe de rire: le rayon de lune qui pénètre par la fenêtre éclaire précisément le milieu de son corps, de son nombril à ses genoux. Suivant son regard, il s'en amuse lui aussi pendant que, après avoir enfin fermé la porte, elle souffle la chandelle, puis retire sa chemise pour venir se pelotonner contre lui. Il raille à son oreille:

– Je préférerais que tu descendes un peu plus bas, pour que ta poitrine soit bien illuminée...

Elle le nargue un peu en lui mordillant la joue, puis s'apaise tandis qu'un silence habité par la musique de la marée montante les enveloppe. Tout en flattant le torse de son mari avec des gestes larges, Flavie tend l'oreille un long moment. Elle voudrait, de retour rue Sainte-Monique, pouvoir la rejouer à volonté dans sa tête à chaque soir, en se laissant glisser dans le pays des rêves... Mais l'année prochaine, songe-t-elle avec allégresse, et l'année d'après, tous deux reviendront sans doute se cacher dans ce petit coin de paradis.

Tous les deux? Ou peut-être tous les trois... Jusqu'à présent, leurs manœuvres pour éviter une grossesse ont réussi, mais qui sait ce que l'avenir leur réserve? Flavie aimerait bien, cependant, repousser la maternité encore quelques années. Elle savoure tant sa vie aux côtés de Bastien, les doux réveils à se taquiner et parfois à se caresser, les promenades du dimanche dans quelque recoin de la grande cité, sans oublier leurs soirées à deux qu'ils commencent souvent le souper à peine avalé, avides qu'ils sont de se tenir le plus près possible l'un de l'autre, sans la contrainte des regards d'autrui!

Après leur mariage, il n'a pas fallu longtemps à Bastien pour acquérir une telle maîtrise de sa virilité qu'il sait maintenant faire durer longtemps le plaisir avant de devoir s'arracher à Flavie. Peu à peu, il s'est même rendu compte que, s'il ne dépassait pas le point de non-retour, il n'était pas obligé d'éjaculer pour être satisfait. Néanmoins, Flavie préfère, entre ses fleurs, éviter la pénétration. La crainte de concevoir malgré tout l'empêche de s'abandonner totalement...

Ce n'est pas un mince sacrifice. Depuis qu'elle a un homme à sa disposition et qu'elle peut laisser libre cours à ses passions, Flavie s'est aperçue que l'intensité de son désir fluctuait entre ses fleurs et qu'au moment du pic, quelques jours après l'arrêt de l'écoulement du sang menstruel, elle désirait être chevauchée plus que tout!

Cependant, au fil des mois, tous deux ont découvert de nombreux moyens de faire plaisir à l'autre. Flavie s'émerveille encore de voir à quel point les mains de Bastien, sa bouche ou même son seul regard ont la capacité de l'emporter sur une longue, longue vague de marée montante... Mais c'est une période d'attente bien longue et ils guettent avec impatience les premières traces des règles.

Éclairé par la lueur blanche de la lune, l'intérieur de leur petite cabane de bois aux murs nus est d'une beauté surprenante. Flavie promène longuement son regard dans les moindres recoins : là où un vieux bougeoir en cuivre, suspendu au mur, reluit faiblement, et là où une grosse araignée a tissé sa toile... Imperturbable malgré les moqueries des deux occupants de la cabane, qui l'avertissent plusieurs fois par jour qu'il n'y a aucune prise à faire en ce lieu, elle se tient stoïquement immobile entre le mur et le tuyau du poêle.

Bastien se tourne vers Flavie et l'enveloppe de ses bras, posant une main chaude contre son dos et l'autre dans ses cheveux dénoués qu'il flatte.

— Regretter d'être ici... Non mais, tu en as de ces idées saugrenues ! J'ai l'impression d'être à mille lieues de Montréal, de mon office, de mes parents... à tel point que je me demande presque si cette autre vie existe encore ! Je me sens tout léger... Je ne savais pas qu'un tel dépaysement pouvait exister. Avec mes parents, d'accord, on sortait de la ville, mais on retrouvait en gros les mêmes usages, la même société, et encore beaucoup trop d'obligations... Ici, on est tellement libres, ça me fait un bien fou !

— À moi aussi, assure Flavie en se dégageant légèrement pour respirer à son aise. Je ne déteste pas vivre avec ta famille, mais... on ne fait pas ce qu'on veut, n'est-ce pas ?

— Hélas... En plus, ce sont des gens casaniers. J'apprécie l'absence de vanité chez eux, mais ce serait vachement agréable qu'ils décampent plus souvent de la maison, le soir !

— On ne peut pas tout avoir ! réplique Flavie en riant. Mais tu te souviens ? Au retour, on jouira de la maison sans eux pendant une dizaine !

– Quel retour? grommelle-t-il en l'enlaçant plus étroitement. Tu n'as pas remarqué? Le temps s'est arrêté. Demain, le soleil se lèvera et se couchera exactement comme aujourd'hui. Et après-demain aussi. Pour toujours... Nous sommes victimes d'un enchantement.

Il caresse son flanc, de son aisselle à sa hanche, puis il avance sa tête sur l'oreiller jusqu'à ce que ses lèvres effleurent les siennes. Flavie entrouvre la bouche pour sentir le chatouillement de son souffle et ils restent ainsi un moment avant qu'elle saisisse doucement sa lèvre inférieure entre ses dents. Déjà, une vibration familière la parcourt tout entière, faisant miroiter la promesse d'un voyage dans le monde des sens, pour elle le plus intense des dépaysements.

C'est la brunante et Léonie se berce sur la galerie tout en terminant un autre rang du foulard qu'elle a entrepris de se tricoter pour l'hiver prochain. Elle est en train de s'arracher les yeux: avec un soupir, elle dépose son ouvrage sur ses genoux. Simon et elle sont à peine revenus de la belle campagne de Longueuil qu'elle s'en ennuie déjà! L'été, surtout depuis quelques années, la métropole perd quantité de ses charmes. Quand la population augmente, les déchets font de même!

De retour de la Mercantile Library Association, qui a ouvert sa New's Room et sa bibliothèque aux membres de l'Institut canadien de Montréal, Simon grimpe les marches de la galerie sans qu'elle l'ait vu venir. Quelques mois auparavant, en février, le bâtiment qui abritait l'Institut a été dévoré par les flammes. Pendant des semaines, Simon en est resté fort abattu. Il s'est attaché avec toute la fougue de ses convictions à cette société littéraire fondée en 1844 par des jeunes hommes enthousiastes et passionnés, animés par un libéralisme audacieux et par une force de pensée qui refusait les entraves et les interdits! Il y trouvait une parenté d'âme qui lui donnait l'espoir qu'un jour, bientôt, l'obscurantisme et les superstitions disparaîtraient de la surface de la terre.

Une rumeur a circulé selon laquelle l'incendie était sans doute de main criminelle, ce à quoi Simon croit dur comme fer. Il est persuadé que bien des âmes pieuses ne souhaitent rien de moins que de vouer aux enfers tous les libéraux, leurs livres et leurs journaux; dans cette logique, un illuminé aurait très bien pu se croire désigné pour accomplir la justice divine. Léonie est sceptique, mais elle ne peut nier que bien des membres du clergé, l'évêque de Montréal en tête, se donnent le droit, du haut de la chaire, de fustiger les tenants de la libre pensée, sous prétexte qu'il est blasphématoire de remettre en question les vérités divines.

En moyenne, son mari passe deux soirées par semaine à la bibliothèque pour parcourir les papiers-nouvelles: un moyen idéal, selon lui, de rester en contact avec toutes les idées qui circulent de par le monde, et qu'il s'empresse de partager ensuite avec sa femme, avec leur fils Laurent ou avec l'un ou l'autre de ses amis et voisins. Souriante, Léonie l'interroge du regard. Quelles phrases lapidaires, quelle pensée étroite a bien pu soulever son indignation aujourd'hui? Selon un rituel bien établi entre eux, Simon s'assoit à côté d'elle en extirpant un feuillet de sa poche, qu'il tripote en parlant.

— Les gazettes discutent du projet de loi de M. Lafontaine concernant l'instruction élémentaire. Selon *L'Avenir*, et je suis bien d'accord, c'est un projet rétrograde, qui laissera un trop grand pouvoir discrétionnaire entre les mains du pouvoir exécutif. Les commissaires d'école ne seront plus élus par suffrage populaire, mais nommés par le gouverneur! Saquerdié! La loi des écoles fonctionnait bien dans la plupart des paroisses! Lafontaine dit qu'il a été forcé de présenter ces amendements à cause des sollicitations d'un certain nombre d'éteignoirs nouveaux...

— Nouveaux? s'alarme Léonie. Comme s'il n'en sévissait déjà pas assez dans nos paroisses!

Simon la rassure sur le ton de la confidence:

— C'est pour rejeter la triste responsabilité d'une pareille reculade sur d'autres hommes plutôt que sur le ministère. Quel argument vague et détestable! Depuis quand une législature est-elle *forcée* de passer des lois, mêmes mauvaises? Au contraire, elle doit s'appuyer sur sa majorité pour résister! Après tout, c'est ce même ministère qui est le père de la loi!

— La crainte des éteignoirs doit certainement jouer. Ils ont tant incendié d'écoles tout bonnement parce qu'ils n'apprécient pas la nouvelle taxe foncière pour financer le système scolaire!

— Actes d'une stupidité et d'une immoralité sans nom, et que les tories ont mis à la mode! Mais tu as raison, pour le sûr... L'un des amendements vise à annuler la taxe pour la remplacer par une contribution volontaire d'une somme fixée par le gouverneur.

— Ça ne passera pas! Le recul est trop manifeste...

— Que nos doctissimes représentants t'entendent!

Laurent, l'aîné de leurs enfants qui habite à proximité, gravit d'une seule foulée les trois marches de la galerie. Lui adressant un amical signe de tête, Léonie s'enquiert encore avec curiosité :

– Mais qu'as-tu donc noté, Simon, sur ce mystérieux feuillet ?

Un sourire machiavélique aux lèvres, il répond avec un clin d'œil au grand jeune homme qui s'adosse aux montants de la galerie :

– Quelques phrases suaves ! Le surintendant à l'Instruction publique, dans son dernier rapport, soulevait la nécessité de fonder une école normale et un papier-nouvelles d'éducation, qui nous manquent cruellement à nous, instituteurs. Eh bien, écoute ce que notre feuillet paroissial *Les Mélanges religieux* a écrit à ce sujet : « Nous n'avons pas lieu de douter qu'on veuille faire, des écoles normales ou d'un journal d'éducation, des pierres d'achoppement contre lesquelles viendraient se briser ces principes catholiques dont le mépris ou l'oubli a été si cruellement préjudiciable à ces sociétés d'Europe, aujourd'hui menacées jusque dans leurs bases, par suite d'une mauvaise éducation ! » Et on conclut en soulignant le grand nombre de jeunes gens « tout matérialisés » qui rêvent de coupables projets. « Tout matérialisés » ! Qu'est-ce qu'il ne faut pas entendre !

Après un moment de franche rigolade, Simon grogne plaisamment à l'adresse de leur fils :

– Tu es tout fin seul ? Aucune tendre épouse attachée à tes pas ? Pas possible !

Depuis son retour, Agathe et lui ne se laissent pas d'une semelle... Laurent ouvre la bouche pour lancer une repartie, mais il est interrompu par une voix familière, celle de Flavie, qui le hèle avec allégresse de la rue :

– Qu'est-ce que tu fais icitte, mon grand fendant ? Le *Sergeant of Arms* t'a foutu à la porte ?

Besaces en bandoulière, le jeune couple Renaud avance sur le sentier qui mène à la maison. Laurent pousse un rugissement de guerrier tout en ouvrant les bras à sa sœur pour une franche étreinte, avant de lui annoncer une surprenante nouvelle : découragé par la perspective de déménagements successifs pour suivre le Parlement errant, il a décidé de quitter son poste. Flavie évalue en un éclair toutes les conséquences, la joie d'Agathe, mais aussi la nécessité de frapper aux portes pour se dénicher un nouvel emploi !

Elle contemple son frère avec bonheur. Elle n'osera jamais le dire tout haut, mais, à son avis, il est l'un des hommes les plus plaisants de sa connaissance. Bien entendu, elle n'a aucune objectivité en la matière, mais elle se repaît de la vue de son visage mince et allongé, dont les sourires l'ont si souvent consolée de ses chagrins d'enfant et dont les yeux pers, soulignés de longs et fins sourcils, lui sont si familiers qu'elle a l'impression de les avoir dessinés de sa main…

Comme à l'accoutumée, ses cheveux bruns sont retenus en couette sur sa nuque ; malgré la mode grandissante des cheveux courts pour les hommes, il n'arrive pas à s'en défaire. Son père le tarabuste souvent, lui rappelant que si la couette, l'une des fiertés des coureurs des bois, a long-temps été un signe de virilité, elle prend aujourd'hui la signification contraire ! Dans ces cas-là, Flavie défend la réputation de son aîné avec énergie. Elle a compris depuis longtemps que Laurent, si peu exigeant, en apparence si facile à contenter, se sert de cette coiffure pour signifier au reste du monde qu'il ne faudrait tout de même pas exagérer : son esprit rebelle se manifestera si nécessaire !

— Vous débarquez tout juste ? s'enquiert Simon.

Bastien acquiesce et raconte que leur voyage de retour s'est passé sans encombre, sur un fleuve calme et sous de lourds mais placides nuages gris. Dès qu'ils ont posé l'orteil rue des Commissaires, Flavie a insisté pour faire un crochet par la rue Saint-Joseph. Il a proposé de louer un fiacre, mais elle lui a fait remarquer avec justesse qu'à cette heure encore achalandée ils iraient plus rapidement à pied! Il interroge à la ronde, goguenard :

— Et après, qui osera prétendre que la femme n'est pas le chef du ménage?

— Moi! proclame Flavie. Pas plus tard qu'hier soir, on venait tout juste d'accoster à Québec, et j'aurais bien voulu aller saluer les dames de la Female Compassionate Society. Mais mon cher époux a refusé d'en entendre parler. À cette heure tardive, qu'il a dit, il n'y aurait eu presque personne sur place!

— J'avais parfaitement raison! En plus, les liens sont cordiaux entre les conseillères des deux sociétés, mais sans plus, n'est-ce pas, Léonie?

— Et puis monsieur avait faim, et il était fatigué…

— Et pour cause! J'avais passé la journée à réconforter madame qui était fort peinée de prendre le large…

Bastien et Flavie échangent un large sourire. Quand elle est montée à bord du *Rowland Hill*, la jeune femme était envahie par un tel sentiment de nostalgie qu'elle était incapable d'articuler le moindre mot. Elle espérait de tout son cœur que le capitaine soit obligé de remettre le départ au lendemain à cause du brouillard. Pendant les premières heures du voyage, elle a entretenu diverses pensées magiques, comme une tempête qui forcerait la petite barque à vapeur à accoster à proximité de l'une des nombreuses îles qui parsèment le fleuve entre Cacouna et Québec…

Plus tard seulement, après leur pique-nique qu'il devenait urgent d'engloutir pour se caler l'estomac, Flavie a commencé à se détendre et à envisager plus sereinement le retour dans la métropole. La grande aventure de l'association avec Bastien ne lui envoie-t-elle pas des frissons d'excitation de par tout le corps dès qu'elle y songe?

Profitant de la trêve dans la conversation, Laurent intervient:

– Si vous permettez… Qu'est-ce que c'est que cette *Female* quelque chose?

Léonie entraîne son fils vers l'intérieur tout en lui expliquant que cet organisme charitable, fondé vers 1820 par Mme Montizambert, a été la source d'inspiration pour elle et son amie Marie-Claire Garaut lorsqu'elles ont voulu établir un refuge similaire à Montréal. Cette petite association de charité, dirigée par un groupe de bourgeoises d'origine anglaise et française, a soulagé bien des misères! En plus de tenir un refuge ouvert pour les femmes enceintes et d'envoyer deux accoucheuses accompagner gratuitement les parturientes à domicile, elles distribuent du bois, de la viande de bœuf, des miches de pain et même des pièces de tissu aux familles pauvres. Tout cela est acheté grâce au produit d'une collecte annuelle que les dames accomplissent elles-mêmes, en visitant tous les quartiers aisés de la ville.

Quelques instants plus tard, tous les cinq sont réunis dans la cuisine. Ravi de partager ces moments heureux, le jeune couple évoque la splendeur des paysages et leur découverte d'un monde où la «mer» est souveraine. Là-bas, tout le monde nomme ainsi le large Saint-Laurent au ressac puissant, aux fortes tempêtes et aux courants changeants, parfois si traîtres…

Après un temps, constatant que Bastien ne peut s'empêcher de manger les miettes sur la planche à pain, Léonie se lève pour servir à souper au couple, grattant le fond de la marmite. Flavie lui prend les bols des mains tout en posant sur elle un regard scrutateur, devant lequel Léonie se dérobe d'une façon maintenant familière. Le cœur lourd, Flavie dépose les couverts sur la table. Aucune nouvelle de sa petite sœur...

La dernière lettre de Cécile leur est parvenue plus de quatre mois auparavant et tous les membres de la famille guettent la prochaine avec anxiété. Flavie a cru déceler un sentiment croissant de lassitude derrière les phrases banales qui décrivaient une existence encore marquée par la précarité, mais de mieux en mieux organisée. Les religieuses sont championnes pour installer la civilisation là où il n'y a que forêts et rivières!

À chaque jour qui passe ainsi, sans nouvelles de sa cadette, le cœur de Léonie se gonfle davantage d'une inquiétude sourde qui l'empêche parfois de s'endormir, ou qui la réveille en plein milieu de la nuit. Revivant en pensée son départ, en octobre 1847, Léonie s'est souvenue de la grande fatigue qu'elle portait alors dans tout son corps, jusque dans son cœur. Avec effarement, elle a constaté qu'elle s'est protégée des trop vives secousses par un endormissement de ses émotions...

Ses nouvelles responsabilités à l'École et au refuge, sa peine devant le comportement de Simon, les amours mouvementées de Flavie dans le cadre de la terrible épidémie de typhus, tout cela a entraîné une sorte d'insensibilité. Dans son esprit, cette période est recouverte d'un voile qui en masque les contours les plus saillants.

Mais en dépit de ces circonstances atténuantes, la culpabilité de Léonie reste toujours vive. S'il n'en avait tenu qu'à Simon, leur cadette ne serait pas partie. Elle regrette avec une telle intensité de lui avoir donné son aval ! Elle ne peut s'empêcher de se reprocher d'avoir agi avec égoïsme : sans doute était-elle envieuse de sa fille, qui se permettait une liberté de mouvement dont elle-même serait privée sa vie entière ! Peut-être même a-t-elle voulu tenir tête à Simon qui, alors, lui battait froid à cause de l'ouverture de l'École de sages-femmes ? Aujourd'hui, si Cécile lui affirmait la même intention de voir du pays, Léonie s'acharnerait à l'en dissuader !

Mais le ferait-elle vraiment ? Lorsqu'elle imagine sa fille en chair et en os devant elle, sa fille qui lui ressemble tant, et qu'elle lit sur son visage ce mélange de détermination et de supplication, sa résolution vacille. De quel droit aurait-elle pu l'empêcher de partir ? Il paraît que les parents savent ce qui est bien ou mal pour leurs enfants, et que c'est sur cette conviction que doit se fonder leur autorité, mais, en son âme et conscience, Léonie s'est toujours sentie mal à l'aise avec cette croyance. Si la bride autour de son cou n'est pas trop serrée, une jeune fille de seize ans a souvent de fortes intuitions, de si souverains désirs…

CHAPITRE VI

La nuit est tombée lorsqu'à leur retour de Cacouna Flavie et Bastien quittent le faubourg Sainte-Anne et se dirigent vers la rue Sainte-Monique. Après une si longue journée de voyagement, la montée est rude. Flavie doit faire un effort presque surhumain pour suivre le rythme de son mari, pourtant ralenti par le poids des deux besaces dont il s'est chargé. La maison est encore vide et silencieuse, leur domestique Lucie étant toujours dans sa famille. Bastien ouvre quelques fenêtres pendant que Flavie transporte de l'eau jusque dans leur chambre. Dix minutes plus tard, avec un soupir d'extase, le jeune médecin se laisse tomber dans son lit et il lui faut quelques secondes à peine pour s'endormir.

Flavie sent ses pensées s'envoler dans tous les sens et elle est sur le point de se résigner à une longue période d'insomnie lorsque le sommeil l'emporte. Au matin, grâce à la main de son compagnon qui caresse ses fesses, Flavie s'éveille pour être aussitôt la proie d'un fort sentiment de nostalgie. Les murs aux planches disjointes de leur cabane à Cacouna lui manquent déjà tant! Elle entoure le cou de Bastien de ses bras et se réfugie contre lui en poussant un profond soupir.

– Je t'aime, souffle-t-elle, les yeux clos.

Il laisse échapper un rire étonné.

– Quel moment inattendu pour une telle déclaration! Tu me surprendras toujours... Arrête tes flatteries ou je ne pourrai pas m'arracher à toi. Il est déjà tard et je veux avaler une bouchée avant d'aller travailler...

Par jeu, elle tente de le retenir, mais il la repousse avec une légère grimace. Résignée, Flavie le délivre en roulant sur le dos. Il la contemple un moment et se penche pour poser ses lèvres sur la rondeur de son sein, étalé dans cette position comme une fleur épanouie, puis il déboule en bas du lit. Pendant leurs vacances, le docteur Renaud s'est empressé d'oublier son exigeante pratique, mais ce matin, comme Flavie le constate à son visage soucieux, les tracas occasionnés par le déménagement imminent de son cabinet le hantent.

Installé depuis deux ans à l'étage d'une bâtisse de la rue Saint-Denis, à la frontière des faubourgs Saint-Jacques et Saint-Louis, le jeune homme doit cependant réquisitionner la vaste salle d'eau de la maison paternelle, qu'il a sommairement aménagée pour les demi-bains, les bains partiels et les douches. Pour les enveloppements, embrocations et fomentations, il a prévu une petite pièce attenante.

Mais cet arrangement est insatisfaisant. Non seulement Bastien doit-il effectuer un va-et-vient entre les rues Saint-Denis et Sainte-Monique, mais Archange et Julie pestent régulièrement contre l'encombrement qui en résulte! Ce qui était conçu au départ pour être temporaire prenait un caractère permanent, au grand dam de Bastien qui, en outre, depuis son retour de Boston, voit la réputation de cette thérapeutique grandir beaucoup plus lentement qu'il ne l'aurait cru!

À son grand soulagement, son camarade de classe Étienne L'Heureux, de plus en plus intéressé par l'hydrothérapie, lui a proposé une association d'affaires qui tombait pile. Tous deux ont donc loué, rue Saint-Antoine dans le faubourg du même nom, le rez-de-chaussée d'une maison dotée de cette nouveauté qu'est l'eau courante, pour y installer à la fois leur cabinet et la modeste clinique d'hydrothérapie. L'équipement requis n'est pas considérable, mis à part la grande cuve nécessaire au bain entier.

Une fois Bastien parti, Flavie paresse au lit, jouissant intensément du silence et du calme qui règnent dans la maison déserte. Subitement, elle se lève pour aller quérir une jolie boîte délicatement tressée, acquise d'une vendeuse itinérante amérindienne, puis elle s'adosse confortablement contre ses oreillers avant d'en ouvrir le couvercle avec précaution. À l'intérieur, il y a une dizaine de missives soigneusement repliées, leur sceau de cire nettement rompu. Flavie se délecte d'y voir son nom tracé avec application par la main de son amie Marguerite Bourbonnière. Elle contemple cette calligraphie de couventine comme s'il s'agissait d'un magnifique paysage…

Débarquée en France à la fin de l'été précédent, il y a presque un an, la jeune femme a entrepris aussitôt son stage de dix mois. Flavie se délecte des longues descriptions qu'elle lui fait, dans ses lettres, des conditions d'apprentissage. La Maternité est installée dans un vieux couvent, celui de Port-Royal, dont les bâtiments sont dissimulés derrière un haut mur d'enceinte qui forme un vaste carré. Elle est ainsi protégée de la populace enfiévrée par l'action politique, dont les soubresauts en sont réduits à une vague rumeur…

«Aucune gazette n'est permise dans l'enceinte du bâtiment et les élèves vivent selon une discipline toute monastique, avec interdiction de sorties. Comme des religieuses, nous recevons nos visites au parloir, à la relevée. Installée dans un coin de la pièce dans un enclos vitré, la vieille dame du bureau sonne la fin du parloir une heure plus tard. Certains jours, une autre dresse un étalage où elle met en vente de menus articles de première nécessité ou de luxe, comme des parfums et des cosmétiques. Mais comme j'ai rarement de la visite, je préfère me consacrer à la sieste ou au bain… Je ne sais pas d'où leur vient cette coutume, mais chaque jour, six bains chauds sont coulés pour les élèves. Figurez-vous une grande salle avec au milieu deux rangées de trois baignoires installées côte à côte. À une extrémité de la pièce se tient la surveillante, qui bavarde comme une pie dans un patois incompréhensible! Je me coule dans le bain et j'essaie de me concentrer sur les bruits de l'eau. Je m'imagine être dans un lac, l'été… Si Elizabeth est présente, elle se lève d'un bond quand elle a terminé et elle s'asperge d'eau froide, ce qui est accueilli par les cris d'effroi de toutes les élèves présentes!»

Pour au moins la quatrième fois, Flavie rit de bon cœur, tâchant d'imaginer la mine de cette Américaine dont Marguerite lui parle d'abondance. Son amie a fait une rencontre totalement inattendue à la Maternité, celle de la jeune diplômée en médecine Elizabeth Blackwell. Déterminée à poursuivre ses études en Europe, cette dernière a rapidement compris qu'un tel séjour lui bénéficierait grandement. Cependant, malgré son titre de médecin, on lui a chichement refusé le moindre privilège!

Flavie pige une autre missive au hasard. Dans celle-là, Marguerite souligne à quel point, dans leur horaire chargé, l'heure du déjeuner, comme on appelle là-bas le repas de midi, est une pause appréciée... qui débute par une prière marmonnée si rapidement que Mlle Blackwell, à côté de qui la jeune Canadienne prend parfois place, n'a réussi à en comprendre, malgré tous ses efforts, que deux mots : *saint usage*!

« Vous devriez nous voir, à la conclusion du repas, emballer notre quignon de pain dans une serviette, notre couvert dans une autre, et les restes du repas par-dessus tout ça pour un en-cas dans l'après-dînée... Le nombre d'élèves à la Maternité se chiffre à près d'une centaine, le saviez-vous? C'est tout un bataillon de sages-femmes qui quitte l'institution chaque année! Ce qui me tanne le plus dans tout le rituel sévère de la Maternité, c'est la voix sonore de notre surveillante, qui passe son temps à nous donner des ordres. J'ai fini par m'y habituer comme au son d'une rue bruyante, et le soir je m'endors bien avant qu'elle ait fini de résonner dans le dortoir! N'empêche qu'il est proprement effarant de constater à quel point les autorités sentent le besoin de nous encadrer comme des écervelées, de nous enrégimenter comme si l'extérieur était un lieu synonyme de dangers constants. Je vous assure que les jeunes étudiants en médecine qui fréquentent les écoles de la capitale jouissent d'une liberté autrement plus grande! Et pourtant, ce sont eux qui sont susceptibles des pires frasques! »

Flavie songe tout à coup qu'elle n'est pas allée au bureau de poste depuis presque un mois. Une lettre l'y attend peut-être! Elle y passera plus tard, après les courses au marché. Elle replie les feuillets, et comme personne ne va effectuer à sa place toutes les tâches urgentes qui l'attendent pour remettre la maison en état de fonctionner, elle se décide à s'habiller et à se mettre à l'ouvrage. Ce n'est qu'en fin d'après-dînée, les provisions enfin rangées, qu'elle fait un saut à la poste, où plusieurs missives adressées aux divers membres de la famille Renaud sommeillent.

Parmi elles, à la grande joie de Flavie, se trouve une lettre de Marguerite! D'une démarche dansante, Flavie rejoint la rue Saint-Denis et la remonte jusqu'à l'immeuble où Bastien loue, pour encore quelques semaines, une partie de l'étage. C'est peut-être la dernière fois qu'elle vient à cet endroit où Bastien et elle ont joui, à quelques reprises avant leur union, d'une solitude grisante...

Déjà à moitié vidée de son mobilier, la salle d'attente est déserte, mais des voix résonnent derrière la porte fermée du cabinet de Bastien. Flavie s'installe dans un fauteuil, notant l'absence de la fameuse armoire vitrée exhibant des organes d'animaux conservés dans des pots. Talonné par sa femme qui trouvait cette pratique dégoûtante pour le commun des mortels, Bastien s'est enfin résolu à s'en débarrasser, comme il accepte dorénavant de faire laver sa redingote de travail au moins une fois par semaine.

Fébrilement, Flavie brise le sceau de cire. Enfin sortie de la prison des hauts murs de la Maternité, Marguerite est en train de profiter de quelques mois de vacances bien méritées. Elle attend son retour, en octobre, avec une grande impatience! Dans cette lettre, son amie lui annonce d'emblée qu'elle a répondu favorablement à la requête de la présidente du conseil d'administration de la Société compatissante, Marie-Claire Garaut, qui lui demandait de prendre en charge l'une des trois conférences publiques de la prochaine saison, celle qui s'intitule *Sages-femmes célèbres de l'histoire*, dans une huitaine de mois.

Flavie siffle entre ses dents. La timide et délicate Marguerite accepte d'être conférencière? C'est qu'elle a, en effet, fichtrement changé! D'après le ton de ses lettres, Flavie a l'impression qu'elle est comme un papillon en train de se débarrasser d'un encombrant cocon...

« Je l'ai gardé pour moi parce que je ne voulais inquiéter personne, Flavie, mais ce fut une année exigeante. Passionnante, mais vraiment terrible. Mon séjour au couvent, à côté, c'était du gâteau... J'avais à moi un lit, une table de chevet et une chaise. Point à la ligne. Jamais une minute d'intimité réelle, aucune solitude autre que dans les jardins, parfois, à la relevée. Et aucun loisir, aucune distraction sauf le bavardage avec une autre élève ou une visite au parloir... ou à la chapelle. Oh! Pour ça, si on le voulait, notre temps était bien rempli par les offices du matin et du soir, par les vêpres, par les baptêmes, par les cérémonies en l'honneur du saint du jour!»

Un raclement de gorge la fait tressaillir: Bastien se tient debout devant elle, un sourire narquois aux lèvres. Il lui tend les deux mains pour l'aider à se mettre debout et tous deux se fondent dans une courte étreinte ponctuée d'un baiser. Il grommelle avec un soupir heureux:

– Beaucoup de clients aujourd'hui. Je suis content, ils ont attendu mon retour plutôt que d'aller en consulter un autre!

– C'est parce que tu es le meilleur, affirme Flavie avec gentillesse.

Il hausse les épaules, sans cependant réussir à cacher à quel point il est flatté du compliment. Flavie lui prend la main:

— Tu viens? Nous avons toute la soirée pour nous tout seuls...

— J'y pensais à l'instant, réplique-t-il d'un ton suggestif. Je me disais qu'il serait bien agréable de faire un feu dans l'âtre du salon et de te séduire là...

— L'idée d'une nuit de débauche me plaît bien, murmure-t-elle. On met le loquet et on ne répond à personne... Mais avant, j'avais prévu un pique-nique au Pleasure Garden. Je m'ennuie déjà de la campagne...

Bastien fait la moue.

— Il me semble que j'en connais les allées par cœur... Tant qu'à sortir, pourquoi pas un musée? Celui de la Société d'histoire naturelle, tiens... Il est au McGill College, la montagne est tout juste derrière...

C'est au tour de Flavie de plisser le nez avec dédain. Un pas sonore, grimpant l'escalier quatre à quatre, les fait vivement s'écarter l'un de l'autre. Un homme au ventre rebondi et au crâne dégarni fait irruption dans la pièce, hors d'haleine, et sur son visage se peint un vif soulagement lorsqu'il aperçoit le couple. Étienne L'Heureux s'exclame:

— Madame Renaud, mes hommages! Bastien, je suis ravi de te trouver inoccupé! Je voulais régler un détail avec toi au sujet de notre future installation... Vous nous excusez un moment?

Flavie fait un sourire d'assentiment et les deux associés disparaissent dans le bureau de Bastien. Se cherchant un appartement pour lui seul, Étienne a loué l'étage au-dessus de la future clinique d'hydrothérapie de la rue Saint-Antoine. Une étrange conduite qui l'a beaucoup étonnée!

Se rassoyant enfin, Flavie retrouve le fil de sa conversation épistolaire avec Marguerite. Dans ses plus récentes lettres, son amie a commencé à l'entretenir des théories professées par une élite européenne socialisante. Davantage préoccupée par l'acquisition de connaissances médicales, Flavie n'avait guère eu le loisir de s'y s'intéresser, mais à chaque fois, elle est remplie d'émerveillement devant les perspectives nouvelles qu'offre la philosophie moderne. Aujourd'hui encore, son amie écrit avec enthousiasme :

« Il ne s'agit plus seulement des modestes remises en question des penseurs du Siècle des lumières, mais de véritables systèmes complexes visant à instaurer sur la planète un nouvel ordre social, une nouvelle manière de penser les relations entre les humains. Pour un peu que tout le monde s'y mette, le dix-neuvième siècle sera celui du bonheur universel ! Jusqu'à présent, l'être humain n'a pas encore réussi à créer une société égalitaire ; au contraire, d'ignobles rapports de force existent entre les riches et les pauvres, entre les instruits et les ignorants, qui permettent aux premiers d'imposer leurs lois aux seconds. Si la marche du monde continue sur cette lancée, jamais on ne mettra un frein à l'exploitation de l'homme par l'homme ! »

Flavie s'étonne de se sentir si personnellement interpellée. Une vive émotion lui monte de par tout le corps ; ses mains qui tenaient la lettre retombent sur ses cuisses et elle reste un long moment les yeux perdus dans le vide. Comme cette opinion lui paraît juste et sensible ! Son amie met les mots exacts sur les idées qui, souvent, s'entrechoquent dans sa tête lorsqu'elle prend conscience des plus révoltantes misères, des plus flagrantes inégalités, et parmi ces dernières, les injustices dont la gent féminine est victime, dont *elle* est victime ! Au sein de l'humanité souffrante, les femmes sont les plus à plaindre.

Cette misère que beaucoup croient imposée aux êtres humains par la divine Providence, poursuit Marguerite, et qu'il serait donc malséant de combattre, il faut au contraire s'y attaquer de toutes ses forces!

« Il paraît que, pour certains, c'est désobéir au souverain commandement que d'ingérer une substance quelconque pour diminuer la douleur. En ce cas, dans la même ligne de pensée, c'est aller à l'encontre de la Providence que de cultiver la terre pour faire pousser le blé, ou que de construire des moteurs à vapeur! Partout de par le monde, dans chaque acte de la vie quotidienne, nous défions cette croyance qui remonte aux religions anciennes. Quand nous faisons appel à un praticien pour comprendre une maladie et tenter de la curer, nous défions la supposée volonté de Dieu! Oh! Flavie, à l'heure actuelle, je suis intimement persuadée que la souffrance et la misère ne font pas partie de la grande marche du monde, mais sont des incidences collatérales dues à notre irrespect des lois de la nature. Votre Bastien, qui s'attache dans sa pratique à stimuler les forces vives du corps humain, ne me contredirait point, n'est-ce pas? Il nous faut donc bannir les maladies de la surface de la terre en restaurant l'être humain dans son harmonie primitive. À cette condition seulement, nous accomplirons la volonté de Dieu : que la beauté de notre vie à tous corresponde à la beauté de l'univers tel qu'ordonné par Lui, pour nous. »

Lisant et relisant ce long passage, Flavie ne peut s'empêcher de se dire que le même raisonnement s'applique à son désir et à celui de Marguerite d'acquérir la science chirurgicale. N'est-ce pas en s'appuyant sur les volontés de la Providence comme sur un bâton de vieillesse que l'on refuse aux femmes un élargissement de leur destin? Marguerite sent-elle, comme Flavie, que la pensée socialiste ouvre d'enivrantes perspectives?

— Cela semble passionnant, déclare la voix goguenarde d'Étienne L'Heureux. On peut partager ce moment de bonheur?

Avec un large sourire, Flavie relève la tête tout en la secouant vigoureusement.

— Jamais je n'oserais! Ma correspondante m'énumère justement tous les plaisirs que Paris recèle. Il paraît que le comble du chic pour un bourgeois, c'est d'entretenir la plus frivole des courtisanes...

— Marguerite t'écrit cela? s'exclame Bastien, incrédule. Tu nous fais marcher! Cette pieuse demoiselle doit se promener benoîtement d'une église à l'autre. Tu la connais comme moi, Étienne...

— Eh bien, ma foi, vous cultivez d'horribles préjugés à son sujet. Écoutez plutôt ceci...

Flavie fait mine de rechercher un passage, sachant que Bastien anticipe avec une légère anxiété ce qui va suivre. D'un ton innocent, elle lit:

«Au cours de la dernière semaine avant mon départ de la Maternité, le médecin interne...»

Elle marque une pause en levant pudiquement les yeux. Hilare, Étienne la couve du regard, tandis que Bastien la considère avec étonnement, les sourcils froncés. Elle reprend:

«... nous a permis de faire des observations au microscope, répondant à nos questions et commentant nos conclusions. Il nous a montré la différence entre plusieurs sortes de tissus: l'épithélium pavimenteux qui ressemble à une cellule remplie de petites cellules, l'épithélium vibratile qui a une forme allongée, et un tissu abîmé dans lequel de nouvelles cellules, au noyau plus petit, se sont formées. »

Impossible de poursuivre : les deux hommes s'esclaffent et Flavie, repliant la lettre, se joint à eux.

Toutes les ouvertures de la maison laissent entrer l'air frais et sec de cette journée de la fin de l'été et Léonie, après avoir reconduit ses trois visiteurs en soutane, inspire à fond, plantée devant la porte de la cuisine qui donne sur leur cour arrière. Quelle saison bénie des dieux! Les rideaux de protection contre les insectes sont rangés jusqu'au printemps suivant et de délicieux parfums de fenaison flottent au-dessus des faubourgs. Même l'odeur pénétrante du fumier que l'on étendra bientôt ravit Léonie, lui rappelant son enfance dans la campagne de Longueuil. Le travail sur une ferme est incessant, parfois très dur, mais que de moments agréables ponctuent cette vie paysanne!

Un pas léger la fait pivoter : Agathe vient de pénétrer dans la pièce. Léonie l'accueille avec un sourire chaleureux :

— Déjà de retour de l'école? Je n'attends pas Simon avant deux bonnes heures…

— Qui étaient ces prêtres qui sortent de chez vous?

— Trois curés chargés de missions rurales aux confins de l'île de Montréal, qui viennent de me faire une proposition qui tombe à pic!

Exaltée, Léonie raconte que ces braves hommes, jugeant nécessaire la formation de sages-femmes instruites, caressent le projet de financer le séjour de jeunes paroissiennes à l'École de sages-femmes, à la condition que les élèves s'engagent à revenir ensuite pratiquer dans leur patelin.

– C'est l'occasion que j'attendais pour développer l'enseignement à mon École! Grâce à ces campagnardes, j'aurai un nombre suffisant d'élèves pour allonger la formation à deux années! Je les ai déjà avertis de mes intentions et ils n'ont manifesté aucune déception...

Avec l'un de ces curés, le plus jeune et le plus vif d'esprit, Léonie va entreprendre une correspondance pour organiser le séjour de quelques demoiselles pour l'année scolaire suivante, dès janvier prochain. Avant les neiges, elle fera même le voyage pour aller rencontrer sur place ses futures élèves et leur famille.

Toute à son enthousiasme, Léonie met du temps à remarquer que sa bru a les sourcils froncés et que son mince sourire ressemble à un rictus. Elle devine qu'elle rapporte encore de l'école de la paroisse, où elle enseigne, de mauvaises nouvelles... Agathe reste pensive, manifestement incapable de se résoudre à lui raconter ce qui la tarabuste, et, gentiment, Léonie avance:

– Encore cette année, tu dois défendre ta position? Bien certainement, ils n'oseraient jamais! Tu dois continuer à enseigner, Laurent est sans travail!

– Justement! s'écrie Agathe avec agitation. Vous savez ce que M. Jorand vient de me proposer? Oh, il était tout miel, fier comme un paon d'avoir trouvé cette solution! Mon mari ne travaille pas et il a suffisamment d'instruction, alors je n'ai qu'à lui céder ma place!

– Lui céder ta place? s'exclame Léonie, soufflée. Mais ils perdraient leur meilleure maîtresse! Tandis que Laurent... il répète à qui veut l'entendre qu'il n'a pas le feu sacré!

Agathe fait une grimace d'impuissance. Léonie devine toutes les émotions contradictoires qui s'entrechoquent en elle: son amour du métier et des enfants, sa fatigue devant les pressions des marguilliers et du directeur de l'école, son souci concernant l'avenir de Laurent... La jeune femme balbutie :

— C'est absurde, n'est-ce pas, belle-maman ? Si je laissais ma place à Laurent, il obtiendrait un meilleur salaire que moi, simplement parce qu'il est homme... Si j'avais su... Si j'avais su qu'il aurait tant de difficultés à se trouver une nouvelle position ! Bien des entrepreneurs et des hommes d'affaires ne s'intéressent même pas à ses compétences : ils se préoccupent de rendre service uniquement dans l'espoir que la pareille leur soit rendue plus tard ! C'est une honte ! Moi, j'avais confiance, vu que Laurent est un homme de qualité !

— Et tu as eu raison, affirme Léonie avec force en lui serrant le bras. Personne ne te demande un tel sacrifice, et j'espère, surtout pas mon grand fils !

Devant le regard interrogateur de sa belle-mère, Agathe fait un léger signe de dénégation et son visage se détend :

— Rassurez-vous. Laurent serait terriblement humilié d'être obligé de me voler ma position.

Elle se souvient brusquement du papier-nouvelles plié en quatre qu'elle porte sous le bras.

— J'oubliais ! Vous avez vu l'annonce de Flavie et Bastien ?

— C'est fait ? s'étonne Léonie. Montre-moi !

Agathe déplie les larges pages sur la table et toutes deux se penchent sur un petit encadré situé tout en bas d'une colonne.

Le docteur BASTIEN RENAUD, *diplômé de l'École de médecine et de chirurgie et hydrothérapeute d'expérience, et son épouse FLAVIE, accoucheuse diplômée de l'École de sages-femmes, désirent vous informer qu'ils viennent de former une ASSOCIATION PROFESSIONNELLE. Dans le but d'offrir les meilleurs soins possible, ils joignent leurs savoirs respectifs et complémentaires dans l'ACCOMPAGNEMENT DES DÉLIVRANCES et dans la cure des MALADIES DE FEMMES. Vous pouvez les joindre...*

En proie à des sentiments contradictoires, un mélange d'admiration et de scepticisme, Léonie échange un regard avec Agathe, qui murmure :

— D'après tout ce que vous m'avez raconté, belle-maman... L'initiative va faire jaser !

— On ne peut pas nier que, d'une certaine manière, ce soit une avancée. Les dames ne pourront plus s'opposer à la présence d'une accoucheuse auprès d'elles puisqu'un médecin sera instantanément disponible en cas de complications. Peut-être que l'exemple de Flavie et de Bastien en inspirera d'autres...

— À se marier ? plaisante Agathe.

— Mais non : à s'associer !

Sentant la mauvaise humeur de sa belle-mère, la jeune femme pose sur elle un œil inquisiteur. En son for intérieur, Léonie doit convenir que la position de Flavie a du sens : les médecins, fussent-ils jeunes et inexpérimentés, ont l'immense avantage de faire partie de la même classe sociale que leurs clientes. Les bourgeoises refusent de se laisser toucher par des accoucheuses qu'elles trouvent vulgaires et crottées, bruyantes et dépourvues de manières... Seules celles du genre de Léonie, éduquées et sobres, trouvent encore grâce à leurs yeux. Mais il y en a si peu, beaucoup trop peu !

Flavie estime que le seul moyen de rivaliser avec les médecins, c'est de se transporter sur leur propre terrain. Puisque l'intérêt réel des bourgeoises pour les « hommes de l'art » sévit depuis deux siècles en Europe, dès que la médecine parviendra au même niveau d'avancement au Bas-Canada, les accoucheuses seront boutées hors des chambres à coucher !

Avant son mariage, lorsque Flavie lui avait confié à quel point elle était attirée par l'acquisition de la science médicale, Léonie avait été enchantée de constater que sa fille brûlait de la même passion qu'elle, qui la poussait à tant se perfectionner ! Mais depuis, son contentement s'est mué en un réel scepticisme. Comme elle l'explique à Agathe, elle ne partage pas la fascination de Flavie pour cette profession.

— Les sages-femmes n'ont nul besoin de savoir manier le scalpel. Les actes chirurgicaux des chirurgiens-accoucheurs exposent les mères à de graves dangers. Heureusement, cette pratique est fort rare ici, au Bas-Canada, mais si tu savais ce qui se fait déjà dans les vieux pays !

— Mais ce n'est plus comme avant, n'est-ce pas ? Avant, on appelait le chirurgien à la toute dernière extrémité, lorsqu'on avait perdu tout espoir de sauver le bébé. Tandis que maintenant, les médecins ont développé des techniques pour délivrer des bébés bien vifs !

— Je te l'accorde, mais trop souvent, c'est au détriment de la santé, et parfois même de la vie, de la mère ! Leur savoir n'est pas supérieur au nôtre, Agathe. Il est *différent*... Ce que les plus habiles d'entre nous font avec leurs mains, ils le font avec des instruments qui, je t'assure, sont très difficiles à manier. La seule supériorité de la classe des médecins sur celle des sages-femmes, c'est qu'ils sont *hommes*, qu'ils ont du pouvoir et, surtout, la capacité de s'instruire!

Après un temps, Léonie étreint le bras de sa bru:

— Flavie rêve de devenir médecin à part entière, de pouvoir s'occuper de tous les cas, même les plus difficiles. Elle espère que son association avec Bastien familiarisera le public avec cette nouveauté…

— Et quelle nouveauté! s'écrie Agathe. Pour tout vous dire, l'idée d'une femme médecin, ça me choque plutôt…

Dans le fond, mère et fille poursuivent le même but, soit faire reconnaître à leur juste valeur par la belle société les accoucheuses dotées de cet esprit scientifique dont les bourgeois raffolent. Cependant, toutes deux utilisent des voies différentes: la première veut s'appuyer sur un savoir féminin séculaire pour former, à son école, une classe d'accoucheuses de qualité, tandis que la seconde estime qu'il faut s'approprier le savoir masculin, tout en le réformant si nécessaire.

— Pour être franche, Agathe… J'ai grandement peur que Flavie se brûle les ailes. Et puis je trouve tellement regrettable que nos forces soient divisées ainsi… Tu te souviens de l'ambitieux programme que je n'ai pas craint d'annoncer en décembre 1847?

Au cours de la cérémonie qui soulignait la réussite scolaire de la toute première promotion de l'École de sages-femmes de Montréal, Léonie affirmait alors qu'elle comptait mettre tout en œuvre pour que les sages-femmes soient considérées comme des professionnelles: favoriser un regroupement en corporation, adopter un programme formel d'apprentissage et solliciter éventuellement l'affiliation à une université reconnue.

Tant d'eau a coulé sous les ponts depuis cette déclaration publique ! Trop de gens ont cru que c'étaient des paroles en l'air, prononcées par une écervelée ! Mais le temps passe outrageusement vite pour une accoucheuse à la fois directrice d'école et sage-femme en chef d'un refuge, surtout lorsque le cours de son existence est bouleversé par le départ de sa fille cadette, le mariage de ses deux aînés, les fièvres électorales et les violences des tories !

Léonie dit encore à sa bru, qui l'écoute avec attention :

– À mon sens, nous devons créer une classe d'accoucheuses qui pourraient, scientifiquement parlant, rivaliser avec les médecins. Non pas en nous appropriant leur savoir, comme Flavie le croit, mais en *publicisant* le nôtre ! La science des meilleures accoucheuses du monde civilisé est infiniment supérieure à celle des obstétriciens les plus célèbres, et pourtant, elle reste dans l'ombre ! Il est vital de changer cet ordre des choses, mais je ne peux pas le faire seule. J'attends un signal de la part des jeunes femmes instruites à mon école. Juste l'indication qu'elles ont compris que là, seulement, réside leur salut...

Envahie par une puissante amertume, Léonie se tait. Parfois, elle se sent isolée comme au milieu d'une île déserte. Est-elle la seule à être hantée par cette vision d'avenir, par cette certitude que les sages-femmes diplômées doivent s'organiser pour survivre ? Comment se fait-il que personne d'autre ne semble se rendre compte qu'à défaut de tout mettre en œuvre pour que les accoucheuses soient reconnues comme des femmes de science, comme de véritables professionnelles, elles sont vouées à la ruine ? En Canada, l'absence de formation des sages-femmes est un crime! L'École de sages-femmes est comme une goutte d'eau dans un océan d'ignorance...

Dans un geste empreint d'affection, Agathe glisse son bras sous celui de Léonie.

— Flavie est pourtant toute proche de vous, belle-maman. Peut-être qu'aujourd'hui elle vous apparaît à l'autre bout du monde, mais je vous assure que vous vous trompez. Elle vous ressemble tant...

— Je te reconduis chez toi, décide Léonie en haussant les épaules d'un air faussement détaché. Olivier m'a promis son aide pour la corvée à la Société, et comme c'est demain...

Agathe s'étonne à voix haute de la générosité de son petit frère, qui préfère habituellement plus que tout battre la campagne. Les deux femmes ont à peine fait dix pas sur le trottoir qu'elles aperçoivent Laurent, en train de traverser la rue derrière une charrette débordante de barils. Il court dans leur direction et, parvenu devant elles, il s'empresse de prendre sa femme dans ses bras et de la faire tournoyer brièvement dans les airs. Il leur annonce ensuite d'une voix de stentor, comme s'il tenait à ce que la rue entière soit au courant:

— J'ai été appointé à la Commission géologique! Je commence lundi prochain! Je serai clerc, secrétaire, commis, scribe, tout ce que vous voudrez!

— Enfin! s'exclame Agathe avec ferveur. Voilà qui va clore le bec de M. Jorand! Tu dis, la Commission... géographique?

— Géologique! C'est un organisme créé par le gouvernement du Canada-Uni pour explorer les ressources minérales du pays. J'avais croisé à quelques reprises son directeur, *mister* Logan, dans les couloirs du Parlement...

C'est que la Commission vient de se faire confier le mandat d'organiser une exhibition de minéraux et de fossiles qui sera présentée l'année prochaine à la grande Exposition universelle, à Londres. Je suis tombé pile!

Agathe est brusquement devenue toute pâle.

– À Londres? Tu vas traverser à Londres?

– Moi? Tu te fais des peurs, ma jolie Sauvagesse… Je suis bien trop insignifiant!

CHAPITRE VII

Ce matin-là, Léonie n'a pas besoin d'utiliser sa clef pour entrer dans le futur bâtiment de la Société compatissante. Elle s'étonne : charpentiers et maçons sont censés avoir terminé les modifications requises à l'étage supérieur. Mais elle sourit avec tendresse en constatant que sa belle amie Marie-Claire Garaut est déjà à pied d'œuvre, parcourant au pas de charge les différentes pièces du rez-de-chaussée, sa jupe rapiécée flottant derrière elle.

Dès leurs premières rencontres à l'occasion de l'un de ses accouchements, Marie-Claire a fait à Léonie le cadeau d'une amitié franche et sincère. C'est elle qui a saisi au bond la balle lancée par leur curé et qui s'est jetée corps et âme dans l'organisation de la Société. C'est elle aussi qui lui a offert le poste de sage-femme en chef et qui a soutenu la fondation de l'École de sages-femmes. Chacune de leurs trop rares rencontres est savourée comme ce chocolat fin, si délectable, qui avait été offert à Léonie par l'un de ses clients fortunés…

Les traits perpétuellement tirés, semblant parfois porter sur ses épaules tout le poids du monde, Marie-Claire s'occupe de la bonne marche du refuge avec un acharnement farouche. Elle y trouve un dérivatif à ses propres soucis intenses, soit la préparation d'un recours qu'elle compte entreprendre devant les tribunaux pour obtenir une séparation de corps d'avec le père de ses enfants. Pour entretenir une maîtresse et s'adonner à ses diverses passions, Richard Garaut s'est approprié une bonne partie des avoirs que Marie-Claire avait placés dans la communauté de biens à son mariage. Mais les choses sont loin d'être simples! Marie-Claire aurait pu se contenter d'une séparation de fait conclue à l'amiable devant notaire. Un divorce par loi spéciale du parlement du Canada-Uni serait également possible n'eût été son coût prohibitif. Cependant, Richard se refuse à tout cela parce qu'il ne pourrait plus puiser à loisir dans les avoirs de sa femme.

Marie-Claire a confié à Léonie que son fils aîné lui tient tant rigueur qu'elle a été immensément soulagée de le voir quitter la maison pour des études avancées en France. Heureusement, son deuxième, qui termine un cours classique supérieur, est davantage compréhensif. Quant à Suzanne... Léonie prie parfois que son mari, le suave Louis, l'emmène vivre à l'autre bout de la planète. Suzanne ne cesse de bassiner sa mère avec la honte et le déshonneur qui rejailliront sur elle et sur sa belle-famille si un jugement en séparation était prononcé.

Ce qu'elle est devenue ahurissante, avec le mariage! Pourtant, l'Église catholique considère la séparation légale avec une certaine magnanimité, puisque le remariage est interdit: le principe de l'indissolubilité de ce sacrement est donc respecté. Suzanne presse ses parents de s'astreindre à une réconciliation négociée par le curé. Même l'évêque de Montréal, Mgr Bourget, agit dans quelques cas comme médiateur! Cette éventualité fait bondir Marie-Claire, qui se refuse à dévoiler ce pan de sa vie privée à un homme de robe. Elle s'est déjà trop déshabillée moralement au confessionnal, affirme-t-elle, et on ne l'y reprendra plus !

Une demi-heure plus tard, Flavie et Laurent arrivent rue Henry, suivis à contrecœur par le jeune Olivier Sénéchal, plutôt mortifié d'être obligé de respecter son offre généreuse, mais irréfléchie. Une charrette remplie de matériaux de construction et de barils de plâtre est stationnée devant la porte et plusieurs personnes s'y agitent.

– La journée promet ! marmonne Flavie d'un ton mi-figue, mi-raisin. Et dire que demain, c'est Bastien que je dois aller aider, pour le déménagement de sa clinique !

Laurent riposte en la gratifiant d'un léger coup de coude dans les côtes :

– Pas assez riche, ton médecin, pour engager de la main-d'œuvre ?

De justesse, Flavie retient la repartie qui lui brûle les lèvres. Depuis son mariage, elle tâche d'accepter de bonne grâce les plaisanteries de ses proches au sujet de sa condition sociale privilégiée. Dignement, elle répond à son frère :

– Étienne et Bastien auront deux hommes à tout faire. Mais il faut que je sois là pour leur indiquer où placer le matériel.

Dès qu'elle pénètre à l'intérieur du bâtiment, Flavie transmet à Marie-Claire les regrets de Bastien pour son absence. Acceptant les excuses avec un geste magnanime de la main, la présidente du conseil, fort affairée, envoie Laurent dans la grande salle à l'étage. Chacune des pièces de la maison est placée sous la supervision d'un homme qui dirigera, pendant la journée, le travail de ses manœuvres bénévoles. Quant à Flavie, elle est enrégimentée comme l'adjointe de Marie-Claire, organisatrice en chef.

Peu à peu, le bâtiment se remplit d'une troupe hétéroclite et rieuse composée de jeunes bourgeoises ayant revêtu une chemise d'artiste par-dessus leurs plus vieilles robes et de jeunes hommes de bonne famille s'amusant fort de leurs habits d'ouvrier. Plusieurs dames mûres vont et viennent parmi eux, transportant breuvages et canapés. Même quelques messieurs, habituellement d'un maintien fort digne, offrent leur aide avec une bonhomie rafraîchissante! Comme les riches sont généralement de piètres bâtisseurs, Marie-Claire a choisi comme chefs d'équipe, en plus de Simon et de Laurent, des hommes des faubourgs populaires tels Jeffrey Easton, le fils de Sally, et Charles Parrant, celui de Magdeleine.

Passant dans la pièce où son père est à pied d'œuvre, Flavie s'amuse fort de le voir mener sa petite troupe avec une discipline toute militaire : les hommes au plâtre, les femmes à la peinture et Michael, leur messager irlandais, à la réparation du cadre de porte. Elle pénètre ensuite dans la vaste salle où règne le plus grand des désordres et où Laurent, manifestement découragé, manie seul la truelle. Considérant le groupe de jeunes gens qui badinent comme s'ils se trouvaient à un pique-nique du dimanche, la jeune femme darde un regard ulcéré vers son frère. Elle inspire profondément et s'écrie d'une voix forte :

– Mais que se passe-t-il ici ? Bande de paresseux, ceux d'en bas ont déjà presque fini !

Un concert de protestations s'ensuit, que Flavie fait taire en levant ses deux bras vers le ciel. Elle reprend en exagérant son accent des faubourgs :

– Du calme! À ce que je vois, vous êtes tout juste capables de faire aller votre langue! De vraies pâtes molles, ces bourgeois! Ça sait comment placer un col ou lacer un corset, mais quand il s'agit de faire un effort, pfff! Ça compte sur ses domestiques ou ses ouvriers! Pour ça, oui, vous savez comment donner des ordres!

Réduits au silence, les jeunes gens échangent des regards outrés. Évitant de croiser les yeux de son frère qui se retient de rire, Flavie tourne les talons et sort de la pièce avec une démarche de reine. Habituée à côtoyer les patientes de la Société compatissante et à diriger leurs activités quotidiennes, elle n'hésite plus à s'imposer!

En bas, dans ce qui deviendra le salon, Flavie rencontre Françoise Archambault qui, avec des mouvements larges et heureux, répare un coin de mur. Obéissant au signe de la dame patronnesse, Flavie s'approche et Françoise lui murmure à l'oreille:

– Si j'en juge par la qualité de notre personnel, il y aura de belles vagues dans le plâtre des murs!

Laissant échapper un rire léger, Flavie réplique:

– Dans les plus gros trous, on installera des statues de la Vierge, et sur les plus grosses bosses, des images pieuses. Notre curé sera bien content!

Françoise lui pince affectueusement le bras, y laissant une belle trace grise. Elle reprend en chuchotant:

– Vous avez su la nouvelle, concernant la conférence de Mlle Bourbonnière? J'avoue que je n'avais guère espoir, alors sa réponse favorable m'a enchantée! À ce que je vois, notre amie n'est pas restée insensible à l'effervescence intellectuelle qui règne dans notre mère patrie! Ce que je donnerais pour être à sa place… Parfois, la tranquillité de notre contrée paysanne m'exaspère! Il ne se passe rien, ici…

– Et quand il se passe un petit quelque chose, on croirait, à voir la commotion, qu'un tremblement de terre a fendu en deux la Grande rue Saint-Jacques!

Pivotant sur ses talons après un clin d'œil, Flavie se fige : un homme qui faisait face à un mur vient de se tourner et glisse vers elle un regard méfiant. Sa tête rousse blanchie par la poussière de plâtre, Louis Cibert la contemple, sa large bouche s'ornant d'un léger sourire où perce une pointe d'ironie. Flavie reste immobile, désarçonnée. D'apparence nettement plus florissante que pendant ses années d'apprentissage, il porte de longs favoris et une moustache bien fournie qui lui donnent l'allure d'un homme conscient de son importance.

Elle ne l'a pas revu depuis bien des lunes… Alors que Louis était étudiant et Flavie, élève de l'École de sages-femmes, il a voulu la séduire comme il aurait acheté les faveurs d'une courtisane. Lorsqu'elle s'est rebellée, il s'est mis à colporter de bien cruelles rumeurs sur son compte! Fort heureusement, depuis son mariage avec Suzanne Garaut et l'établissement de sa pratique, elle n'a plus entendu parler de lui.

Le jeune médecin articule, avec une galanterie forcée :

– Mes hommages, madame Renaud. Il y a bien longtemps que je ne vous ai croisée…

Redevenant peu à peu maîtresse d'elle-même, elle répond d'une voix égale :

– Le hasard fait bien mal les choses.

– Le hasard? Si vous le dites… Aurai-je le plaisir de croiser votre mari aujourd'hui?

– Vous savez sûrement, cher docteur, que son associé et lui sont en pleine installation de leur nouvel office.

– Ah ? Vous me l'apprenez…

Flavie n'est pas dupe et elle ne peut retenir une moue moqueuse. Louis Cibert reprend, tout en faisant mine de travailler :

– Ce bon Dr Renaud adore les associations, n'est-ce pas ? Avec Étienne L'Heureux et ensuite avec vous… Il n'y a pas à dire, il se choisit des partenaires de la meilleure fournée…

Son petit et replet voisin, un jeune homme lui aussi en train de plâtrer, pouffe de rire sans toutefois oser jeter un œil vers la jeune femme. Plaisamment, Cibert poursuit :

– Ma chère dame, vous connaissez mon ami Horace Roy ? Médecin lui aussi, il pratique en plein cœur de la cité, rue Saint-Paul.

Flavie lui adresse un infime signe de tête auquel il répond de la même manière. Elle lance brusquement à l'intention de Louis :

– Je me permets de vous renvoyer la question : Suzanne est-elle parmi nous ?

Il répond avec indignation :

– Madame, mon épouse mettra bientôt notre enfant au monde. Jamais je ne la laisserais respirer une atmosphère viciée par la poussière de plâtre, les émanations de peinture et… et tout le reste.

Par ce « tout le reste », il évoque les miasmes dont l'air se charge, comme le croient beaucoup de médecins, lorsque de nombreuses personnes des faubourgs populaires, d'une propreté douteuse, sont confinées dans un espace restreint. C'est du moins ainsi que la profession médicale explique pourquoi les épidémies de choléra et de typhus sévissent surtout dans les quartiers plus pauvres où les habitations sont humides, mal éclairées et trop peu ventilées.

La civilité exagérée de l'échange n'a échappé à personne et, peu à peu, les conversations animées qui avaient cours dans la pièce sont devenues des chuchotements. Le remarquant, Flavie balbutie :

— Un tel souci vous honore, monsieur. Au revoir.

Son mouvement de retrait vers la sortie est interrompu par sa réplique :

— Comme le chemin de votre mari ne croise jamais le mien... Auriez-vous la gentillesse de lui transmettre un message de ma part ?

Louis Cibert s'approche comme s'il voulait lui faire une confidence, mais sa voix est amplement sonore :

— Je doute fort qu'il ait pris conscience de quelque chose d'une grande importance dans notre profession. Bien entendu, nous œuvrons pour la gloire de la science et pour la santé générale de nos contemporains. Mais rien ne nous empêche d'en profiter pour *improuver* notre sort personnel...

Son ton est bonasse, empreint de jovialité, et Flavie ne trouve aucun prétexte pour s'esquiver.

— Or, entre vous et moi, l'hydrothérapie..., ce n'est pas ce qui va l'aider à faire fructifier son capital ! J'aimerais lui donner ce conseil tout à fait amical et désintéressé : la voie de l'avenir, c'est la science pharmaceutique.

— Mon cher Louis, toujours aussi bavard !

Avec étonnement, Flavie reconnaît le Dr Joseph Lainier, celui qui, plus de trois ans auparavant, les avait accueillies, son amie Marguerite et elle, à cette fameuse dissection nocturne à l'École de médecine et de chirurgie. Il se gausse :

– Auriez-vous empiré depuis l'époque de vos études? La vantardise, c'est un bien vilain défaut...

Un rire léger court de l'un à l'autre tandis que l'interpellé hausse les épaules sans prendre la peine de se retourner. Déposant sa truelle par terre, Lainier vient vers Flavie, le visage heureux:

– Madame Renaud, je ne peux pas bouder mon plaisir à venir vous saluer... Vous savez, la rumeur de vos progrès me parvient régulièrement! Ai-je besoin de me présenter? Après tout, il serait bien normal...

Flavie secoue vigoureusement la tête et lui tend sa main, qu'il serre avec ardeur. Ses cheveux bruns sont éclaircis de gris, surtout aux tempes, et ses traits réguliers sont d'autant plus séduisants qu'ils sont éclairés par une belle lumière intérieure. Quand il sourit, deux profondes fossettes se creusent dans ses joues et même son menton s'orne, en plein milieu, d'un petit trou, qu'il a visiblement bien de la difficulté à raser convenablement. Cette imperfection lui confère une charmante humanité... Ravie de revoir celui qui les avait accueillies avec tant de bonhomie, Flavie l'interroge de bon cœur:

– Mais que diable faites-vous ici? Je ne savais pas que le sort de la Société compatissante vous préoccupait...

– Je représente l'École de médecine. Entre vous et moi, les volontaires ne se bousculaient pas au portillon! Mais loin de me peser, cette distraction était plutôt la bienvenue. J'ai tendance à laisser ma profession m'absorber de façon outrancière. Vous savez que, depuis votre visite, les élèves de madame votre mère, une fois par année...

Réduit au silence par les sourcils exagérément froncés de Flavie, il se mord les lèvres. Lorsque c'est possible, la Société compatissante fournit des cadavres à l'École de médecine, pour dissection, et en retour, Lainier accueille les aspirantes sages-femmes une fois pendant leur année scolaire. Mais c'est un accord secret, même si Flavie se demande parfois si le secret n'est pas éventé depuis long-temps, compte tenu de la quantité de gens qui sont au courant. Néanmoins, il ne faut pas tenter le diable…

Le médecin se creuse manifestement la tête pour trouver rapidement un nouveau sujet de conversation et Flavie est sur le point de l'interroger sur sa carrière lorsqu'il lance, à brûle-pourpoint:

— Et votre consœur, Mlle Marguerite?

— Elle est à Paris, à la Maternité. En fait, au moment présent, elle a terminé son année d'études et elle profite de la capitale française avant de rentrer au bercail…

Les yeux agrandis par l'étonnement, il répète avec un intérêt sincère:

— À Paris? À la Maternité? Comme c'est passionnant!

Il jette un sourire d'excuse à un grand jeune homme qui lui fait les gros yeux, puis il glisse à Flavie:

— Mais je crois que je gaspille un précieux temps de travail… Tout à l'heure, vous me raconterez, promis?

L'église paroissiale n'a pas encore sonné six heures du soir que les vadrouilles ont déjà été mises à sécher à l'extérieur. Avant que chacun ne se disperse, les dames patronnesses offrent une collation à la petite troupe d'ouvriers et d'ouvrières. La fatigue est palpable et les conver-sations sont plutôt laborieuses tandis que, dans le salon poussiéreux, tous se sustentent et se désaltèrent.

Le travail en commun et les vêtements uniformé-ment salis gomment les inégalités. La jeune conseillère responsable du futur service de placement, Delphine

Coallier, bavarde avec une jeune accoucheuse du faubourg Sainte-Marie pendant que plusieurs bourgeois s'intéressent à la description que Charles Parrant, typographe de son métier, fait de l'atelier où il travaille, celui de John Lovell.

Comme Flavie, Françoise Archambault déteste les conversations mondaines, et les deux femmes profitent de chaque occasion qui leur est offerte pour partager leur indignation au sujet des femmes victimes d'une exploitation organisée et érigée en système social. Si la dénonciation de Flavie est instinctive et brute, celle de Françoise est superbement articulée, nourrie par d'abondantes lectures.

Depuis 1848 et l'instauration de la République, les Françaises font montre d'une rare éloquence. Sages-femmes, institutrices et artisanes diverses ont voulu profiter de ce grand mouvement socialiste pour tenter de faire avancer la cause de l'égalité et de la liberté. Les associations militantes ont fleuri partout! Hélas, la belle société française n'a pas vaincu sa crainte du peuple et de l'anarchie! Cependant, la parole des féministes circule encore en abondance.

De ce côté-ci de l'Atlantique, mais au sud de la « ligne du 45 », les Américaines ont pris la voie de l'émancipation. Depuis la décennie 1840, le Women's Right Movement s'organise en groupement d'opinion. Les réunions de déléguées de diverses associations font couler beaucoup d'encre, surtout ces congrès tenus à l'échelle de la nation entière depuis 1848, les fameuses « conventions ». L'époque moderne a beau être forgée par le progrès, on interdit aux femmes de franchir le seuil de leur foyer, de crainte de voir leur « grâce » en souffrir. Loin d'être idyllique, cette sujétion est avilissante et quelques Américaines la dénoncent énergiquement !

Comme à chaque fois, Flavie s'étonne du malaise évident des personnes à proximité pendant que Françoise et elle discutent avec flamme. Elles sont rares, les dames qui osent se mêler à cette discussion, et la gêne est encore plus flagrante du côté des messieurs ! Grâce à Françoise, Flavie a compris que ce n'est pas uniquement le sujet lui-même qui cause un problème, mais le fait qu'elles en parlent ouvertement, en public ! Elle a longuement médité sur le fait que, effectivement, les femmes qui *prennent la parole* sont source de scandale, comme l'ont prouvé diverses réactions devant celles qui, aux États-Unis, l'ont osé. Il paraîtrait que cette attitude virile est contraire aux lois de la nature et à l'enseignement des Écritures !

Joseph Lainier a terminé sa conversation avec Marie-Claire Garaut et, se souvenant de ce qu'elle avait convenu avec lui, Flavie met un terme à la passionnante discussion avec Françoise. Après un échange de civilités, Flavie lui décrit, à sa demande, avec enjouement, les conditions dans lesquelles Marguerite a étudié l'art des accouchements.

– À son arrivée, on lui a remis un large tablier blanc en lui spécifiant de ne pas le perdre, ou elle devrait débourser trois francs ! Elle logeait, comme toutes les jeunes Françaises, dans un grand dortoir. La cloche sonnait à cinq heures et demie le matin et ensuite, les élèves se rendaient dans l'une des salles d'accouchement. Elles devaient surveiller l'état des accouchées, les laver, faire arranger leur lit si nécessaire. La sage-femme en chef effectuait ensuite sa visite tandis que toutes les élèves lui faisaient leur rapport. À sept heures, les élèves retournaient au dortoir. On ne le croirait pas, mais leur journée commençait à peine! Elles devaient alors faire leur lit, grignoter le pain qu'on leur remettait une fois par jour, à midi... Le matin, les élèves recevaient seulement du lait.

Flavie dépeint à Joseph Lainier, qui boit ses paroles, la vaste salle d'accouchement où les lits sont cordés, où un feu crépite perpétuellement dans l'âtre et où au centre, sur une large table avec rebords, les nouveau-nés sont installés après leur naissance. On les couvre d'un chapeau sur le devant duquel on inscrit le nom et le sexe, on les enveloppe d'un manteau noir où est épinglé un mouchoir blanc, puis on les emmaillote dans une couverture comme de minuscules momies. À l'étonnement de Marguerite, les poupons semblent plutôt confortables ainsi, se plaignant rarement.

Brusquement, Flavie change de sujet:

— Vous savez, l'Américaine qui a obtenu son diplôme de médecin aux États-Unis?

— Miss Blackwell?

— Eh bien, elle aussi faisait un stage à la Maternité! Marguerite a eu l'occasion de bavarder avec elle à plusieurs reprises en anglais, ce dont elle était fort aise. Elle a bien amusé Marguerite quand elle lui a raconté à quel point les autres élèves étaient déçues que sa peau ne soit pas de couleur noire! Ces demoiselles croient que toutes les Américaines ont du sang d'Afrique dans les veines et que New York, qui est tout ce qu'elles connaissent des États-Unis, est situé sur une petite île dans les mers chaudes!

Le médecin fait écho au rire de Flavie, qui ajoute:

– Mais je vous ennuie sans doute avec ces frivolités…

– Pas du tout! proteste Lainier, le visage réjoui. J'ai adoré cette visite dans une contrée féminine qui me sera à jamais inaccessible!

– Les jeunes élèves sont très peu instruites, précise Flavie, mais on prend grand soin de leur apprentissage du métier de sage-femme.

Après une pause, elle ajoute, plus sombrement:

– Miss Blackwell a dû quitter abruptement, parce qu'elle a contracté une grave infection à un œil. Il paraît qu'elle était en train de soigner une patiente atteinte du même mal…

Manifestement ému par cette information, Lainier dit, d'une voix sourde:

– D'autres cas semblables sont parvenus à mes oreilles… Notre profession, madame Renaud, comporte certains risques auxquels bien peu d'entre nous osent songer. La transmission des maladies est encore un phénomène mystérieux, mais j'ai connu plus d'un médecin qui manifestait les mêmes symptômes que le patient qu'il traitait.

Effrayée par cette éventualité à laquelle elle n'avait jamais songé, Flavie blêmit brusquement et son interlocuteur, soudain embarrassé, lui étreint la main un bref instant.

– Ne vous alarmez pas, de tels cas sont extrêmement rares.

Flavie lui adresse un pâle sourire et, après un silence contraint, il conclut:

– Mais je crois que votre mère vous cherche. Voulez-vous me faire un grand plaisir? Quand votre amie sera de retour, venez toutes les deux me rendre visite à mon bureau, à l'École. J'y suis tous les matins. Je suis très curieux d'en entendre davantage sur cette fameuse Maternité.

Encore secouée par l'horrible possibilité qu'un malade transmette ses germes à Bastien, Flavie le lui promet. Elle remarque alors que Laurent, Olivier Sénéchal à ses côtés, est en discussion avec Charles Parrant, qui vient de poser une main paternelle sur l'épaule du garçon de treize ans. Elle devine, avec un pincement au cœur, qu'Olivier vient sans doute de se dénicher une place d'apprenti typographe...

Ses parents ont un grand besoin de son salaire et Laurent aurait pu difficilement lui trouver mieux, compte tenu de son degré d'instruction. L'industrie de l'imprimerie est en plein essor et ce métier est promis à un bel avenir. La paie n'est pas trop mauvaise et de plus, déluré comme il est, Olivier saura tirer son épingle du jeu. Mais Flavie sait à quel point il devra faire violence à sa nature sauvage, à quel point il devra grandir vite, d'un seul coup! Il travaillera dix heures par jour dans un atelier mal chauffé l'hiver et suffocant l'été, et il respirera un air empoisonné par les émanations d'encre, de papier humide et de potasse...

D'un signe de tête distrait, Flavie accepte l'offre de Léonie de faire un bout de chemin avec elle vers leurs logis respectifs. Mère et fille sont sur le point de sortir lorsque deux femmes s'encadrent côte à côte dans la porte grande ouverte, tout en manœuvrant avec une grâce étudiée pour ne pas salir leurs robes en corolle contre le chambranle. Flavie croise le regard de Suzanne Cibert et, pendant un court moment, elles se toisent en silence, le visage sans expression.

Une année et demie auparavant, celle qui se prétendait son amie s'est rangée du côté de son futur mari, Louis Cibert, se permettant de la dénigrer et de se moquer sans retenue de ses origines sociales et de ses fréquentations ratées avec Bastien, alors en fuite à Boston. Sous l'outrage, Flavie a giflé la jeune fille. Cet épisode est d'ailleurs l'une des causes du manque total de considération d'Euphrosine Goyer à son égard, sentiment partagé par une autre dame patronnesse, Vénérande Rousselle. Toutes deux avaient cru de leur devoir de démettre Flavie de ses fonctions. Elles ont été désavouées par le conseil d'administration et il semble que l'humiliation alors ressentie soit encore vive !

Depuis leur altercation, Flavie n'a pas revu la fille de Marie-Claire et elle constate que ses formes naguère agréablement plantureuses sont cachées sous un véritable embonpoint. Mais c'est un signe de distinction, n'est-ce pas ? Le signe de cette existence luxueuse et oisive que permet une grande richesse… Enceinte de presque cinq mois, Suzanne dissimule adroitement sa grossesse au point qu'elle est invisible, sauf à un œil exercé. Elle est vêtue et coiffée avec une grande recherche, de même que sa compagne plus âgée, que Flavie devine être sa belle-mère.

Cette dernière lance aimablement :

– Bonsoir, mesdames. Auriez-vous la gentillesse de me conduire auprès de mon fils, le Dr Louis Cibert ? Il a bien prévenu son épouse qu'elle ne devait pas s'attarder sur les lieux…

Après avoir incliné légèrement la tête, Léonie disparaît avec la dame. Les deux jeunes femmes restent face à face, à quelque distance, sans mot dire, glissant l'une vers l'autre des regards méfiants. Flavie n'a aucunement l'intention d'engager la conversation et c'est Suzanne qui rompt le silence:

— Je n'en avais pas encore eu l'occasion, mais je voulais te féliciter, Flavie, pour ton plaisant mariage.

Tâchant d'ignorer la légère pointe de dérision, elle répond:

— Moi de même, Suzanne. Il paraît que ton père n'a pas lésiné sur la dépense.

Avec une fierté puérile, la jeune femme se rengorge:

— Toutes les chroniques mondaines l'ont rapporté, n'est-ce pas? J'ai songé à t'inviter, mais j'ai cru plus sage de laisser l'eau couler sous les ponts.

Étonnée et incrédule, Flavie fixe son ancienne amie, qui s'exclame en rosissant:

— Ne me fais pas ces yeux-là! Nous sommes toutes les deux mariées à des médecins. Il serait beaucoup plus simple d'oublier notre ancienne querelle... Tous les médecins se fréquentent, et n'oublie pas que Bastien et Louis sont de la même promotion! Ce n'est pas juste pour ton mari de rester dans son coin seulement parce que tu es rancunière.

Soufflée, Flavie est sur le point de répliquer avec acidité lorsque Suzanne trottine jusqu'à elle en disant avec gentillesse:

— J'étais jeune alors, et vive. Mes paroles ont sans doute dépassé ma pensée.

— Tes paroles ont *sans doute* dépassé ta pensée? relève Flavie, sarcastique.

— Tu es trop sourcilleuse, déplore Suzanne avec emphase. Ne me prends pas autant au sérieux! Je te suggère de faire table rase du passé et de repartir sur de nouvelles bases. J'en parlais justement à Louis, qui est bien d'accord avec moi. Tu sais, il appréciait beaucoup la compagnie de ton mari... Le mois prochain, j'organise une petite réception et vous êtes tous les deux sur ma liste d'invités. Je compte sur toi, n'est-ce pas ?

Le retour de Louis et de sa mère, suivis par Léonie, dispense Flavie de répondre. Pressé de soustraire sa femme à une atmosphère selon lui trop miasmatique, le jeune médecin entraîne les deux femmes, qui disparaissent à l'extérieur après des salutations rapides. Flavie et sa mère arrivent sur le trottoir juste à temps pour voir une élégante calèche canadienne, sa capote relevée, s'éloigner en soulevant un nuage de poussière.

Une semaine après le samedi de corvée à la Société compatissante, Flavie reçoit, de la part du couple Cibert, une invitation à un thé champêtre, le dernier de la saison, dans le jardin de leur vaste demeure du faubourg Saint-Antoine. Lassé d'être contraint à ignorer son ancien camarade de classe, Bastien est d'avis d'y répondre favorablement. De son côté, éprouvant encore une profonde méfiance, Flavie est incapable de s'y résoudre.

Elle est troublée par le fait que le couple Cibert semble vouloir les gratifier d'une amitié nouvelle. À maintes reprises, elle a repassé dans sa tête la conversation récente avec Louis, puis celle qu'elle a eue avec Suzanne, cherchant à déceler sur leur visage ou dans le ton de leur voix des signes de duplicité ou de malhonnêteté. Se pourrait-il que tous deux soient sincères ? Flavie le souhaite de tout son cœur, mais elle ne peut s'empêcher d'être encore très méfiante. À plusieurs reprises, ils ont persiflé sur son compte sans se préoccuper de ses sentiments, et elle a encore l'impression de devoir, pour se protéger des attaques, porter une carapace en leur compagnie...

Elle suggère à son mari de s'y rendre seul, ce qu'il refuse tout net. La mésentente traîne entre eux jusqu'à ce que Flavie lui remette en mémoire les mauvaises paroles de Suzanne et son comportement subséquent. Jusqu'alors, lui décrivant la scène, elle s'était contentée d'allusions. Mais ce soir-là, exaspérée, elle est bien davantage explicite.

Se laissant dériver de nouveau, à son corps défendant, vers ce triste épisode d'un passé encore récent, elle raconte son désarroi et sa peine à la suite du départ de Bastien, alors son cavalier, pour les États-Unis. Elle lui confie à quel point elle a dû lutter intérieurement pour tenter de se détacher de lui. Pourtant, malgré le sentiment d'amitié qui unissait les deux jeunes filles et même si elle connaissait la qualité de leur attachement mutuel, Suzanne n'a pas hésité à le couvrir de boue.

Flavie se souvient avec une parfaite exactitude de quelle manière Suzanne, qui venait d'accepter la demande en mariage de Louis, avait réagi à ses confidences. Flavie avait cru bon de la prévenir des exigences sexuelles outrancières de Louis, mais la jeune fille avait repoussé avec horreur ces propos à ses yeux extrêmement inconvenants. Elle avait accusé Flavie de se vautrer dans le mensonge et de rendre Louis responsable de familiarités qu'elle avait été la première à solliciter. Enfin, Suzanne avait osé prétendre que l'appétit charnel de Flavie, digne d'une *femme du peuple*, était sûrement l'une des raisons pour lesquelles Bastien l'avait abandonnée!

Depuis l'incident, qui date d'avant son propre mariage, Flavie est incapable de se résoudre à renouer avec la jeune femme. Elle aurait l'impression de se prostituer… Fâchée d'être obligée de revivre ces moments pénibles, Flavie s'éloigne à l'autre extrémité de leur chambre pour se planter devant la fenêtre. Un large tressaillement la parcourt quand elle se sent enlacée par-derrière, tandis que Bastien murmure à son oreille :

— C'est d'accord, nous allons refuser l'invitation. Je n'insiste plus. Pardonne-moi…

La faisant pivoter dans ses bras, il exige dans un chuchotement que leur mésentente cesse sur-le-champ, puis il l'embrasse avec une passion irrésistible. Leur désir de chaleur et de fusion gonfle d'un seul coup. Avide de combler la faille qui s'est creusée entre eux deux, Flavie fait l'amour à son mari avec une intensité encore jamais atteinte. Lorsqu'elle parvient au pic de sa jouissance, son cœur encore tout attendri déborde et son extase se mue en un puissant chagrin qui lui tire quelques sanglots. Saisi, Bastien s'inquiète jusqu'à ce que, souriante à travers ses larmes, elle l'encourage à se concentrer sur son propre plaisir.

Cette expérience l'étonne cependant et plus tard, avant de s'endormir, elle s'interroge sur l'apparente proximité entre la volupté à son paroxysme et la tristesse qui l'habitait au même instant. L'accouplement est donc un acte à ce point total qu'il réussit à faire tourbillonner ensemble les sens, l'esprit et les affections ? Pénétrée par un sentiment de plénitude, elle se tourne alors vers son mari assoupi et elle appuie son front contre son épaule, humant son odeur comme s'il s'agissait du parfum le plus capiteux de tout l'univers.

CHAPITRE VIII

Harassées par le travail incessant accompli dans l'urgence pour rouvrir la Société compatissante de Montréal, les dames du conseil d'administration organisent une cérémonie d'inauguration fort simple, en présence de quelques intimes. À la grande surprise de Marie-Claire et de Françoise, et à la grande joie de quelques autres, l'évêque de Montréal, invité par leur curé, Philibert Chicoisneau, accepte de venir bénir les nouveaux locaux.

Si les dames les plus pieuses du conseil d'administration de la Société compatissante se réjouissent de cet appui manifeste de l'évêché à leur œuvre, d'autres auraient nettement préféré que le refuge attire moins l'attention du personnage. Ce que cela signifie exactement pour l'avenir de la Société compatissante, il est bien difficile de le prévoir précisément, mais il est clair qu'Ignace Bourget n'appréciera guère l'indépendance d'esprit et d'action qui y règne.

Lorsque le refuge a été fondé, les sulpiciens, qui ont la charge de la cure paroissiale, exerçaient une grande autorité morale. Les relations tendues entre le presbytère de Notre-Dame de Montréal, situé place d'Armes, et l'évêché du diocèse, plus au nord rue Saint-Denis, ont diverti les catholiques pendant des années! Néanmoins, l'évêque est insensiblement devenu la figure de proue devant laquelle tous les curés, même les fiers sulpiciens, généralement des Français d'origine ayant tendance à considérer de haut les braves Canadiens, doivent maintenant s'incliner.

Entourés de quelques vicaires, les deux hommes font leur entrée. De loin, Flavie observe l'étonnant tandem. Chicoisneau, qu'elle connaît bien, domine son supérieur, qu'elle n'a encore jamais rencontré, d'une bonne tête. Mince et de taille moyenne, Mgr Bourget a la jeune cinquantaine et un visage avenant aux traits réguliers. Malgré le prestige de sa fonction, malgré le costume d'une couleur éclatante dont il est vêtu ce jour-là, Bourget est un homme qui a gardé des manières simples, n'hésitant pas à quêter lui-même pour les bonnes œuvres et à se soumettre à d'épuisantes visites pastorales.

Après avoir salué les dames du conseil et les quelques messieurs qui font partie du comité de financement, dont Édouard Renaud, il se rend serrer la main des sept patientes de la Société, qui ont recouvert leurs épaules et leurs gorges de leur plus beau fichu. Avec une bienveillance touchante, il glisse à chacune quelques mots, prenant le temps de poser sa main sur la tête du nouveau-né qu'une jeune accouchée tient dans ses bras. À la femme suivante, qui a dû se séparer de son rejeton à la naissance et qui en éprouve manifestement une profonde tristesse, il reste un moment silencieux, le front tout près du sien, à réciter ce qui semble une muette prière. Au rez-de-chaussée du refuge, le silence est absolu.

Émue malgré elle par l'atmosphère fervente si reposante, Flavie se rappelle aussitôt que l'expression empreinte de bonhomie de l'évêque cache une poigne de fer. Bourget exige une piété si exemplaire de ses ouailles, un tel esprit de renoncement et un tel sens de la charité, que c'est un immense défi que de lui plaire. Son intolérance à l'égard du moindre propos « séditieux », de la plus petite remise en question du dogme catholique et de l'infaillibilité du pape, est de notoriété publique. Monseigneur déteste la tiédeur dans les manifestations de la foi catholique ; il n'apprécie que le grandiose et l'exalté.

Lorsque la cérémonie de bénédiction est terminée, Marie-Claire s'installe au milieu du cercle formé par la quarantaine de personnes présentes pour prononcer sa courte allocution. Avec une lenteur inhabituelle, elle débite les remerciements d'usage, puis elle regarde franchement Bourget avant d'entrer dans le cœur de son discours. Si le prélat a les yeux pudiquement baissés, selon cette habitude si typique des prêtres visant à faire croire qu'ils sont plongés dans un recueillement perpétuel, le regard de Marie-Claire reste braqué sur lui :

— Monseigneur, votre présence parmi nous est un don du ciel. Ne donnera-t-elle pas à notre œuvre, qui a vu le jour grâce à la bonté et à la confiance de M. Chicoisneau, une impulsion nouvelle ? Ainsi, les appuis dont nous avons grandement besoin viendront plus facilement et plus généreusement. Notre refuge, plus vaste et mieux équipé, a besoin non seulement d'un personnel plus nombreux, mais de bienfaiteurs, que je profite pour remercier de tout mon cœur.

Marie-Claire marque une pause avant d'ajouter, avec une émotion tangible :

— Comme sans doute tous ceux et toutes celles qui s'intéressent au sort de la Société compatissante, j'ai trouvé ici un sens à ma vie. En consacrant l'essentiel de mes forces au service de mes prochains, ou plutôt de *mes prochaines*, je me suis ainsi davantage approchée du but de toute existence humaine, celui de contribuer au bonheur d'autrui. Dans notre refuge, monseigneur, des centaines de femmes ont trouvé un abri et des soins. Elles ont aussi trouvé de la sympathie et même, auprès de toutes les dames bénévoles, une nécessaire consolation. Je vous supplie donc bien humblement d'accorder à notre Société la grâce de vos abondantes faveurs.

Après avoir incliné respectueusement la tête, Marie-Claire recule pour se fondre dans le cercle d'invités. Avec une lenteur étudiée, les mains croisées contre sa poitrine à la hauteur du cœur, l'évêque vient prendre sa place, une lueur ironique dans le regard :

— Très chères sœurs et très chers frères… Comme Nous le faisons proclamer depuis le début de Notre épiscopat, au moyen de lettres pastorales et de circulaires au clergé dont le nombre fait parfois sourire, Nous portons une tendresse spéciale à vous, habitants de Ville-Marie, une ville parée d'un si glorieux nom et où, parmi les habitants, tant d'âmes sont dévouées à la divine Marie.

Posant ostensiblement les yeux sur les patientes de la Société, regroupées à sa droite, il poursuit :

— Le séjour à la ville est, de soi, un risque immense pour l'innocence. Qu'il est dangereux, ce monde que vous êtes comme forcées de voir, de fréquenter et d'entendre ! Hélas ! Nous avons à gémir bien amèrement de ce que plusieurs s'approchent trop rarement du tribunal de la pénitence et de la table sainte, ce qui est la source de tous les maux spirituels qui nous affligent. Des malheurs de tout genre, des épreuves sans nombre, des morts subites et vraiment tragiques nous avertissent que le Seigneur est irrité de ces crimes. Voilà ce qui, tous les jours, tient Notre cœur paternel dans de cruelles angoisses.

Tant de fois écouté par Flavie avec distraction à l'église, tombant de la chaire jusqu'aux fidèles, ce discours prend une tout autre envergure lorsqu'il est prononcé d'aussi près et avec autant d'art par l'évêque! Elle laisse son regard errer sur l'assemblée et les nombreux visages impressionnés parmi lesquels, à leur air fermé, se distinguent quelques sceptiques... Mais l'insidieux amollissement dans l'âme de Flavie est prestement chassé par les paroles suivantes du prélat:

– La prière est l'unique ressource du pauvre et de l'affligé et Nous recourons au Père des miséricordes et à la divine Marie pour en obtenir le secours. Les courses apostoliques et les retraites, auxquelles le Seigneur vous convie régulièrement, ont pour but de toucher vos âmes et de vous faire comprendre que tout, ici-bas, n'est que vanité et folie.

Ignace Bourget considère maintenant la gente bourgeoise qui compose l'essentiel de ses auditeurs:

– Vous, âmes saintes qui gémissez depuis tant d'années en voyant les scandales que vous avez tous les jours sous les yeux, adressez au ciel vos humbles supplications. Souvenez-vous que le souverain pontife vous a accordé la possibilité de gagner des indulgences tout en accomplissant le bien. Si vous portez des médailles ou des croix bénites, si vous récitez oraisons et prières dévotes, et surtout si vous vous adonnez à des œuvres pies, vous ne permettrez pas que cette ville, qui est votre héritage, soit toujours un sujet d'opprobre pour votre Église. En visitant les prisonniers et les malades des hôpitaux, en secourant les pauvres et en enseignant, comme vous le faites, la doctrine chrétienne à vos domestiques ou à vos proches, vous gagnerez autant de fois une indulgence de deux cents jours. N'oubliez jamais que l'aumône délivre de tout péché et de la mort; elle donne, à tous ceux qui la font, une grande confiance quand ils paraîtront devant le Dieu Très-Haut.

L'évêque de Montréal conclut avec un geste de bénédiction, puis il se retire modestement parmi sa petite troupe de vicaires. Après un silence, Euphrosine Goyer, toute rougissante, invite l'assemblée à profiter d'un léger goûter. Édouard Renaud se dirige vers Flavie qui a une féroce envie de discutailler et qui s'empresse de glisser à son intention :

— Moi, j'ai toujours été sceptique. Comment faire autrement, alors que mes parents discutaient de tout ?

Son beau-père commente avec un sourire :

— Vos parents sont une espèce rare…

— Pour les croyants, un simple questionnement d'enfant est un blasphème ! C'est sur ce non-sens que la religion catholique a assis son pouvoir. Sur des vérités indiscutables. N'importe quel esprit éclairé, qui s'informe et qui discute, comprend que les membres du clergé ont peur de perdre l'autorité à laquelle ils croient avoir légitimement droit. Ils veulent installer au Canada un régime de la terreur : instiller la peur de l'enfer dès le berceau, fermer nos frontières à toutes les idées nouvelles, chasser les autres religions. Non, vraiment, l'évêque ne représente rien pour moi, sauf un homme qui a la foi. Je ne comprends pas pourquoi on lui laisse prendre une telle place…

— La religion est un commerce, remarque Édouard Renaud à voix basse, en prenant le bras de Flavie pour l'emmener vers la table des rafraîchissements. J'ai compris cela il y a fort longtemps! On accumule des pardons et des indulgences pour se mériter le paradis… Et nos curés s'indignent que les fidèles, rebutés par cet esprit mercantile, s'absorbent dans la lecture de bibles, falsifiées ou pas…

Mais Flavie doit bientôt lui fausser compagnie, car, d'un geste à la fois autoritaire et bienveillant, l'évêque commande aux sages-femmes présentes de s'approcher de lui. Seule Sally Easton, de foi protestante, se tient à l'écart, mais à portée.

– Mesdames, les sages-femmes se distinguent par un souci élevé de leurs semblables. C'est cette vertu cardinale qu'il Nous faut encourager : prendre soin, comme il a été dit plus tôt, de *sa prochaine*, pour se conformer à l'un des grands préceptes de la religion catholique, qui est d'aimer son prochain comme soi-même. Cette grandeur d'âme, que Nous apprécions hautement et que Nous cultivons chez les dames de Montréal, ne s'acquiert qu'à force de fréquenter les lieux saints pour laisser la parole de Dieu emplir l'âme.

Toutes trois acquiescent sans mot dire. Il reprend :

– Depuis que Nous avons accepté la tâche difficile de conduire les fidèles de ce diocèse, Nous avons été obligé de Nous élever contre un abus grave qui a tendance à se répandre, celui de l'ignorance des sages-femmes, qui s'ingèrent dans une profession à laquelle elles ne sont pas formées. Au cours des dernières années, Nous avons été obligé de demander aux curés de surveiller les capacités des sages-femmes de leur paroisse, d'exiger un certificat d'un médecin et, au pire, de leur refuser l'absolution en cas de non-conformité. Si cette ignorance que Nous déplorons met en danger la vie des mères, elle expose surtout de nombreux enfants à mourir sans baptême.

Nous assumons que M. Chicoisneau, votre curé, vous a fait subir là-dessus un examen strict sur tous les cas embarrassants qui pourraient surgir?

Le sulpicien, qui se tenait intentionnellement à proximité, répond à leur place:

— La circulaire de 1843 de Votre Grandeur était très claire à cet égard, de même que l'indication de se référer au rituel, article dix.

Tâchant de conserver une attitude humble, Léonie intervient avec hésitation:

— Si vous me le permettez, monsieur l'évêque... ou plutôt, Votre Grandeur... Il me semble nécessaire de souligner que, toutes les quatre, nous possédons une expérience pratique et une formation qui nous placent au-dessus de tout soupçon.

— Chère dame, Nous n'en doutons pas le moins du monde. L'excellence des soins qui se donnent ici est parvenue à nos oreilles...

Il ajoute, glissant un regard en coin vers Sally:

— Cependant, le bien temporel étant souvent intimement lié au bien spirituel, Nous tenons à répéter en votre présence aujourd'hui les paroles adressées par le bienheureux Pierre à son successeur le pape: la cause de la religion catholique est inséparable de la félicité des peuples et de la sécurité de la société, qui est aujourd'hui secouée et menacée de toutes les manières.

Outragée dans son honneur par les allusions du prélat à l'ignorance des sages-femmes, Flavie y puise le courage pour, d'une voix tremblante, prendre la parole à son tour:

— Monseigneur, les sages-femmes jouent un rôle crucial dans la régénération de la société, mais, généralement, elles n'ont pas les moyens de s'éduquer de leur propre initiative. Voilà pourquoi ma mère, Léonie Montreuil, dirige depuis quelques années l'École de sages-femmes de Montréal, où j'ai eu la chance d'étudier. Malheureusement, trop peu de bonnes âmes en reconnaissent l'extrême utilité. La mode est à la science médicale et aux hommes qui en sont pourvus, au détriment de toutes les sages-femmes de qualité de la métropole.

Les sourcils légèrement froncés, les yeux plissés, l'évêque toise Flavie, que Léonie s'empresse de lui présenter. Sèchement, il réplique enfin :

— Nous ne sommes pas fâché, madame Renaud, d'avoir l'occasion de vous rencontrer enfin. La rumeur de votre association avec votre mari médecin est venue jusqu'à l'évêché... Les commentaires, n'est-ce pas, vont plutôt bon train...

La respiration oppressée, Flavie refuse cependant de baisser les yeux, soutenue par le mépris qu'elle ressent à son égard. Ce prélat, par crainte du vice, préfère encourager une malsaine ignorance des choses du corps. Comme bien des hommes d'Église, et surtout ceux qui font partie de la «Hiérarchie», il tient pour naturelle la position inférieure et dépendante des femmes. Persuadé qu'il n'y a qu'une seule voie pour atteindre le bonheur et la rédemption, il se méfie comme de la peste des esprits libres ! Il s'offusque de la moindre remise en question d'une autorité indiscutable qui lui vient en droite ligne de l'Être suprême.

Les dents serrées, Flavie articule :

— Monsieur l'évêque, cette association nous sert strictement, à mon mari et à moi, à soulager les souffrances avec une parfaite efficacité.

Le visage brusquement durci, le regard fiché dans celui de Flavie, il gronde :

– Des souffrances qui proviennent du souffle de la colère de Dieu. Parfois, les misères dépassent tout calcul humain. Et pourquoi ? Parce que nous les méritons bien. En fait, nous méritons bien davantage, mais le cœur de Dieu est le plus tendre, le meilleur de tous les cœurs paternels. Vous avons-Nous déjà vue aux exercices pieux organisés par le diocèse ?

Un instant déstabilisée, Flavie reprend ses esprits :

– Une journée n'a que vingt-quatre heures, monseigneur. Une fois que j'ai pris soin de mes patientes, de mon mari et de mes beaux-parents…

La touche d'ironie dans le ton de Flavie ne lui échappe pas et, se redressant sous l'affront, il grommelle à l'adresse du curé :

– Monsieur Chicoisneau, vous prendrez la peine, dorénavant, de Nous tenir au courant de toute initiative nouvelle de ces dames. Nous avions l'intuition qu'il fallait venir jeter ici un regard inquisiteur… Nous aurons, dans l'avenir, à rappeler à certaines âmes bien nées que l'arrogance, surtout chez le sexe faible, est un terrible défaut.

Le prélat rompt le cercle et tourne les talons avec dignité, pour être aussitôt entouré par quelques dames. Après un moment de silence, Magdeleine et Sally s'éloignent tandis qu'Édouard vient vers sa bru lui proposer de prendre congé, ce que Flavie accepte avec soulagement. Quelques minutes plus tard, tous deux affrontent la bise automnale pour retourner l'une rue Sainte-Monique et l'autre à son bureau situé au-dessus du vaste entrepôt qu'il possède sur la rive nord du canal de Lachine, tout près du port.

Flavie profite du bout de chemin qu'ils font ensemble pour déclarer pensivement :

– Je regardais notre évêque… Vous savez quoi, monsieur Renaud ?

Notant son expression désapprobatrice, elle s'empresse de se corriger :

– Je veux dire, vous savez quoi, Édouard ? Je n'ai jamais vu de roi ou de prince en personne, mais je le regardais et j'étais persuadée qu'il en avait l'allure. Il croit posséder la vérité et tous ceux qui ne pensent pas comme lui sont dans l'erreur. Comme tous ces rois dont j'ai lu l'histoire… Ces rois qui pouvaient commettre les pires atrocités mais qui s'estimaient dans leur droit, puisque leur couronne leur était tombée du ciel. Je croyais que les Européens faisaient la révolution pour se débarrasser de ces vieilles croyances dignes d'un autre âge, d'une époque superstitieuse ?

La question de Flavie est ingénue et son beau-père prend soin d'y répondre sérieusement :

– Comme les réactions opposées la contrarient, la révolution ne se gagne pas facilement. Mais on peut espérer que, sous peu, le monde entier sera éclairé des lumières de la pensée moderne. Cependant, en Canada… Je sais que c'est difficile à comprendre, mais, d'un côté, nous avons hérité du système britannique de gouvernement, l'un des plus avancés au monde, et de l'autre, de la caste religieuse la plus monarchique qui soit, dont Bourget est issu. Ce que vous avez pu apprécier, Flavie, ce n'est qu'une toute petite partie de son caractère… de cochon.

Flavie glisse un regard étonné vers son beau-père.

– Vous en avez personnellement souffert ?

– Disons que monseigneur réserve ses faveurs aux plus pieux d'entre ses fidèles… L'Église catholique du Bas-Canada est une puissance économique de première importance, la seule qui puisse rivaliser, en tant que corps organisé, avec les Anglais.

Il ne dit rien de plus et Flavie lui sourit affectueusement. Dès son retour de Terrebonne, Édouard Renaud a plongé tête baissée dans l'organisation de ses projets. Il ne planifie rien de moins que la construction d'une fabrique à proximité des écluses Saint-Gabriel, baptisées ainsi pour commémorer la présence dans les environs du vaste domaine agricole qui appartenait aux sulpiciens et qui, peu à peu, est morcelé et vendu à d'autres fins. Il ne sait pas encore ce qu'il va y faire produire, mais il est persuadé qu'il s'agit pour lui du meilleur investissement possible !

Ainsi, par une après-dînée fraîche de la fin du mois d'octobre, Édouard Renaud entraîne son épouse, son fils et sa bru pour une visite du site où il compte ériger sa fabrique. Une calèche les emporte tous les quatre jusqu'au canal. Ordonnant au conducteur de les attendre, il les guide jusqu'aux abords des écluses Saint-Gabriel. Avec une fierté touchante, il leur désigne une étendue de terrain située de l'autre côté de la voie d'eau. C'est pour ce lot, leur explique-t-il, qu'il a fait une offre auprès de l'ingénieur en chef responsable de l'attribution des terrains. Un mois plus tôt, les journaux ont annoncé que six lots – plus un septième situé sur une île au milieu du canal – étaient offerts aux preneurs, pour une rente annuelle de cent livres sterling.

Tandis que son beau-père bavarde ainsi pour le bénéfice de son fils qui l'écoute attentivement et de sa femme qui fait semblant, Flavie observe l'approche de plusieurs embarcations à la queue leu leu : une barge touée par deux chevaux, une grande barque à voile et un petit bateau à vapeur. Tant que les glaces ne seront pas prises, le trafic restera intense sur le canal... Elle se tourne ensuite pour observer le panorama vers l'est, vers le port. Elle vient rarement jusqu'ici maintenant, mais, à chacune de ses visites, les transformations lui paraissent saisissantes.

Depuis que, deux années auparavant, les terrains environnant les écluses du port ont été consacrés au développement industriel, les fabriques y ont poussé comme des champignons. Dès que le gouvernement du Canada-Uni a offert des lots à louer avec énergie hydraulique en prime, le secteur est devenu l'un des plus actifs de toute la colonie. Une meunerie et deux fonderies y ont ouvert leurs portes, tandis que deux manufactures de clous ont annoncé leur déménagement sur le site pour l'année suivante.

Jusqu'alors, seules deux industries modernes en occupaient les berges. On y trouvait le vieux mais imposant moulin à farine d'Ogilvie, qui utilisait l'eau du canal à travers une conduite d'amenée pour animer ses meules. Plus tard, en 1846, l'un des Canadiens les plus entreprenants de la ville, Augustin Cantin, avait installé son chantier naval légèrement en aval. Son entreprise sert de modèle à beaucoup d'autres. Ses employés peuvent construire et réparer tous les types de bateaux en bois, mais également en métal, grâce à la fonderie sise à proximité. Cantin a modernisé et agrandi ses installations au point de pouvoir y construire des navires capables d'affronter l'océan !

Maintenant, six jours par semaine, été comme hiver, des centaines d'ouvriers se dirigent vers les fabriques du canal et un nouveau son est devenu familier aux oreilles des habitants des faubourgs, celui des sirènes signalant le début et la fin de la journée. La Pointe-Saint-Charles, dans la partie sud-est du faubourg Sainte-Anne, connaît une fièvre de construction résidentielle pour accommoder ces travailleurs et leurs familles. Dire que quelques années plus tôt à peine, les Montréalistes s'arrachaient les cheveux devant l'afflux d'immigrants irlandais dont l'avenir économique semblait fort sombre !

Un dimanche de novembre, à dix heures du matin, une adolescente se présente chez les Renaud pour prévenir Bastien et Flavie que les douleurs de sa sœur, une de leurs clientes, ont commencé au cours de la nuit. Selon la procédure adoptée, le jeune couple se rend au domicile de la parturiente pour apprécier la situation, un geste qui, ont-ils remarqué, a le don de rassurer les maris… Bastien prend alors quelques minutes pour exercer son sens du toucher ainsi que sa capacité de jugement.

Si tout va bien, le jeune médecin quitte ensuite les lieux, tout en restant disponible, chez lui ou à son cabinet rue Saint-Antoine, en cas de complications. Quelques heures plus tard, il fait une visite de courtoisie à leur cliente laissée aux soins de Flavie ; si la délivrance est terminée, il célèbre en leur compagnie ! Jamais encore il ne lui a été nécessaire d'intervenir.

Avila Beausoleil est un cordonnier encore jeune mais prospère du faubourg Saint-Laurent, qui saisit le moindre prétexte pour entretenir tout un chacun de ses projets d'avenir : ouvrir un atelier et y installer quelques mécaniques pour pouvoir y fabriquer des souliers et des bottes en quantité! Également vaniteuse, son épouse Mélanie s'habille quasiment comme une bourgeoise. Elle répugne à se mettre les mains dans l'eau ou le nez dans la farine, comptant sur ses deux bonnes. Elle adopte un langage affecté duquel elle tente de bannir les expressions et les tournures populaires. Elle s'exerce même à marcher comme une reine, la tête haute, sans regarder ce dans quoi elle risque de mettre les pieds! La chose égaierait Flavie si elle ne se retenait pas plutôt de grincer des dents devant la propension de la jeune femme à être tyrannique avec ses domestiques.

C'est dans sa chambre à coucher, petite et sombre mais pourvue d'un petit poêle où un bon feu crépite, que l'épouse du cordonnier accueille le jeune couple de praticiens. Il s'agit du premier accouchement de Mélanie, qui a tenu à revêtir, pour la circonstance, une chemise de nuit toute neuve par-dessus laquelle elle a enfilé un magnifique peignoir. Flavie l'a bien prévenue qu'une bonne quantité de fluides accompagne l'expulsion d'un enfant, mais elle tient à être parée de ses plus beaux atours.

Depuis la fin de la nuit, sa mère et une voisine âgée lui tiennent compagnie et ce sont elles qui ont jugé qu'il était temps de faire quérir la sage-femme. À chaque fois, Flavie éprouve un vif sentiment de reconnaissance pour ces accompagnantes qui non seulement rassurent et encouragent la femme en couches, mais qui, fortes de leur propre expérience des douleurs, repoussent le moment où sa présence est requise. Elles allègent ainsi notablement sa tâche!

À deux occasions seulement depuis le début de sa pratique professionnelle, Flavie a eu à déplorer un manque de jugement qui n'a eu, cependant, aucune consé-quence fâcheuse. Elle préfère, et de loin, faire affaire avec des accompagnantes trop empressées ou, au contraire, uniquement intéressées à bavarder, plutôt qu'avec un médecin inexpérimenté !

Tandis que Bastien s'assoit à quelque distance et que la voisine lui tient compagnie en lui expliquant qu'elle tire une grande satisfaction personnelle à assister les femmes pendant leurs couches et leurs relevailles, ce qu'elle fait depuis qu'elle a sevré sa petite dernière, bien des années auparavant, Flavie demande à Mélanie de lui décrire ses douleurs. Elle tient à s'assurer qu'il ne s'agit pas, comme cela arrive parfois, de coliques, de crampes musculaires ou d'une souffrance caractéristique d'un état pathologique.

Mais le terme est arrivé et la jeune femme est, à l'évidence, bien avancée dans le travail. Flavie n'aime pas la façon nerveuse dont elle accueille les contractions, comme si elle était déconfite d'être obligée de s'abandon-ner à une puissance incontrôlable, et surtout de se laisser voir dans cet état. Flavie n'est pas la seule sage-femme à avoir constaté qu'un sentiment de panique habite beau-coup de ces dames qui ont une existence trop protégée ! Contrairement aux femmes des faubourgs populaires, elles ne sont pas familières avec les grands frissons qui accompagnent la mise bas ! Leur ignorance les rend par-fois si craintives, si effrayées…

C'est Bastien qui, le premier, fait l'examen interne en passant le bras sous la jupe de la jeune femme, après avoir lavé et enduit sa main de beurre. Il est mainte-nant tout à fait accoutumé à ce geste, d'autant plus que Flavie lui a offert de s'exercer sur sa propre personne. Un apprentissage qu'il a parfait à quelques occasions supplémentaires, lors de leurs étreintes... Au début de leur association, voyant Bastien accomplir ce geste sur une autre, Flavie n'a pu s'empêcher de rosir à quelques reprises. Son embarras est maintenant chose du passé et tous deux gardent une contenance parfaite en la circonstance.

Empourprée, Mélanie fixe un coin de la pièce tandis que le jeune médecin, évitant consciencieusement de croiser son regard, se concentre sur les sensations au bout de ses doigts, les yeux à moitié clos. L'examen dure quelques minutes, un peu plus longtemps que d'habitude, et Flavie constate à son expression qu'il a de la difficulté à interpréter ce qu'il touche. Il cesse enfin et, après un sourire d'excuse à Mélanie, il s'éloigne pour se laver de nouveau les mains.

Flavie laisse la jeune femme reprendre son souffle, puis elle remplace son associé et glisse lentement quelques doigts de la main droite à l'intérieur de son vagin. La dilatation progresse bien, constate-t-elle, puisqu'elle peut insérer au moins trois doigts dans l'ouverture du col. Elle procède alors avec une prudence renouvelée. Si la paroi du vagin est plutôt insensible, celle du col, qui ferme la matrice, est douloureuse au toucher. Flavie clôt les paupières pour tenter de déceler à travers la poche des eaux quelle partie du bébé se présente à l'ouverture.

La jeune sage-femme fronce les sourcils. Ce n'est pas le crâne qu'elle sent, mais une petite extrémité pointue... Il lui faut encore quelques tâtonnements pour identifier un pied. Plusieurs semaines auparavant, Flavie a constaté que le fœtus n'avait pas encore basculé tête en bas, mais elle espérait bien que les exercices prescrits à sa patiente feraient effet. Elle soupçonne Mélanie d'avoir jugé qu'une telle position, à quatre pattes par terre, ne seyait pas à son rang social…

Se redressant enfin, Flavie offre un visage encourageant à la jeune femme et lui explique que sa matrice travaille avec célérité et que si elle s'abandonne sans arrière-pensée à ce que lui dicte son corps, la naissance se déroulera sans encombre. Bastien et elle quittent ensuite la pièce pour un conciliabule dans la vaste salle commune attenante. Saluant brièvement Avila Beausoleil attablé en compagnie d'un autre homme, tous deux s'isolent près d'une fenêtre.

Comme à l'accoutumée, il dévoile en premier ses conclusions, qui se révèlent de plus en plus justes. Avec une moue concentrée, il explique :

— D'après moi, ce n'est pas le crâne que j'ai touché. C'est un coude peut-être, ou un genou, mais je parierais plutôt, d'après la loi des probabilités, pour un pied.

Flavie le confirme, des trémolos dans la voix :

— La position la plus fréquente relevée par Marie-Anne Boivin, les talons derrière la cavité cotyloïde gauche. Le hasard fait drôlement les choses ! C'est une position rare, un pour cent des statistiques qu'elle a compilées, qu'il est très surprenant pour nous de rencontrer après seulement deux mois de pratique ensemble !

Il fait une grimace et déjà la jeune femme sent qu'il lutte contre une crispation involontaire de tout son être. Elle murmure, se voulant rassurante :

— Il faut maintenant se poser une question. Doit-on laisser Mélanie expulser son bébé dans cette position ou tenter une version ? L'un et l'autre choix comportent des risques…

Après une courte discussion alimentée par leurs expériences et les lectures qu'ils ont discutées ensemble, tous deux en viennent à la conclusion qu'il est plus sage de laisser agir la nature. Suffisamment familière avec un accouchement par les pieds, Flavie ne s'inquiète pas outre mesure. La plupart du temps, la femme est parfaitement outillée pour se débrouiller toute seule. Si nécessaire, elle l'aidera, comme elle a vu Léonie et Sally le faire à quelques reprises. Tout dernièrement, Marie-Barbe Castagnette lui a raconté comment elle a réussi, ainsi que l'expliquait clairement Marie-Anne Boivin dans son livre, à glisser son bras très profondément pour aider un bébé, ainsi positionné, à franchir un cap difficile...

– Je crois qu'il serait mieux que tu restes jusqu'à la fin, même si je ne pense pas avoir besoin d'aide. Il serait bon que tu voies comment ça se passe...

Bastien acquiesce faiblement et tous deux échangent un long regard. Flavie sent son mari si fragile soudain, apeuré par la perspective d'une complication, même ténue, et surtout fort inquiet à l'idée de devoir peut-être intervenir lui-même. Elle aimerait le prendre dans ses bras et lui transmettre ainsi une bonne partie de son aplomb. Flavie sait que l'avenir est imprévisible et qu'il peut toujours survenir une difficulté majeure, mais elle a confiance en ses capacités et surtout, elle se sent soutenue par un réseau de sages-femmes pleines de ressources et fort expérimentées.

Le couple se dirige vers les deux hommes qui, mine de rien, les surveillaient avec anxiété. D'un ton débonnaire, Flavie lance :

– Auriez-vous objection, messieurs, à ce que M. le docteur se joigne à vous en attendant que l'enfant pointe le bout de son nez? Je suis sûre qu'il apprécierait davantage votre compagnie que celle d'un groupe de commères...

– Prenez place! se réjouit M. Beausoleil en se levant à moitié. Si je vous offre une bonne soupe chaude, vous voudrez bien me renseigner sur l'état de santé de ma tendre épouse?

– Nul besoin d'une récompense pour cela! réplique Bastien avec un rire. N'empêche que si vous me prenez par les sentiments...

Flavie se dépêche de retourner auprès de sa patiente. Elle juge inutile de l'informer de la position inusitée de son bébé. Elle le fera au tout dernier moment, s'il faut qu'elle intervienne d'une quelconque manière. Mélanie alterne entre promenade et repos sur une chaise; ses deux compagnes âgées l'entraînent même jusque dans la salle commune pour lui faire prendre quelques cuillerées de soupe ainsi qu'une tisane. À tour de rôle, toutes deux se sustentent, bientôt imitées par Flavie, pendant que les hommes, pour leur laisser la place, vont allumer dehors. Même s'il ne fume pas, Bastien les accompagne pour prendre l'air.

Trois heures viennent tout juste de sonner à l'horloge lorsque Mélanie, incommodée par des douleurs de plus en plus vives, termine la contraction par une poussée instinctive. Aussitôt, après l'avoir installée pour un nouvel examen, Flavie fait venir Bastien. Le jeune homme est plutôt pâle, mais maître de lui, son intérêt pour ce cas inusité lui faisant temporairement oublier son angoisse. La dilatation est enfin complète; elle aurait été bien davantage rapide si le bébé avait daigné présenter le haut de son crâne. Les deux pieds se devinent nettement et leur position indique à Flavie que le bébé naîtra selon un angle favorable, ce que confirme la palpation du ventre de la jeune femme.

Débarrassée de son peignoir, Mélanie hésite sur la position à adopter, tandis que ses deux accompagnantes l'étourdissent de leurs conseils. Ne tenant pas à ce que l'expulsion se fasse de manière trop accélérée, Flavie lui suggère finalement de prendre place sur une chaise basse et de s'appuyer contre sa mère et sa voisine, placées debout derrière elle. Généralement, pour les femmes qui ont des prétentions, c'est un compromis acceptable entre la position accroupie, jugée trop vulgaire, et la position semi-couchée, privilégiée par bien des médecins qui n'aiment pas se plier en deux…

La chemise légèrement retroussée, Mélanie halète et se cabre. Bastien s'est discrètement accroupi à côté de Flavie. La poche des eaux se rompt bientôt et de nouveau, doucement, Flavie glisse deux doigts à l'intérieur pour s'assurer que les pieds émergent hors du col. Ayant longuement étudié diverses planches anatomiques, dont celles de Marie-Anne Boivin, elle se représente mentalement la position du fœtus : assis sur le bord antérieur gauche et latéral du bassin, les cuisses fléchies, le dos au côté gauche antérieur de l'abdomen de la mère, la tête tout au fond de la matrice. Appuyés sur les fesses, les pieds sont poussés par ces dernières, selon un mouvement d'expulsion lent mais constant.

L'impression de porter un gros paquet entre les jambes est difficilement supportable et Mélanie exige soudain, impérative comme une reine, que cela cesse au plus vite ! Aussitôt, ses accompagnantes compatissent avec elle. Même la jeune accoucheuse commente :

— Les tissus et les organes, même les os, sont si compressés! On ne pourrait pas tenir longtemps comme ça. Gardez courage, Mélanie, c'est quasiment terminé. Votre bébé est en train de franchir la courbure du sacrum…

En effet, les pieds se devinent à l'entrée de la vulve. Flavie les saisit avec douceur dans sa main, émue par ce contact avec une peau si neuve. C'est la hanche droite qui émerge la première, après avoir glissé sur les plans inclinés postérieurs et inférieurs du bassin, puis la gauche suit sans difficulté. La contraction suivante permet aux fesses, tournées vers l'aine gauche de la mère, de jaillir.

Selon toute probabilité, actuellement relevés en haut de la tête, les bras vont s'abaisser lorsque les épaules, suivant le même parcours que les hanches, se dégageront spontanément en même temps que le tronc. Mentalement, Flavie croise ses doigts qu'il en aille bien ainsi et qu'elle n'ait pas à dégager un bras entortillé, ce qu'elle n'a jamais fait… Mais de belle façon, les bras s'échappent successivement du vagin.

Le menton apparaît en premier, la tête se présentant obliquement, et enfin, dans une dernière énergique poussée, la tête au complet glisse hors de l'accouchée. C'est Bastien qui, perdant toute réserve, s'exclame d'un ton extasié :

— Une magnifique petite fille, tout le portrait de sa mère!

Déjà réjouies par le dénouement heureux, les accompagnantes croulent littéralement de rire tandis que le jeune homme, qui s'empourpre à vue d'œil, s'empresse d'aller répandre la bonne nouvelle. La nuit est déjà tombée lorsque le couple quitte la maison des Beausoleil où plusieurs voisins et amis sont rassemblés pour festoyer.

Bastien glisse le bras de Flavie sous le sien et, sans parler, tous deux cheminent avec lenteur. Après un temps, le jeune médecin félicite sa compagne :

– C'était un bel accouchement, Flavie. Tu as toute mon admiration.

Elle coule vers lui un regard heureux :

– Le métier commence à rentrer, n'est-ce pas ? Il y a un an, je me serais empressée de faire venir une de mes aînées…

CHAPITRE IX

Avec l'enthousiasme d'une pouliche sur le point de quitter son écurie pour s'élancer dans les champs, Flavie dévale l'escalier vers le rez-de-chaussée. C'est la première bordée de neige! Tous les bruits familiers, comme cette traîne à patins qui grimpe la rue, le cheval au pas, semblent lui parvenir au travers d'une épaisseur de ouate. Lorsqu'elle a réalisé la chose, en se réveillant, un tel frisson d'excitation l'a traversée tout entière qu'elle a sauté sur ses pieds pour aller faire claquer les volets.

À chacun de ses passages devant une fenêtre, elle s'arrête pour contempler ce magnifique spectacle d'un paysage que l'on croirait blanchi à la chaux, les imperfections dissimulées sous une couverture immaculée. La boue des chemins, les détritus, les carcasses d'animaux morts, tout cela va disparaître sous la neige que tous attendaient avec impatience! Tous? Malheureusement, un froid meurtrier va s'insinuer dans quelques foyers aux murs trop minces et au feu trop rare...

Repoussant ces pensées moroses, Flavie se retient de courir s'habiller chaudement pour aller s'ébattre dehors. Tracer des chemins dans la neige épaisse, faire une bataille de pelotes de neige, tendre la langue pour avaler les gros flocons qui descendent doucement... Tous les Canadiens, songe-t-elle avec amusement, retombent en enfance le jour de la première neige! D'ici peu, les rues des faubourgs retentiront de cris de joie. Même les chiens s'y rouleront avec délices, même les chats sauteront après les flocons comme s'il s'agissait d'une mouche à gober!

C'est dans cette humeur fébrile qu'elle débouche dans la salle à manger, sur le coup de huit heures et demie, pour y prendre son déjeuner. Le dimanche, plutôt que de monter un plateau à leur chambre, son mari et elle se joignent au reste de la famille. Julie et Archange sont déjà à pied d'œuvre pour seconder Lucie dans ses préparatifs et Flavie s'ajoute à elles avec bonne humeur.

Le déjeuner du dimanche est plus formel que les autres et Archange admire le couvert bien dressé avec orgueil. Un temps, Flavie a pressé Lucie de prendre son repas en leur compagnie, dans la salle à manger, mais la jeune femme, trop gênée, a refusé obstinément. Elle préfère manger seule, après, dans la cuisine, et Flavie est bien obligée de respecter son choix.

Tandis qu'elle seconde Julie qui transporte les plats couverts, Flavie détecte sur elle une subtile senteur de parfum. Elle réalise alors qu'encore une fois elle a complètement oublié de s'en mettre avant de s'habiller. Archange et sa fille le font tous les matins sans exception et Bastien a offert à sa femme un joli flacon d'eau de toilette au muguet. Flavie apprécie le geste, mais elle n'a pas encore le dédain, comme sa belle-famille, de l'odeur de la sueur et de celle, plus capiteuse, qu'exhalent parfois d'autres parties situées à mi-chemin du corps...

Souriant à cette idée, Flavie se tourne vers son mari et son beau-père qui font leur entrée dans la pièce. Les regardant d'un air fâché, elle les dispute:

– Vous deux, vous avez le tour pour apparaître quand l'ouvrage est terminé!

– C'est lui qui m'a *induqué* de bien mauvaise façon, riposte Bastien en donnant une bourrade à son père.

– Espèce d'insolent! s'exclame Édouard Renaud tout en prenant un plat des mains de Lucie pour faire bonne figure.

Il cherche un endroit où le déposer sur la table et son fils déplace la carafe d'eau et la poivrière. S'assoyant enfin, M. Renaud coule vers Bastien un regard faussement attristé:

– Mais puisque tu oses ainsi insulter ton père, c'est donc vrai que je t'ai bien mal dirigé...

– Je vous prie de cesser cette discussion oiseuse, intervient Archange Renaud en se plaçant à côté de sa chaise. Comme si, Édouard, tu avais eu une quelconque part dans l'éducation de tes enfants...

Elle fronce les sourcils en regardant son mari, qui s'empresse de se relever pour tirer le siège sous elle, puis l'avancer tandis qu'elle s'installe à table dignement. Flavie observe le manège familier avec amusement. Encombrée de la belle robe qu'elle portera pour la messe, à laquelle elle assiste une ou deux fois par mois, Archange aurait bien de la difficulté à se débrouiller toute seule! Mais Édouard oublie constamment ce geste nécessaire de galanterie et leur fils ne vaut guère mieux...

Piqué par la remarque de sa femme, le beau-père de Flavie se rassoit en grommelant:

– Que veux-tu insinuer là? Nous avons discuté souvent ensemble de problèmes de discipline, du choix des écoles et *tutti quanti*...

– Bien entendu, mon cher mari. Mais quand il s'agissait de mettre toutes ces belles paroles en application... je devais bien m'en charger puisque tu n'étais pas là !

Elle adresse un sourire désarmant à Édouard en ajoutant avec gentillesse :

– Le dimanche, nous avions des choses bien plus agréables à faire en famille que de parler discipline...

– Comme aller quêter pour les bonnes œuvres du curé, dit Bastien. Ou aller visiter notre vieille tante de la côte des Neiges. Ce qu'elle était sinistre, habillée comme une sorcière !

Archange le toise avec un air de reproche, puis donne le signal du déjeuner en commençant à découvrir les plats.

– Ne sois pas méchant, le tance-t-elle. Plus d'une fois, elle a tiré ton père d'un mauvais pas.

– Elle était bien dotée ? s'étonne Julie. Je l'imaginais fort pauvre...

– Le luxe l'indisposait et elle ne se préoccupait plus de son apparence depuis belle lurette. Mais elle avait le don de faire des cadeaux qui comptaient vraiment.

– En tout cas, déclare Édouard, une expression obstinée sur le visage, si vous aviez été des enfants désobéissants, je serais intervenu avec fermeté, je vous assure !

Les deux jeunes Renaud pouffent de rire tandis que l'homme d'affaires lance à Flavie, d'un ton boudeur :

– Ils vont finir par vous faire croire que j'étais un être égocentrique, un père indigne !

– Mais pas du tout ! le rassure la jeune femme entre deux bouchées. Vous étiez simplement trop occupé...

De toute façon, si je comprends bien, vos enfants étaient sages comme des images !

– De vrais petits anges ! affirme Bastien avec un large sourire. N'est-ce pas, maman ?

– Mon garçon, tu as la mémoire sélective ! À dire vrai, j'ai souvent eu l'impression de me faire manipuler.

Flavie s'étonne :

– Que voulez-vous dire ?

– Ils étaient doués pour s'acoquiner afin de me faire des accroires. Cacher les bêtises de l'un ou de l'autre… Se coucher tard… Voler de la nourriture sans que je puisse les accuser formellement…

– Voler de la nourriture ? Dans votre propre garde-manger ?

– Et cent fois plutôt qu'une ! Comme si j'avais l'habitude de les affamer…

La gorge serrée, Flavie fixe le panier débordant de brioches. S'il avait fallu que Laurent, Cécile ou elle fassent de même, les conséquences auraient été terribles ! Aucun des trois jeunes Montreuil n'aurait même osé y songer. Que de fois leurs parents, du moins dans les premiers temps où le salaire de Simon suffisait tout juste à leur assurer une existence décente, se sont privés pour eux !

Un silence contraint est tombé parmi les convives. Après un temps, Édouard Renaud suggère gentiment à Flavie :

– Sans doute que les choses se passaient fort différemment chez vous…

Avec un pauvre sourire, elle murmure :

– Mon père aurait fait une colère terrible. C'est un homme aux comportements mesurés, d'habitude, mais là… Il n'aurait pas toléré.

Avec un dédain manifeste, Julie affirme :

– Ç'aurait été la bastonnade, n'est-ce pas ? C'est fréquent, paraît-il, dans les milieux populaires où les préceptes modernes d'éducation n'ont pas encore pénétré...

Le sang de Flavie ne fait qu'un tour.

– Jamais mon père n'a levé le bâton ou le fouet sur nous ! Jamais, vous m'entendez ?

– Fort bien ! Nul besoin de vous égosiller ainsi...

– Ma très chère petite sœur, intervient Bastien avec un regard de reproche, je te ferais remarquer que l'habitude des corrections sévères sévit dans toutes les couches de la société. J'ai eu plus d'un camarade qui s'est fait régulièrement rosser par son père.

– Quelle horreur ! grimace Édouard. Pour ma part, j'en étais bien incapable !

– Mon père s'est souvent élevé contre ce comportement d'une rare hypocrisie, celui de frapper un enfant en prétendant que c'est pour son bien, déclare Flavie. De toute façon, il n'en a pas eu besoin. J'ai compris toute petite que mes parents faisaient du mieux qu'ils pouvaient et qu'ils étaient plus généreux envers nous qu'envers eux-mêmes. J'aurais été terriblement sans-cœur de chaparder...

Ce n'est pas la première fois que le fossé qui sépare le monde dans lequel elle a vécu et celui de Bastien lui apparaît dans toute son amplitude. Au début, envahie par un formidable sentiment d'indécence, elle était littéralement bouleversée par ces heurts entre deux réalités. Comment les riches pouvaient-ils vivre avec tant de légèreté et d'insouciance, sachant dans quelles conditions vivaient les plus pauvres qu'eux ? Il semble à Flavie qu'à leur place elle aurait ressenti une telle culpabilité !

Mais elle se refuse à les juger davantage. Elle-même s'est glissée sans remords dans la peau d'une bourgeoise! A-t-elle refusé le confort d'une grande chambre bien chauffée, d'un lit de plumes, d'une domestique qui fait le lavage, des champlures avec l'eau courante? Flavie s'applique à terminer son repas, incapable cependant d'empêcher son esprit de s'envoler vers la rue Saint-Joseph, vers une manière de vivre bien moins sophistiquée, bien moins compliquée.

Julie engage sa mère dans une conversation banale, tandis que Bastien grommelle avec un air désapprobateur en voyant son père remplir de nouveau son assiette. Depuis qu'il est devenu un spécialiste de l'hydrothérapie, le jeune médecin a lui-même adopté le style de vie mis en valeur par cette médecine préventive: de l'exercice régulier et un régime alimentaire simple et frugal. Si son père lui a interdit la moindre allusion en ce sens à l'heure des repas, Bastien se venge, chaque fois qu'il le juge à propos, avec des mines fort éloquentes!

Cette fois-ci, Édouard n'y prête aucune attention et Flavie réalise que son beau-père demeure troublé, bien plus que les autres, par son allusion aux conditions d'existence dans les faubourgs populaires. Est-ce parce qu'il se souvient de ses origines de fils de paysan qui a pu étudier le droit parce que ses parents, qui attachaient un prix infini à l'instruction, ont fait bien des sacrifices en ce sens?

Pourtant, Archange aussi a des origines modestes: son père était meunier. Mais elle est bien davantage indifférente aux allusions de sa bru… Manifestement, Édouard Renaud est sensible au sentiment d'égarement qui envahit parfois Flavie. Un jour, elle aimerait bien en discuter avec lui, mais il l'intimide toujours un peu et elle n'a pas encore osé aborder ce délicat sujet.

Peu après, Archange et sa fille quittent la pièce et se préparent à sortir pour la messe à l'église paroissiale. Père et fils restent tranquillement assis à deviser, tandis que Flavie, qui n'aime pas beaucoup languir à l'heure des repas, aide Lucie à desservir. Elle remplit elle-même l'assiette de la jeune domestique qui, Flavie l'a bien remarqué, hésite à se servir copieusement. Flavie ignore si elle a vraiment assez faim pour tout engloutir ou si elle se force pour faire plaisir à sa jeune maîtresse, mais le résultat est là : d'une maigreur jadis impressionnante, Lucie s'est enrobée légèrement et son teint a rosi.

Obligeant Lucie à déjeuner sur-le-champ, Flavie la quitte pour revenir dans la salle à manger. La table est complètement dégarnie et Bastien est en train de rouler la nappe. Il sort bientôt pour aller la secouer dehors et Flavie se rassoit à proximité de son beau-père, qui lui dit en souriant :

– Bastien m'apprend que c'est la journée des comptes ?

– J'ai bien suivi vos conseils, répond Flavie avec gentillesse. J'ai noté toutes les entrées et les sorties d'argent dans le cahier de comptabilité que vous nous avez offert.

Une étincelle moqueuse dans le regard, elle se penche vers lui :

– Mais pour tout vous dire, je savais déjà comment faire. Chez nous, c'est maman qui tient les comptes et je l'ai souvent aidée...

Avec une grimace expressive, Édouard Renaud bougonne :

– J'ai été bien présomptueux de vous inonder de mes conseils… J'oubliais que les femmes gèrent l'argent du ménage depuis des temps immémoriaux !

– Une chance qu'elles le font ! s'exclame Flavie avec ferveur. J'ai vu bien des familles où c'était seulement grâce au souci d'économie de la mère que les enfants avaient à manger tous les jours !

Un peu déconfit, visiblement embarrassé, son beau-père baisse les yeux sur ses mains jointes sur la table et Flavie, attendrie, observe un moment son visage maigre marqué par l'âge, ses yeux aux paupières lourdes et ses sourcils broussailleux. Elle reprend d'un ton affectueux :

– J'ai fièrement apprécié vos conseils. Vous voulez que je vous le montre ?

Il acquiesce et elle court chercher le grand cahier dans lequel elle note soigneusement les noms de leurs clients, à Bastien et elle, ainsi que les sommes perçues et les créances en souffrance. M. Renaud fait une moue d'appréciation devant les chiffres qui s'additionnent et Flavie lui explique avec satisfaction que leur association a remporté un succès presque immédiat : déjà, ils ont atteint le nombre maximum de patientes enceintes qu'ils peuvent suivre simultanément.

Désignant les colonnes de chiffres, Flavie précise cependant, avec une grimace :

– Plusieurs messieurs ne nous ont pas encore payés pour services rendus. Je ne l'aurais jamais cru, mais ce n'est pas parce qu'on a de l'argent plein les poches qu'on règle ses comptes rubis sur l'ongle !

Son beau-père s'esclaffe.

– Ma pauvre petite ! Je crois que bien des désillusions vous attendent au sujet des bourgeois ! Sachez qu'un train de vie fastueux signifie généralement de nombreuses dettes... donc fort peu d'argent comptant dans le gousset!

Pénétrant dans la pièce, Bastien ajoute, l'air mi-figue, mi-raisin :

— Sans oublier que, généralement, plus on a de biens, plus on est avaricieux...

Flavie secoue la tête avec une expression découragée, puis elle redevient grave et pensive. Le succès inespéré de leur association professionnelle a une conséquence inattendue, qu'elle hésite encore à envisager franchement. Une vive crainte l'envahit chaque fois qu'elle songe qu'elle n'aura bientôt plus le choix : il lui faut renoncer à son travail à la Société compatissante. Elle doit être complètement disponible pour leurs patientes... Poussant un profond soupir, elle bredouille sans regarder ses interlocuteurs :

— Je ne sais pas comment faire. Je ne sais pas comment dire à ma mère que je ne peux plus travailler avec elle...

Bastien explique à son père que Flavie se trouve devant un ennuyeux dilemme, et elle redresse brusquement la tête, précisant farouchement :

— Ce n'est pas un... dilemme, comme tu dis si bien. Si je veux continuer avec toi, je n'ai pas le choix.

— Tu es insuffisamment payée et bien trop qualifiée pour ce travail. Gérer l'inventaire, faire la garde-malade... Quand tu accouches, c'est à titre gratuit, même si tu as ton diplôme depuis longtemps!

— Je sais, soupire-t-elle avec impatience. Tu me l'as déjà dit vingt fois.

Édouard Renaud intervient gentiment :

– Je crois, Bastien, que Flavie est très attachée à cette position.

Dans le ton de voix de son beau-père, il y a une chaleur qui la touche si profondément que c'est à lui plutôt qu'à Bastien qu'elle réussit à dire ce qui la hante depuis des semaines. Elle murmure, fichant son regard dans le sien :

– Ça me fait peur parce que c'est un autre lien qui se brise. Qui se brise entre mon ancienne vie et la nouvelle. Vous comprenez, Édouard ?

Il hoche doucement la tête et elle jette avec précaution un coup d'œil vers Bastien qui la considère avec un mélange d'étonnement et de tendresse. Rassurée, elle reporte son attention vers M. Renaud :

– Je vais faire de la peine à ma mère, je vais m'ennuyer de plein de monde, mais ce qui me dérange le plus, c'est... à quel point je me sens seule, tout d'un coup.

Le père de Bastien l'interroge avec une légère anxiété :

– Ma chère Flavie, vous êtes un membre à part entière de notre famille. Vous le savez, n'est-ce pas ? Avons-nous fait quelque chose qui ait pu vous faire croire le contraire ?

Flavie lui sourit avec affection en secouant la tête.

– Cher beau-papa, je vous l'assure, ça n'a rien à voir avec vous ni avec personne ici. Mais je n'en fais pas mystère : le monde des bourgeois m'effraie fièrement... Par chez nous, on parle comme on pense. Quand quelqu'un nous déplaît, ça paraît ! Mais dans le beau monde... une dame pourrait me détester, mais faire semblant que nous sommes les meilleures amies du monde. À qui, alors, peut-on accorder sa confiance ?

– À moi, répond Bastien avec ardeur. À nous tous, à nos amis... C'est déjà bien, tu ne crois pas ?

Il tend la main à travers la table et Flavie y dépose la sienne, qu'il étreint fermement. Édouard Renaud ajoute avec légèreté :

— Vous imaginez notre monde plus noir qu'il n'est réellement. La plupart des bourgeois ne sont pas malins…

Flavie opine gentiment du bonnet, mais elle n'en pense pas moins. S'ils ne sont pas malins, ils sont horriblement présomptueux. Non, encore pire : onctueux et insaisissables comme cette horrible gelée à la menthe qu'elle déteste !

Quelques heures plus tard, les deux jeunes gens s'habillent chaudement pour se rendre au thé auquel Marguerite Bourbonnière, revenue depuis peu de Paris, les a invités pour ce dimanche, en compagnie de quelques amis intimes. Flavie piétine littéralement d'impatience : depuis son retour, dix jours auparavant, Marguerite n'a pas réussi à trouver même cinq misérables petites minutes pour lui faire une visite.

Il leur faut peu de temps pour descendre vers le sud-est jusqu'au faubourg Saint-Louis et c'est un majordome qui répond à leur vigoureux coup de sonnette. Les deux jeunes gens sont en train de se débougriner lorsque, le visage inquisiteur, Marguerite fait irruption dans le petit hall d'entrée. Elle fige sur place et Flavie comprend aussitôt sa gêne, qu'elle ressent aussi. Leur intimité a notablement grandi au cours de cette période d'échanges épistolaires, mais il y a une année entière qu'elles ne se sont pas vues !

Marguerite sourit et Flavie l'imite, ravie de contempler de nouveau son visage sans grande beauté, mais embelli par de grands yeux bruns et par une luxuriante chevelure châtaine tirant sur le blond. Il faudrait à la jeune femme beaucoup d'art et d'industrie pour plaquer sur ses traits l'air languissant et les pommettes pâles qui deviennent à la mode chez les bourgeoises! D'une carrure de pionnière, l'énergie physique lui jaillissant par tous les pores de la peau, Marguerite respire la santé et la force.

La bouche maintenant fendue jusqu'aux oreilles, elles s'approchent d'un pas, puis de deux, et, enfin, elles joignent leurs mains avant de conclure par une brève accolade. Bastien ne se gêne pas pour déposer un baiser sonore sur chaque joue de leur hôtesse, ce qui dissipe les restes d'embarras.

Prenant les deux jeunes gens par le bras, Marguerite les entraîne aussitôt vers le salon, à l'entrée duquel ils échangent de chaleureuses salutations avec Mlle Catherine Ayotte, qui a suivi le cours à l'École de sages-femmes en compagnie de Marguerite et de Flavie, et avec le Dr Paul-Émile Normandeau, de la même promotion que Bastien et qui fut, un temps, le cavalier de Marguerite. Pendant un court moment, tous les cinq sont plongés dans une conversation animée, mais ils sont bientôt interrompus par une grande et grosse femme aux cheveux soigneusement teints en blond qui lance avec un air de reproche à Marguerite:

– Ma fille, il faut me présenter tes amis!

– Bastien Renaud, pour vous servir, répond le jeune homme en s'inclinant pour baiser la main de la dame. Et voici mon épouse Flavie, accoucheuse de son métier.

Il a prononcé la dernière phrase avec une étincelle dans l'œil. Sans le laisser paraître, il s'amuse fort du moment d'égarement que vivent la plupart de ses interlocuteurs à l'annonce de cette précision. Flavie n'en est pas fâchée : elle préfère que, d'entrée de jeu, les choses soient claires ! Marguerite lui laisse à peine le temps de saluer sa mère : glissant de nouveau son bras sous le sien, elle l'entraîne d'autorité vers la table où le thé est servi, pendant que Mme Bourbonnière, en bonne hôtesse, circule lentement d'un groupe à l'autre et que, dans un recoin de la pièce, Bastien et Paul-Émile se tiennent mutuellement compagnie.

Flavie a le temps de constater que le salon est passablement encombré de visiteurs. Ennuyée, elle reconnaît au passage Vénérande et Nicolas Rousselle. Elle n'avait pas songé que, bien entendu, le couple serait présent... En plus d'être professeur à l'École de médecine et de chirurgie de Montréal, Rousselle est l'un des deux médecins attitrés de la Société compatissante. Pour sa part dame patronnesse de la Société compatissante, l'arrogante Vénérande a donné un répit apprécié à Flavie en accompagnant sa nièce Marguerite en Europe. Par une heureuse coïncidence, l'épouse du docteur cherchait depuis des années l'occasion de traverser l'Atlantique pour un voyage d'agrément.

Tandis que Marguerite lui sert une tasse de thé, Flavie examine son amie avec attention. Elle lui paraît à la fois semblable et différente : une assurance nouvelle, une sorte de rondeur dans les gestes donnent à son anguleuse silhouette un charme particulier. Croisant son regard, Marguerite lui sourit avec chaleur et Flavie plaisante avant de prendre une gorgée :

— Je constate que Paris vous a joliment ravivé le teint !

— Mais jamais autant que l'air de Montréal fait effet sur vous, ma bonne Flavie. Quelques-uns diraient que vous êtes croquable...

Flavie hausse les sourcils. Avant son voyage, jamais son amie ne se serait laissée aller à un tel badinage! Elle siffle doucement:

— Je sens que nous aurons des choses passionnantes à nous raconter! À ce que je vois, vous avez réussi à fausser souvent compagnie à votre chère tante Vénérande...

Pouffant de rire, Marguerite se penche vers elle:

— Il m'a fallu à peine trois jours. Elle a préféré le Louvre aux bancs de bois du Collège de France!

La jadis très pieuse Marguerite semble avoir mûri d'une manière qui surprend et réjouit Flavie tout à la fois. Avec un sourire en coin, elle insinue:

— D'après moi, vos conversations avec la charmante Elizabeth n'ont pas seulement porté sur la médecine... Vos parents avaient-ils raison de se méfier de l'influence *pernicieuse* de la dévergondée capitale française sur une jeune et naïve Canadienne?

Marguerite répond par un clin d'œil appuyé. Flavie s'enquiert, même si elle est sûre de la réponse:

— Vous êtes contente de votre apprentissage?

— Oh oui! J'ai tant progressé, si vous saviez! Les maîtresses sages-femmes possèdent un tel savoir! Elles ont vu des milliers et des milliers de cas dans leur vie. Je me suis procuré plusieurs livres... Vous connaissez celui de Marie-Anne Boivin, n'est-ce pas? Mais celui de Marie-Louise Lachapelle, nous n'avons jamais pu le trouver ici. Eh bien, je l'ai rapporté! Figurez-vous, il s'étend sur trois tomes! Vous imaginez? Attendez, je vais le chercher!

Excitée comme une petite fille, Marguerite disparaît avant de revenir une minute plus tard, trois bouquins sous le bras. Avec vénération, Flavie caresse du regard les sobres caractères d'imprimerie qui en forment le titre : *Pratique des accouchemens, ou Mémoires, et observations choisies, sur les points les plus importans de l'art.* Tout en flattant la couverture, elle lève vers Marguerite des yeux émerveillés. Cette dernière l'encourage à ouvrir le premier tome et Flavie prend garde de ne pas déchirer le papier rendu sec par le passage des années. Marguerite raconte :

– C'est son neveu, le médecin Antoine Dugès, qui a colligé l'essentiel des enseignements de Mme Lachapelle. Voyez ce qu'il écrit en préface : « C'est à elle que je dois toute mon instruction théorique et pratique. C'est dans ses leçons, et plus encore dans ses conversations ou dans les opérations dont elle m'a rendu témoin, que j'ai puisé toutes mes connaissances dans l'art des accouchements. » N'est-ce pas un souverain témoignage ?

Toutes deux s'échangent un regard triomphant, puis Marguerite pousse un profond soupir.

– Une année, c'est si peu de temps pour apprendre les subtilités de cet art... Oh ! Les délivrances usuelles, quand la mère est bien conformée, cela se maîtrise vite et bien, comme vous le savez. Mais les autres ? Comment juger, lors d'une délivrance qui tarde ou qui présente des complications, du moment où il est nécessaire de précipiter les choses ? Du moment où il y a plus de risques à laisser faire la nature qu'à intervenir ? Autant que possible, j'observais la maîtresse sage-femme, ses assistantes ou le chirurgien, j'ai pris note de toutes leurs décisions, mais comme j'aurais voulu m'exercer davantage !

– Ici, vous pourrez facilement ! l'encourage Flavie. Les maternités vont s'arracher vos services et dans quelques années, devenue maîtresse sage-femme, vous publierez votre propre livre d'observations !

Marguerite laisse échapper un rire de dérision tout en serrant l'avant-bras de Flavie avec affection.

— Je crains fort, ma pauvre, que le processus ne soit pas si simple!

Flavie s'exclame avec excitation:

— J'ai très hâte de te voir pratiquer! Tu me feras appeler pour quelques délivrances?

Elle rougit alors jusqu'aux cheveux. Elle s'est mise spontanément à tutoyer Marguerite! Elle craint que sa jeune amie n'en soit froissée, mais, avec un sourire indulgent et un regard chaleureux, elle répond:

— Oui, Flavie, je te ferai appeler.

Elle répète encore, pour donner de l'assurance à ce tutoiement encore hésitant:

— Je te ferai appeler.

Avec une grimace expressive, Marguerite explique à son interlocutrice que ses parents ont planifié pour elle une exigeante saison de mondanités, dans le dessein avoué de lui trouver un mari! Pour eux, l'époque des frivolités a duré bien assez longtemps; leur fille doit maintenant se caser. Extrêmement contrariée, Marguerite tente de leur faire comprendre qu'avec un tel diplôme en poche, ce serait un gaspillage éhonté! Elle se donne quelques mois pour les convaincre; sinon, elle fera fi de leur opinion, voilà tout!

Sollicitée par quelques personnes qui vont et viennent à proximité tout en tentant d'attirer son attention, Marguerite ne peut s'éterniser davantage en compagnie de Flavie. Après avoir avalé quelques canapés, cette dernière songe à aller rejoindre Bastien lorsque Catherine Ayotte vient à elle. La blonde et frêle demoiselle, enfant unique d'un veuf, grossiste en bois bien connu, raconte à Flavie qu'elle n'a pas vraiment tenté de pratiquer après avoir obtenu son diplôme des mains de Léonie.

— Ce n'est pas que le métier me répugne, poursuit-elle, un large pli creusé dans le front. Mais je me sens trop démunie pour affronter cette vie rude. Je crois maintenant que je pourrais servir autrement...

Flavie lui demande de préciser et elle s'exécute, le visage rosissant à vue d'œil.

— Je me suis sentie appelée. J'ai toujours laissé une large place à Dieu dans mon cœur et il a fini par m'indiquer ma voie. Si tout se passe pour le mieux, je vais me joindre aux Sœurs de Miséricorde. Bien entendu, ma formation ne sera pas pour leur déplaire...

Flavie recouvre mentalement la frêle silhouette d'une robe noire et informe, cachant ses jolis cheveux sous une coiffe rigide comme du carton.

— C'est une vie difficile, remarque-t-elle. D'après moi, notablement plus rude que celle de sage-femme dans le monde!

— Pas quand Dieu nous assiste et nous encourage. Dans une telle atmosphère de foi, dans un tel climat de ferveur, j'ai l'intuition que les sacrifices sont autant d'occasions de grâce. Depuis que Mme Rosalie a pris le voile, depuis qu'elle a converti son asile en communauté religieuse, leur existence est moins précaire, vous savez.

— Puisqu'elles bénéficient de la protection assidue de notre évêque, il est assuré que les faveurs leur tomberont directement du ciel...

Insensible au soupçon de raillerie dans le ton de Flavie, Catherine la gratifie d'un sourire rayonnant. Magnanime, Flavie s'empresse de la féliciter de sa décision qui, d'une certaine manière, tombe sous le sens. Dans le milieu francophone montréalais, Rosalie Cardon-Jetté a été la première à prendre soin des jeunes filles enceintes. Malgré un manque flagrant de ressources, elle s'est lancée dans l'aventure avec un courage digne de respect.

Catherine se penche vers Flavie et dit avec une grimace où perce un certain désarroi :

– Le plus difficile à convaincre, c'est mon père. Il craint fort que je ne m'use prématurément la santé à ce régime de vie.

– Vous savez comme moi qu'il n'a pas tort. Les religieuses soignantes sont exposées à des périls certains. Souvenez-vous de toutes celles qui ont souffert lors de l'épidémie de typhus de 1847! Comme, en plus, les Sœurs de Miséricorde ne peuvent encore assurer à leurs membres le confort nécessaire à l'existence...

Une femme beaucoup plus âgée et d'aspect sévère vient les interrompre :

– Ma chère Catherine, votre père va s'inquiéter... Il nous faut rentrer.

– Vous avez raison, cousine. Je vous souhaite bonne chance, Flavie.

– Vous de même, Catherine. Vous de même...

Sans que Flavie les ait vus venir, le Dr Rousselle et son épouse se dressent maintenant devant elle. De très haute taille, approchant la cinquantaine, Nicolas Rousselle est le type parfait du bourgeois judicieusement prospère qui peut se payer des nourritures délicates en quantité et des redingotes d'une rare élégance. Son embonpoint est cependant mesuré, puisqu'il est bien vu de maîtriser soigneusement ses passions, de les dominer plutôt que de se laisser mener par elles! Son front est largement dégarni et ses yeux, cachés derrière de lourdes paupières ; son nez busqué aux minces narines surmonte une bouche large aux lèvres charnues.

Élue au conseil d'administration lors de la fondation de la Société compatissante, maintenant deuxième vice-présidente, Vénérande a longtemps été en quelque sorte écrasée par son grand et massif mari aux gestes impérieux. Elle est tout le contraire de lui : la stature frêle et les cheveux d'un gris terne, les gestes discrets et le visage placide. Mais une étonnante transformation a eu lieu au cours des deux dernières années. Elle est devenue si arrogante et dédaigneuse que Marie-Claire, la présidente du conseil, se plaint même qu'elle a tendance à contester son pouvoir !

Flavie lance d'un ton sarcastique :

— Je vous empêche d'atteindre les bouchées au caviar ? N'ayez crainte, je vous laisse la place...

Son mouvement de fuite est interrompu par Vénérande :

— Nous voulons, madame Renaud, vous offrir nos hommages. Marguerite m'a abondamment parlé de vous pendant notre séjour dans la Ville lumière et j'ai été contaminée, je dois le dire, par son sentiment d'admiration envers vous.

Flavie contemple son interlocutrice avec étonnement. Après un instant de silence, Nicolas Rousselle jette d'une voix presque inaudible :

— Il me fait plaisir de vous saluer. Ma chère épouse m'a convaincu des vertus de votre association avec votre mari. Je vous avoue que, jusqu'alors, j'étais plutôt réticent ! Mais je n'en avais pas compris la valeur.

Avec un soupçon de gentillesse, le médecin considère Flavie, qui en demeure abasourdie. À quoi cela rime-t-il? Pour quelle raison sentent-ils tous les deux le besoin de lui faire des civilités? Vénérande a pourtant décidé, un beau jour, que Flavie ne valait pas le tapis sur lequel elle marchait! Quant au Dr Rousselle, il la traite comme une demoiselle sans cervelle, comme une garde-malade ignare et bête! Flavie partage entièrement l'opinion de Léonie à son sujet. Hautain et irascible, trop porté à juger des cas sans tenir compte de l'avis des accoucheuses, Rousselle est un médecin potentiellement dangereux pour la santé des patientes.

Faisant un effort manifeste pour être aimable, la dame glisse à Flavie :

— Ici, dans notre province encore peu développée, la fonction que vous exercez est loin d'avoir l'ampleur dont elle jouit dans les vieux pays. La plupart des bourgeoises requièrent la présence de dames auprès d'elles, surtout lors des délivrances et des relevailles, mais aussi, de plus en plus, lorsqu'elles sont clouées au lit par une maladie. Sous cet éclairage, votre association avec votre mari nous paraît donc digne de tous les éloges.

Soudain, Flavie est envahie par un puissant sentiment de triomphe. Se pourrait-il qu'ils ne la considèrent plus seulement comme une insignifiante accoucheuse du faubourg Sainte-Anne? Constatent-ils que, loin d'être une lubie d'une parfaite inconvenance, son association avec son mari médecin comporte des avantages certains?

— Hélas, nous devons impérativement partir. Au revoir, madame.

Flavie balbutie une réponse et le couple se dirige vers Mme Bourbonnière pour prendre congé. Si même eux conviennent que, devant une révolution bénéfique dans les mœurs, il faut s'incliner de bonne grâce, la réaction de la classe médicale face à l'initiative de Bastien ne doit pas être si mauvaise !

Le cœur léger, elle prend place sur un sofa à proximité, passant un long moment à observer les allées et venues, puis les départs successifs. Bientôt, à son grand plaisir, Marguerite vient vers elle et se laisse tomber à ses côtés en soupirant de soulagement. Après un court moment de badinage, la jeune femme confie à Flavie avec une sorte de jubilation que, si le vent de liberté qui soufflait à Paris l'a d'abord contrariée, elle a été progressivement séduite, à son corps défendant, par une culture de l'esprit qui ouvrait de si vastes horizons.

– Avec mes compagnes, nous parlions de mon pays et du leur, la Normandie ou l'Auvergne… Ma préférée, c'était une Parisienne. Elizabeth la décrivait joliment : dodue comme une perdrix, ses cheveux coiffés à la dernière mode et un tempérament *like a lucifer match*… Enflammé comme l'allumette du diable, qui étincelle à la moindre friction ! Ce long préambule pour vous… pour te dire que j'ai entendu bien des choses sur leurs vies, sur leurs valeurs, sur les idées modernes qu'ici nous avons rarement l'occasion d'approfondir. En sortant de la Maternité au début de juillet, à la fin de mon séjour, je n'avais qu'une envie : profiter de mes trois mois de vacances pour m'informer encore davantage, pour lire, pour discuter ! Je faisais le désespoir de ma tante, qui peinait pour m'attirer à Versailles ou à l'hôtel des Invalides !

Marguerite s'assombrit avant d'ajouter dans un quasi-chuchotement :

– Plus jeune, je croyais avec tant de sincérité ! Ma mère était fervente et mon père ne la contredisait en rien.

Je croyais aux anges et au paradis, je croyais que les prêtres étaient les bergers qui nous conduiraient vers le pâturage céleste. Avant, j'aurais tremblé de bonheur à l'idée de rencontrer l'évêque, cette sorte de demi-dieu avec lequel notre Créateur s'entretient!

— Et maintenant?

— Je ne peux plus suivre cet enseignement avec l'aveuglement sur lequel notre clergé insiste tant. Je ne peux plus croire qu'eux seuls savent ce qui est sain et ce qui est malsain, jusque dans les grands courants philosophiques et les théories politiques. Je refuse d'adhérer à quoi que ce soit sans pouvoir examiner la question librement, en mon âme et conscience!

Flavie est impressionnée par l'éloquence de Marguerite et par le ton plein d'ardeur contenue de sa voix. Elle ajoute avec une grimace:

— À la Maternité, les élèves se sont exercées à des cantiques pour le mois de Marie, dans les jardins. C'était affreux. Une véritable cacophonie... Une telle piété aurait dû m'émouvoir, n'est-ce pas? Non seulement toucher ma foi, mais faire vibrer mon mal du pays... Mais non: elle m'horripilait. Flavie, je t'assure qu'à Paris il m'a poussé des ailes, celles d'un oiseau qui voudrait planer de plus en plus haut... Mais je me retrouve avec un tel vide en moi. Un vide que *je* dois remplir, avec *mes* idées, *ma* foi... Ça me donne des sueurs froides. Si je ne rencontrais rien d'aussi consolant? Si nos curés avaient raison et que seul Dieu, seul un renoncement total à la volonté de Dieu pouvait apporter le vrai bonheur?

Touchée, Flavie lui presse l'épaule avant de répondre avec hésitation:

– Ma douce Marguerite… Peut-être que c'est vrai, mais peut-être que c'est faux. Peut-être que les curés, et même les évêques et le pape…, sont aussi ignorants que nous, mais ils font semblant de savoir. C'est ce que mes parents croient. Ils croient que les religions sont inventées par les hommes pour se rassurer, pour calmer leurs angoisses. Quand on lève la tête vers le ciel et qu'on contemple les corps célestes… il y a de quoi se trouver bien insignifiant. Peut-être qu'il y a un grand Ordonnateur du monde, mais chacun est capable de le trouver. Nul besoin d'un trône papal pour cela.

– Mais c'est la religion qui ennoblit l'homme, qui lui donne des idéaux élevés, qui le distingue de la bête!

– Tu veux parler des grands préceptes de bonté, de charité et d'amour du prochain? Sans doute. Mais il s'est bâti là-dessus une tyrannie qui s'est tout permis, tu le sais comme moi! Y compris obliger les femmes à rester ignorantes, à ne s'adonner aux plaisirs de la chair que pour procréer et à se refuser tout honneur pour elles-mêmes!

Un vif sourire éclaire brusquement les traits de Marguerite qui, de manière inattendue, donne l'accolade à Flavie. Elle lui confie ensuite, avec chaleur et affection:

– Avant mon voyage, je n'appréciais pas la pétulance de ton esprit à sa juste valeur! Mais nous allons reprendre le temps perdu, n'est-ce pas?

Toute à sa réflexion, Flavie poursuit sans se démonter:

– Toi-même, dans tes lettres, tu m'entretenais du socialisme, des utopies… Il me semble que c'est la voie toute trouvée, non? La voie pour promouvoir la justice sociale sans la béquille de la religion…

Grave soudain, Marguerite la fixe, avant de murmurer :

– Tu le crois vraiment ? Je voudrais tant que les gens n'aient pas besoin de la peur de l'enfer pour se soucier de leur prochain. Je voudrais tant que la charité transcende l'esprit de secte !

Exaltée, Flavie développe ce qu'elle n'a pu qu'aborder dans ses lettres à Marguerite. Les idées socialistes lui paraissent d'une richesse inouïe ! Depuis six mois, elle a lu les ouvrages de quelques penseurs ainsi que tous les articles des gazettes françaises ou américaines qui traitaient de ce vaste sujet. Même s'il est difficile de s'y retrouver parmi un arsenal de théories parfois contradictoires, il lui semble prouvable qu'un système politique révolutionnaire est en train d'émerger. Encore mieux : il s'agit du seul qui tente *réellement* de faire échec au pire crime de toute l'histoire humaine, celui de l'exploitation de l'homme par l'homme !

Transportée d'enthousiasme et les yeux ronds comme des soucoupes, Marguerite enchaîne :

– Au début, j'ai cru que les idées républicaines allaient remplir ce but. À Paris, il y avait tant d'effervescence ! Mais j'ai constaté l'effroi de la classe dirigeante. J'ai vu que, parmi elle, même de fervents républicains ne pouvaient s'empêcher de craindre un renversement total des institutions, advenant une prise de pouvoir par le peuple ! La défiance est générale, Flavie, et s'applique également aux femmes qui osent protester contre l'injustice…

Marguerite reste un moment plongée dans ses pensées, puis elle reprend vivement :

– Et puis, nous avons l'exemple des États-Unis. Il faut que je te fasse lire l'une des correspondances de Margaret Fuller à la *New York Tribune*. Un texte magnifique !

Écoute ce passage : « *O Eagle whose early flight showed this clear sight of the sun, how often dots thou near the ground, how show the vulture in these later days!* » L'Amérique, qui était le héraut du progrès du genre humain, est aujourd'hui souillée par l'ambition politique, par une soif inextinguible de profit, par une absence de protection sociale aussi pire qu'ailleurs...

Elle se rend compte que sa mère lui fait de petits signes discrets et elle pousse un soupir de regret avant de dire à toute vitesse :

– Je comptais organiser une réunion informelle de sages-femmes pour vous montrer mes livres, qu'en penses-tu ?

Flavie répond par un large sourire, puis se dirige vers Bastien pour lui signifier qu'il serait temps de prendre congé. Paul-Émile et lui s'interrompent à son approche et arborent des mines embarrassées qui l'amusent plutôt. C'est seulement une fois qu'ils sont parvenus dehors que Flavie demande à son mari ce que tous deux pouvaient bien comploter. Après un temps, il répond évasivement :

– En vérité, pas grand-chose... En fait, des choses privées. Paul-Émile me parlait de ses anciennes fréquentations avec Marguerite.

– Une conversation entre hommes, si je comprends bien ?

Bastien reste silencieux et Flavie est sur le point d'enchaîner au sujet de sa passionnante conversation avec Marguerite lorsqu'il reprend brusquement :

– Bah ! Pourquoi je ne t'en parlerais pas ? Cependant, promets-moi de ne pas te fâcher.

– Impossible. Parfois, il est nécessaire de se fâcher.

Il expire bruyamment, avec exaspération, avant de s'écrier :

– Cré tête de cochon ! Tant pis, tu l'auras voulu ! Tu sais comment Paul-Émile trouvait Marguerite bien de son goût. Pendant que toi et moi on se fréquentait, il est devenu son cavalier attitré. Tout à l'heure, il m'a confié à quel moment il s'est ravisé : quand Marguerite lui a avoué qu'elle aimerait bien devenir… hum, médecin.

Saisie, Flavie jette à son mari un coup d'œil acéré, mais dans l'obscurité, elle est incapable de déchiffrer son expression. Son ton est amusé et narquois, mais heureusement, point trop condescendant… Il continue :

– Paul-Émile en a été estomaqué. Et même dégoûté, pour dire franchement… Comme il n'a pas l'esprit trop obtus, il lui a conservé son amitié, mais de loin, en simple camarade. Pour lui, une femme médecin, ce n'est plus une femme, mais un être humain hybride, corps féminin peut-être, mais cerveau et manières d'homme. Rien pour éveiller sa concupiscence…

La gorge serrée par un brusque accès d'émotion, Flavie reste sans voix. Une question lui brûle les lèvres : partage-t-il cet avis ? Mais elle est incapable de la poser et elle réplique plutôt :

– C'est clair que, concernant les femmes, l'élastique s'étire fièrement moins… Tandis qu'un médecin peut suivre des délivrances toute sa vie sans perdre une once de sa virilité !

– Ma foi…

Il émet un rire bref :

– Je m'en souviendrai à ma prochaine rencontre avec Paul-Émile ! Non mais, quand même, femme médecin… Je n'arrive pas à me faire à l'idée !

– C'est pourtant simple, marmonne Flavie. Imagine-toi une accoucheuse, mais légèrement plus savante!

– Légèrement? *Fièrement*, tu veux dire! Je ne connais pas beaucoup d'accoucheuses qui sachent lire Hippocrate dans le texte et qui puissent déchiffrer les citations latines! Ce sont des études ardues, prends-en ma parole!

Flavie demande d'une petite voix:

– Il faut tout cela pour apprendre la science médicale? Je veux dire… De plus en plus de livres sont écrits en… en langage commun!

– En langue vulgaire, tu veux dire? En effet. C'est parce que les médecins veulent se faire comprendre du plus large public possible.

– Les maîtresses sages-femmes font de même…

Emballée soudain, Flavie lui raconte son contact initial avec l'ouvrage monumental signé par Marie-Louise Lachapelle, et le reste du chemin se passe ainsi, à discuter du savoir des accoucheuses. Néanmoins, un vague malaise subsiste en Flavie, qui la pousse, pendant les jours qui suivent, à réfléchir sérieusement à l'ambition qu'elle caresse secrètement, soit acquérir les connaissances qui distinguent un médecin licencié d'une sage-femme.

Depuis son mariage, Flavie s'est beaucoup renseignée sur la science médicale en lisant des livres et les notes de cours de Bastien. Avec amabilité, le jeune médecin répond – quand il en est capable – à ses fréquentes questions. Il lui décrit les cas qu'il rencontre dans sa pratique et la manière dont il procède pour examiner chaque patient: il questionne, ausculte et tâte, puis il en vient généralement à un diagnostic qu'il croit raisonnable, en rapport avec sa thérapeutique de prédilection, l'hydrothérapie.

Flavie est maintenant bien au fait de la physiologie et de l'anatomie humaines, ainsi que des grands principes de la médecine : la théorie des humeurs, les différences naturelles entre les deux sexes, les systèmes et leurs dérèglements. Sans trop s'en vanter, elle commence même à pouvoir décrire des états pathologiques précis et à prescrire un traitement !

La science médicale l'intéresse, surtout ce qui entoure le fascinant processus de la génération auquel la femme consacre une si importante partie de sa personne ! Flavie sait qu'en s'associant avec elle Bastien lui ouvre les portes de la connaissance. Mais elle sait aussi qu'il n'a aucune idée de la secrète détermination qui l'anime ! À plusieurs reprises depuis leur mariage, elle a été sur le point de confier à son mari ce plan audacieux, mais le courage lui a manqué à chaque fois. Elle a tellement peur de sa réaction ! Si d'aventure il réagissait avec mépris et condescendance…

Chapitre x

Pendant quelques semaines, Flavie tergiverse, mais après les festivités qui marquent le début de l'année 1851, elle annonce avec précaution à Léonie qu'elle doit cesser son travail à la Société compatissante, ajoutant qu'elle est navrée par la perspective que, sans elle, les patientes aient des soins de moins bonne qualité. Touchée par la manière dont sa fille s'empêtre dans ses mots, Léonie lui fait une rapide étreinte tout en s'exclamant :

– Pauvre petite fauvette ! C'est vrai que tu es, et de loin, notre meilleure garde-malade, et ton annonce me cause un grand chagrin ! Mais je m'y attendais…

La relève est cependant abondante. Séduites par cette possibilité d'un emploi exigeant mais intéressant, des femmes offrent régulièrement leurs services à la Société. Léonie songe même à Marie-Zoé, qui est revenue au travail et qui reprend, peu à peu, goût à la vie… Léonie a l'impression qu'une telle promotion l'aiderait grandement à retrouver sa joie de vivre.

Peu après l'annonce de sa fille aînée, Léonie reçoit une lettre dont le contenu la plonge dans un tumulte d'émotions. La supérieure de la mission que Cécile a accompagnée, deux ans plus tôt, jusque dans une région de colonisation, lui retourne les deux dernières missives, encore scellées, qu'elle a envoyées à sa fille cadette. Avec des mots durs, derrière lesquels Léonie sent une tangible désapprobation, elle explique que Cécile a quitté la mission au cours de l'été précédent pour aller vivre avec les Sauvages et que, depuis, elle a coupé totalement les ponts avec la communauté religieuse qui l'engageait jusqu'alors.

Léonie reste en état de choc pendant un temps infini, à retourner mentalement la situation de Cécile dans tous les sens, tentant désespérément de comprendre ce que cela signifie, *aller vivre avec les Sauvages*... N'est-ce pas une existence rude, pleine de dangers ? Ce soir-là, elle en discute pendant des heures avec Simon, Laurent et Flavie, de même qu'avec Agathe et sa mère, Léocadie. Le pire, c'est leur sentiment d'impuissance. Cécile est si loin !

Finalement, Flavie se souvient que, dans ses lettres, sa sœur nommait une jeune religieuse de la mission avec qui elle s'était liée d'amitié. Peut-être en sauraitelle davantage ? D'emblée, on convient de lui écrire. Pour réduire le risque que la supérieure ne décachette le feuillet, comme il est de coutume, et soit tentée de censurer l'envoi, Flavie propose d'utiliser le papier luxueux dont Bastien se sert pour ses correspondances d'affaires. Le feuillet replié et scellé avec le sceau officiel du jeune médecin en imposera peut-être...

Chacun tente d'encourager les autres. Il faut faire confiance à la jeune fille, dotée d'un caractère bien trempé, hors du commun ! Avec un sourire navré, Agathe s'empresse de les contredire : Cécile a le même tempérament ardent que sa mère et sa sœur, mais il s'exprime tout simplement autrement ! Simon s'empresse de renchérir, rebattant les oreilles du petit groupe de la description des émotions que les femmes de sa vie lui font vivre, les unes après les autres! Pourtant prompte à défendre ses droits, Flavie le laisse ronchonner tout son content. Comme sa mère, elle sait à quel point Simon se tourmentera, pendant les jours suivants, pour sa cadette.

Pour sa part, Léonie est morte d'inquiétude, mais elle ne peut s'empêcher d'envier son choix et de comprendre son exigeant besoin de découvrir de nouveaux horizons. Il y avait, en Cécile, une sorte d'énergie du désespoir. L'existence ne pouvait se réduire aux seules rues du même faubourg, à une vie prévisible de mère de famille, à l'usure des mêmes gestes répétés jusqu'à la fin de ses jours… Léonie elle-même est parfois saisie de vertige. Les femmes sont élevées de façon à en faire de paisibles animaux domestiques et tant pis s'il y a, parmi elles, des natures sauvages et indomptables!

Dès le lendemain, la température se radoucit brusquement. Il se met à pleuvoir, une abondante pluie verglaçante qui transforme Montréal en patinoire. Enfin, pour couronner le tout, le mercure plonge. De sa fenêtre, Léonie observe le décor inusité: arbres couverts d'une épaisseur de glace, glaçons énormes qui pendent des toits et bancs de neige dont la croûte étincelle au soleil. Elle songe avec nostalgie à leur récent séjour à Longueuil, chez sa sœur Catherine, pour fêter la nouvelle année. La température était parfaite alors, juste assez froide, et le paysage tout blanc était féerique!

Chacun prie avec ferveur pour qu'il neige de nouveau, mais le ciel reste obstinément bleu. Au moyen d'une pelle, Simon brise la croûte de glace entre leur porte d'entrée et la rue Saint-Joseph, puis il y étend une bonne couche de cendre. Avec des gestes hésitants, Léonie met un pied dehors, puis l'autre, tâtant le sol avec précaution. Tant de gens se blessent sur la glace! Flavie et Bastien soupaient avec eux la veille au soir et son gendre lui racontait justement qu'il n'a pas cessé, depuis le début de la tempête de verglas, de réduire des fractures! Lui-même l'a échappé belle : comme Flavie l'a expliqué avec force détails à ses parents, la cuisse gauche de son mari s'orne d'une large contusion aux couleurs changeantes comme celles d'un arc-en-ciel.

Ce matin, Léonie se rend à la Société compatissante, prenant soin de placer ses pas dans les ornières creusées par les patins des attelages. Si elle chemine à une si faible allure, ce n'est pas seulement à cause du piètre état des routes, mais parce qu'elle est particulièrement fatiguée. Le départ de Flavie, les nouvelles désolantes au sujet de Cécile... Elle traîne depuis au moins dix jours, lui semble-t-il, un corps usé et un vague à l'âme tenace. Elle se sent de surcroît encombrée et alourdie par ses fleurs, qui devraient s'être déclenchées depuis longtemps, mais qui refusent de s'écouler! Il faudra qu'elle demande à Simon de l'aider... Cette pensée tire un sourire à Léonie. Ce n'est plus un secret pour elle : la jouissance féminine portée à son paroxysme, a-t-elle constaté, fait tomber les fruits mûrs qui s'accrochent, bébés ou sang menstruel!

Subitement, Léonie est obligée de faire halte : une luge encombrée d'enfants, descendant le banc de neige, vient de lui couper le chemin. Elle fait les gros yeux à la troupe qui s'en écroule de rire, puis elle la contourne en maugréant intérieurement. Même de téméraires patineurs quittent les rivières pour investir les chemins! Ces jours-ci, les piétons ont le goût du risque...

Avec l'impression d'avoir traversé un désert de glace, Léonie s'agrippe avec gratitude à la poignée de la porte d'entrée de la Société compatissante. La chaleur qui règne à l'intérieur est saisissante et elle se débarrasse de ses vêtements d'hiver avec empressement. L'animation est grande, car le refuge est bondé et même les deux chambres payantes sous les combles sont occupées. Les chemins étant difficilement praticables jusqu'à ce matin, sa consœur Magdeleine Parrant a passé les deux dernières journées sur place et elle attendait l'arrivée de Léonie avec une impatience manifeste.

Bientôt, les deux sages-femmes prennent place dans le petit bureau et Magdeleine fait à Léonie l'exposé des événements de la veille, où elle a présidé à une délivrance qui s'est révélée fort délicate... Non point à cause d'une défaillance physique : la jeune parturiente étant une demoiselle de bonne famille, le curé de la paroisse, appuyé par les parents déshonorés, a exigé que Magdeleine lui extorque le nom du père de son enfant. Dès que la nouvelle des douleurs d'Huguette s'est répandue, un vicaire s'est présenté rue Henry. Il s'est assis dans le salon avec la ferme intention de ne se relever qu'une fois le secret dévoilé.

Depuis des temps immémoriaux, les membres du clergé tiennent à s'assurer de la collaboration des sages-femmes dans de telles circonstances. Léonie a déjà vécu des situations semblables, qui la mettent extrêmement mal à l'aise. Parfois, il lui apparaît clairement qu'en effet, pour le bien-être de la mère, elle devrait l'interroger. Mais le plus souvent, elle est ambivalente.

Il est parfaitement légitime d'exiger une réparation, pécuniaire ou autre, de la part du séducteur ; mais elle déteste exercer des pressions sur une femme dans la vulnérabilité de ses couches pour lui extorquer un aveu. N'a-t-elle pas une raison puissante de préférer se taire? C'est souvent le dernier espace de liberté qui lui reste... Presque toutes les sages-femmes réagissent de la même manière. Devant la requête du curé, Magdeleine a opté pour une attitude mitoyenne: questionner gentiment la jeune Huguette tout en lui expliquant pour quelles raisons elle la pressait ainsi.

Seules quelques matrones de peu d'envergure, séduites par la promesse d'une récompense, n'hésitent pas à recourir aux menaces et à l'intimidation. Léonie et toutes les accoucheuses de sa connaissance dénoncent de tels abus à grands cris. Leur rôle à elles se borne à exposer clairement la situation à la femme en couches et à insister à plusieurs reprises. Lorsque leurs tentatives sont infructueuses, le plus sage est d'abandonner la partie. Si, pour clore le sujet, la patiente lance n'importe quel nom, cela peut entraîner de regrettables quiproquos! Magdeleine a donc résolu de ne pas s'en laisser imposer et de s'en tenir à son attitude habituelle. Huguette n'a pas cédé et le vicaire est reparti fort déconfit!

Rassurée par l'approbation de sa collègue, Magdeleine s'empresse de s'excuser pour aller prendre un congé bien mérité. Léonie croise plusieurs patientes affairées et caquetantes avant de dénicher sa fille. C'est sa dernière journée aujourd'hui: en fin d'après-dînée, Flavie quittera pour tout de bon le soin des patientes de la Société. Son cœur se serre devant la vision familière de Flavie sanglée dans son tablier de travail, les cheveux retenus par un foulard attaché à la nuque.

Peut-être, un jour, reviendra-t-elle en qualité de sage-femme attitrée? Mais le conseil d'administration penche bien davantage pour Mlle Bourbonnière, soit pour le service à domicile, soit pour, un jour, remplacer Magdeleine, Sally ou elle-même. Léonie ne peut pas les en blâmer, puisque Marguerite est l'une des sages-femmes canadiennes les mieux formées de la métropole.

Manifestement déconcertée par son départ imminent, Flavie est plus animée qu'à l'accoutumée, les joues rouges et les yeux brillants. D'un geste plein d'affection, Léonie caresse légèrement la joue de sa fille avant de replacer une mèche rebelle sous son foulard. Soudain muette, Flavie fait une moue et Léonie devine à quel point elle lutte pour dominer son désarroi.

Marie-Zoé les croise, affublée des vêtements de travail des gardes-malades, et toutes deux la gratifient d'un large sourire. Elle est en apprentissage intensif depuis une semaine et Léonie constate avec soulagement que son regard, si éteint depuis la mort de sa petite Mathilde, a retrouvé un nouveau lustre.

La porte d'entrée grince, signalant l'arrivée de l'un des deux médecins attitrés qui effectuera sa visite de routine cet avant-midi, Nicolas Rousselle. Léonie le salue courtoisement et il répond de même. Avec son impatience habituelle, il fait le pied de grue à la porte du bureau. Quelques mois auparavant, les trois sages-femmes ont signifié à Rousselle ainsi qu'à Peter Wittymore qu'ils devaient impérativement être accompagnés de l'une d'entre elles pour passer au chevet des patientes.

Un jour, après un échange de vues avec Nicolas Rousselle au sujet du cas d'une patiente prénommée Tarsile, Léonie a réalisé que les médecins de l'École de médecine et de chirurgie allaient tenter, peu à peu, d'imposer leur avis médical aux accoucheuses. Peu à peu, ils négligeraient l'opinion de leurs collègues féminines pour imposer *leur* savoir, le seul vraiment sérieux, le seul enseigné dans les grandes écoles et les universités! Déjà, n'avaient-ils pas essayé de retirer des mains de Léonie la supervision des stages que les étudiants de l'École effectuaient à la Société?

Léonie ignore par quel sortilège ils réussissent à convaincre leurs semblables de la valeur d'une compétence qu'ils ne possèdent même pas, mais elle se méfie comme de la peste des prétentions du corps médical. Des jeunes hommes deviennent accoucheurs après s'être exercés sur de vulgaires mannequins ou, au mieux, après avoir assisté à une poignée de délivrances à peine! À la Société compatissante, Léonie s'efforce de maintenir un équilibre délicat entre la nécessaire défense de la compétence des sages-femmes et la présence inévitable des médecins-accoucheurs, mais elle laisse à ces derniers le moins de corde possible.

Avec cérémonie, Rousselle fait signe à Léonie de le précéder dans l'escalier. Dès leur arrivée à l'étage, elle le conduit au chevet de Lucile, une jeune accouchée de vingt-sept ans, amorphe et le regard vide. Ses mamelons étant notablement trop courts, elle a dû cesser brusquement d'allaiter sa nouveau-née. Il est à craindre que le bébé réagira plutôt mal aux bouillies de remplacement. Mais c'est le sort de la mère qui préoccupe surtout Léonie. Son sein gauche s'orne, depuis la veille, d'une fistule d'où suinte du pus.

Pendant son examen, Rousselle marmonne:

– Les abcès puerpéraux de la mamelle sont de trois espèces, selon leur siège. Soit dans le tissu cellulaire sous-cutané, soit dans le tissu cellulaire lâche, au-dessus des

parois thoraciques, soit dans le tissu cellulaire intralo-
bulaire. Dans ce cas, ce me semble... la dernière éventualité. Les conduits galactophores s'ulcèrent et laissent
échapper le lait dans les foyers purulents.

Le médecin se redresse et envisage franchement
Léonie.

– Tétée interdite. L'enfant pourrait avaler du pus.
Il en résulterait une diarrhée et toutes sortes d'éruptions
exanthémateuses.

Léonie acquiesce avec regret. La fille de Lucile fait
déjà tant pitié! Mais avec un peu de chance, la prochaine
accouchée qui devra remettre son enfant aux Sœurs grises acceptera de la combler de son lait... Victorine, qui
lui donne actuellement le sein, est sur le point de partir.

– Injections d'iode. Proportions faibles à augmenter graduellement. Je fais la première, vos gardes-malades
sauront prendre la relève? De plus, compression régu-
lière sur le sein, afin de tenir en contact permanent les
parois du foyer, dont on cherche à provoquer l'infection
suppurative et adhésive par les injections iodées. De surcroît, cette compression entraînera le dégorgement des
parties environnantes indurées par l'afflux qu'y suscite
l'infection chronique.

Léonie hausse un sourcil. D'habitude, Rousselle est
bien davantage avare de commentaires! Aux élèves de
l'École de sages-femmes, il néglige même sciemment
de transmettre sa science... Quinze minutes plus tard, la
visite des patientes est terminée et tous deux redescendent.
Le départ de Rousselle est retardé par l'arrivée d'Euphrosine Goyer. Le torse maintenu bien droit par son corsage,
la petite et mince dame gratifie le médecin d'un sourire
exagérément enjoué et d'un semblant de révérence, puis

elle s'engage dans une conversation mondaine à laquelle Rousselle met abruptement fin.

Euphrosine s'éloigne et le médecin demande à Léonie, avec une nonchalance étudiée :

– Et votre école ? Toujours aussi prospère ?

Comme il est bien le dernier à qui elle se confierait, Léonie répond évasivement :

– Je n'ai pas à me plaindre, sauf d'une trop lourde charge de travail…

– Une charge bien considérable, en effet, pour d'aussi frêles épaules ! Je sais que mon avis vous est totalement indifférent, Léonie, mais laissez-moi vous dire que vous vous exposez à un grave épuisement nerveux ! Vous savez qu'un tel état pathologique requiert un très long repos et l'abandon total de tout genre de préoccupation ?

Elle réplique, un sourire gracieux aux lèvres :

– Ce qui ne vous déplairait pas, bien au contraire. Je sais que vous guettez avec anxiété le jour où je mettrai le cadenas sur la porte…

– Vous me prêtez, chère dame, des intentions par trop malveillantes ! Croyez-moi, c'est uniquement votre santé qui me tient à cœur. Je suis persuadé, moi, qu'il est impossible pour une personne du sexe faible de se charger d'un tel travail sans conséquences néfastes. Le système nerveux féminin n'est pas conçu pour l'excès intellectuel. La physiologie particulière de la femme, l'influence extrême des organes reproducteurs sur l'organisme entier, tout cela commande, pour une santé optimale, une existence tout empreinte de modération.

– Je suis loin d'être la seule directrice d'école de la métropole, réplique Léonie. Serons-nous toutes victimes d'une horrible maladie professionnelle ?

Un paquet de draps souillés dans les bras, Flavie les contourne pour aller emprunter l'escalier vers la cuisine, au sous-sol, dans le but de les faire bouillir. Elle glisse en passant d'un air mutin :

— Et on ne parle pas de ces pauvres ouvrières d'atelier guettées dès leur jeune âge, à vous entendre, par un terrible épuisement nerveux...

Tout en saisissant sa valise, Rousselle ne peut retenir une grimace d'exaspération. Il toise la jeune femme de haut en bas :

— Vous, madame, n'êtes-vous pas mariée depuis... une bonne grosse année ?

Interloquée, Flavie se contente de fixer des yeux ronds sur lui. Reculant vers la porte d'entrée, il insinue :

— Pas encore de grossesse à l'horizon ? C'est vrai que les accoucheuses connaissent toutes sortes de subtiles et précieuses potions... Pas étonnant qu'elles aient, de nos jours encore, la réputation de sorcières !

Il se détourne d'un seul mouvement, faisant virevolter l'arrière de sa redingote. Puis, comme s'il n'avait absolument rien proféré d'offensant, il adresse un signe de tête courtois à Flavie en marmonnant :

— Je reviendrai plus tard, madame, pour saluer votre départ.

Il enfile prestement sa vêture d'hiver avant de sortir en claquant la porte. Flavie jette un regard outré vers sa mère en grommelant :

— Mais de quoi il se mêle, cet agrès-là ?

Léonie fait une moue d'étonnement. Il y a fort longtemps que son ancien cavalier n'est pas sorti de sa réserve coutumière en sa présence ! Bien peu s'en doutent, mais la sage-femme en chef de la Société compatissante et l'arrogant professeur émérite de l'École de médecine et de chirurgie de Montréal ont connu, jadis, une certaine période d'intimité amoureuse… qui s'est abruptement terminée lorsque le prétendant a été éconduit!

Flavie a compris depuis belle lurette que la dureté du médecin envers Léonie rejaillit jusqu'à elle et, haussant les épaules, elle disparaît enfin au sous-sol. De retour au rez-de-chaussée, elle se laisse tomber dans l'un des fauteuils défoncés du salon pour prendre un moment de repos. Elle observe Delphine Coallier, qui s'est installée dans un coin de la pièce, comme à son habitude, pour sa séance de consultation hebdomadaire avec les patientes qui souhaitent retourner rapidement au travail.

Pour l'instant, la jeune femme se borne à faire le lien entre les dames qui souhaitent embaucher du personnel domestique et les pensionnaires de la Société. Ses démarches auprès des employeurs masculins sont infructueuses et la demoiselle patronnesse a confié plusieurs fois à Flavie à quel point l'attitude condescendante des chefs d'atelier et des propriétaires de magasin l'horripilait. Ils la toisent parfois, le regard allumé, comme si elle était à la tête d'un réseau d'ébraillées!

Souriant à ce souvenir, Flavie épie un moment la jeune bourgeoise, penchée au-dessus d'une table étroite, fixant son regard d'un bleu clair sur la patiente qui lui fait face. Elle fronce son nez constellé de taches de rousseur d'une manière fort comique et Flavie songe qu'en quelques mois seulement, à force de se colleter avec la dure réalité de la vie dans les faubourgs populaires, elle a perdu cet air naïf qu'arborent généralement les demoiselles élevées dans de la soie.

Victorine, la patiente qui est assise devant Delphine, a donné naissance la veille à un fils, décédé dans l'heure suivante. Flavie est ravie que Victorine puisse se constituer un petit pécule tout en nourrissant l'enfant d'une autre. Cependant, c'est sans doute le cœur meurtri qu'elle donnera le sein à un petit bourgeois avec la quasi-certitude que, dans quelques années, on l'en privera à nouveau...

Cette fille plutôt robuste a quitté sa campagne natale seulement une année auparavant ; ses joues rouges et rebondies, de même que ses hanches larges, en font une nourrice convoitée. Elle peut donc se permettre de choisir sa place et d'obtenir des gages substantiels pour ses services. Les bourgeoises se plaignent abondamment de la rareté des bonnes nourrices et des tarifs exorbitants qu'elles exigent, et Flavie est révoltée devant cet apparent manque de sensibilité. Les classes « supérieures » font mine d'ignorer les conditions de vie pénibles de toutes les personnes en dessous de leur condition...

Une certaine agitation à l'entrée attire l'attention de Flavie, qui ne se gêne pas pour observer la progression de l'imposante Mme Cibert, belle-mère de Suzanne. Cette dernière s'est délivrée cinq jours plus tôt, à domicile, d'un fils bien dodu. La nouvelle grand-mère jette à peine un coup d'œil à Victorine, qui s'est littéralement recroquevillée sur sa chaise à son arrivée. Après un échange de civilités entre Mme Cibert et Delphine Coallier, cette dernière se lève, invitant Victorine à faire de même. Bientôt, toutes les trois sortent de la pièce et Flavie envoie ses bonnes pensées à Victorine qui habitera peut-être une maison luxueuse, mais qui sera sous l'autorité d'un couple de bourgeois persuadé de sa suprématie sur l'essentiel du genre humain !

La voix gentiment moqueuse de Léonie la fait sursauter.

— Quelle mine tu fais ! On peut savoir à quelles calamités tu jongles ?

Avec l'air d'un enfant pris en faute, Flavie se secoue et saute sur ses pieds pour grimper à l'étage, où Euphrosine Goyer se rembrunit ostensiblement à son arrivée. Sans un mot, Flavie vaque à ses occupations. À fréquenter Archange et Julie, elle est parvenue à percer ce qui lui semblait jusque-là un mystère profond, celui de l'attitude des classes bourgeoises devant le travail. Ces dernières aspirent, même si leur fortune n'a pas la même origine que celle des vieilles lignées aristocratiques, à un même type d'existence, où l'oisiveté est un signe extérieur de réussite. Obligés de travailler, ces messieurs ont investi leurs épouses de cette mission, qu'elles sont loin de dédaigner !

Cette récupération des valeurs de la noblesse, songe Flavie avec un soupir, ne s'arrête pas là : les bourgeoises ont décidé de suivre des règles de comportement aussi rigides que celles qui, paraît-il, étaient en vigueur à la cour du roi de France avant la révolution de 1789... Pour être digne d'évoluer dans les cercles bourgeois les plus sélects, il faut apprendre par cœur une série de prescriptions aussi farfelues les unes que les autres et adopter une dignité de maintien que seul un long séjour au couvent des religieuses peut inculquer. Tout cela recouvert du vernis d'une stricte moralité, laquelle n'est que de la poudre aux yeux !

Aujourd'hui, Flavie réussit à ne se laisser troubler ni par l'attitude réprobatrice d'Euphrosine ni par ses incessantes allusions, dans ses conversations avec les patientes, à Dieu, au diable et à la nécessité de conserver son âme pure. Comme elle est en train de le suggérer sans subtilité à une jeune mère de famille, la voie de la rédemption consiste à se soumettre entièrement à la volonté de l'Ordonnateur du monde !

Au grand soulagement de Flavie qui retient un sourire narquois, Euphrosine ne peut pas vraiment agir avec cette patiente dûment mariée comme avec une fille-mère ou une créature. Avec ces dernières, les dames patronnesses tâchent de susciter les confidences sur leur existence « dépravée », puis elles les abreuvent de paroles édifiantes pour les ramener dans le droit chemin. Ne sentent-elles pas en leur for intérieur un désir insatiable de connaître et d'aimer ce qui est vrai, ce qui est bien et ce qui est bon ? Désir qui ne peut être satisfait que par la possession de la vérité infinie, de la jouissance du souverain bien, de la beauté sans mélange... Point de bonheur, selon les plus pieuses de ces bourgeoises, sinon en s'appliquant à la connaissance et à l'amour de Dieu, auquel il faut assujettir tous les sens « par un saint usage des organes », qui, sans cela, « entraînent vers les objets matériels »...

Flavie s'étonne sans cesse de l'apparente candeur des dames patronnesses. Elles qui sont élevées dans de la ouate, protégées à outrance de toutes les vicissitudes du monde, que savent-elles des conditions de vie de ces femmes à qui elles osent faire la leçon ? Rien, sinon des lieux communs : des déracinements, un manque de soutien familial, un logis sombre et humide... Elles font semblant d'ignorer que toutes ces femmes doivent gagner leur vie et que l'éventail des emplois qu'il leur est possible d'occuper est scandaleusement étroit !

Les clientes du refuge réagissent à ce harcèlement de diverses façons. Celles qui sont dotées d'une âme fortement trempée écoutent les dames patronnesses d'une oreille distraite, prenant garde d'y réagir pour ne pas alimenter la discussion. Mues par une fierté ombrageuse, elles mènent leur vie comme elles l'entendent, avec opiniâtreté, et profitent à plein des quelques jouissances auxquelles elles ont droit!

D'autres, cependant, sont sincèrement pieuses, trouvant dans la religion un réconfort à une vie semée d'embûches et de chagrins, de maladies et de souffrance... Flavie aurait le cœur bien dur de leur reprocher ce qu'elle considère pourtant, en son for intérieur, comme de la naïveté et de l'ignorance. Leur culture religieuse se résume à cette notion essentielle: la nécessité de se purifier de ses péchés pour accéder au paradis éternel. Elles ne peuvent s'empêcher de pécher, puisque les conditions mêmes de leur existence sont complètement à l'opposé de la vision idéale véhiculée dans les discours des hommes d'Église, mais elles s'empressent d'aller s'en confesser!

La fin de cette ultime journée de Flavie est meublée par l'organisation d'un goûter en son honneur, auquel sont conviées toutes les personnes présentes. Delphine et Vénérande Rousselle représentent le conseil d'administration de la Société compatissante. Avec une chaleur qui surprend Léonie, l'épouse du docteur fait un court éloge de Flavie, puis elle annonce le début des réjouissances. Incapable d'avaler une bouchée, Flavie va de l'une à l'autre avec exubérance, égayée par le fait que son départ permette aux patientes de goûter à de si rares douceurs.

De nouveau, Flavie voit approcher Vénérande en compagnie de son Nicolas, tout juste arrivé. Après quelques minutes d'un innocent bavardage, la dame patronnesse aborde le sujet délicat de l'association professionnelle de la jeune accoucheuse et de son mari. Cette fois-ci encore, Vénérande exprime une admiration qui plonge son interlocutrice dans un abîme de perplexité. Avant son séjour en France, ne s'indignait-elle pas tout haut du salaire que Flavie, même mariée, retirait de son travail de garde-malade à la Société compatissante? Elle s'empresse de le lui faire remarquer, et son mari intervient alors:

— Mon épouse n'avait pas encore réalisé à quel point, dans les vieux pays, votre métier est estimé par les docteurs. Cela lui a ouvert les yeux! Dès que possible, les grandes dames placent une infirmière à leur chevet pendant leurs indispositions.

Flavie fronce les sourcils. Ils la confondent avec une garde-malade? Elle s'empresse de répliquer:

— Je n'ai aucun doute sur la valeur de ce métier. Je l'ai pratiqué moi-même à la Société, comme vous le savez. Cependant, vous vous leurrez quand...

Rousselle l'interrompt aussitôt, un mince sourire sur les lèvres:

— Pour tout vous dire, madame Renaud, tout médecin rêve d'avoir une infirmière à son service, pour assurer à ses patients une qualité de soins qu'il lui est impossible de donner, vu son horaire chargé! Dans le cas des délivrances, c'est réellement idéal: formée aux accouchements naturels, elle sait exactement s'il est nécessaire de faire venir son patron, et à quel moment!

Flavie précise d'une voix claire:

— Mon mari n'est pas mon patron, mais mon associé!

Tous deux font mine de n'avoir rien entendu. Vénérande lui presse brièvement le bras avec une mine complice:

— Nous quittons à l'instant cette charmante réunion, mais nous tenions à venir vous rendre cet hommage. C'est un peu grâce à vous si mon cher Nicolas contemple le projet de m'engager comme infirmière. Avec l'expérience que j'ai acquise à la Société, il ne lui serait pas très difficile de me former à cet effet ! Je vous concède que j'ai développé un certain intérêt pour la science médicale… Et puis, grâce à vous également, je me suis accoutumée à la possibilité d'un salaire !

— Trêve de bavardage, intervient Rousselle en prenant son épouse par le coude. Au revoir, madame.

Les phrases de protestation qui restent prisonnières dans le cerveau de Flavie y tournoient à toute vitesse. À la fois frustrée et mortifiée, elle demeure un long moment clouée sur place. Le couple Rousselle croit-il vraiment ce qu'il avance ou est-ce une manœuvre pour rabaisser la portée de l'association ? La jeune femme penche résolument pour la dernière hypothèse.

Enfin, Flavie fait le tour de l'assemblée pour les embrassades. Léonie l'entraîne ensuite vers la sortie où elle lui tend ses vêtements d'hiver, morceau par morceau. Elle s'habille en un tournemain et pousse sa fille à l'extérieur. L'obscurité est tombée et Léonie respire amplement malgré la froidure de l'air. Il lui semble qu'une humidité bienvenue recouvre la ville… Levant les yeux, elle constate avec allégresse que les étoiles sont invisibles. Se pourrait-il qu'une chute de neige se prépare ? Léonie se réjouit à voix haute, mais sa fille n'y réagit pas.

Maintenant que la porte de la Société s'est refermée derrière elle, Flavie semble assommée, les yeux fixés devant elle et le pas traînant. Léonie passe son bras sous le sien et toutes deux marchent sans parler un long moment. Un discret reniflement attire son attention : des larmes lentes glissent le long des joues de Flavie, qui ne pleure pas seulement à cause de cette séparation, mais à cause des allusions du couple Rousselle qui ont heurté sa fierté. Elle déteste voir son métier ainsi ravalé au rang de vulgaire assistante ! Un métier ? Plutôt, une profession si digne et si nécessaire !

Extirpant son mouchoir de la poche de sa jupe, Léonie essuie doucement le visage de sa fille. Elle se sent elle-même toute chamboulée. D'abord le mariage, et puis cette séparation professionnelle... Flavie est, à l'évidence, une épouse heureuse. Son métier la comble également, et Léonie prédit que, dans quelques années à peine, son savoir surpassera le sien ! Mais comme elle aimerait garder tous ses oisillons proches de ses ailes, pour les protéger de tous les dangers qu'ils pourraient rencontrer hors du nid ! Déjà que Cécile... Léonie lutte difficilement contre une vague de tristesse qui menace de la submerger.

Peu à peu, Flavie s'apaise, serrant davantage le bras de sa mère contre elle. Sans avoir échangé un seul mot, elles parviennent ainsi rue Saint-Joseph. Simon a allumé le fanal suspendu près de la porte d'entrée. Flavie et sa mère pénètrent dans la salle de classe et, aussitôt, une rumeur inhabituelle leur parvient en provenance de la cuisine brillamment éclairée.

Toutes deux notent la présence, près de l'entrée, de mocassins étrangers, une paire d'homme et deux paires d'enfant. La jeune femme hésite un moment. Elle avait bien envie de tenir compagnie à ses parents pendant quelques minutes avant de grimper rue Sainte-Monique se réfugier dans les bras de Bastien, mais la présence de visiteurs l'incommode fort. Elle est sur le point de murmurer à sa mère qu'elle préfère repartir lorsque Simon, le visage réjoui, s'encadre dans la porte grande ouverte.

— Vous voilà, toutes les deux! Entrez vite vous réchauffer! Une surprise foutrement plaisante vous attend dans la cuisine!

Flavie fait signe à son père d'approcher et elle balbutie:

— C'est que je me traîne, papa. J'aime mieux rentrer.

— Ma fille, fie-toi sur moi, tu ne le regretteras pas.

Comme Flavie se cabre avec mauvaise humeur, il ajoute tendrement, comme un secret:

— C'est Daniel. Notre Daniel, qui est revenu avec ses enfants.

Flavie considère son père avec stupeur. Après un moment, elle articule avec difficulté:

— Il fait un séjour ici?

— Il revient pour tout de bon. Allez, débougrine-toi! Ta mère est déjà avec eux…

Simon la quitte et Flavie entreprend mécaniquement de défaire la ceinture de son manteau. Les idées s'entrechoquent dans son cerveau fatigué. Son ami Daniel Hoyle, son premier cavalier, revient chez lui après avoir vécu cinq ans aux États-Unis. Quel événement inattendu! Flavie le croyait envolé à jamais, fuyant le souvenir de la mort de sa mère et de sa petite sœur sur le navire qui les transportait, avec le reste de la famille, de l'Irlande au Canada, fuyant aussi un frère aigri qui lui faisait la vie dure…

À New York, il avait trouvé l'amour auprès de Sarah, une Noire affranchie. Et maintenant, il revenait? Sans elle? Extrêmement perplexe et plutôt intimidée,

Flavie marche lentement vers la cuisine, faisant une pause dans le cadre de porte. Sur le coup, personne ne lui prête attention et elle se laisse imprégner de la scène qu'elle a sous les yeux. Beaucoup plus grand que dans son souvenir, Daniel est penché vers Léonie qui, agrippant ses bras, lui parle avec animation. En une fraction de seconde, elle prend note du court foulard vert noué autour de son cou, de la chemise grise rapiécetée au coude et de la salopette foncée qui se termine sur des bas grossiers.

Le jeune homme tourne la tête vers Flavie, qui tressaille intérieurement à la vue de ce visage à la fois étrange et familier. Elle note les cheveux blonds attachés en une courte couette, le large front maintenant dégarni aux tempes, le nez fort et comme creusé aux commissures, la bouche large aux lèvres pâles et gercées...

Tandis que Léonie s'écarte de lui, Daniel bafouille d'une voix éteinte :

— Flavie...

Elle doit s'éclaircir la voix avant de bégayer :

— Bonsoir, Daniel.

Simon s'exclame en ouvrant largement les bras :

— Mais embrassez-vous, saquerdié ! Vous avez usé vos fonds de culotte sur le même banc d'école !

Daniel sourit et son visage s'éclaire enfin, ce qui fait remonter en Flavie plusieurs réminiscences d'une amitié sincère qui, peu avant le départ du jeune homme vers le sud, s'était muée en un amour naissant. Elle sourit à son tour et tous deux se rejoignent pour s'embrasser maladroitement sur les joues. Léonie suggère :

— Tu t'assois quelques minutes, Flavie ? Pour le sûr, Daniel a plein de choses à nous raconter...

Se détournant, la jeune femme remarque enfin la présence de deux très jeunes enfants, assis côte à côte à l'extrémité de la table. Figés comme des statues, le visage sans expression, ils la contemplent avec des yeux très ronds. Fascinée par leur beauté étrange, Flavie ne peut s'empêcher de les détailler. Leur peau est couleur chocolat au lait et leurs traits, vaguement négroïdes ; leurs cheveux, très noirs et frisés, sont pourtant moins crépus que ceux des rares Noirs qu'elle a eu l'occasion de croiser au cours de sa vie. De même, leurs yeux sont moins foncés… Pour tenter de déceler des ressemblances, elle jette un bref coup d'œil à Daniel. C'est la plus âgée, quatre ans environ, qui retient davantage de lui.

Flavie leur sourit, ce qui ne suscite chez eux aucune réaction. Léonie dit plaisamment :

— Tu nous présentes tes poussins, Daniel ?

— Elizabeth et Thomas, répond-il brièvement. En l'honneur de mon père.

Un ange passe, tandis que Flavie et ses parents songent à leur ami Thomas Hoyle, emporté par la funeste épidémie de typhus de 1847. Puis Léonie s'approche des enfants et tend la main vers la fillette. Celle-ci, après un moment de surprise, glisse un regard vers son père, qui hoche imperceptiblement la tête. Saisissant les doigts de Léonie dans sa petite main, elle la serre brièvement. Rassuré par son exemple, son frérot fait de même. En anglais, Léonie leur souhaite la bienvenue et leur demande s'ils aimeraient manger quelque chose. Une lueur d'espoir dans les yeux, les enfants n'osent cependant rien répondre et c'est Daniel qui intervient en s'assoyant près d'eux à table :

— Ils ont faim, pour le sûr, après cette marche depuis Griffintown…

Flavie note avec amusement que son accent, auparavant si irlandais, s'est teinté d'une nouvelle sonorité, plus ronde et plus chantante. Elle réalise que le jeune homme n'ose pas la regarder. Croit-il qu'elle lui en veut encore d'en avoir préféré une autre ? Ce serait absurde, après si longtemps ! Et puis tous deux étaient bien jeunes et sans aucune expérience des choses de l'amour… Avec un sourire engageant en sa direction, elle prend place de l'autre côté de la table, à quelque distance de lui, tandis que Simon précise, pour le bénéfice de sa femme et de sa fille :

– Daniel s'est installé chez son frère.

Jeremy Hoyle, l'aîné des deux fils, occupe avec sa jeune femme, Lucy, la maisonnette de Griffintown acquise par leur père à leur arrivée à Montréal, une douzaine d'années auparavant. Se souvenant de l'inimitié qui régnait jadis entre les deux jeunes Hoyle, Flavie jette un regard interrogateur à Daniel, qui l'intercepte et bougonne avec un sourire légèrement narquois :

– N'aie crainte, grâce à Lucy, la corde de son arc s'est passablement détendue…

Pendant un bref instant, Flavie se sent projetée plus de deux années en arrière, alors que Bastien, qui n'était que son cavalier, venait tout juste de lui annoncer son départ pour les États-Unis. Cette nuit-là, Jeremy était venu frapper à leur porte, rue Saint-Joseph, parce que sa voisine Lucy, dont il s'était amouraché, saignait abondamment… Elle s'était finalement confiée à Flavie : violée et engrossée par son propre père, elle avait réussi à se débarrasser du fruit. La jeune femme est donc parvenue à surmonter le choc ? Tant de femmes ainsi maltraitées développent une profonde aversion pour la proximité d'un homme…

– Jeremy se porte bien ? s'informe Léonie tout en coupant deux épaisses tranches de pain. Et Lucy ? Elle était grosse de son premier, si je me souviens bien ?

– Sa petite a deux mois maintenant. Elle est en pleine santé. Elle a déjà conquis le cœur de Lizzie...

Entendant son nom, la fillette jette un regard interrogateur à son père, qui lui traduit sa phrase. Un large sourire se dessine sur son visage et elle se met à bavarder avec de grands gestes. Mais Flavie a beau tendre l'oreille, elle ne comprend pas un traître mot... Lorsque Léonie pose la tranche de pain beurré devant elle, Lizzie se tait et Flavie en profite pour questionner Daniel :

– Quelle langue ta fille parle donc ? Ce n'était pas de l'anglais, pour le sûr ?

– Oui, pourtant, répond-il en coulant vers elle un regard circonspect. C'est sa mère, surtout, qui l'a élevée...

– Elle a un accent à couper au couteau, remarque Simon. C'est proprement incroyable.

Flavie brûle de le questionner sur Sarah, mais elle n'ose pas. Tout en aidant le petit Thomas à manger sans faire trop de miettes, Daniel précise :

– Lizzie disait à quel point elle aime s'installer sur la paillasse avec le bébé pour lui raconter des histoires, pour jouer à la poupée avec elle, et même pour lui faire des grimaces... Il paraît que c'est elle, selon Lucy, qui a reçu son premier sourire.

– C'est minuscule chez ton frère, commente Léonie à voix haute. Vous devez être un peu inconfortables...

– Pour l'instant, je tâche de leur rendre bien des services, et même Lizzie s'y met. Pour le sûr, je devrai déménager bientôt. Mais je n'ai pas encore de travail...

Il fait une légère grimace et même s'il tâche de masquer son sentiment d'inquiétude, personne n'est dupe. D'un ton encourageant, Simon lance :

— Tu es passé voir Laurent ? Il pourra peut-être t'aider.

Avec un mince sourire, le jeune homme précise :

— Je comptais sur vous pour m'indiquer le chemin de sa demeure.

Évoquant dans son esprit la petite maison de Jeremy Hoyle, faite d'une seule pièce carrée au rez-de-chaussée et d'un grenier à peine chauffé, Léonie reste songeuse. Où un homme et ses deux enfants, disposant de bien maigres ressources, pourraient-ils habiter ? Certainement pas dans un de ces taudis dont le plancher est en terre battue et dont le poêle crache une mauvaise chaleur, elle s'y opposerait absolument !

Une idée surgit et, galvanisée, Léonie se redresse en fixant Simon. Elle est absolument ravie de la solution qu'elle vient de trouver, mais elle n'ose s'en ouvrir à haute voix avant d'avoir consulté son mari. Qui sait, peut-être hésiterait-il à partager son espace avec deux petiots ? En vieillissant, les hommes aiment bien leur tranquillité… Fronçant légèrement les sourcils, son mari tente de déchiffrer son regard intense.

N'y tenant plus, Flavie s'enquiert, d'une voix hésitante :

— Il paraît que tu… tu es revenu pour de bon ?

Daniel hoche d'abord la tête sans rien dire, puis il se résout à préciser, jugeant sans doute qu'il lui doit des explications :

— Il y a longtemps que j'avais le mal du pays. Enfin, le mal de mon deuxième pays… Mais Sarah refusait d'en entendre parler. Et puis... elle allait de moins en moins bien. Après la naissance de Tom...

Il marque une pause, puis, rassemblant son courage, il continue :

— C'est difficile à comprendre, mais... elle perdait l'esprit. Au début, ça ne durait pas longtemps, mais peu à peu... Pendant ces périodes-là, plus rien ne l'intéressait, même pas les enfants. C'était comme vivre... avec un fantôme. Ça donnait la chair de poule, je te jure...

Après un moment d'un lourd silence, il reprend, le regard fixé sur ses mains jointes :

— Un jour, elle est partie. Sa sœur m'a dit qu'elle est allée rejoindre des membres de sa famille, vers le sud. Je n'ai pas pu en savoir davantage. Lizzie a pleuré longtemps...

Père et fille échangent un regard, puis Daniel se secoue et conclut avec un entrain forcé :

— Alors nous voilà !

Simon lance brusquement :

— Notre maison est grande, Daniel, et bien vide. Tu aimerais la partager avec nous, jusqu'à ce que ta situation s'improuve ?

Léonie sourit avec reconnaissance à son mari, avant de considérer Daniel qui, ébahi, les fixe avec de grands yeux. Elle ajoute :

— Je t'assure que tu nous rendrais un fier service. L'entretien d'une maisonnée, c'est beaucoup pour nous deux...

Manifestement touché, le jeune homme balbutie :

— Avec vous ? Mais... Je n'ai pas de salaire, et les enfants...

— Il y a deux chambres vides en haut. De la place en masse.

Simon ajoute en souriant :

– C'est l'énergie de la jeunesse dont nous avons besoin. N'est-ce pas, ma femme?

Léonie acquiesce avec vigueur. Elle voit que Daniel est fort tenté d'accepter. Il objecte cependant:

– Lizzie va s'ennuyer du bébé...

Flavie réplique narquoisement:

– Griffintown, c'est un peu plus proche d'ici que New York!

Il lui fait une légère grimace et tous deux se sourient, heureux de reprendre contact avec le plaisir qu'ils avaient, auparavant, à être ensemble. Daniel se penche soudain en travers de la table vers Léonie et lui tend la main, qu'elle étreint. Regardant Simon, il dit avec ferveur:

– J'accepte votre offre avec plaisir. Vous venez de m'enlever une grosse épine du pied!

Flavie considère chacun des membres de la tablée avec bonheur. Elle est envahie par un grand contentement à l'idée qu'enfin ses parents auront de l'aide et de la compagnie. Chaque fois qu'elle pensait à eux et à leur lassitude évidente, elle se sentait coupable de les laisser vivre seuls ici, rue Saint-Joseph. Mais que pouvait-elle faire, à part déménager, ce qui était hors de question pour une foule de raisons?

Elle sourit avec reconnaissance à Daniel et, les traits adoucis, il soutient son regard. Elle constate qu'il reprend contact avec un plaisir ancien, celui de s'asseoir dans la cuisine en compagnie des Montreuil et de se laisser envelopper par cette atmosphère chaleureuse qui contrastait tellement avec celle qui régnait chez lui, bien des années auparavant.

Flavie dissimule un bâillement derrière sa main, puis elle repousse sa chaise et se lève. Elle espère de tout son cœur que Bastien ne sera pas retenu à son cabinet. Ce soir, après les émotions de la journée, elle a un grand besoin de sa tendresse et de sa chaleur… Elle dit avec un pauvre sourire à l'adresse de Daniel :

— Je dois rentrer. La journée a été longue et bien remplie…

Il se lève à son tour :

— C'est ma foi vrai, tu es une femme mariée maintenant, et pas avec n'importe qui…

Léonie suggère plaisamment :

— Quand Daniel sera installé ici, on organisera une veillée. Ça nous fera du bien, de danser un peu ! Il y a une escousse que ces murs n'ont pas entendu de musique…

— Je te demande bien pardon, la contredit Simon, mais je m'égosille souvent !

Il ajoute d'un air coquin, à l'intention de Daniel :

— Mon père m'a appris plusieurs airs d'opéra. Il les chantait en pétrissant le pain, pour se donner de l'entrain.

Il ouvre la bouche, mais Flavie interrompt son élan en s'exclamant avec exagération :

— Alors, à la revoyure, tout le monde !

Affectant d'être très affairée, Léonie la suit dans la salle de classe en tirant Daniel pour lui indiquer la maison où habite Laurent. Mais Simon ne s'avoue pas vaincu et il entonne d'une voix sonore, pour le bénéfice de son public captif – les deux enfants –, un air populaire d'opéra. Daniel rit de bon cœur, puis il fait une moue d'appréciation parce que Simon, doté d'un timbre chaud de ténor, pourrait s'installer dans le jubé de l'église paroissiale pour chanter des cantiques de Noël sans faire rougir quiconque…

CHAPITRE XI

Ce soir-là, lorsque Flavie fait son entrée rue Sainte-Monique à la fin de sa dernière journée de travail à la Société et après sa rencontre avec Daniel, elle constate aussitôt que le cours habituel des choses semble bousculé. Dans le hall, plusieurs bougrines d'homme ont été suspendues avec un tel manque de précaution que certaines ont chuté pêle-mêle par terre, et des bottes encombrent le passage. À sa grande déception, elle ne trouve nulle trace des habits d'hiver de son mari.

Flavie se déshabille avec l'intention d'aller se garnir une assiette et de la monter à sa chambre. Elle constate que plusieurs voix masculines résonnent avec force, en anglais, derrière la porte fermée de la bibliothèque. Lorsqu'elle pénètre dans la cuisine, elle a la surprise d'y rejoindre Archange et Julie qui, la mine sombre, vaquent mollement au rangement en compagnie de Lucie. Apercevant Flavie, sa belle-mère s'écrie :

– Vous voilà enfin ! Je désespérais de votre retour !

Flavie ouvre la bouche pour lui rappeler qu'il s'agissait d'une journée spéciale pour elle, mais Archange la précède avec agitation :

– Vous entendez les protestations des messieurs réunis avec Édouard ? Il paraît qu'à la toute dernière minute l'encan pour allouer les lots hydrauliques des écluses

Saint-Gabriel a été annulé sans explication! Les soumissionnaires sont furieux!

Flavie la considère avec étonnement. Édouard était pourtant persuadé que sa proposition serait acceptée! Il comprenait qu'un encan soit organisé puisqu'il y avait plus d'un soumissionnaire par lot, mais il comptait bien faire la meilleure offre! La jeune femme suggère:

— Peut-être que l'encanteur était malade?

Julie pouffe nerveusement de rire et sa mère lève les yeux au ciel.

— Édouard et les autres soupçonnent une machination. Un marché secret aurait été conclu!

Trop lasse pour s'indigner, Flavie se sert un bol de ragoût et se coupe une tranche de pain sans prêter davantage attention au bavardage des deux femmes qui se perdent en conjectures au sujet du revers de situation. Après un léger signe de tête, elle s'empresse de monter à l'étage. Bien calée dans le fauteuil de son boudoir, elle déguste son repas, tâchant de ne pas se laisser emporter par le lourd sentiment de perte qui l'envahit dès qu'elle songe aux patientes de la Société compatissante, à sa mère, à Marie-Zoé, à Sally…

Pour se distraire, elle se plonge dans la lecture du *Report on the Sanitary Condition of the Labouring Population of Great Britain*, publié quelques années auparavant par un Anglais éminent. Il lui faudrait des mois pour parcourir du début à la fin ce document imposant; elle préfère en savourer des extraits, choisis au hasard en consultant la table des matières.

Flavie s'étonne souvent de toute la peine que ces médecins européens doivent se donner pour convaincre leurs contemporains d'une réalité qui, selon elle, crève les yeux. Bastien lui a expliqué que, pour persuader un parlement d'accorder des subsides pour la mise en application de lois afin d'améliorer les conditions de vie des classes laborieuses, il fallait aligner les statistiques, les études de cas et les déclarations fracassantes !

Elle lui a aussitôt répliqué que c'était parce que ces nobles élus ne daignaient pas quitter leurs beaux quartiers ! Il suffit de passer quelques jours dans les secteurs les plus pauvres de Griffintown ou du faubourg Québec pour comprendre qu'il n'est pas sain de vivre à douze dans deux pièces sombres et humides. Les enfants jouent dans les ruelles jonchées d'excréments et de déchets parce que les fosses d'aisances sont trop rarement nettoyées ! Les aliments fortifiants manquent, l'eau est trouble...

Mais ce soir, l'attention de Flavie dérive constamment et elle referme prestement le livre. Elle vient tout juste d'enfiler sa chemise de nuit lorsque Bastien la rejoint, peu après neuf heures du soir. Il la considère avec perplexité, manifestement déconcerté de la trouver recluse dans leur chambre alors que des événements si lourds de conséquences se déroulent un étage plus bas. Flavie lui demande aussitôt s'il a soupé et il acquiesce :

— Maman m'a réchauffé une assiette. Tu entends les discussions dans la bibliothèque ? Je t'assure que ça barde...

Flavie s'assoit sur le lit tandis que son mari se déshabille avec des gestes qui trahissent sa préoccupation pour les affaires de son père. Il s'enquiert cependant, après un silence :

— Il paraît que tu es montée très tôt... Tu étais bien fatiguée ?

La gorge nouée, Flavie acquiesce faiblement, sans mot dire. Bastien l'examine un moment, les sourcils froncés, puis il se souvient enfin et son visage s'attendrit :

– C'est ma foi vrai ! Pardonne-moi, avec tout ce brouhaha, j'avais oublié ! Viens là…

S'assoyant près d'elle, il l'attire au creux de son bras et l'embrasse sur la tempe. Toute ramollie de l'intérieur, Flavie l'agrippe et ils restent enlacés en silence jusqu'à ce que la jeune femme, enfin rassérénée, ait le courage de lui raconter sa journée par bribes tantôt joyeuses, tantôt tristes.

Pendant les jours qui suivent, la déconvenue d'Édouard Renaud et de ses collègues soumissionnaires occupe les esprits, rue Sainte-Monique. Même la vaine Julie se passionne pour le mystère de l'encan annulé ! Le maître de la maison vibre d'une colère que, fidèle à lui-même, il garde contenue, mais son tourment est manifeste et tous les membres de la maisonnée l'entourent d'une sollicitude discrète.

C'est une longue semaine plus tard que la vérité est enfin dévoilée. L'un des hommes d'affaires les plus puissants de la colonie, l'Écossais John Young, a réussi à obtenir pour lui et quelques camarades l'exclusivité de la location des lots, qu'il offre maintenant en sous-location. La rumeur court même qu'il a négocié un prix dérisoire pour la rente annuelle de l'ensemble des lots ! Persuadé de l'ampleur des profits à réaliser, il n'a pas hésité à corrompre des fonctionnaires pour faire main basse sur ces droits d'exploitation.

Frustré dans sa volonté de fonder une fabrique, refusant de s'abaisser à sous-louer à Young et à ses acolytes, Édouard reste totalement désemparé. Devant qui veut bien l'écouter, il ne peut s'empêcher de ruminer au sujet de la difficulté, pour un Canadien de souche, de jouer un rôle dominant dans les affaires de la colonie. Après la Conquête, un groupe d'Écossais et d'Anglais a pris possession du commerce international et des principaux outils de financement. Depuis quelques décennies, les Américains ont à leur tour envahi Montréal, riches de leur expérience dans la création de compagnies et de fabriques, riches également d'un capital substantiel. Ils sont les plus ardents à tirer profit de la fièvre industrielle!

Que reste-t-il, alors, aux descendants français? Un rôle de subalternes. Le commerce local, l'établissement de petits ateliers de production et, si les directeurs des banques acceptent de les financer, l'achat d'actions dans les compagnies existantes… Naguère parmi les plus riches commerçants montréalais, jouissant d'une estime enviable parmi l'élite, Édouard désespère aujourd'hui de pouvoir retrouver une situation aussi enviable. La concurrence est féroce et tous les moyens sont bons pour mettre la main sur des occasions lucratives!

À quelques reprises, Flavie essaie de le réconforter en lui faisant part de sa propre opinion. Elle avait bien de la difficulté, avoue-t-elle, à imaginer son beau-père comme un tyran de fabrique, menant son bataillon d'ouvriers tambour battant! Ne sait-il pas que, pour réussir dans ce domaine, il faut n'avoir aucune espèce de sentiment d'affection pour tous ceux et celles qui y sont engagés pour produire? Il faut faire mine d'ignorer qu'on ne leur consent qu'un salaire dérisoire et qu'on les plonge dans une vie abrutissante, rythmée et façonnée par les vulgaires besoins commerciaux!

Avec un mince sourire, Édouard remarque:

— Charmante Flavie, vous avez des idées bien curieuses sur les sociétés humaines… De tout temps, les hommes ont travaillé d'arrache-pied. C'est notre lot commun, auquel nous ne pouvons échapper. Au point où nous en sommes, la vie économique est comme une roue en mouvement perpétuel, qui ne doit pas s'arrêter sous peine d'une catastrophe universelle!

— Peut-être bien, mais qui a dit que les hommes – et les femmes, je vous ferais remarquer – doivent travailler dans la souffrance? Qui a dit qu'ils doivent le faire de l'aube au crépuscule, six jours par semaine, sans voir la lumière du jour? À s'user les yeux, les doigts, les articulations? Les capitalistes, cher Édouard. Les assoiffés de commerce et d'argent.

Sans répondre, il lui jette un regard scrutateur. Elle le gratifie d'un sourire triomphant, contente d'avoir marqué un point, et elle s'empresse de retourner à ses lectures édifiantes sur les horreurs du monde industriel et de la vie moderne.

Marguerite tient sa promesse d'offrir ses trésors scientifiques à la convoitise de ses consœurs accoucheuses et, à la fin du mois de janvier, une huitaine de femmes sont réunies en cercle dans le salon de la maison familiale, transformé en salle de classe pour l'occasion. Autour de Marguerite, qui a placé devant elle une pile de livres et ses cahiers de notes de la Maternité, se trouvent les sages-femmes les plus diverses: non seulement Léonie, Flavie et Magdeleine, mais aussi quelques jeunes accoucheuses invitées par Léonie, dont son élève Marie-Julienne.

Pour sa part, Flavie a entraîné Marie-Barbe Castagnette à sa suite. Son ancienne compagne d'armes est maintenant promise à un jeune artisan, mais elle a bien l'intention de continuer à pratiquer... entre ses propres futures grossesses. Avec un clin d'œil goguenard, Flavie lui a signalé qu'elle connaissait quelques trucs pour les retarder!

L'excitation est palpable et les voix féminines haut perchées se croisent dans une joyeuse cacophonie jusqu'à ce que Marguerite, s'assoyant, ouvre la petite assemblée avec quelques mots de bienvenue. Elle précise d'emblée que si elle a organisé cette journée d'étude, ce n'est pas pour étaler sa propre science, qui est encore bien mince, mais celle de sages-femmes fameuses qu'elle a découverte à travers leurs écrits. Outre les traités des Françaises Lachapelle et Boivin, elle en a déniché deux autres, signés par des accoucheuses anglaises du dix-huitième siècle, Sarah Stone et Elizabeth Nihell.

Marguerite caresse un instant les livres qui sont empilés devant elle, puis elle les distribue respectueusement à ses voisines. Léonie et Magdeleine se penchent sur *A Complete Practice of Midwifery*, de Mme Stone; les trois jeunes femmes se regroupent devant *Pratique des accouchemens*, de Marie-Louise Lachapelle; Flavie et Marie-Barbe feuillettent *La cause de l'humanité, référée au tribunal du bon sens et de la raison; ou Traité sur les accouchements par les femmes*, la traduction de l'ouvrage de Mme Nihell.

Pendant un bon moment, un silence entrecoupé de murmures règne dans la pièce, jusqu'à ce que Flavie laisse échapper un rire avant de s'exclamer:

– Elle est osée, cette Anglaise! Elle prétend que ce n'est pas parce qu'un auteur est «antique» qu'il est savant, même Hippocrate qui est vu comme le premier et le père des accoucheurs! D'après elle, si Hippocrate pouvait être bon médecin, il ne passera jamais pour un habile accoucheur. Ses écrits contiennent de violents remèdes et d'étranges prescriptions pour les femmes en mal d'enfant. De même que ses successeurs jusqu'au dix-septième siècle, il ignorait tout ce qui regarde les accouchements contre nature. Elle écrit : « La manière dont les Anciens procédaient lorsque l'enfant se présentait dans une mauvaise situation en est une preuve convaincante, puisqu'ils s'opiniâtraient à le réduire à sa situation naturelle, au travers de mille difficultés, au lieu de le tirer par les pieds. »

Après avoir laissé les commentaires s'échanger à la volée, Marguerite précise :

– Cette manière de tirer un enfant par les pieds est préconisée par plusieurs auteurs. J'ai pris le temps de lire soigneusement les ouvrages ci-devant, ainsi que plusieurs manuels d'obstétriciens modernes. Parmi ces sages-femmes et ces médecins-accoucheurs, plusieurs croient que c'est généralement la meilleure décision à prendre dès que la naissance ne semble pouvoir se faire dans la position la plus fréquente et la plus aisée, soit le crâne en premier. Mme Charrier, à la Maternité, partageait cet avis.

– Si Sally se trouvait parmi nous, intervient Léonie, elle pourrait nous renseigner sur ce qui se fait dans les maternités de Grande-Bretagne. Malheureusement, c'est son tour de veille à la Société !

La discussion s'enchaîne ainsi sur les avantages et les inconvénients apparents d'un tel choix thérapeutique. La science obstétricale ne s'est pas développée, au fil des siècles, de la Renaissance aux Lumières, selon une approche unanime; plusieurs courants de pensée, encore tangibles, divisent les praticiens. Certains ne jurent que par les instruments, utilisés tôt dans la délivrance; d'autres estiment que des mains habiles leur sont infiniment supérieures.

— Laissez-moi vous lire ce qu'Elizabeth Nihell écrit à ce propos, déclare Marguerite en tendant la main vers le livre que tient Flavie. Cette accoucheuse se permet les propos les plus incisifs que j'aie jamais lus de la part d'une femme. D'ailleurs, j'ai bien envie de m'en servir pour ma conférence... Attendez... Elle discute du fait que les manuels d'accouchement, qui ont été publiés par centaines, sont presque exclusivement des ouvrages de main d'homme; et selon la croyance populaire, ce serait « avilir l'Art que d'en permettre l'exercice au sexe féminin ». Mais elle prétend, au contraire, qu'il y a une sorte de malédiction attachée aux accouchements pratiqués par les hommes tels que les décrivent les ouvrages savants: « car jamais les accidents et le danger n'ont été plus fréquents, que depuis que les médecins ont eu la témérité de se mêler d'un métier pour lequel la nature les a si peu formés ».

Des murmures mi-outrés, mi-réjouis accueillent cette affirmation. Marguerite interpelle Léonie:

— C'est un reproche que pourraient formuler de nombreuses sages-femmes contemporaines, n'est-ce pas?

Léonie répond avec intensité:

— La grande différence entre les médecins et les sages-femmes, c'est que les premiers, même quand ils sont ignorants et maladroits, osent quand même; mais les secondes, dans le même cas, s'en gardent bien. Je crois que, contrairement à eux, nous ressentons les outrages perpétrés dans les entrailles de nos patientes comme s'il s'agissait des nôtres...

Au milieu d'un respectueux silence, les huit accoucheuses s'échangent des œillades pensives. Enfin, Marguerite feuillette encore le livre de Mme Nihell, puis elle lit à voix haute :

– « Les femmes qui, outre les dons qu'elles ont reçus de la nature pour l'Art des accouchements, s'y fortifient par l'étude, la lecture et l'expérience, réussissent incomparablement mieux que les hommes dans la pratique. Bien instruites, elles s'acquittent infiniment mieux de la besogne que les accoucheurs dont elles n'ont jamais besoin. »

Flavie s'exclame :

– Quelle opinion rare et agréable ! Elle me flatte si agréablement dans le sens du poil !

Après un éclat de rire général, toutes se penchent de nouveau sur les livres qui sont posés en face d'elles, et une autre heure se passe ainsi, à lire à voix haute et à commenter certains passages. Lorsque l'horloge sonne les cinq heures du soir, Marguerite rassemble les précieux ouvrages à regret et toutes se dispersent dans la nuit glaciale, sauf Flavie dont Marguerite tient à solliciter l'opinion au sujet du contenu de sa conférence qui approche à grands pas, *Sages-femmes célèbres de l'histoire*.

Déjà, pour en planifier le contenu, Marguerite a écouté l'avis de plusieurs de ses consœurs, mais ce soir, elle tient à discuter de son plan avec elle. Enchantée, Flavie constate que son amie a consacré plusieurs semaines à sa recherche et que la soirée promet d'être passionnante ! Elle évoquera non seulement les quelques accoucheuses que Flavie connaît déjà, mais d'autres, des Anglaises, des

Néerlandaises, et même de fort anciennes praticiennes ayant vécu pendant les siècles obscurs du Moyen Âge !

Malgré l'heure tardive, Flavie profite du moment où Marguerite range ses feuillets pour bafouiller avec hésitation :

– Et ton souhait… de devenir médecin ? Tu ne m'en as rien dit depuis ton retour…

Comme piquée par une guêpe, Marguerite se met à décrire les instructives leçons du médecin en chef, qui enseignait aux élèves de la Maternité de neuf heures à dix heures du matin avec une précision admirable, puis les tournées quotidiennes des salles d'infirmerie où les grandes malades étaient installées, en compagnie de l'un des médecins – chef, interne ou résident – et de l'aide-sage-femme ou de Mme Charrier, la sage-femme en chef, très vieille et physiquement déformée, mais à la peau encore lisse et aux gentils yeux bleus.

Marguerite s'enthousiasme :

– Grâce à ces visites, on apprend tant de choses sur les maladies des femmes en couches ! Ensuite, je m'attardais auprès des cas qui me semblaient les plus intéressants, à l'infirmerie ou à la pouponnière. J'aimais beaucoup, aussi, être présente lorsque, chaque matin, les nouveau-nés étaient déshabillés entièrement pour l'examen de Mme Charrier.

Plongée dans ses souvenirs, Marguerite reste silencieuse un long moment, avant de se secouer et d'offrir à Flavie un mince sourire. Cette dernière interroge encore :

– Et ton amie, Elizabeth Blackwell ? N'est-ce pas que son exemple pourrait t'inspirer ?

– Elle en a ramé un coup avant de se faire admettre dans une obscure école de médecine américaine. Elle a dû faire jouer de nombreuses relations! Ce qui m'a frappée, c'est le sentiment intense de solitude qu'elle a vécu et qui transparaissait dans toutes nos discussions. Elle était la seule femme dans une classe complète de jeunes hommes. Te dire la dignité qu'elle s'est imposée... La première fois qu'elle a voulu assister à une dissection des parties sexuelles en leur compagnie, elle a dû leur écrire une lettre expliquant la pureté de ses intentions et tout le tralala, avant qu'ils consentent à la laisser entrer!

Les deux jeunes accoucheuses échangent un long regard troublé, puis Flavie murmure:

— Les hommes s'embarrassent tellement dans ces circonstances!

— Mais il n'a fallu que peu de temps aux condisciples d'Elizabeth pour s'accoutumer et pour la considérer comme une camarade de classe. Comme quoi, Flavie, la chose est possible... Toi, en tout cas, tu es fort bien partie, grâce à l'association avec ton mari!

— Je l'espère! J'ai vraiment le sentiment de me rapprocher du but. Mais toi?

— Je tergiverse, laisse tomber Marguerite avec une grimace. La voix de la raison me dit que je devrais me contenter de mon diplôme de la Maternité. Déjà, Flavie, je peux faire de grandes choses! Je peux apporter du secours à bien des femmes... Je t'ai dit que Françoise Archambault m'avait approchée? Le conseil souhaite donner une plus grande ampleur au service à domicile pour, ainsi, rejoindre bien davantage de patientes démunies. Dès que les fonds seront trouvés...

— Plaisant projet! commente Flavie, légèrement envieuse.

– Mais la voix du cœur, elle, me presse de reprendre mes démarches là où je les ai laissées en partant pour la France. Si tu avais vu, Flavie, les gestes de la maîtresse sage-femme, et aussi de ses assistantes... Si assurés, si francs! Les femmes sont capables, Flavie. Elles peuvent avoir cette sûreté de geste dont les hommes se vantent tant. J'ai tellement envie de le prouver au monde entier...

La poitrine réchauffée par une douce chaleur, Flavie lui sourit amplement, puis elle se décide à prendre congé. En marchant, insensible au froid, elle s'émerveille de toutes ces praticiennes dont elle ne soupçonnait même pas l'existence et qui ont pris soin de transmettre un héritage tangible aux générations suivantes, soit en laissant des écrits, soit en formant d'autres sages-femmes! Elle s'émerveille surtout de la parenté d'âme qui existe entre Marguerite et elle et qui, ce soir, décuple son énergie conquérante.

Un jour, Philibert Chicoisneau, curé de Notre-Dame, fait à la Société compatissante une visite éclair. Il semble très pressé et, debout en plein milieu de l'entrée, il annonce froidement à Léonie:

– Comme vous devez bien vous en douter, je me suis entretenu avec ces curés de notre belle campagne au sujet de leur projet de financer les études de jeunes sages-femmes. Ils m'ont raconté votre visite fort satisfaisante dans leur paroisse pour rencontrer les candidates et leurs parents. Ces braves hommes sont préoccupés par la qualité de l'encadrement médical disponible pour leurs paroissiennes. On ne peut pas leur reprocher un tel souci, n'est-ce pas? Ils ont bien de la difficulté à attirer chez eux des médecins, qui savent pertinemment qu'il leur sera ardu de se constituer une clientèle. Tandis que des demoiselles de la région y reviendront facilement...

Léonie acquiesce aimablement.

– Cependant, lorsque je me suis entretenu de ce projet avec notre évêque, il m'a fait remarquer qu'il y avait un certain danger à faire fréquenter une telle école par des jeunes filles naïves et impressionnables. Vous savez comment les séductions de la ville corrompent même les âmes les mieux trempées...

– Pour l'instant, s'empresse de dire Léonie, tout va pour le mieux. Les demoiselles sont placées ensemble chez une logeuse de ma connaissance dont l'honnêteté est au-dessus de tout soupçon. Pour tout vous dire, monsieur le curé, je les occupe tant qu'elles ont tout juste le temps de visiter les magnifiques lieux saints de la ville...

Si la nuance d'ironie dans le ton de Léonie ne lui échappe pas, il n'en laisse rien paraître.

– Nous y reviendrons. Pour être franc, je passais pour vous faire part de la discussion que Sa Grandeur et moi-même avons eue au sujet de la place de la religion catholique dans votre refuge. Pour satisfaire aux exigences de monseigneur, je souhaite que le conseil d'administration vienne me rencontrer au presbytère. Notre évêque ne peut plus tolérer l'esprit d'indépendance qui y règne. Il exige la présence d'un confesseur et la célébration de messes. Il exige qu'un prêtre assiste aux réunions du conseil d'administration. Il exige surtout que le programme annuel d'activités de financement soit soumis à son approbation.

La voix blanche, Léonie réplique :

– Plusieurs de nos clientes ne sont pas catholiques, monsieur. Il est inscrit très clairement, dans nos règlements, que la Société est ouverte à toutes les confessions.

— Elles se boucheront les oreilles, voilà tout! jette-t-il avec une brusque impatience. Inutile de jouer la carte de la naïveté avec moi. Vous savez très bien que notre évêque encourage les refuges pour filles tombées principalement dans un but de rédemption. À cet égard, celui de sœur de la Nativité comble toutes ses attentes. Le vôtre, Léonie, laisse énormément à désirer.

Sur ce, il tourne les talons et la quitte sans même une salutation. Sœur de la Nativité! Léonie est incapable de s'habituer au nouveau nom de la veuve Jetté depuis qu'elle a pris l'habit, même s'il fait joliment référence à son statut de sage-femme! À l'évidence, l'asile des Sœurs de Miséricorde représente l'idéal de sainteté de leur évêque, un idéal que la Société compatissante n'est pas près d'atteindre! Léonie n'est pas dupe de la raison des largesses de Bourget envers la jeune communauté religieuse. Ce qui effraie les prêtres plus que tout, c'est le scandale. Il faut cacher les jeunes pécheresses aux yeux du reste du monde!

L'intense dédain de Léonie se transforme en une profonde tristesse. Malgré ce que peut en dire Chicoisneau, elle croyait sincèrement que le refuge resterait, encore longtemps, un havre à l'abri des vicissitudes du monde, à l'abri de l'esprit querelleur des hommes. Elle le croyait parce qu'elle en avait tant besoin... Cette maternité est son phare, son ancre.

Les conseillères n'auront pas le choix, et cela la désespère. Il faudra faire entrer la religion dans le refuge pour éviter qu'il ne soit dénoncé par une lettre pastorale et même que l'absolution soit refusée à toutes celles qui le fréquentent. Au Bas-Canada, le véritable pouvoir ne réside pas au Parlement, où la démocratie n'est que factice, mais dans les presbytères et surtout les évêchés! Il paraît que, sans les lumières de la religion catholique, les hommes, et surtout les femmes, sont incapables de gouverner leur vie et de décider de leurs actes...

La rencontre qui s'ensuit entre Philibert Chicoisneau et les conseillères de la Société compatissante met ces dernières en ébullition. C'est la jeune Delphine Coallier qui tient Léonie au courant, puisque toutes deux ont pris l'habitude de se réunir épisodiquement dans le bureau d'accueil, lors de pauses ou de repas. Si l'unanimité régnait entre les conseillères au moment de la fondation du refuge, si elles se laissaient confortablement mener par les opinions de Marie-Claire et de Françoise, il n'en va plus de même!

Le conseil est partagé en deux camps bien tranchés, celui des radicales et celui des conciliantes. Les exigences de Mgr Bourget ont polarisé un conflit latent, mais qui fusait parfois, comme lorsqu'il avait fallu reconduire le contrat d'embauche de Flavie, alors devenue Mme Renaud. Plusieurs administratrices, heureusement en minorité, n'avaient accepté qu'à contrecœur. À leurs yeux, il était inconvenant pour une femme mariée de poursuivre ses occupations professionnelles, sauf en cas d'extrême nécessité. Et même là, la honte d'une telle déchéance retombait bien davantage sur l'épouse industrieuse que sur le mari incapable de la faire vivre!

Delphine explique que si Marie-Claire, en tant que présidente, tente de conserver une certaine neutralité, les affrontements sont vifs entre celles qui sont d'avis qu'il faut céder le moins possible et n'accepter que des concessions symboliques, c'est-à-dire Françoise, Céleste d'Artien et elle-même, et les autres, soit Mmes Rousselle et Goyer, qui croient au contraire qu'il est temps de conférer à leur organisme un caractère nettement catholique, qui manquait jusqu'à présent et qui les privait non seulement d'appuis fort importants, mais encore du soutien céleste indispensable pour poursuivre cette grande œuvre de redressement moral.

Quelques jours plus tard, profitant de la présence de Françoise au refuge, Léonie prend son courage à deux mains pour lui glisser, avec hésitation :

– J'attends depuis un bon moment pour présenter une requête devant le conseil d'administration. Il y a eu l'incendie et ses suites, puis maintenant les demandes de Chicoisneau… Mais je ne peux retarder davantage. J'ai des projets d'expansion pour mon école, qui exigent votre accord. J'ai ma requête, attendez…

Léonie va fouiller dans son secrétaire et elle revient avec un feuillet plié en deux, qu'elle remet à Françoise.

– Doubler la durée du stage de vos élèves… Ma foi, de prime abord, je ne vois pas d'inconvénient, bien au contraire ! Avec nos quatorze lits, le roulement a une certaine allure ! Un roulement, d'ailleurs, qui commence à ahurir les gardes-malades bénévoles… Je n'ai aucun doute quant à la réponse favorable du conseil. Mais puisque vous songez à donner une telle expansion à votre école, il faudrait l'organiser beaucoup plus solidement. Vous devez être épaulée par un conseil d'administration, même réduit, qui pourrait vous soutenir en cas de maladie ou de pépin sérieux. Y avez-vous déjà songé ?

– Oui, mais l'exemple actuel de la Société ne me donne pas vraiment le goût de m'embarquer dans cette aventure !

Françoise réplique par une grimace amusée qui se transforme en une moue d'impuissance.

– Nous sommes dans un terrible dilemme, Léonie, et j'ai besoin de vos lumières. Le conseil d'administration, c'est une arène où se battent des… des gladiatrices ! Non, pire encore, c'est l'officine d'une couturière où d'arrogantes dames se crêpent le chignon pour posséder le plus joli ruban dont il ne reste que quelques pouces ! Jamais je n'aurais cru que des femmes puissent être aussi ratoureuses, aussi intransigeantes !

Elle exhale un long soupir dans lequel se devine une grande lassitude.

– Et Marie-Claire, telle une impératrice romaine, assiste des hauteurs de son siège aux combats. Elle est censée trancher, mais elle en est incapable parce qu'elle sait que, d'une manière ou d'une autre, elle va s'aliéner de précieuses collaboratrices.

Léonie lève le sourcil.

– Précieuses ? Je commence à trouver Euphrosine et Vénérande franchement ahurissantes…

– Précieuses, confirme Françoise d'un ton sans appel. Elles abattent un travail considérable. Elles ont des relations bien placées. Bien plus que Céleste ou Delphine… que j'apprécie fort, ne vous méprenez pas.

– Il me semble pourtant que le compromis ne devrait pas être si difficile à atteindre. Nous serions fort mal avisées de tout accepter des exigences de monseigneur. Vos conseillères ne sont-elles pas fières de leur indépendance et de leur liberté d'action ?

– Ma foi…

– Même si elles prétendent le contraire, vu que les dames sont supposées être modestes, je suis sûre qu'elles en ressentent un légitime orgueil…

Après discussion, toutes deux conviennent que la Société devrait accepter la présence d'un confesseur et la célébration périodique de messes. Par contre, ce prêtre ne sera pas admis aux séances du conseil d'administration. Certaines conseillères, ainsi que le soutiendra Marie-Claire devant Chicoisneau, en deviendraient d'une timidité maladive! Cependant, la position la plus délicate concerne la liste des conférences organisées par la Société, et que l'évêque exige d'approuver. Il est quasiment certain, affirme Léonie, qu'Ignace Bourget refusera la plupart des sujets. Il serait sage de ne pas lui concéder ce pouvoir, si dangereux pour la liberté d'expression et d'opinion, ce à quoi Françoise agrée avec vigueur.

Après un long périple, une missive aboutit enfin chez le maître de poste, dont le contenu stupéfie et réjouit tout à la fois les membres de la famille Montreuil. La jeune religieuse des Sœurs grises a reçue, intacte, la lettre écrite par Flavie et cachetée avec le sceau de Bastien. Elle leur répond que, jusqu'à tout récemment, Cécile se portait bien: elle n'a qu'épisodiquement des nouvelles de la jeune femme, qui a adopté l'habillement et les mœurs de la tribu, qui vit en concubinage avec un Amérindien et qui était grosse d'un bébé la dernière fois qu'elle l'a vue.

Simon en reste ahuri pendant des jours entiers. Jamais encore l'une de ses filles ni même sa femme ne l'ont fait approcher de si près, quasiment jusqu'au point de rupture, la limite de sa tolérance et de son ouverture d'esprit. Pour sa part, le choc initial passé, Léonie s'inquiète de ce que sa fille vive loin d'elle un moment si crucial, la naissance d'un premier enfant... Elle s'inquiète également de sa volonté manifeste de couper les ponts avec sa famille. Cela ne pourra durer encore longtemps, n'est-ce pas? Ignore-t-elle dans quels tourments son silence plonge ses parents?

Le temps de le dire, la nouvelle fait le tour du voisinage. Les quelques commères qui n'adressaient déjà plus la parole aux Montreuil, scandalisées par leur tiédeur religieuse et par la présence d'une école de sages-femmes dans le quartier, chuchotent maintenant sur leur passage. D'autres, qui hésitaient encore, trouvent enfin le prétexte idéal pour se ranger de leur côté. Deux mères demandent même au directeur de l'école de la paroisse de retirer leur enfant de la classe de Simon. Quand l'homme leur fait remarquer qu'Agathe est sa bru, elles insistent pour les faire transférer dans la troisième et dernière classe, celle de Marie-Louise Cochu, la plus ignare des trois.

Pour détendre la situation qui devient délicate même pour sa belle-famille, Laurent suggère de prendre les devants : il faut aller entretenir le curé de Notre-Dame de Montréal du cas de Cécile et lui remettre une lettre signée par Simon qu'il pourrait faire passer au curé desservant ou à l'un des prêtres séculiers de l'endroit. La famille Montreuil pourrait demander à cet homme de robe non seulement de l'informer du sort de Cécile, mais aussi de lui remettre une lettre de sa part. Un tel souci prouvera aux esprits malveillants que la lignée engendrée par l'instituteur et la maîtresse sage-femme n'est pas aussi pervertie que les apparences pourraient le laisser croire! Simon s'exécute aussitôt et l'affaire est entendue et réglée promptement : Chicoisneau fera parvenir le courrier aux autorités concernées, accompagné d'une courte missive portant sa signature.

Chapitre XII

Par une aube grise de mars, Léonie est réveillée par Michael, le messager irlandais de la Société compatissante : Magdeleine la fait mander au refuge. Trois quarts d'heure plus tard, elle y fait son entrée. L'une de leurs patientes, Adrienne Reguindeau, est dans les douleurs depuis la veille au soir. Magdeleine a procédé à un examen interne, qui a confirmé ce que les sages-femmes pressentaient depuis son arrivée, dix jours auparavant : le bébé se présente par le siège.

— Le fœtus est tout juste derrière le col et collé aux membranes. J'ai aisément reconnu le sillon des fesses, dans la position oblique la plus familière, et les lombes qui sont du côté gauche du bassin.

— Une position franche, commente Léonie avec satisfaction.

— À l'une des extrémités du sillon des fesses, j'ai palpé le coccyx. Au milieu, l'anus, une ouverture étroite et froncée. Et les globes des fesses, bien entendu, où, en pressant fortement, j'ai senti les tubérosités sciatiques...

Léonie fait un large sourire.

— Explication convaincante ! Ma parole, Magdeleine, quelle sage-femme hors pair vous faites ! Et l'ouverture du col ?

— Elle s'amincit un peu trop lentement à mon goût. Douze heures de douleurs, faibles il est vrai... Un peu après minuit, Adrienne a commencé à perdre ses eaux, mais goutte à goutte et par intermittence.

C'est la première grossesse d'Adrienne et un accouchement par le siège, une partie qui offre à la fois plus de volume et moins de solidité que le crâne, dure toujours plus longtemps. Un rapide examen de la grande et forte parturiente, qui souffre sans excès, confirme à Léonie que la dilatation complète du col est imminente et que le vagin est suffisamment humide pour laisser croire qu'une bonne quantité de l'eau de l'amnios est encore prisonnière à l'intérieur des membranes.

Magdeleine décide de reprendre sur-le-champ les quelques manœuvres simples destinées à stimuler les contractions, qu'elle a déjà effectuées en plein cœur de la nuit. Au moment où Léonie, satisfaite, émerge de la «salle d'accouchement», c'est-à-dire une alcôve créée par les rideaux tirés autour du lit, Vénérande Rousselle s'approche et lui chuchote, l'air affairé:

— Et alors, votre pronostic?

Léonie le lui résume en trois mots. Plutôt que de la laisser s'éloigner et d'aller veiller la femme dans les douleurs, comme il se doit, Vénérande trotte derrière elle entre les deux rangées de lits dans lesquels les patientes sont en train de s'éveiller.

— Vous savez, ici, j'ai vu beaucoup d'accouchements. Par ailleurs, depuis quelques mois, mon mari m'engage comme garde-malade pour les femmes qu'il délivre. Je me crois donc autorisée à vous demander si, vraiment, vous croyez qu'il s'agit de la plus sage marche à suivre.

Interloquée, Léonie s'arrête net et fait face à la dame patronnesse, légèrement empourprée. C'est sans mettre de gants blancs qu'elle rétorque :

– Qu'est-ce que c'est que ce micmac ? Qu'en savez-vous, de la plus sage marche à suivre ?

– Eh bien... D'après Nicolas, les expulsions par le siège sont indiscutablement laborieuses et il est nettement préférable de tenter la version. Je l'ai vu s'exécuter déjà une fois, chez Mme de Saint-Germain, et à part quelques ecchymoses...

– La version est très risquée lorsque la gestation est à son terme et Adrienne réunit toutes les conditions pour que sa délivrance soit heureuse. Vous voulez bien, madame Rousselle, nous laisser pratiquer notre métier en paix ?

La dame pâlit sous l'affront et c'est d'un ton vibrant de colère qu'elle réplique :

– Je me faisais la réflexion, madame Montreuil, qu'il serait prudent d'appeler Nicolas immédiatement pour qu'il examine la situation et qu'il...

– Immédiatement ? Mais vous divaguez ! Il perdrait un temps précieux !

– Je serais vraiment soulagée qu'il apprécie le cas qui se présente. Parmi son attirail d'instruments, il possède ce qu'il nomme un double crochet, un genre de petit forceps qui, selon les grands auteurs, peut faciliter l'extraction.

– L'expulsion, madame Rousselle, riposte aussitôt Léonie. Non point l'extraction, mais l'expulsion.

Refrénant son exaspération avec difficulté, elle articule, regardant son interlocutrice droit dans les yeux :

– Moi, mon auteur préféré ces temps-ci, c'est la sage-femme française Marie-Louise Lachapelle. Elle écrit noir sur blanc, du haut de sa vaste expérience, que dans les présentations par le siège, il est vital d'agir avec ménagement et lenteur, c'est-à-dire recevoir et diriger le fœtus expulsé par la matrice plutôt que de l'extraire. C'est ainsi, seulement, qu'un praticien prévient l'inertie de cet organe. C'est ainsi qu'il prévient plusieurs accidents fâcheux, comme le croisement des bras et l'enclavement de la tête, c'est-à-dire l'opposition de ses grands diamètres aux petits diamètres du détroit supérieur.

Manifestement, Vénérande Rousselle est dépassée par l'exposé de Léonie, qui conclut d'un ton glacial :

– Magdeleine et moi, nous avons la situation bien en main. S'il le faut, nous ferons venir une troisième sage-femme, et s'il le faut, un chirurgien ! Après plusieurs années d'existence, comme vous le savez, le nombre de décès de parturientes à la Société compatissante se compte sur les doigts d'une main, un succès dont bien peu de médecins peuvent se vanter ! Maintenant, je vous laisse, j'ai à faire.

Léonie descend les escaliers en fulminant. Quelle engeance, si les dames patronnesses se mettent à discutailler avec les accoucheuses ! Passe encore qu'elles s'instruisent, mais de là à se croire justifiées, fortes de leur pratique d'accompagnantes, de se poser en spécialistes, il y a une sacrée marge !

Une demi-heure plus tard, devant les yeux ronds de deux étudiants en médecine et de trois élèves de l'École de sages-femmes, Adrienne s'abandonne à sa première poussée. Léonie laisse à Magdeleine le soin de l'escorter pendant ce moment éprouvant et à Vénérande Rousselle, assise derrière elle, celui de la soutenir. Étrangement muette depuis leur discussion, l'épouse du médecin a, sur le visage, un air de défi, dont Léonie comprend clairement la signification lorsqu'elle sort de l'alcôve et qu'elle aperçoit, à l'autre bout de la pièce, Nicolas Rousselle marchant dans sa direction.

Outragée que Vénérande ait ainsi outrepassé les limites de sa fonction, Léonie s'élance vers le médecin et lui intime de la suivre au rez-de-chaussée. Rousselle s'exécute avec un audible soupir d'exaspération. Ce n'est qu'en bas, au pied de l'escalier, que Léonie maugrée, d'une voix contenue :

— Par tous les saints, monsieur, qu'est-ce que vous faites ici ?

— J'ai devancé ma visite à vos patientes de quelques jours, tout bonnement, susurre-t-il. J'anticipe un problème d'horaire que j'ai résolu de régler ainsi. Je ne comprends pas vraiment pourquoi vous vous agitez de la sorte. Se passe-t-il quelque chose d'anormal ?

Démontée, Léonie l'envisage avec égarement. Elle recule ensuite de quelques pas, écœurée par un si grossier mensonge, et lui indique la porte.

— Les visites impromptues ne sont pas tolérées, monsieur Rousselle, et vous le savez parfaitement. Ni Magdeleine ni moi n'avons le temps…

— Deux accoucheuses sur place ? Ma parole, Léonie, je ne peux pas repartir sans que vous ayez assouvi ma curiosité. De quelle femme s'agit-il ? Marie ou Adrienne ?

Dégoûtée par son ton faussement bonasse, elle répond à contrecœur. Aussitôt, le médecin s'exclame, sur un ton hypocritement alarmé :

— Un siège ? J'imagine que vous avez tenté la version ? Vous savez comme moi…

– Je sais, comme vous, que cette position est la deuxième plus fréquente, après le crâne, et que la plupart des femmes sont à même de se délivrer aisément. Je sais, comme vous, que la version n'est souhaitable que lorsque la conformation du bassin ou la grosseur du fœtus peuvent laisser soupçonner un défaut d'expulsion. Ce qui n'est pas le cas aujourd'hui. Certains accoucheurs prétendent qu'il faut tenter à tout prix d'aller chercher les pieds, même en refoulant les fesses déjà engagées, mais les célèbres *accoucheuses*, elles, s'élèvent contre ces méthodes qui accroissent les risques de blessures pour le fœtus.

– J'aimerais, chère Léonie, examiner moi-même la patiente. Presque tous les accoucheurs célèbres conseillent de tourner la partie antérieure du tronc vers le sacrum dès que les hanches paraissent, pour éviter que la tête ne traverse le bassin de la mère le front en avant, ce qui pourrait entraîner de sérieuses difficultés...

– Ne savez-vous pas qu'il est beaucoup trop tard ? À ce que je constate, votre tendre épouse ne vous a pas renseigné clairement...

Il tique devant le ton lourdement ironique de Léonie, qui ne peut résister à l'envie d'enfoncer encore davantage le clou :

– Si j'étais à votre place, je soignerais plus avant sa formation. Avez-vous considéré un séjour à l'École de sages-femmes ?

Soudain furieux, il fulmine :

– Pour cela, il faudrait qu'elle me marche sur le corps ! Pour l'amour de Dieu, Léonie ! La tête t'enfle démesurément ! J'ai entendu parler de ton projet d'allonger le temps de formation de tes élèves à deux années. C'est une grande sottise! Rien ne justifie une telle durée et, surtout, un tel prix! J'appelle ça exploiter la crédulité populaire! Si je ne te connaissais pas, je croirais que tu veux t'enrichir aux dépens de demoiselles trop candides!

Malgré ces propos outrageants, Léonie tente de conserver la tête froide et d'opposer à son interlocuteur un visage de marbre et un corps parfaitement immobile. Elle riposte, glaciale:

— Je te prierais de cesser ces insultes, Nicolas Rousselle.

Aussitôt radouci, il reprend:

— À mon sens, les cas de siège entraînent suffisamment de complications pour être considérés comme relevant de la compétence des médecins. La prochaine fois, dès le premier soupçon, je tiens à ce que vous avisiez l'un des médecins résidents.

Après un moment de stupeur, Léonie réplique:

— À mon sens, toutes les positions sont du ressort de la sage-femme, sauf en cas d'exception. Sur les 20 500 cas recensés par Marie-Anne Boivin, à la Maternité de Paris, seuls 334 fœtus ont dû être extraits du sein de leur mère, et là-dessus, 218 manuellement. Calculez vous-même ce qu'il reste pour les instruments...

Subitement, Nicolas Rousselle fait un pas vers elle. La dominant de toute sa stature, il articule avec mauvaiseté:

— Ton orgueil t'aveugle, Léonie Bernier. Prends garde à ce vilain défaut, si détestable chez les dames!

Sans s'en apercevoir, son interlocuteur a employé son nom de jeune fille et Léonie, pendant une fraction de seconde, a l'impression d'avoir devant elle le Nicolas de sa jeunesse, au port altier et à l'énergie conquérante. Vibrante de colère, elle le quitte abruptement pour remonter quatre à quatre l'escalier. Quel homme suffisant et présomptueux! Voilà où le bât blesse : les médecins sont trop prompts à qualifier de laborieuses et d'anormales des délivrances qui, pourtant, se déroulent avec le seul concours de la nature, pour peu qu'on leur en laisse le temps et qu'on stimule les forces de la mère! Ils s'empressent d'intervenir, faisant fi du risque de lésions, autant pour la mère que pour le fœtus!

De retour dans l'alcôve, Léonie porte immédiatement son attention sur l'expulsion spectaculaire. L'extrémité pelvienne du fœtus fait une énorme saillie hors de la mère, qui halète et gémit. Deux contractions plus tard, l'enfant est à moitié sorti et ses jambes, jusque-là repliées contre son abdomen, se dégagent spontanément. Léonie se penche vers Magdeleine en murmurant :

– Les bras?

Tout en soutenant le tronc du fœtus, Magdeleine introduit quelques doigts pour déplier le droit. Le gauche est relevé contre la face du fœtus encore à l'intérieur; délicatement, elle le dégage. Pendant la contraction suivante, le bébé se tourne encore légèrement vers l'arrière et les épaules émergent. Avec une grande douceur, Magdeleine accompagne l'expulsion finale, plaçant ses doigts dans la bouche du fœtus pour encourager le dégagement de la tête, et elle tient enfin dans ses bras un nouveau-né magnifique, qui s'agite et inspire déjà.

Ce n'est que plus tard, ce soir-là, que Léonie songe à sa discussion avec Nicolas Rousselle. Par bravade, elle a mentionné les chiffres de la Maternité de Paris, mais il est clair que personne, au Bas-Canada, ne peut rivaliser avec un tel taux de réussite. Seule une très longue et très dense pratique permet aux maîtresses sages-femmes françaises d'acquérir la dextérité manuelle sur laquelle est fondée leur excellente réputation. Ici, le recours par défaut aux instruments et au maigre savoir des chirurgiens est beaucoup plus fréquent, hélas !

Encore une fois, Léonie en conclut que seule la création d'une classe d'accoucheuses professionnelles leur permettra de préserver leur indépendance. Plutôt que de la réjouir, cette nécessité la décourage. Elle se sent si seule, parfois ! Elle a l'impression que cette écrasante responsabilité repose sur ses seules frêles épaules. Comment faire pour y intéresser les jeunes accoucheuses de son entourage ? Marguerite et Flavie, les deux femmes dont Léonie apprécie le plus l'intelligence et la force de caractère, sont obnubilées par leur ambition personnelle de pénétrer dans le cénacle masculin de la science médicale...

Flavie répond au coup de sonnette et fait pénétrer, dans le hall d'entrée de sa maison, une dame vêtue d'une luxueuse pelisse et la tête couverte d'un capot de fourrure. Encore jeune mais plutôt grasse, elle a les traits tirés de quelqu'un qui a été jeté en bas du lit. Aussitôt, Flavie lui trouve un air étrange, un exotisme indéfinissable... Sans tergiverser, la dame se présente : Angèle de Mazuret, tenancière d'une maison de chambres. La manière dont elle insiste sur la particule fait comprendre instantanément à Flavie qu'elle est « rapportée »...

L'une de ses pensionnaires, dans les douleurs depuis la veille au soir, a besoin d'une assistance immédiate. Mme de Mazuret a son propre modeste équipage et toutes deux passent quérir Bastien à son cabinet. C'est en pénétrant sur les lieux que Flavie comprend, avec un battement de cœur, qu'il s'agit plutôt de l'une de ces maisons «déréglées» qui abritent des ébraillées. Même si la tenancière les fait passer par l'arrière, Flavie peut apercevoir quelques pièces désertes au décor surchargé et extravagant, conçu expressément pour susciter l'excitation des sens...

Flavie a un second choc en entrant dans la chambrette, tout en haut de la maison. Celle qui est roulée en boule sous les couvertures semble avoir à peine dix ans tant sa taille est petite. Lorsqu'elle consent à se déplier et à s'asseoir, Flavie reste figée sur place. D'une joliesse surprenante, la parturiente au ventre proéminent est cependant minuscule, dotée d'un corps souple et gracile de fillette à peine pubère.

Suffoquée par la colère, Flavie se tourne vers la tenancière. D'un geste impérieux, elle lui intime l'ordre de la suivre à l'extérieur de la pièce. Les paupières plissées jusqu'à ne former qu'une mince ligne, la dame se défend immédiatement des accusations de Flavie d'une voix traînante. Selon elle, Étiennette est âgée d'au moins seize ans, mais elle est ainsi faite qu'elle ne grandit plus depuis plusieurs années. Avec superbe, Mme de Mazuret lui fait remarquer que, pressentant un accouchement difficile, elle est venue sonner à sa porte plutôt que de faire appeler une matrone peu instruite, qui aurait été bien contente du pourboire substantiel promis!

Fort sceptique, Flavie retourne aux côtés de Bastien, qui est en train d'examiner sommairement la jeune femme. Après un gentil sourire à son adresse, il indique à mi-voix à Flavie :

— Dans le bassin d'une femme adulte bien conformée, les hanches sont évasées, arrondies et saillantes en dehors. L'une et l'autre sont disposées à la même hauteur. Maintenant, tu veux bien aider mademoiselle à se mettre debout ?

Flavie s'exécute et Bastien poursuit, heureux de partager sa science avec elle :

— Les difformités du bassin sont rares, même si cette partie du corps est soumise à de fortes pressions et que, dans les premiers temps de la vie, elle a beaucoup de mollesse et de flexibilité. On croit que les multiples points d'ossifications se pressent et se soutiennent réciproquement, donnant au bassin la résistance nécessaire. Cependant, certaines maladies de l'enfance, principalement le rachitisme, ont pu changer le mode de nutrition propre aux os, lesquels tendent alors à se déformer.

Étiennette s'appuie fortement sur Flavie, en proie à une contraction à laquelle la jeune accoucheuse porte une grande attention. Le rythme est encore lent, note-t-elle, et la pression semble peu intense…

— J'achève, mademoiselle. Permettez que je tâte vos os… C'est d'une grande importance pour remarquer la conformation de votre bassin et surtout le rapport des diverses parties entre elles… Pardonnez-moi, il faut que je touche aussi au pubis, ici en bas, cet os qui descend jusqu'entre vos deux jambes… Maintenant, les jambes, je soulève votre jupe un instant… Voilà, c'est fait, rassoyez-vous.

Sans plus attendre, Flavie interroge la demoiselle sur sa grossesse et sur le genre et l'intensité de ses douleurs.

Pendant ce temps, agenouillé derrière elle sur le lit, Bastien tâte les deux côtés de son visage, ensuite ses côtes en passant par-dessous ses bras, puis sa colonne vertébrale dont il suit longuement le parcours jusqu'au coccyx. Les deux jeunes praticiens se relèvent en même temps et, d'un commun accord, sortent dans le corridor faiblement éclairé par la lueur d'un bougeoir.

– Un cas extrêmement intéressant, murmure Bastien, fébrile. J'ai quelque expérience avec le rachitisme, j'en ai vu deux ou trois en suivant Provandier, mais j'ai surtout lu beaucoup de descriptions de cas... À la clinique, j'ai aussi eu un tel patient l'automne dernier. Malgré les apparences, ce n'est pas un rachitisme si avancé qu'il en soit exceptionnel. Les contours de son rachis...

– Son quoi?

– Son épine dorsale.

– C'est donc de là que provient le nom de la maladie? s'exclame Flavie, frappée.

Bastien explique qu'il a décelé à son squelette des conformations vicieuses et le bassin est à l'évidence dangereusement petit et légèrement inégal.

– Même intérieurement, conclut-il, le bassin peut être altéré par une tumeur osseuse.

Tous deux se regardent avec égarement. Pour la première fois depuis le début de leurs activités professionnelles, ils sont confrontés à l'un de ces cas qui plonge même le plus expérimenté des praticiens dans un abîme de doutes. L'esprit de décision dont font montre sur papier les obstétriciens s'évapore littéralement devant une femme souffrante. Toutes les maîtresses sages-femmes l'affirment : trop de chirurgiens, prévoyant une issue funeste, ont employé des moyens radicaux. Mais ces opérations pratiquées sur la mère, qu'il s'agisse d'ouvrir la matrice par l'abdomen ou de séparer les os du pubis et les écarter pour agrandir le détroit de la cavité pelvienne, ont précipité l'immense majorité des mères et la plupart des enfants dans l'autre monde.

Ils conviennent qu'il s'agit d'un cas exceptionnel qui nécessite une personne d'une longue expérience. Puisque même Léonie affirme que Sally Easton est la plus compétente pour ce type d'accompagnement, Bastien enfile son manteau pour se rendre chez la sage-femme d'origine écossaise. Elle décidera s'il faut mander un chirurgien…

Entre-temps, Flavie évalue les signes vitaux d'Étiennette, puis elle l'installe pour un examen externe par lequel elle tente de reconnaître la position du fœtus. Maigre et distendu, le ventre de la demoiselle se déchiffre aisément : le bébé, heureusement petit, est placé tête en bas, dans la position la plus commune. Ce n'est pas nécessairement une bonne nouvelle, songe Flavie avec une grimace involontaire. Les pieds offrent à la sage-femme une bien meilleure prise… Mais peut-être qu'au contraire il faut s'assurer d'abord que la tête franchisse le rétrécissement du bassin ?

Elle tente de se remémorer les pages du livre que Marie-Anne Boivin a consacrées à ce qu'elle nomme *augustie du bassin*. Dans ce passage se devine, derrière les propos mesurés, un jugement sévère envers les médecins-accoucheurs, qui selon elle, dans ces cas ardus, ne devraient jamais opérer eux-mêmes, mais faire venir un chirurgien d'expérience ! Elle écrit avoir vu deux célèbres hommes de l'art, Jean-Louis Baudelocque et Antoine Dubois, se décider enfin à « un parti violent » après une longue période d'hésitation, mais dont le résultat fut si douteux que ces hommes s'exclamèrent alors : « J'ai regret d'avoir opéré cette femme ! »

Flavie se lave ensuite les mains qu'elle oint pour un examen interne. Le vagin est suffisamment humide, note-t-elle, mais le col de la matrice est à peine dilaté à deux doigts. Vainement, elle tente de déceler, derrière les membranes, une fontanelle ou une suture du crâne. Une grande prudence est encore requise pour ne pas crever la poche des eaux…

Sally fait son arrivée, Bastien sur ses talons. Dans sa valise, elle ne transporte ni compas d'épaisseur, ni céphalomètre, ni pelvimètre, ni mécomètre, tous ces instruments inventés pour mesurer le bassin de la mère ou le crâne du fœtus. Les mesures sont trop aléatoires, explique-t-elle aux deux jeunes gens, et entraînent parfois des pronostics qui se révèlent erronés. Si le cas d'Étiennette leur avait été confié plus tôt, elle aurait provoqué l'accouchement quelques semaines avant terme. Quoique… Selon diverses études françaises, les deux tiers des fœtus meurent à cause de la compression ou de leur immaturité, et les mères, d'une métrite ou d'une métro-péritonite !

De toute façon, il est trop tard pour tenter quoi que ce soit. Pour l'instant, ils n'ont d'autre choix que d'espérer qu'Étiennette se délivre elle-même. L'issue d'une délivrance n'est jamais prévisible et on rapporte bien des cas de femmes pour lesquelles tout espoir était perdu et qui ont finalement accouché naturellement.

Bastien, qui avait pris la décision de retourner à son cabinet pour le reste de la journée, revient au crépuscule, alors que les contractions sont intenses et que la dilatation est à son terme. Le fœtus s'engage alors dans le col, puis il arrête sa progression, manifestement retenu par un obstacle sérieux. Malgré les bains de siège et les fumigations, la nuit se passe sans progrès notable et Étiennette s'épuise. Un peu avant l'aube, Sally se résout à crever la poche des eaux, ce qui ramène des contractions fortes, mais inefficaces.

Un fœtus ne peut rester longtemps, sans dépérir, prisonnier d'une matrice vidée de son liquide. Une heure plus tard, les trois praticiens tiennent un conciliabule. Sally déclare aussitôt :

– L'application des fers est hors de question. Même si, comme le prétendent les obstétriciens, le forceps peut encourager le crâne à se comprimer, le volume des deux branches annule ce supposé bienfait.

– À moins que le diamètre de l'ouverture du bassin soit d'au moins trois pouces et demi dans sa plus petite mesure, précise Bastien.

Les nerfs à fleur de peau, Sally réagit avec irritation.

– Épargnez-moi ce jargon d'accoucheur ! Vient un moment où les limites du possible dans l'art des accouchements nous frappent en plein visage ! Je refuse d'exposer une patiente à de terribles souffrances !

– Les fers, une terrible souffrance ?

– Dans ce cas, oui, compte tenu du travail à effectuer.

Comme elle l'a prouvé à plusieurs reprises, Sally est experte dans l'art des instruments et Bastien ne proteste plus. Flavie murmure :

– L'idée est horrifiante, mais il ne reste qu'une solution, n'est-ce pas, Sally ?

Avec accablement, cette dernière bégaye :

– Ce pauvre enfant a déjà bien assez souffert...

Avec dureté, elle demande à Bastien s'il a déjà utilisé le perce-crâne. Livide, le jeune homme secoue la tête, mais laisse tomber qu'il est paré à le tenter. Sally s'apprête à lui faire ses recommandations dans le maniement de cet outil pour éviter des blessures à la mère lorsque de déchirants cris de douleur leur parviennent. Tous trois se précipitent pour constater qu'Étiennette s'est mise à pousser avec l'énergie du désespoir. Flavie la soutient de son mieux, littéralement torturée par le spectacle de sa souffrance, tandis que Sally encourage la jeune fille d'une voix tremblante d'émotion.

Dans un flot de sang et de fluides, le nouveau-né est finalement expulsé et aussitôt, Étiennette s'évanouit. Très affaibli, le crâne tuméfié, le petit garçon rend l'âme malgré le secours de Sally. Pendant ce temps, stimulée par les soins empressés de Bastien, la jeune mère reprend ses esprits. Peu après, alors qu'il examine attentivement le nouveau-né, le jeune médecin note que son pariétal est fracturé à deux endroits, ce qui a probablement provoqué une hémorragie interne foudroyante et mortelle.

Après trente-six heures d'accompagnement, ils laissent la jeune femme sous les soins de deux de ses compagnes. Une froide giboulée d'avril s'abat sur la ville et le jeune couple, fourbu et transi, se réfugie enfin dans la tiédeur de ses appartements, se blottissant sous les couvertures pour une sieste de quelques heures, de laquelle Flavie émerge dans un profond état d'hébétude. À peine réveillée, elle prend conscience de la sensation inconfortable qui occupe le bas de son ventre. Elle s'y attendait, mais aujourd'hui, l'écoulement imminent de ses fleurs l'embête souverainement !

Son regard glisse sur les vêtements mouillés qui gisent par terre. Elle se recroqueville comme un bébé, souhaitant de toutes ses forces replonger dans le pays des rêves, mais elle ne peut empêcher le souvenir d'Étiennette d'envahir son esprit. Bientôt, elle se laisse tomber en bas de sa couche et se rend dans le boudoir, où elle farfouille sur les rayons de la bibliothèque pour mettre la main sur le livre auquel elle songeait. Un frisson lui rappelle qu'elle est nue et que l'air est frais ; sans cesser sa lecture, elle retourne se glisser sous les couvertures. Elle tressaille lorsque Bastien, qu'elle croyait endormi à ses côtés, articule d'une voix pâteuse :

— Toi aussi, tu penses à elle ? Je suis persuadé que plusieurs des ligaments de son bassin se sont déchirés. Je crains fort qu'elle en reste davantage handicapée...

Il ajoute avec une éloquente grimace :

— N'empêche que j'aurais bien voulu m'exercer dans l'art des fers... Qui sait, la vie du bébé aurait peut-être été sauvée ?

— Une femme comme elle ne devrait jamais porter d'enfant. Elle met sa vie en danger ! Demain, je vais chauffer les oreilles de la dame de maison ! Avec l'argent qu'elle gagne sur le dos de ses... ses ébraillées, le moins qu'elle puisse faire, c'est de fournir les clients en baudruches françaises ! Enfin... tu me comprends ?

Le jeune médecin acquiesce avec gravité. Capote anglaise ou baudruche française, les qualificatifs ne manquent pas pour désigner cet engin préservatif, selon le point de vue où l'on se place...

Flavie murmure encore :

— Pauvre créature... Comment peut-on lui imposer une telle vie ? Et les hommes, comment ils font pour… pour s'acoquiner avec elle ? Elle ressemble à une enfant qui vient à peine de commencer à se former !

Son mari fait une moue impuissante. Flavie sait depuis longtemps que la sexualité humaine a des élans bizarres et déroutants. Certains aiment que la jouissance soit accompagnée de sévices corporels, d'autres préfèrent un sexe semblable au leur, d'autres encore ne peuvent s'empêcher de se faire jouir, seuls, plusieurs fois par jour… Tout cela, elle est parée sinon à le comprendre, du moins à l'accepter. Mais lorsqu'on ne peut se satisfaire sans imposer ses envies perverses à plus faible que soi… cela, elle ne peut le supporter ! Qu'il s'agisse d'enfants violentés, de créatures exploitées ou même d'épouses malmenées, Flavie voudrait se transformer en justicière pour aller délivrer toutes ces victimes désarmées !

– C'est ta Française préférée que tu lisais ?

– Je me rafraîchissais la mémoire… Dans les cas de resserrement du bassin, certains médecins tentent, à sept ou huit mois de grossesse, la rupture des membranes du fœtus ou une dilatation artificielle de l'orifice de la matrice. Marie-Anne Boivin écrit que ces moyens sont inefficaces et même dangereux parce qu'il est toujours très difficile de déterminer d'une manière précise les cas et les circonstances qui les réclameront, de préférence à toute autre opération. « En effet, peut-on être assuré que le diamètre sacro-pubien n'a pas moins de deux pouces trois quarts ? Peut-on connaître également que la tête du fœtus se trouve dans les proportions convenables au degré de resserrement de la cavité osseuse qu'il doit traverser ? » Écoute bien la phrase suivante : « Tel est l'écueil où viennent se briser et où se briseront toujours les plus hautes renommées obstétricales. »

Le jeune homme pousse un sifflement ironique avant de bougonner :

— Ces maîtresses sages-femmes prennent grand soin de nous rabattre le caquet !

Flavie dépose le livre sur la table de chevet et se laisse retomber sur le dos. Après un bâillement, Bastien grommelle en s'étirant :

— Quel jour sommes-nous ? Quelle heure ? Je nage dans le brouillard...

— Il faudrait que j'aille quérir mes guenilles, ronchonne Flavie, qui sent les prémisses d'une moiteur familière entre les jambes. Ça ne m'enchante pas du tout.

Il se tourne sur le côté pour lui faire face et, la tête appuyée dans sa main, il dit en souriant :

— Il me semblait aussi... Tu sentais.

— Je sentais ? Mais quoi donc ?

— Tes fleurs, bien entendu ! J'ai vite remarqué que tu ne sentais pas la même chose, selon le moment dans le mois. L'odeur est particulière, je l'avoue. Plutôt puissante.

Interloquée, Flavie regarde Bastien avec de grands yeux. Il pouffe de rire en posant une main rassurante sur son ventre.

— C'est pour ça que j'aime quand tu te parfumes. Non que je n'apprécie pas tes odeurs, bien au contraire. Mais je veux que personne d'autre ne sente ton côté animal !

Après une grimace, Flavie se blottit entre ses bras et tous deux restent en silence un long moment. Elle soupire profondément, les yeux fermés. Ce qu'elle est bien ainsi, contre lui, enserrée de toutes parts ! Comme un nourrisson dans les bras de sa mère... Serait-ce pour cette raison qu'elle se sent autant réconfortée : parce que cela lui rappelle une époque lointaine, dont elle ne garde aucun souvenir sauf, peut-être, dans les fibres de son être ?

Mais alors, c'est vraiment injuste pour Bastien, qui ne peut se réfugier ainsi, contre un plus grand que lui ! Résolue à lui offrir ce plaisir, elle lui propose d'inverser les rôles, ce qu'il accepte avec une moue étonnée. Du mieux qu'il peut, il se pelotonne contre Flavie, qui enserre vigoureusement ses larges épaules de ses bras. Après un temps, elle murmure d'un ton apaisant :

– C'est agréable, non ? En tout cas, moi j'aime fièrement ça...

– Je ne sais pas encore, grogne-t-il, le visage dans son cou. Je me sens un peu saugrenu...

Un long moment, Flavie écoute le bruit de la pluie sur les carreaux. Elle en fait remarquer la violence à Bastien, qui répond :

– Moi, j'entends ton cœur. Ton battement est vif et clair. Superbe.

Il ajoute, avec une intense satisfaction :

– Tu sais, pour ce matin ? Je n'ai presque pas eu peur. J'étais paré à intervenir. Flavie, je crois que je suis sur le point d'être guéri !

Heureuse de le sentir si soulagé, elle resserre son étreinte un bref moment, puis elle l'embrasse sur la tempe. Elle reste ainsi, pensive, ses lèvres effleurant sa peau. Ce qu'elle espérait est en train de se produire. Grâce aux dizaines de délivrances qu'ils ont faites ensemble depuis le début de leur association, son mari s'habitue de belle manière à l'art des accouchements. Ses mains solides aux longs doigts acquièrent une délicatesse qui plairait sans doute à Mme Charrier, de la Maternité de Paris, sur qui Marguerite ne tarit pas d'éloges!

Un soir, dans l'intimité de leur boudoir, Bastien a revécu pour Flavie le déroulement de l'accouchement de Constance Leriche, au cours duquel le terrible drame est survenu. Geste après geste, il lui a décrit les interventions de son confrère Isidore Dugué, puis les siennes, jusqu'au moment terrifiant où le bras du nouveau-né s'est démis. Très pâle, le visage couvert de sueur, il a plongé jusqu'à la fin, critiquant impitoyablement leur tendance à s'accrocher à leur diagnostic. Tous deux avaient cru toucher le flanc du bébé, une position cependant impossible, sauf dans le cas de fœtus âgés de six ou sept mois et encore mobiles...

Tandis que le souffle de Bastien la chatouille, Flavie réfléchit sur ce qu'elle retire, de son côté, de leur association. Bien entendu, la présence de son mari lui ouvre bien des portes qui seraient autrement restées fermées : c'est déjà un progrès notable. Son compte en banque se garnit au point que cela l'étourdit. Elle tire un immense orgueil de ce début d'indépendance, de cet avoir dont elle peut jouir à son goût... quand elle saura comment le dépenser. Avec les conseils d'Édouard, peut-être pourra-t-elle l'investir et le faire fructifier?

Mais cette science obstétricale qui fait toute la différence, dans l'esprit du public, entre une vulgaire accoucheuse et un savant médecin, quand pourra-t-elle l'affronter? Si Bastien la renseigne avec bonhomie, elle aspire maintenant à un apprentissage rigoureux! Elle a une furieuse envie de saisir cet adversaire insaisissable pour une sorte de combat au corps à corps, comme s'il s'agissait d'un ennemi à dominer...

Bastien dégage son bras replié entre eux et se met à la flatter délicatement. Flavie ferme les yeux. L'occasion est trop belle, n'est-ce pas? Le début de ses fleurs qui coïncide avec cette sieste... Le jeune homme s'est lentement dégagé de l'étreinte de sa femme et, la pressant contre lui, il mordille lascivement sa lèvre inférieure. Elle se soumet généreusement à son désir. Ses sens à elle sont assoupis et l'effort qu'elle aurait à fournir pour les réveiller lui semble surhumain. De plus, les faibles crampes dans son bas-ventre la contrarient plutôt...

Néanmoins, Flavie obéit à Bastien qui la fait rouler sur le dos et qui se penche ensuite sur elle. Elle s'abandonne à ses agréables caresses, mais elle ne peut retenir sa pensée de s'envoler dans toutes les directions: Étiennette, Sally, et même la dame de maison... Tenaillé par une envie manifestement irrésistible, Bastien chevauche Flavie avec des grognements de satisfaction, et sans plus penser, elle jouit langoureusement de la sensation délectable dont tous deux profitent trop rarement à leur goût.

Avec un tressaillement, elle réalise soudain qu'il est trop tard pour conseiller à son homme de placer un linge sous eux afin de ne pas tacher le drap. Heureusement, les menstrues se lavent aisément à condition de ne pas tarder... Rivée au matelas par son fringuant de mari, le souffle coupé, Flavie songe avec un mélange d'inconfort et d'amusement qu'elle veut bien l'accueillir ainsi, mais qu'il ne faudrait pas que l'acte s'éternise! Elle l'encourage du mieux qu'elle peut et enfin, il se cabre et se laisse transporter par une série de spasmes. Flavie profite de son état de relatif détachement pour observer avec tendresse ses traits altérés par le plaisir. Il s'affaisse ensuite sur elle, le corps encore agité de tremblements.

Après avoir déposé un baiser sur sa bouche, il la délivre en prenant garde de se frotter au drap. Dès qu'il retombe sur le dos, elle se lève d'un bond, la main entre les jambes, et elle se dépêche d'aller s'asseoir sur la chaise percée placée derrière un petit paravent. Enfin, s'enroulant dans son peignoir, elle se rend dans la salle d'eau, de l'autre côté du corridor. Se dénudant, elle verse de l'eau froide dans un bol pour se laver tout le corps à la débarbouillette et au savon.

Depuis que, au grand soulagement de sa mère, Bastien a déménagé tout son attirail d'hydrothérapie à la clinique de la rue Saint-Antoine, Archange a réaménagé la pièce. Elle y a fait installer notamment un grand miroir sur pied richement encadré. Flavie est plutôt décontenancée par cette présence inusitée. Dans une chambre à coucher, à la rigueur, un tel meuble aurait son utilité, du moins pour ceux qui veulent se contempler de pied en cap. Mais ici, quel intérêt de se voir à un tel moment?

Aujourd'hui, cependant, Flavie ne peut résister à l'envie de se placer carrément devant. Elle a un choc en voyant cette silhouette de femme, la sienne. Jamais encore elle ne s'est regardée ainsi dans un miroir, dans son entièreté. Pour elle, les miroirs sont encore des objets étranges. Rue Saint-Joseph, il y en a un tout petit, en bas, accroché au mur, qui déforme les traits. Elle y vérifiait parfois si son bonnet était bien posé ou si ses frisettes avaient une certaine allure, et les hommes se rasaient devant.

Flavie contemple son visage rond encadré de ses longs cheveux emmêlés. Dans cet éclairage diffus, ses yeux habituellement d'un brun mêlé de vert sont fort sombres. Machinalement, elle lisse les brins qui s'échappent de ses sourcils fournis. Elle laisse son regard descendre jusqu'à son cou, puis elle suit la ligne de sa clavicule jusqu'à ses épaules aux extrémités bien musclées et arrondies.

À plusieurs reprises, Bastien s'est étonné à haute voix de ce corps tout en contrastes : une poitrine si féminine aux seins lourds et un peu tombants encadrée par deux bras dont les muscles se devinent sous la peau, un ventre légèrement bombé et des hanches bien rondes sous lesquelles se tiennent deux jambes vigoureuses, solides comme le tronc d'un jeune arbre.

Pour Flavie, un tel physique va de soi : la plupart des femmes des faubourgs, habituées à trimer dur pendant toute leur vie, développent une grande force musculaire. Mais aux yeux de bien des bourgeoises, une telle apparence est vulgaire et disgracieuse. Pour être une vraie dame, il faut, au contraire, cultiver la fragilité. Flavie a bien senti qu'Archange et Julie Renaud étaient parfois dérangées par son énergie vitale, trop mâle à leurs yeux…

Flavie pousse un profond soupir. Elle ne s'est jamais vraiment posé de question sur son corps, qui lui permet d'accomplir efficacement toutes ses tâches, qui lui procure bien des joies et, qui plus est, réjouit manifestement la vue des hommes. Mais là, face à ce miroir, elle y jette un regard scrutateur. Elle ne peut s'empêcher de le mettre en parallèle avec celui des dames bien corsetées qu'elle croise souvent, et dont les formes féminines sont accentuées d'une manière plutôt aguichante. En comparaison, c'est vrai qu'elle n'est vraiment pas jolie…

Et puis tous ces poils… Les bourgeoises, elles, semblent si lisses, comme des fillettes. Rien ne retrousse, rien ne rappelle l'animal… Flavie sait que ce n'est qu'une façade et que derrière ces atours de grand style se cachent de simples femelles, mais elle a pu constater que bien des hommes semblent apprécier ce contraste : une dame couverte de colifichets et de broderies, mais dessous, une peau nue qu'ils imaginent, sans doute, parée à s'abandonner à leurs caresses.

Dernièrement, lorsque Bastien a surpris Flavie en train d'essayer un corset léger, récemment acheté pour porter avec l'une de ses belles robes, une telle concupiscence a allumé son regard ! Même très peu serré, le dessous faisait saillir ses seins et soulignait les courbes de sa taille et de ses hanches, et si Flavie avait laissé faire son homme, il l'aurait prise là, à même le sol, en plein milieu de leur chambre.

Submergée par un fort mais inexplicable vague à l'âme, Flavie se détourne enfin et se met à brosser ses cheveux, qu'elle noue adroitement en une seule tresse sur la nuque. De retour dans sa chambre, elle constate que Bastien somnole, étalé dans le lit comme s'il était inconscient. Elle installe des guenilles entre ses jambes avant d'enfiler ses pantalettes. Ensuite, pendant un long moment, elle contemple ses robes, qui lui semblent chargées d'une telle promesse de beauté qu'elle ne peut résister à l'envie subite de se parer de sa préférée, même si ce n'est que pour son seul plaisir.

Se dirigeant vers son chiffonnier, elle en extirpe un corset. Elle le porte rarement, non seulement parce qu'elle n'aime vraiment pas être ainsi comprimée, mais parce qu'elle est opposée au principe même de la chose. Trop de femmes choisissent des modèles de plus en plus rigides, aux formes exagérées, qui les blessent. Mais si elle veut porter sa jolie robe verte, elle n'a pas le choix… Elle constate que, les yeux mi-clos, Bastien la suit du regard. Un peu gênée, elle enfile le dessous, y place ses seins et enfin, elle vient s'asseoir sur le bord du lit, présentant son dos à son mari qui lace le corset, après avoir posé un baiser sur sa nuque.

Elle prévient ensuite Bastien que l'heure de la relevée est passée depuis longtemps et qu'il lui faut s'habiller. Il se dirige en grommelant vers la salle d'eau. De retour, frais rasé, les cheveux peignés, il a bien meilleure mine. L'air espiègle, il lui tend sa bouteille de parfum. Elle laisse tomber quelques gouttes çà et là sur elle, comme Archange lui a appris à le faire. Sans mot dire, il se place derrière elle pour attacher un fin collier de perles à son cou. Pour l'instant, c'est sa seule parure, mais Bastien lui a promis, malgré ses protestations, d'autres cadeaux dès que leurs finances le lui permettraient. L'embrassant sur le lobe de l'oreille, il murmure :

— Tu es belle. Je suis fier de t'avoir à mon bras.

À la fois flattée par le compliment et contrariée de se sentir exhibée comme un trophée, Flavie lui adresse un sourire hésitant. Avec un mélange de perplexité et de vanité, il lui demande si c'est pour lui qu'elle s'attife ainsi. Une étincelle moqueuse dans le regard, elle répond :

— C'est pour mon amant, voyons !

Il ouvre de grands yeux outragés et elle ajoute :

— Je vais te le présenter, il est juste ici, à côté…

Elle l'entraîne à sa suite dans leur boudoir. Avisant la pile de livres qui traîne sur une table basse, elle en saisit un, qu'elle exhibe avec arrogance.

— Voici Lemuel Shattuck, celui qui occupe présentement toutes mes pensées. N'est-ce pas qu'il est agréable à regarder, avec sa belle reliure dorée ? Il a publié, l'année passée, un *Report of the Sanitary Commission of Massachusetts* qui, du point de vue de l'hygiène publique…

Bastien lui coupe la parole d'un baiser vengeur. Il se penche ensuite pour extirper un autre bouquin de la pile.

— *La fausse industrie morcelée, répugnante, mensongère, et l'antidote, l'industrie naturelle...* Qu'est-ce que c'est que cette fantaisie?

— Un écrit de Charles Fourier, le penseur socialiste.

Après avoir jeté le livre sur le sofa, le jeune homme se frotte les mains d'un air gourmand.

— Pour ma part, ce que j'ai hâte de lire l'affriolante Marie-Louise Lachapelle, que Marguerite a promis de te prêter!

Flavie éclate de rire, mais, imperturbable, il poursuit:

— Ne m'as-tu pas raconté qu'elle donne dans son traité de stimulantes descriptions des parties intimes féminines?

Elle lui flanque une bourrade avant de le pousser vers la porte, en répliquant avec sérieux:

— Pour le sûr, sa description du maniement des fers t'inspirera bien davantage. Mais je t'avertis: ne t'avise surtout pas de t'exercer sur ma fragile personne!

CHAPITRE XIII

Pour le jeune couple Renaud, le printemps est un véritable tourbillon. Les accompagnements de délivrances se succèdent à un rythme rapide et le reste du temps, tandis que son mari reçoit des patients en consultation, même le samedi, Flavie se partage entre quelques travaux ménagers et de sérieuses lectures, autant pour se perfectionner dans sa profession que pour se renseigner sur les sujets qui lui tiennent à cœur. Parfois, quand l'envie la taraude, elle enfile ses chaussures de marche pour faire d'un pas rapide un grand tour de ville.

Après un bon mois d'incertitude concernant les projets d'affaires d'Édouard Renaud, l'atmosphère rue Sainte-Monique commence à se détendre. Il a fini par conclure que, malgré toute sa bonne volonté, il n'était pas doué pour les activités industrielles. Tous les membres de la maisonnée en ont été profondément soulagés, surtout Bastien qui le jugeait fort téméraire. Sans oser contredire son père ouvertement, il lui avait fait remarquer que les entrepreneurs industriels avaient une expérience pratique les qualifiant pour devenir directeurs de fabrique: ils étaient d'anciens artisans qui avaient lentement gravi les échelons, ce qui n'était pas du tout le cas d'Édouard!

À plusieurs reprises, le jeune homme avait confié ses inquiétudes à Flavie. Sans le secours financier de son père, la clinique d'hydrothérapie serait déjà acculée à la faillite! Les sombres prédictions d'Archange, avant le mariage de son fils, ne se sont pas réalisées: mois après mois, Édouard Renaud comble le manque à gagner avec un parfait détachement, prenant bien garde de s'immiscer dans la marche des affaires de son garçon... sauf en posant discrètement quelques questions à Flavie, pour s'assurer qu'il n'est pas une tête brûlée qui dépense sans compter. La jeune femme l'a rassuré: personne ne peut reprocher à son mari un manque de prudence. C'est le public qu'il faut chicaner, lui qui reste sourd aux vertus de cette thérapeutique!

M. Renaud s'est résolu à augmenter sa participation dans les différents secteurs d'activité où il a déjà engagé des capitaux: le transport maritime et le commerce en gros, bien entendu, mais également les activités bancaires, les investissements judicieux dans diverses firmes et enfin le développement du réseau de voies ferrées, un secteur d'avenir.

Dès que ses moyens le lui permettront, Édouard prévoit investir dans la spéculation foncière. Les immenses propriétés des anciens magnats du commerce de la fourrure, sur le flanc sud du mont Royal, sont en train d'être morcelées et vendues par leurs héritiers. De plus, la conjoncture est favorable: la croissance économique est impressionnante et Montréal se peuple à vue d'œil.

C'est ainsi que, les affaires de son mari s'améliorant nettement, Archange leur annonce avec superbe qu'ils vont pouvoir compter de nouveau sur un bataillon de domestiques... qui se résumera à deux demoiselles, mais qui sera incessamment augmenté d'un homme à tout faire. Celui-là n'habitera pas avec eux : Édouard le paiera à la semaine, comme un employé d'atelier ou de magasin. De toute façon, où aurait-il dormi ? Les combles n'ont que deux chambrettes…

Étienne L'Heureux ayant manifesté l'intention d'assister à la conférence de Marguerite, *Sages-femmes célèbres de l'histoire*, Bastien et Flavie l'invitent à venir souper avec eux ce soir-là. Généralement, les causeries de la Société compatissante sont réservées à un public féminin, mais on a voulu permettre aux médecins et aux apothicaires de s'édifier !

Devant la perspective de ces éventuels auditeurs masculins, Marguerite a bien failli renoncer. Pour la majeure partie des bien-pensants, il est extrêmement inconvenant de laisser une femme parler en public, et surtout devant des hommes. Cela ne sied pas à la modestie de son sexe ! Mais Françoise a eu une longue conversation avec Marguerite, dont cette dernière est sortie avec l'amère résolution d'un condamné se rendant à l'échafaud…

Bientôt, chaudement couverts, Étienne et le jeune couple se hâtent de dévaler la rue pour trouver une carriole tout en devisant au sujet de la récente délivrance d'Étiennette. La salle, prêtée par l'Institut canadien de Montréal, est déjà à moitié pleine lorsqu'ils y font leur entrée. Normalement, les hommes s'installent seuls à l'arrière, mais Flavie rechigne à quitter ses compagnons. Cependant, Bastien l'y oblige, craignant d'offenser les dames à proximité.

Elle se résout à aller rejoindre sa mère, assise dans la deuxième rangée avec plusieurs de ses consœurs. D'un œil rancunier, Léonie la parcourt de haut en bas, puis elle grommelle, la voix pleine de ressentiment :

– Quelle belle tournure ! Ma fille est attifée comme une vraie mondaine ! Pas étonnant qu'elle ne daigne plus descendre dans les faubourgs !

Aussitôt, Flavie se souvient de l'enchaînement d'événements qui lui mérite un tel accueil. Sa mère a pris soin de les inviter, Bastien et elle, à la veillée organisée en l'honneur de Daniel, quelques semaines auparavant. Tous deux étaient bien aise d'y assister, mais finalement, ce soir-là, ils ne sont pas ressortis de la maison. Tandis que Flavie choisissait sa robe, Bastien s'est endormi dans un fauteuil... Le pire, c'est qu'elle n'a même pas encore eu l'occasion de justifier son absence ! Une faute qu'elle s'empresse de réparer et, à l'écoute de son récit, sa mère s'adoucit à vue d'œil.

Flavie salue Françoise Archambault et Marie-Claire Garaut, puis Delphine Coallier et Céleste d'Artien. Notant que ce sont les seuls membres du conseil d'administration de la Société qui daignent faire acte de présence, elle se penche vers Léonie pour lui en faire tout bas la remarque. Sur le même ton, sa mère lui répond, avec une légère grimace :

– Tu sais que notre lien avec l'Institut canadien commence à faire jaser. Quelques dames n'apprécient pas être associées à cet organisme...

Flavie hoche la tête d'un air entendu. Un organisme dont les têtes dirigeantes sont libérales mais, surtout, des anticléricaux notoires... L'évêque de Montréal ne se retient plus de critiquer ouvertement la direction de l'Institut, qui offre une tribune à des conférenciers qui remettent publiquement en question le pouvoir de l'Église canadienne, qui reçoit des journaux impies pour sa salle des nouvelles et qui, dans sa bibliothèque publique, refuse de placer les livres à l'Index dans une section spéciale, accessible seulement avec permission de l'évêque!

Quelques mois plus tôt, au début de l'année, une bourrasque argumentaire a soufflé sur la cité. L'Institut canadien de la ville de Québec, pourtant plus conservateur que celui de la métropole, s'est attiré les foudres du journal *Les Mélanges religieux* en raison d'une commande de livres pour sa bibliothèque. Au grand scandale d'un correspondant du «feuillet paroissial» montréaliste, la liste comprenait non seulement des œuvres de Victor Hugo, de René de Chateaubriand, d'Honoré de Balzac et d'Alexandre Dumas, mais même des «légèretés» signées par des femmes!

S'élevant contre le culte de l'indépendance de l'esprit, selon lui responsable du naufrage dans lequel sombrent «les meilleures têtes», ce bien-pensant regrettait amèrement la publicité accordée ainsi au protestantisme, au déisme et au rationalisme, au détriment de la vérité catholique. Il ajoutait: «Il vaudrait mieux pour la génération suivante qu'il n'y eût pas parmi nous ce que vous appelez littérature, science et instituts, si ces belles choses doivent tellement à la fin nous imprégner d'indépendance universelle que nous devenions comme les peuples de la savante Europe: ingouvernables!»

Sa conclusion avait de quoi faire dresser les cheveux sur la tête. Apparemment insensible à la brutalité de son affirmation, il écrivait à propos des bibliothèques trop bien garnies: «Ces arsenaux scientifiques font plus de mal à une société catholique que toutes les manufactures d'armes à feu ou d'armes blanches qu'une puissance ennemie solderait et activerait contre notre beau et heureux pays. »

Bien entendu, les penseurs républicains et libéraux n'avaient pas tardé à réagir, et Joseph Doutre, le jeune président de l'Institut canadien de Montréal, avait signé un pamphlet incendiaire dans *L'Avenir*. Avec un humour grinçant, il reprochait au polémiste anonyme de vouloir faire retrouver à ses compatriotes, sous les décombres des siècles, « le Roi de droit divin, la Sainte Ampoule, les chemises de sainte Geneviève et la sainte Inquisition », ces « vieilleries et haillons d'une antiquité barbare » !

Selon ce scribe encore, se moquait Doutre, l'instruction rend le peuple tellement ingouvernable « qu'on ne peut plus changer nos indulgences pour son argent, qu'il ne se laisse plus épouvanter par les miracles qu'on inventait jadis suivant les besoins du moment, qu'il s'aperçoit que la dîme est si mal répartie qu'elle le ruine, qu'il ne se laisse plus imposer par son curé son représentant en Chambre, ses commissaires d'école, ses marguilliers et ses magistrats ». Il faut donc ne laisser voir au peuple « que le petit catéchisme qui renferme toute la science catholique, qui seule est utile et d'où doit venir le salut politique de l'humanité » !

Et le jeune avocat terminait avec fougue en disant qu'il ne serait jamais catholique à la manière de ce correspondant membre du « faux parti religieux », dût-il encourir l'excommunication ! Cet échange de flèches empoisonnées aurait été plutôt amusant s'il ne révélait une lutte de pouvoir de plus en plus féroce entre les forces catholiques, menées par l'intrépide évêque Ignace Bourget, et l'élite des forces libérales réunies à l'Institut canadien de Montréal. Si les premières brandissent le principe d'autorité comme un étendard, les secondes préfèrent y substituer l'évidence individuelle, et cela crée des remous puissants...

Léonie la ramène à la réalité :

— Les pauvres Bourbonnière... Ils sont assis tout seuls, comme des pestiférés...

Flavie jette un coup d'œil derrière elle. Les parents de Marguerite sont installés en plein milieu du parterre de chaises, se tenant les mains comme s'ils faisaient face à un grand danger. Est-ce intentionnel ? Autour d'eux, toutes les chaises sont vides... Indignée, Flavie se lève aussitôt, sort de sa rangée et va s'asseoir à côté d'Hedwidge Bourbonnière, qui s'empresse de murmurer à son intention :

— J'ai demandé à Georges de ne pas me laisser seule... Je sais que c'est inconvenant, mais...

Flavie lui presse la main.

— Vous avez bien fait. Comme vous êtes pâle... Que craignez-vous tant ?

Elle se penche et chuchote :

— Je crains pour sa réputation ! Une demoiselle est si vite étiquetée ! Déjà qu'elle déteste les mondanités... Après ce soir, aucun jeune homme ne voudra d'elle !

— Ce qui veut dire, madame, qu'aucun jeune homme n'est digne d'elle.

Saisie, son interlocutrice pose sur elle un regard pénétrant, puis elle adresse un clin d'œil de connivence à son mari, qui a écouté attentivement cet échange de propos. Légèrement rassérénée, elle laisse tomber, avec un sourire moqueur :

— Ma fille tente désespérément de me convaincre de rayer d'un grand X son agenda de jeune fille à marier rempli à craquer. Je suis à la veille de consentir !

Sentant que l'heure fatidique est sur le point de sonner, Flavie prend congé pour retourner à sa place. Au passage, elle note que, parmi les belles toilettes, il y a bien peu de sobres redingotes, deux rangées à moitié pleines... Bastien et Étienne sont assis de chaque côté de Joseph Lainier, leur ancien professeur de l'École de médecine et de chirurgie, et sont plongés avec lui dans une intense discussion. Lorsqu'elle se rassoit près de Léonie, cette dernière soupire profondément :

– Je ne peux pas m'empêcher de chercher Mme Thompson dans la foule. Je sais bien que c'est illusoire, mais elle me manque...

Flavie lève un sourcil interrogateur et Léonie lui rappelle le souvenir de la première délivrance à laquelle elles ont assisté ensemble, à l'automne 1845, cinq ans et demi auparavant. Dans l'entourage de la parturiente, Alice Lefebvre, se tenait sa vieille mère, une chaleureuse dame à l'esprit caustique dont l'amitié a été précieuse à Léonie pour se monter une clientèle. Scholastique Thompson a encouragé de ses deniers la Société compatissante et Léonie apprécie fort la liberté dont elle use dans ses propos. Hélas, ne voulant plus être à la charge de son gendre dont les affaires périclitaient à cause de la crise économique, elle a déménagé chez son autre fille, aux Trois-Rivières.

Marguerite s'avance alors, blanche comme un spectre, osant à peine regarder son public, et Flavie l'accompagne d'un regard intense. D'une voix d'abord si faible que chacun doit tendre l'oreille, elle fait l'éloge de ces générations d'accoucheuses qui se sont succédé depuis le commencement des temps. Dans un silence respectueux parfois entrecoupé de murmures d'étonnement, elle poursuit en évoquant avec habileté les praticiennes décrites dans les Saintes Écritures.

– Les sentiments de piété et de bienséance portent à croire que Dieu insuffla à Ève assez de connaissances pour se délivrer elle-même ; et par ailleurs, il est écrit que leurs descendants ne se servaient pas d'hommes pour cet office.

Avec une vision de l'histoire très ample, ce qui suscite en Flavie un élan d'admiration et de gratitude, Marguerite célèbre un savoir trop souvent méprisé, celui des femmes qui ont pour tout bagage une connaissance instinctive des accouchements et qui en font bénéficier la communauté avec générosité. Elle enchaîne avec une citation du renommé Dr Smellie lui-même, qui a écrit que, chez les Hébreux et les Égyptiens, «l'art et la pratique des accouchements était totalement entre les mains des femmes et les hommes n'étaient employés dans cette profession qu'à la dernière extrémité».

Cléopâtre, selon l'histoire ancienne, s'appliquait à la physique et à la médecine ; l'historien Pline cite encore Livie, Olympias, Salpé… Si les médecins arabes ont théorisé, ils n'ont jamais pratiqué d'accouchements. Quant aux Orientaux, ils ignorent ce qu'est un accoucheur. De plus en plus assurée, Marguerite brosse le portrait de quelques abbesses du Moyen Âge, dont Trotula et Hildegarde de Bingen, qui ont transmis ce savoir précieux contenu dans les manuscrits savants recopiés à la main et conservés entre les murs des monastères.

La jeune conférencière ne peut retenir une note d'indignation en expliquant ensuite que, pendant la Renaissance, les possibilités d'éducation pour les sages-femmes ne se sont pas élargies au rythme des avancées de la jeune science médicale. Elles ont été confinées au chevet des femmes en couches, acquérant leur savoir par apprentissage, tandis que les hommes pouvaient devenir chirurgiens, apothicaires ou, ultimement, médecins diplômés des plus célèbres universités d'Europe.

Parallèlement, une nouvelle discipline naissait, celle des accoucheurs formés sous la férule de prétendus docteurs… titres qui se donnaient parfois, cependant, à trop bon marché.

– C'est du moins ainsi qu'une observatrice, il y a cent ans, décrivait la classe des accoucheurs : disciples qui avaient fait leur apprentissage au pied d'un automate, chirurgiens-barbiers las d'être sur le pavé, tailleurs ou charcutiers se cherchant un gagne-pain…

Un murmure de protestation ponctue cette déclaration, mais, sans se démonter, Marguerite promène sur l'assemblée un regard assuré. Pour Flavie aussi, il est clair que la distinction est encore d'actualité aujourd'hui, au Bas-Canada. À côté des chirurgiens anglais formés dans les grandes écoles de leur pays, et qui ont porté leur savoir à un haut niveau de raffinement, croît une cohorte de vulgaires médecins qui maîtrisent mal cette science complexe.

– Devant une situation aussi injuste, une accoucheuse anglaise, Elizabeth Nihell, a écrit un livre pamphlétaire qui va nous permettre une longue discussion sur la valeur comparée de l'art des sages-femmes et de celui des accoucheurs. Elle a publié *Treatise on the Art of Midwifery* à Londres en 1760, puis en France en 1771.

Marguerite la cite ensuite sans autre préambule :

– «La légèreté, assez ordinaire aux Français, a donné dans ces derniers temps la première entrée aux accoucheurs.

Les femmes d'une certaine classe et d'une éducation convenable, par une méfiance qu'on avait fait naître dans leur esprit contre les sages-femmes, ont regardé cette profession au-dessous d'elles, et ne se sont plus souciées de s'y appliquer. Cette injustice n'est pas restée impunie. Les tortures les plus cruelles ont fait sentir à la plupart le tort qu'elles s'étaient fait en méprisant et abandonnant les personnes de leur sexe. »

Quelques hommes de l'auditoire grommellent dans leur barbe. Imperturbable, Marguerite poursuit :

— « Plusieurs d'entre elles se sont mises entre les mains des hommes, qui leur ont offert beaucoup plus qu'ils n'étaient en état de tenir. Sous de séduisantes promesses d'une habileté supérieure, ils cachaient souvent des idées dont ils ne sont que trop remplis : couper, trancher, déchirer… »

Parmi le même petit groupe masculin, une voix s'élève avec suffisamment de force pour être entendue des rangées voisines :

— Une prérogative mâle, dont cette sotte dame était jalouse !

Outrée, Flavie se retourne pour foudroyer l'audacieux du regard. Au milieu de la première rangée réservée aux hommes, quatre inconnus s'agitent et rigolent… L'un d'entre eux, grand et massif, semble à la jeune femme vaguement familier. Après une pause, Marguerite reprend, plus gaiement :

— Voulant encourager la profession de sage-femme, selon elle usurpée par les médecins, Mme Nihell s'évertue à démolir les principaux arguments avancés par l'élite médicale masculine concernant la supériorité de leur savoir. *Argument numéro un :* qui oserait disputer aux hommes la prééminence dans l'art d'accoucher, qui est aussi noble par son sujet qu'utile par sa fin? Mme Nihell rétorque que la noblesse de cet art, suivant toute apparence, n'a commencé à sonner si haut chez les hommes que depuis l'heureuse découverte qu'ils ont faite qu'il pouvait être très lucratif. C'est alors que, tout à coup piqués d'émulation, ils taxèrent les pauvres sages-femmes d'ignorance et d'incapacité; c'est alors qu'elles devinrent subitement suspectes et méprisables.

Un fou rire gêné parcourt l'assistance. Marguerite continue:

– Les hommes ont cru pendant plusieurs siècles que la pratique de cet art était au-dessous de la dignité de leur sexe. Ils le regardaient même comme indécent et efféminé! Et Mme Nihell écrit: «Je n'ai garde d'entrer ici en discussion avec les hommes par rapport à la supériorité qu'ils s'arrogent sur nous, même si on pourrait peut-être leur disputer cette prééminence avec plus de fondement qu'on ne le pense communément.»

De nouveau, une commotion agite les quatre sbires, qui se mettent à se lancer les uns aux autres des remarques goguenardes au sujet de cette amusante *querelle des femmes* qui, depuis des siècles en Europe, fait s'agiter cotillons et perruques poudrées... Cette fois-ci, leurs voix parviennent à Marguerite, qui darde sur eux un regard acéré avant d'enchaîner, adoptant le ton suffisant d'un docte professeur imbu de sa science:

– *Argument numéro deux:* les instruments si utiles et si nécessaires pour aider et suppléer aux défauts de la nature ne sauraient être manipulés par les mains des femmes. En effet, ces messieurs jouissent seuls en paix du plaisant privilège d'user d'instruments pour, disent-ils, aider la nature. Je cite : « À la moindre difficulté d'un travail lent, les subtils Instrumentaires ont besoin de ces secours pour suppléer à la dextérité et à toutes les autres dispositions qui leur manquent. Ce qui a porté les hommes à inventer de si merveilleuses productions, c'est l'ignorance d'un métier dont ils sont incapables, jointe à la soif de la gloire et de l'argent. Ces moyens toujours aveugles et dangereux sont néanmoins la pierre fondamentale sur laquelle les accoucheurs prétendent statuer la nécessité de préférence, et en vertu de quoi ils s'imaginent être en droit d'arracher des mains des femmes la pratique d'un art que la nature leur a approprié. »

Un silence de plomb accueille ces paroles.

— « Les accoucheurs conviennent qu'on doit toujours préférer les voies ordinaires et les plus douces ; mais dites-leur que ces voies sont les mains des femmes et qu'ainsi il faut rétablir les sages-femmes dans leur ancienne et légitime possession, alors vous les verrez tous s'ameuter, criant à pleine gorge : aux armes ! Aux armes ! C'est là le mot du guet : et quelles sont ces armes par le moyen desquelles ils se défendent et se maintiennent ? Hélas, les armes de la mort. À les entendre, ne s'imaginerait-on pas que l'art d'accoucher est devenu un art militaire ? »

Un rire gêné court d'une rangée à l'autre, tandis que Marguerite poursuit posément :

— *Argument numéro trois :* selon l'opinion généralement reçue, il y a plus de sûreté à se faire accoucher par un homme que par une femme. Car enfin, qu'est-ce qu'une femme ? Ce n'est jamais qu'un animal dont on ne fait pas grand cas pour la pratique. Il y a des femmes qui disent qu'elles aimeraient mieux périr entre les mains d'un homme que d'être sauvées par celles d'une femme.

Cette fois-ci, c'est au tour des premières rangées de dames de s'agiter en signe de protestation, et Flavie et sa mère ne font pas exception. Marguerite attend qu'un silence relatif revienne :

– Elizabeth Nihell s'étonne que cette grande confiance qu'on a dans le sexe masculin se borne uniquement à l'accoucheur, car, par la même justesse de raisonnement, il faudrait que les dames eussent des hommes pour gardes-malades. « Loin donc d'ici, toutes ces femelles qui font les empressées autour d'une femme en travail ; qu'on renvoie toutes ces mères, ces sœurs, ces tantes, et qu'on fasse au contraire approcher le père, le frère, l'oncle, ou à leur défaut, leurs voisins ! »

Hilare, Léonie jette un regard de connivence à Flavie, qui lui répond par un clin d'œil complice.

– *Argument numéro quatre :* s'il y a quelque ordonnance à faire pour la malade, monsieur le docteur le fera ; au lieu que, si c'est une sage-femme, il faudra le faire appeler. Encore une nouvelle dépense !

Marguerite doit attendre que les éclats de rire s'éteignent avant de rappeler à l'auditoire qu'un accoucheur éminent doit être payé grassement... pour autant qu'il est possible d'obtenir les services de l'un de ces messieurs fort rares et qui ne peuvent être partout en même temps. S'adressant directement aux bourgeoises de l'assemblée, elle assène, comme si elle personnifiait Mme Nihell :

– Vous seriez d'ailleurs honteuses de ne pas faire honneur à la manière suave avec laquelle ils rendent service ; au lieu qu'on n'a pas toujours la même gratitude pour une sage-femme, quelque habile qu'elle puisse être, quelque peine qu'elle se donne avant et après les couches de ses malades, malgré les visites assidues qu'elle leur rend jusqu'à ce qu'elles soient hors de danger, malgré qu'elle pousse l'attention jusqu'à prendre soin de l'enfant. Il y a des gens qui s'imaginent qu'une sage-femme est toujours bien payée, pour la seule raison que ce n'est pas un homme.

Cette affirmation péremptoire, mais si tristement véridique, plonge l'assemblée dans un silence stupéfait. Abasourdie, Flavie se demande si le livre a bien été écrit il y a cent ans plutôt qu'il y a cent jours, tant ce cri du cœur est encore d'actualité! Une voix d'homme s'élève ensuite avec force, la faisant sursauter:

— Je suis outré que l'on ose ainsi comparer deux tâches extrêmement différentes! Les sages-femmes sont mues par la compassion et l'esprit de charité, des qualités qui leur sont naturelles et qui ne se monnayent pas, qui sont par essence le prolongement de leur rôle de mère et d'épouse! De leur côté, les praticiens professionnels...

Vivement, Marguerite l'interrompt, le ton aigu:

— Il est tard, monsieur, et si vous le voulez bien, nous reprendrons cette conversation sur le plancher, après ma conférence.

Elle laisse passer quelques secondes de silence avant de conclure:

— Dans les États, il y a des usurpateurs et des tyrans qui, pour s'élever eux seuls, oppriment tous les autres; de même, parmi les gens de talent s'exerce une sorte de tyrannie qui consiste à voir d'un œil jaloux des femmes qui, par leurs habiletés supérieures, sont en droit de disputer le pas aux hommes. Voilà du moins ce qu'écrit Elizabeth Nihell, et que j'ai jugé bon de porter à votre attention. Je conclus avec une dernière citation: «Ces messieurs ont cru qu'ils ne devaient épargner ni veilles, ni sueurs, ni efforts de langue et d'esprit pour se mettre en crédit en abusant de la confiance du public, le tout uniquement appuyé sur des instruments horribles. Ces veilles et ces sueurs auraient été beaucoup mieux employées à chercher les moyens de s'en passer absolument, comme ont fait et comme font encore nos bonnes praticiennes, y compris les maîtresses sages-femmes de la Maternité de Paris. »

Soudain rouge de confusion, Marguerite rassemble fébrilement ses feuillets. Léonie donne un coup de coude à sa voisine et toutes deux se mettent à applaudir, bientôt imitées par les premières rangées de la salle. Flavie retient son souffle. Ces messieurs auront-ils la grandeur d'âme de souligner la valeur de cet exposé, même s'ils en contestent certains énoncés? À son grand soulagement, la conférencière obtient enfin des applaudissements nourris.

Avant de laisser le public se disperser, Marie-Claire prend quelques minutes pour faire la publicité habituelle au sujet de la Société compatissante. Après, dans la salle, Marguerite est successivement félicitée par les membres du conseil d'administration et par les trois sages-femmes de la Société, puis par quelques accoucheuses attachées au University Lying-In, que Flavie connaît seulement de vue. Bien entendu, les quatre querelleurs ont prestement décampé...

Enfin, un cercle plus intime se forme autour d'elle, composé de Flavie, de Bastien, d'Étienne, de Paul-Émile Normandeau et de Joseph Lainier. À voix haute, ce dernier s'avoue éberlué par la démonstration de Marguerite, selon qui les accoucheuses transportent un savoir séculaire qu'il serait criminel de laisser s'éteindre. Manifestement épuisée, la jeune femme lui adresse simplement un regard de reconnaissance. Avec un espoir qu'elle sait puéril, Flavie ne peut cependant s'empêcher de lancer au médecin :

— Vous tirez de cette conférence la conclusion souhaitable. Il faudrait que bien d'autres de vos confrères en soient édifiés...

Après une grimace d'impuissance, Lainier répond :

— Vous avez constaté, comme moi, que bien peu d'entre nous étaient présents ici ce soir. Même pas ces éminents médecins d'origine britannique, qui font la gloire de la profession...

— Si seulement la conférence pouvait être imprimée dans les journaux, comme toutes celles de l'Institut ! s'exclame Flavie avec ferveur. Mais personne n'ose, de crainte de choquer ! Il nous faudrait notre propre organe de presse...

— Et notre propre corporation, ajoute Marguerite d'une voix tranquille. Et notre propre faculté d'université...

Les trois jeunes médecins ne peuvent retenir des rires moqueurs, Paul-Émile surtout, qui s'esclaffe comme si Marguerite venait de lancer une blague grivoise. Bastien fait remarquer que les médecins canadiens-français, malgré les apparences, n'ont encore ni l'une ni l'autre ! Leur collège n'est même pas encouragé par l'ensemble de la profession et, quant à la faculté d'université, c'est un objectif encore inatteignable !

Tandis que les jeunes médecins s'engagent dans une discussion enflammée à ce sujet, Flavie déplore, à l'intention de Marguerite :

— Mais au Canada, qui encouragerait les accoucheuses à se former pour concurrencer les médecins ?

Resté attentif à elles, Lainier répond comme si la question lui était personnellement adressée :

— Seulement une poignée d'esprits solitaires, j'en ai peur, et dont la voix résonne bien faiblement...

Surprises, les deux jeunes femmes lui jettent un regard interrogateur. Il s'embarrasse légèrement, tandis que Flavie explique à Marguerite :

— Quand M. Lainier a eu vent de ton séjour à Paris, il a manifesté le désir d'en apprendre davantage sur la Maternité. Il nous a invitées à lui rendre visite à l'École.

Elle conclut avec un regard d'excuse en direction du médecin :

— Mais nous avons toutes les deux été si occupées...

— Mon invitation tient plus que jamais, affirme-t-il avec empressement.

— Je serais ravie, dit Marguerite avec gentillesse, de revenir sur les lieux de ma première dissection.

Lainier sourit largement à ce souvenir. Il se penche vers elles :

— Depuis votre passage, je n'ai pas rencontré de personnalités telles que les vôtres. Vous m'aviez franchement impressionné ! Votre envie de savoir, madame Renaud, vous rendait insensible à l'aspect morbide de notre travail. Quant à vous, mademoiselle Bourbonnière, vous ne vous gêniez pas pour faire la morale à mes étudiants paralysés par votre présence...

À ce rappel de ce qui pourrait être considéré comme un comportement empreint de suffisance, Marguerite s'empourpre, mais l'admiration de leur interlocuteur semble tout à fait sincère. Envisageant son amie, Flavie avance, avec circonspection :

— Peut-être que monsieur aurait des suggestions…
pour t'encourager dans ton projet ?

Elle n'ose s'aventurer plus loin et Marguerite l'interroge avec une feinte candeur :

— Celui de devenir médecin ?

Manifestement saisi, Lainier les considère tour à
tour pour vérifier qu'il ne s'agit pas d'une plaisanterie.
Devant leurs mines très sérieuses, il articule :

— Vous voulez dire : doctoresse ?

Comme piquée par une guêpe, Marguerite réagit
aussitôt :

— Je veux dire : médecin licencié !

Elle n'en dit pas davantage, mais Lainier rougit jusqu'à la racine des cheveux. Dans le langage populaire,
le mot « doctoresse » désigne une classe très particulière
de praticiennes, réputées surtout en Europe et aux États-
Unis, qui se spécialisent dans les avortements. À mots
couverts, elles annoncent leurs services à grand renfort
de publicité dans les papiers-nouvelles et elles mènent,
semble-t-il, un train de vie digne des courtisanes !

L'embarras de Lainier fait place à un moment d'intense réflexion, au terme de laquelle il risque :

— Bien certainement, vous envisagez de vous spécialiser dans les délivrances, les maladies de femmes et le
soin des enfants ?

— Bien certainement. Nos mœurs ne l'accepteraient
pas autrement !

Marguerite se dépêche d'expliquer à leur interlocuteur qu'elle a réalisé, il y a plusieurs années, à quel point
les habitantes des faubourgs manquaient de soins, et
qu'à travers ces soins elle comptait leur indiquer la voie
de la dignité. Non pas cette fausse moralité catholique

qui ne s'appuie que sur la peur de l'enfer, mais la vraie dignité, celle qui est intrinsèque à chaque être humain et qui est souvent balayée par la frénésie des plaisirs faciles que provoquent la misère et la souffrance.

Sur le visage de Lainier, l'étonnement le cède à une sorte d'ivresse, un véritable emballement devant lequel le nœud d'appréhension au creux de l'estomac de Flavie disparaît d'un seul coup. Les contemplant avec émotion, comme enchanté par la révélation qu'un cerveau féminin puisse élaborer un plan si audacieux et d'une telle envergure, il répète encore :

– Médecin... C'est magnifique ! J'adore votre largeur d'esprit ! Je n'avais jamais envisagé la possibilité d'avoir un jour des collègues telles que vous, mais... cela me plaît plutôt. Cela me plaît infiniment ! Je vous attends à mon bureau, n'est-ce pas ? Attendez, voici ma carte, sur laquelle j'écris à l'instant les heures où je suis disponible... Si je n'y suis pas, faites-moi chercher par le concierge ! Vous me le promettez ?

Leurs mines autant réjouies que celle du professeur, Flavie et Marguerite acquiescent vigoureusement. Il ne peut s'empêcher de les gratifier chacune d'une franche poignée de main, puis, après une hésitation, il s'incline cérémonieusement devant elles. Après avoir reculé en les regardant comme si leurs personnes s'entouraient d'une aura lumineuse, il se détourne brusquement et s'éloigne à grandes enjambées. Les deux jeunes femmes échangent un regard ravi. Joseph Lainier est le premier praticien d'expérience qui ne considère pas cette intention comme une lubie insensée, digne de cervelles hystériques. Marguerite vient de se faire un allié de taille !

Chapitre xiv

C e n'est qu'à la toute fin du mois de mai que Marguerite et Flavie réussissent à trouver un moment pour se rendre à l'École de médecine et de chirurgie de Montréal, rue Saint-Urbain, dans le faubourg Saint-Laurent. Avec affabilité, Joseph Lainier les reçoit dans la petite pièce qui lui sert de bureau, encombrée d'étagères croulant sous les livres, les murs tapissés de dessins anatomiques. En son for intérieur, Flavie s'amuse du squelette humain posé, debout, dans un coin de la pièce.

Le professeur place deux chaises devant son bureau, puis il tire ensuite la sienne pour former un cercle et il invite les jeunes femmes à s'asseoir. Un silence embarrassé les enveloppe jusqu'à ce que, après s'être raclé la gorge, il laisse aimablement tomber, en envisageant Marguerite :

— C'est votre séjour à Paris qui vous a donné de telles ambitions ? J'imagine la formation médicale à la Maternité extrêmement plus poussée que tout ce qui se fait dans notre colonie reculée...

— Oh non ! s'empresse-t-elle de réfuter avec emphase. Je veux dire... Oui, l'enseignement là-bas, même celui qui est dispensé à de futures sages-femmes des campagnes, est d'un tel niveau ! Parfois, dans l'amphithéâtre, nous pouvions assister à des opérations complexes. Quel spectacle, je vous assure !

Flavie l'a déjà constaté : dès qu'il s'agit de son expérience parisienne, Marguerite est intarissable ! Du matin au soir, explique-t-elle donc à Lainier, exposés théoriques, visites des patientes installées dans les différentes salles et exercices pratiques se succédaient selon un génie organisationnel propre à la race française.

— Au début, j'assistais aussi aux leçons que les anciennes élèves donnent aux nouvelles, mais je me suis aperçue que j'en savais déjà autant qu'elles, grâce à l'École de sages-femmes et aux stages à la Société compatissante. Mais les leçons de la sage-femme en chef ! Il faut que je vous raconte, c'était proprement ahurissant. Chaque matin, entre sept et huit heures le matin, Mme Charrier choisissait trois élèves entre toutes, qu'elle faisait asseoir sur un banc de bois devant sa table. Elle les interrogeait pendant une heure sur tout ce qu'elles avaient pu apprendre au cours des journées précédentes. Si l'élève répondait à son goût, elle disait «Bien ! Très bien !» en rayonnant d'une telle chaleur ! Elle mettait dans cet enseignement tant d'âme, tant de passion ! Mais si l'élève hésitait, si son attention dérivait, gare à elle : Mme Charrier s'enflammait !

Au grand plaisir de ses auditeurs, Marguerite mime son comportement : elle bondit sur ses pieds, tape dans ses mains et lève les yeux au ciel, tout en déversant sur eux un torrent d'imprécations furieuses avec un authentique accent français ! La jeune femme cesse tout aussi abruptement, esquisse un sourire gêné et se laisse retomber sur sa chaise.

— Dès que l'élève se corrigeait, la satisfaction de cette bonne dame fusait avec autant de vivacité que sa colère. J'étais déroutée au début, mais j'ai bien vu qu'elle n'a pas une once de méchanceté dans le cœur. Simplement, elle ne réalise pas à quel point il est difficile, pour des jeunes filles ignorantes, d'assimiler des notions scientifiques.

Avec une grimace, le professeur remarque :

— On m'a parfois reproché, à moi aussi, une telle insensibilité…

— … qui dérive, en fait, d'une trop grande passion pour la profession.

— Tout à fait, mademoiselle. Dans ce domaine, les à-peu-près et les demi-mesures sont intolérables.

Flavie tient à mettre son grain de sel :

— Notre intérêt pour la science médicale, à Marguerite et moi, remonte à bien avant son séjour à la Maternité. Il faudrait être tombé sur la tête, monsieur, pour croire que la mode des médecins-accoucheurs épargnera notre colonie.

D'un ton égal, Marguerite ajoute, en promenant son regard de l'un à l'autre :

— Nous sommes au pied du mur. En France, et en Grande-Bretagne aussi, les sages-femmes ont encore une position relativement enviable. Je dis relativement parce que la tendance est manifeste : les médecins accaparent les cas compliqués et la liste des complications s'allonge indûment ! Ici, c'est encore pire. Nous copions tout ce qui se fait aux États-Unis, et miss Blackwell m'a expliqué en long et en large que là-bas, les médecins leur font la guerre. Elle est persuadée que d'ici quinze ou vingt ans, les sages-femmes auront disparu des villes. Dans notre Bas-Canada, peut-on espérer un sort différent ?

Flavie secoue vivement la tête avant de préciser :

— Mais comme notre civilisation est moins avancée, ça se fera peut-être d'ici vingt-cinq ou trente ans…

– Peut-être, mais ça se fera! À moins d'un revirement inattendu, les sages-femmes *savantes* sont en voie de disparition! Le mieux qui pourra leur arriver, c'est que les médecins leur laissent les délivrances naturelles pour lesquelles, selon eux, aucun savoir particulier n'est nécessaire!

Avec une moue dédaigneuse, Flavie déclare avec force:

– N'importe quelle femme ayant accouché elle-même, de surcroît suffisamment compatissante, pourra s'improviser accoucheuse!

Marguerite renchérit d'un ton lugubre:

– C'en sera fini de l'École de sages-femmes et de toutes les tentatives pour donner aux accoucheuses une formation digne de ce nom.

Les yeux ronds devant ce feu nourri de paroles, Joseph Lainier reste un moment stupéfait.

– Putain! Euh... je veux dire, pardieu! Ce ne sont pas des têtes de linotte que j'ai devant moi! Laissez-moi reprendre mon respir... Si je suis bien votre raisonnement, il ne vous reste qu'une seule alternative: devenir médecin, ou mourir.

Marguerite hoche vivement la tête tandis que Flavie, après une hésitation, réplique:

– En fait... Moi, je songeais plutôt à... à rester accoucheuse, mais à apprendre à manipuler les instruments. Une sorte *d'obstétricienne*, quoi...

Elle s'empourpre aussitôt. Elle vient de lui dire ce qu'elle n'a pas encore eu le courage de confier à Bastien... Avec un étonnement réjoui, Lainier répète plusieurs fois ce mot qui sonne très étrangement à leurs oreilles, puis il objecte:

– Mais un obstétricien est d'abord un médecin diplômé. Un spécialiste, en quelque sorte. Ce qui est tout à fait différent que d'être une *accoucheuse-qui-sait-tout*! Une femme médecin ne remet pas en question les idées reçues sur la supériorité de la nouvelle science médicale. Mais une accoucheuse qui peut manipuler les instruments? C'est inconcevable.

Tous trois s'absorbent dans une conversation animée, grâce à laquelle Flavie finit par saisir ce que Lainier veut dire. Même si elle sait manier un scalpel, une sage-femme qui a hérité d'un savoir pratique, un héritage millénaire certes, mais si peu valorisé, n'a pas du tout la même envergure qu'une obstétricienne formée dans une école de médecine! Flavie bredouille:

— Les mains des femmes, le cerveau des hommes... Voilà les deux antagonistes?

Un silence chargé accueille ses paroles, que Lainier rompt enfin en disant, avec ironie:

— Le génie, c'est bien connu, ne peut être que masculin...

— Cependant, la création d'une classe de sages-femmes professionnelles pourrait s'envisager, remarque Marguerite. Qu'est-ce qui est le plus outrageant pour un homme de l'art, monsieur Lainier: laisser les femmes envahir le champ de la médecine ou réévaluer ce dernier en laissant les accoucheuses définir un champ de pratique beaucoup plus large que ce qui se fait maintenant?

— C'est précisément ce que ma mère défend, ajoute Flavie avec mauvaise humeur. Elle prétend que le seul salut pour les accoucheuses, c'est de mettre l'accent sur leur propre savoir!

— Un savoir assez différent de celui des obstétriciens, fait remarquer Marguerite. Je ne dirais pas les mains contre le cerveau, mais l'adresse des mains nues contre la béquille des instruments...

– Votre question, mademoiselle, demande réflexion. Comme vous le savez, je suis aujourd'hui bien plus professeur que médecin praticien. Pour tout vous dire, je suis un accoucheur fort inexpérimenté! J'ai la chance de pouvoir perfectionner mon savoir en chirurgie et j'espère me spécialiser bientôt dans cette discipline. Mais puisque vous voulez connaître mon avis...

Il prend un long moment pour réfléchir.

– À mon sens... En tant que sages-femmes, vous serez toujours dans une position subordonnée. Votre seul véritable choix, pour avoir les coudées franches, est de vous placer sur un pied d'égalité avec les médecins. Votre mère, madame Renaud, réagit comme tous ces artisans extrêmement habiles, cordonniers, meuniers ou forgerons, qui défendent leur art contre ceux qui tentent de les déclasser en prétendant pouvoir fabriquer le même produit, mais à moindre coût. Ces artisans pourront-ils gagner contre les industriels?

Flavie s'emporte:

– La comparaison est boiteuse! Mettre en parallèle le savoir des sages-femmes et...

– Pas tant que ça, ma douce amie, l'interrompt Marguerite avec gentillesse. M. Lainier veut tout simplement dire que, dans la grande marche de la civilisation, bien des pratiques anciennes tomberont dans l'oubli.

– Est-ce une bonne chose? On peut en douter sincèrement. Mais il est difficile de lutter contre la marée...

Essoufflés par la discussion et par les intenses réflexions qu'elle suscite, tous trois s'octroient un moment de silence, jusqu'à ce que le professeur reprenne:

– Devenir médecin... Vous avez pensé aux difficultés qui vous attendent?

Marguerite réplique avec une grimace :

– Supposons qu'un médecin licencié consente à me prendre en apprentissage... Quel patient supporterait ma présence en consultation? Où pourrai-je faire les stages pratiques d'anatomie? Le Collège des médecins refusera ensuite de me laisser passer les examens publics... à moins de réussir à faire voter une loi spéciale par les députés!

– L'obstacle final, et non le moindre, serait l'attitude du public. Votre salle d'attente serait déserte!

Flavie objecte que bien des femmes préfèrent se faire soigner par une personne de leur propre sexe.

– Ne mettons pas la charrue avant les bœufs, soupire Lainier. Prenons le temps de réfléchir. Si la souris s'épouvante de la taille de la montagne qu'elle a devant les yeux, jamais elle ne la franchira. Mais si elle procède pas à pas...

Marguerite se lève brusquement :

– Nous avons suffisamment abusé de votre temps. Un grand merci, monsieur, d'avoir bien voulu causer de tout cela avec nous.

– Hélas, répond-il en sautant sur ses pieds à son tour, j'ai le sentiment d'avoir été d'un bien piètre secours! Je vous l'avoue, je suis fort désolé de tous les obstacles qui se dressent devant vous. Il me plairait bien de côtoyer des femmes médecins... Il me semble que notre profession y gagnerait prodigieusement!

– Le public surtout, le corrige faiblement Marguerite, en lui tendant la main. La seule chose qui compte, c'est le bien-être du public.

Le médecin les gratifie d'un large sourire et ses deux belles fossettes se creusent.

– J'ignore encore quelle aide concrète je pourrais vous apporter... Laissez-moi quelque temps pour y réfléchir. Pour l'instant, c'est la fin de la session et je suis comme une queue de veau!

Marguerite se confond alors en excuses, qu'il écarte d'un geste de la main avant de les reconduire jusqu'à la sortie de l'École de médecine. Une fois dehors, les deux jeunes femmes cheminent un long moment en silence. Dans la tête de Flavie, les idées tournoient à un rythme accéléré. En l'espace de quelques minutes, ses illusions viennent de passer par-dessus bord... Elle croyait sincèrement qu'il suffirait que Bastien lui enseigne en catimini tout ce qu'il est nécessaire de savoir, et qu'ensuite, triomphalement, elle manipulerait fers et crochets!

La démonstration est pourtant d'une logique implacable. Une obstétricienne se doit d'être experte dans toutes les techniques de chirurgie, non seulement savoir manier les instruments, mais aussi être capable de pratiquer une opération aussi délicate que la césarienne! De plus, des tumeurs, des afflictions ou des dérèglements compliquent parfois les délivrances. Comment poser le juste diagnostic et décider du bon traitement sans avoir étudié la médecine?

Cependant, les maîtresses sages-femmes de France possèdent toutes ces compétences... sauf l'art de trancher au scalpel! Aussitôt, Flavie en fait part à son amie, qui finit par convenir qu'en effet voilà où la distinction devrait s'imposer, voilà où devrait se trouver la ligne de démarcation: d'un côté, la chirurgie, cette science si complexe, et de l'autre, l'obstétrique! Cependant, concernant les femmes en couches, les médecins veulent être les deux à la fois, ils veulent être des chirurgiens-accoucheurs, parce que c'est ainsi seulement qu'ils justifient leur prétendue supériorité sur les sages-femmes!

Marguerite glisse son bras sous celui de Flavie et déclare avec un soupir :

— Que de choses à penser, que de décisions difficiles à prendre! On s'en reparle après les vacances…

À la fin du mois de juin, Julie Renaud et sa mère quittent enfin la métropole pour deux mois à la campagne. Archange a encore insisté, avec moins d'obstination, cependant, que l'année précédente, pour que Bastien et Flavie se joignent à elles pour leurs trois semaines de vacances. Le jeune couple envisageait d'abord de retourner à Cacouna, mais une invitation inattendue pour un séjour à Longueuil de la part de la sœur de Léonie, tante Catherine, les a fait changer d'idée.

Flavie a dû s'avouer qu'elle était fort tentée par la perspective de vacances à la ferme et il ne lui a pas fallu un grand effort pour en convaincre Bastien. Sauf les rencontres aux veillées du jour de l'An, son mari ne connaît presque pas la famille de Flavie. Par ailleurs, la jeune femme se sent coupable de négliger ses parents, qui seront également du voyage. Elle les a bien invités à souper à quelques reprises, mais, depuis l'hiver, elle n'a même plus le temps d'aller veiller rue Saint-Joseph! Enfin, à l'idée qu'Agathe et Laurent se joindront à l'équipée, l'allégresse fait courir le sang dans ses veines!

À la fin du mois de juillet, c'est donc une joyeuse troupe qui traverse le fleuve sur l'une des nombreuses barques à vapeur qui sillonnent maintenant les principaux cours d'eau de la colonie. Le pied à peine posé à Longueuil, les six retrouvent presque instantanément un entrain jusque-là rabattu par les chaleurs du début de l'été et les émanations de toutes sortes : déchets qui s'amoncellent dans le moindre recoin, effluves de poulaillers, de porcheries et d'écuries, et, encore plus prenants, ceux qui proviennent des ateliers de fabrication !

Au premier abord, la vie a très peu changé dans le rang du Pot-au-Beurre. L'oncle René s'occupe de ses bêtes, de ses champs et de ses enfants avec la même certitude tranquille. Toujours peu loquace, Catherine va d'une tâche à l'autre. Au fil des ans, elle garnit la maison de rappels de sa dévotion à la religion catholique : crucifix dans la cuisine et dans sa chambre, chapelet aux grains ambrés suspendu à un mur, statue de la Vierge dans une niche...

Germain, un adolescent trapu et râblé comme son père, est bel et bien sorti de l'enfance. Catherine et Léonie ont plusieurs conversations au sujet de son intérêt pour la gent féminine, un intérêt qui inquiète la première, préoccupée par sa place au ciel, mais que la seconde trouve bien normal... Dans le but, sans doute, de s'édifier par des révélations au sujet de la vie d'homme marié, le garçon tourne autour de Bastien dès qu'il en a l'occasion.

Grand-père Jean-Baptiste ne se lève presque plus de sa chaise berçante, mais son œil est encore pétillant et il n'a rien perdu de son esprit de repartie. Il saisit la moindre occasion pour taquiner Bastien, se moquant des docteurs maniérés et trop bien habillés qui tentent d'impressionner les ignorants en étalant leur prétendue science. Le jeune homme est bon public, ce dont le vieil homme se régale.

Cependant, Léonie n'est pas sans remarquer que son gendre serre les dents lorsque Jean-Baptiste, posant son regard sur le ventre plat de Flavie, fait quelques remarques grivoises au sujet de ses faibles capacités masculines. S'il se retient de répliquer, Flavie n'a pas cette délicatesse et, usant d'expressions à double sens qui font bien rigoler son grand-père, elle s'empresse de l'instruire sur les nombreuses et agréables méthodes pour empêcher la famille. Elle se moque de lui à mots couverts : était-il donc à ce point ignorant ? Réjoui, Jean-Baptiste reverdit au fil des jours. Germain laisse souvent traîner son oreille et Catherine, si elle est présente, couvre leurs asticotages de nombreux « Chut ! » vigoureux.

À des degrés divers, tous s'amusent des maladresses de Bastien qui, depuis son séjour à la campagne lors de l'épidémie de typhus de 1847, n'a pas vraiment eu l'occasion de perfectionner les maigres compétences acquises à aider les fermiers de l'endroit. Ses tentatives à la traite des vaches suscitent tant de quolibets et de fous rires qu'il se décourage bientôt, préférant le soin des chevaux et le charriage d'eau depuis la rivière pour abreuver les bêtes si les citernes d'eau de pluie sont à sec. Sans se plaindre, il accompagne les femmes dans le travail au potager, du moins quand la trop sévère Catherine n'y est pas...

Josephte s'affaire à coudre son trousseau en prévision de son mariage, prévu pour l'automne. Lorsqu'elle se retrouve seule avec Flavie, elle interroge sa cousine avec un détachement affecté sur l'état de femme mariée. Sa curiosité est manifestement mêlée d'un sentiment d'alarme. Si, malgré la pruderie de sa mère, elle sait très bien, d'après le spectacle des bêtes, comment les enfants sont conçus, elle préférerait ne pas engendrer trop d'enfants, et pas nécessairement tout de suite. Avec prudence mais sincérité, Flavie répond à ses questions, lui décrivant toutes les méthodes contraceptives qu'elle connaît. Elle s'enhardit jusqu'à évoquer certains comportements amoureux qui font rougir Josephte jusqu'aux yeux.

Avec un soulagement manifeste, sa jeune cousine lui confie un secret lourd à porter. Elle sait que, parmi toutes les demoiselles de son entourage, Flavie est la seule qui soit capable, sans l'ombre d'un doute, de ne jamais l'ébruiter : elle a prouvé sa discrétion à plusieurs reprises, contrairement à d'autres qui, malgré toutes leurs belles promesses, n'ont pu tenir leur langue. Son futur, un jeune paysan de la paroisse, a le projet d'émigrer dans le nord-est des États-Unis pour y tenter sa chance. Josephte n'est pas contre : troisième de famille, il n'aura pas droit à une parcelle de terre. Il a pris de l'expérience dans l'une des forges du village et il croit que son succès serait assuré dans une grande fonderie américaine.

Josephte préfère ne pas en parler à ses parents parce qu'elle craint qu'ils ne s'opposent alors à leur mariage, mais elle est manifestement écartelée entre l'excitation et la crainte. Elle sera bien loin de sa famille et de toutes ses relations, même si son promis compte sur l'aide d'un petit-cousin déjà sur place. Flavie lui fait valoir que de nombreuses possibilités s'ouvrent à Montréal : des fabriques s'installent à proximité des écluses du canal et, explique-t-elle en gesticulant, leurs machines vont être mues par la puissance de l'eau, disponible à profusion ! Par ailleurs, beaucoup d'ateliers de production engagent des artisans.

Avec une moue d'incompréhension, Josephte repousse ses arguments du revers de la main. L'idée de son futur mari est faite et il n'en changera pas. Elle ne sait pas encore si elle partira avec lui tout de suite ou si elle attendra qu'il ait une «position sécure» pour émigrer à son tour. Elle a son mot à dire dans le choix de leur lieu de vie, n'est-ce pas? Cependant, arriver dans une localité sans point de chute signifie au moins quelques semaines d'une existence précaire, à partager une pièce étroite dans une pension minable.

En de trop rares occasions, Flavie et Agathe se rejoignent pour de longues promenades pendant lesquelles elles bavardent jusqu'à en perdre le souffle. Elles ont bien du temps à rattraper, question échange de nouvelles! Flavie réalise que sa meilleure amie d'enfance est froissée de son peu d'empressement à la visiter, même si elle tâche de ne pas le laisser paraître. De là à croire que Flavie la considère de haut, il n'y a qu'un pas! À la fin du séjour, cependant, les deux jeunes femmes ont retrouvé, intacte, la complicité qui les a si longtemps unies.

Quelques tâches plus exigeantes, des *bees*, rassemblent parfois femmes ou hommes des environs, ou les deux: l'occasion est belle de terminer la corvée, qu'elle ait lieu chez les Cadieux ou chez l'un ou l'autre de leurs voisins, par des réjouissances bien arrosées qui finissent par quelques danses endiablées.

Le cours de la vie semble immuable, dans le rang du Pot-au-Beurre, mais les Montréalistes savent qu'il ne faut pas se fier aux apparences. Le souffle de la modernité s'insinue en campagne comme une couleuvre glisse paresseusement au soleil! Par temps très calme, le sifflet de la locomotive du St. Lawrence & Atlantic Railroad se fait entendre jusque chez René et Catherine, leur rappelant que le marché lucratif de la ville est maintenant à leur portée.

À l'été 1848, le premier tronçon de 30 milles entre Longueuil et Saint-Hyacinthe était achevé, et en décembre, deux trains quotidiens se mettaient à assurer la liaison entre la rive sud du fleuve, face à la métropole, et le prospère centre agricole. Il avait bien fallu se rendre à l'évidence : cet ambitieux projet de relier Montréal à Portland, sur la côte atlantique dans le Maine, allait peut-être finir par aboutir! Les sceptiques se récriaient devant la folie de cette entreprise, qui visait non seulement à assurer aux marchandises montréalaises l'accès à un port océanique ouvert à l'année, mais aussi à concurrencer les deux puissances économiques des États-Unis, soit Boston et New York, auxquelles leurs habitants voulaient conférer le statut enviable de centres commerciaux de l'Amérique du Nord.

En cet été 1851, des milliers de manœuvres sont en train d'achever un deuxième tronçon, de Saint-Hyacinthe à Richmond, ce qui va porter la longueur totale de la voie ferrée à 71 milles. Mais le St. Lawrence & Atlantic pourrait franchir encore mille milles vers le sud que René n'en serait pas davantage troublé. Pour lui, c'est déjà un fait accompli : un lien rapide avec la ville change complètement la donne. L'oncle de Flavie peut bien bougonner et ronchonner, chacun sent que derrière l'apparente contrariété pointe le goût du défi!

Épousant celui de la nature, les paysans mûrissent leurs idées et décident de leurs actes à un rythme lent. Il leur faut des années pour adopter une nouvelle technique, mais il semble que le moment décisif soit arrivé rang du Pot-au-Beurre. Une petite brochure, distribuée dans les campagnes par l'entremise des curés et des notables, suscite d'intenses discussions parmi les hommes... et les femmes, quand on daigne écouter leur avis.

Signé par un «Habitant du district de Montréal» qui souhaite rester anonyme, ce *Traité sur la tenue générale d'une terre* insiste sur un accroissement de la fertilité du sol par des moyens naturels, tout cela en vue d'en augmenter la productivité sans l'épuiser et de permettre aux paysans de prospérer. C'est le gouverneur général du Canada-Uni, lord Elgin, qui a supporté les frais de cette publication, croyant qu'elle pouvait être utile aux cultivateurs du Bas-Canada.

Si René ne sait que signer son nom, il est cependant capable de lire, mais avec tant de peine que Simon a pris l'initiative de faire la lecture de la brochure à voix haute, pour le bénéfice de toute l'assemblée présente. Malgré son dédain à se faire dicter une ligne de conduite, le beau-frère de Léonie ne peut faire autrement que de reconnaître, encouragé en cela par la véhémence de Simon, que les terres du pays sont généralement épuisées. De plus, les paysans n'ont que de maigres capitaux.

Il ne leur reste donc qu'une seule solution, soutient l'auteur, qui prétend l'avoir lui-même appliquée avec succès: un système précis de rotation des cultures, selon un programme s'étalant sur six années, et qui comprend des pâturages. De plus, les cultivateurs doivent favoriser la production d'engrais sur place, tout bonnement en mangeant eux-mêmes et en fournissant aux animaux tous les légumes, le foin et la paille cultivés, selon le cycle immuable d'ingestion de matières vivantes, puis d'expulsion de déchets qui engraissent le sol. Simon répond à la protestation de René en poursuivant sa lecture. S'il faut se garder de vendre ces produits aux citadins, on pourra par contre, dès que le sol aura retrouvé une meilleure fertilité, se débarrasser avec profit des surplus de grain, beurre, fromage, viande, lard et laine !

Léonie délaisse à quelques reprises ces discussions énergiques pour rendre visite à sa tante, la sage-femme Sophronie Lebel, qui habite, avec son vieux garçon de fils, une petite maison du village. Son énergie vitale ayant beaucoup baissé, Sophronie a mis un terme à sa pratique, mais c'est avec fierté qu'elle raconte à sa nièce et à Flavie, qui accompagne sa mère ce jour-là, que les paroissiennes viennent encore nombreuses frapper à sa porte pour la consulter sur quelque problème relié à l'enfantement ou à une maladie de femmes.

Dans la petite balançoire de bois installée dans un recoin de la cour de Sophronie, les trois femmes passent un long moment à discuter de leur métier. Heureuse de pouvoir enfin mettre sa tante au courant de ses projets, Léonie lui explique la future expansion de son école, soutenue par le conseil d'administration de la Société compatissante, et l'embauche de l'accoucheuse Marguerite Bourbonnière pour quelques cours avancés.

— Si tout va pour le mieux, j'annonce mes projets cet automne dans les journaux et le cours étalé sur deux années commencera dès janvier prochain. Je t'avoue franchement, ma tante, que c'est un véritable pari. Je joue le tout à pile ou face et je ne sais pas si le sou tombera côté pile ou côté face. Combien oseront se lancer dans cette aventure, à part les jeunes filles envoyées par les curés des paroisses rurales ?

— Ailleurs que chez les bourgeois, il y aura toujours du travail pour les accoucheuses, intervient Flavie. Mais un travail rémunéré à sa juste valeur? Un travail qui mérite qu'on investisse temps et argent pour se perfectionner? C'est une autre paire de manches... En ville, les médecins nous portent fièrement ombrage.

— Mes élèves m'en jasent souvent, confirme Léonie. Elles sont inquiètes. Leur cours et leur stage terminés, elles ne savent pas vraiment où se diriger. Leur seule possibilité est d'accrocher une pancarte au-dessus de la porte en espérant qu'on vienne frapper... J'ai longuement songé à ce grave problème. Toutes les accoucheuses sont conscientes qu'il faut transformer le métier en une profession honorable et reconnue, mais les opinions varient sur la meilleure méthode à employer!

Ce disant, Léonie lance une œillade en direction de Flavie, puis reprend avec obstination, le front barré d'un grand pli:

— Il faut agir pour créer un intérêt renouvelé pour le métier. Je crains fort qu'à moyen terme... Le premier pas, il me semble, serait de mettre sur pied une association professionnelle d'accoucheuses, sur le modèle du récent Collège des médecins. C'est la seule solution pour faire la promotion de notre savoir. En groupe, nous serons mieux armées pour défendre nos intérêts sur la place publique.

— La chose est claire, commente Sophronie. Pour quelle raison la médecine serait-elle une profession, et pas le métier d'accoucheuse?

— Parce que nous sommes des femmes, répond Flavie d'un air lugubre. Parce que, dans l'esprit de bien des messieurs, notre seul vrai travail, c'est de perpétuer la famille. Parce que, contrairement aux médecins, nous n'avons pas de représentantes à la Chambre pour promouvoir notre cause et faire passer des lois.

Assombrie, Léonie considère sa fille avec désarroi.

– Mais explique-moi, maman : dans quel but, ton association professionnelle ?

– Nous donner des règles claires concernant notre formation. Soutenir officiellement une école qui appliquerait ces règles. Faire reconnaître notre profession par la législature et lui donner, comme à celle des médecins, toute la latitude pour s'épanouir. On créerait ainsi une classe d'accoucheuses de grand talent.

Flavie questionne avec espoir :

– Des accoucheuses initiées aux grands principes de la chirurgie et capables de manipuler les instruments ?

Contrariée, Léonie la toise et s'empresse de répliquer :

– Je ne sais pas d'où te vient cette fascination... À ta place, je serais rudement satisfaite d'être une sage-femme accomplie, qui en sait plus long que n'importe quel homme de l'art sur les délivrances et les maladies de femmes !

Flavie répond avec une intensité proche du désespoir :

– Les sages-femmes ne sont plus considérées à leur juste valeur et rien ne pourra changer cela ! Il faudrait être sot pour croire le contraire. Mme Nihell espérait que la nature et le sens commun recouvreraient leurs droits, mais elle se trompait. La mode donne le ton non seulement aux habillements et aux ameublements, mais à des actes fièrement plus essentiels... Elle descend des grands jusqu'aux petits et fait passer en usage les choses les plus déraisonnables. Par vanité, par ostentation, pour se donner un air et un relief dans le monde, les dames ne se fieront plus qu'à la science des médecins.

— Cesse de me rebattre les oreilles avec tes belles phrases! la rabroue Léonie.

— Mme Charrier, de la Maternité de Paris, ne fait venir le chirurgien que dans des cas rarissimes, reprend Flavie d'un ton plus calme. Et pourtant, elle en voit, des complications! Ce sont des femmes très pauvres qui sollicitent l'accueil à la Maternité, des femmes mal nourries, épuisées, qui ont eu la vie dure… Une fois, Marguerite l'a vue manipuler le forceps avec une adresse consommée!

— Les fers et tous ces instruments inventés par les médecins-accoucheurs ne sont que de la poudre aux yeux pour impressionner les patientes!

— Ce n'est pas ce que semble croire Mme Charrier, répond Flavie froidement. Les maîtresses sages-femmes ne confient à personne d'autre la manipulation des instruments. Mme Lachapelle a écrit un long passage éclairant à ce sujet. Je commence même à croire qu'il te faudrait inclure cette matière dans le programme de ton école. Trouver une praticienne assez expérimentée pour enseigner sa science…

— Les fers à mon École! s'exclame Léonie d'un ton outragé. Au vu et au su de tout le monde! Prends garde, Flavie, à fréquenter le monde des médecins, il te vient des lubies…

Sophronie grommelle:

— Vous vous brouscaillez pour des riens… Fers par icitte, chirurgie par là… Quelle importance si des accoucheuses leur disent oui, et d'autres non?

Flavie offre un sourire contrit à sa mère. À vrai dire, l'idée d'une association de sages-femmes lui semble grandiose. Peut-être que Joseph Lainier a tort et que, si elles savent s'organiser, tout est possible ? En tout cas, il faut essayer ! Elle affirme :

– Je soutiens ton projet, pour le sûr. Je le soutiens même si j'ai bien peu d'espoir qu'il se concrétise. Il est temps que les accoucheuses fassent valoir leurs droits. Il faut en faire une profession libérée de tous les préjugés qui l'entachent ! Mais j'ai bien peu de temps à te consacrer...

Partagée entre l'orgueil et le dépit, Léonie explique à sa tante :

– Flavie est une praticienne très demandée. Son association avec Bastien est un succès.

– Lui s'assoit à la table de la cuisine en face d'un petit verre de boisson, tandis que moi, je m'agite au chevet de la femme en couches jusqu'à la fin. Des fois, ça me choque !

Toutes trois s'esclaffent, ce qui détend l'atmosphère, puis Flavie redevient sérieuse et médite quelques instants sur les projets de Léonie. Après un moment, elle murmure :

– La marche à suivre semble claire, n'est-ce pas ? D'abord, fonder cette association. C'est elle qui, par la suite, va décider d'un programme d'apprentissage, d'une école et du reste... À quand la première réunion ?

Plus tard, pour réfléchir à son aise, Flavie s'assoit dans la vieille berlancille suspendue à une branche derrière la maison du rang du Pot-au-Beurre. Elle ne sait plus trop à quel saint se vouer ! Le projet de sa mère lui semble digne de tous les éloges, mais, en même temps, comment ne pas abonder dans le sens du professeur Lainier? Doter les sages-femmes d'un savoir autonome et reconnu ou enfoncer la porte de la médecine? Elle doit bien reconnaître que c'est vers Léonie que tout son être se porte. Si peu de femmes, une poignée peut-être, ont la capacité d'étudier la médecine! Flavie elle-même doute qu'un tel diplôme soit à sa portée. Tandis que les accoucheuses professionnelles pourraient être nombreuses si l'on créait pour elles un savoir spécifique, adapté à leurs besoins… Marguerite en conviendra sûrement!

Chapitre XV

C'est un jeune couple régénéré par le grand air et par l'absence de soucis qui, par une grise journée du mois d'août 1851, remet le pied sur le sol montréalais. Revenu de ses vacances, Édouard est aussitôt reparti en voyage d'affaires. Lucie fait un séjour dans sa famille; bientôt, ce sera au tour de leur nouvelle employée, Guillemette, qui ne se contient plus d'impatience. Pour lui donner l'occasion de se distraire, Flavie la relève de plusieurs de ses tâches, lui permettant ainsi de profiter avec insouciance jusqu'à dix heures du soir, couvre-feu imposé par Bastien, des distractions que la ville offre à ses habitants.

De nouveau, Flavie et son mari profitent de quelques moments d'une enivrante solitude. Après trois semaines de continence imposée par le manque d'intimité chez Catherine, continence rompue à seulement deux reprises, une fois dans le secret de l'alcôve qui leur était dévolue et l'autre fois dans la grange, après une soirée de libations, leurs sens sont en ébullition. Ils jouissent d'autant plus des caresses échangées que leur emploi du temps est notablement moins chargé: les bourgeoises batifolent à la campagne et, de surcroît, les accouchements en plein cœur de l'été sont plus rares. De plus, il appert que les gens oublient d'être malades! Seuls les accidents augmentent en fréquence. Débardeurs, charretiers et manœuvres sont régulièrement amenés par leur contremaître rue Saint-Antoine pour de sérieuses contusions, luxations, brûlures ou fractures.

Étienne L'Heureux profite à son tour de trois semaines de vacances. Bastien raconte à Flavie que le jeune médecin préfère, et de loin, l'animation de la ville au charme bucolique de la campagne. Chaque soir, il s'épivarde dans différents coins de la ville et fait de mystérieuses visites qui le tiennent éveillé jusqu'à l'aube.

Le couple s'est progressivement lié au jeune médecin. D'abord déroutée par ses manières affectées jusqu'à en être presque obséquieuses, Flavie n'a pas tardé à être séduite, à mesure que tous deux faisaient connaissance, par sa personnalité attachante, par son intelligence acérée et par sa sensibilité à fleur de peau. Étant donné qu'il reste au lit pendant l'essentiel de la journée, Flavie profite d'un moment où elle le croise, rue Saint-Antoine, pour l'inviter à ce qu'elle nomme un «souper style dîner».

Manifestement embarrassé, le jeune homme se dandine d'un pied sur l'autre. Déconcertée, Flavie coule un regard interrogateur vers Bastien, mais Étienne se jette soudain à l'eau avec une expression touchante, mélange de défi et de crainte:

— Flavie… J'ai déjà pu prendre la mesure de votre ouverture d'esprit. Je veux être avec vous comme je suis réellement. Je songe depuis longtemps à… Enfin, je me torture depuis des semaines parce que je sais que je risque de mettre notre amitié en jeu, mais…

Il lance un coup d'œil désespéré vers Bastien. Pendant de longues secondes, ce dernier tente de deviner son message et enfin, d'une voix mesurée, il bredouille:

– Si je te comprends bien... tu fais allusion à ta... ta préférence pour les hommes? Flavie est au courant. Je lui en ai parlé.

Étienne relance la jeune femme avec une soudaine brusquerie :

– Si vous regrettez votre invitation, vous pouvez vous rétracter, je n'en serai pas froissé.

Flavie reste interdite, complètement désemparée. En un éclair, elle prend la mesure de toute la souffrance engendrée par cette singularité, qu'il portera en lui sans doute pour toujours... Après un silence gêné, Bastien s'interpose avec une gentillesse mêlée de fermeté :

– Mon cher, je crois que tu plonges ma femme dans l'embarras...

Rougissant profondément, le jeune médecin s'avance vers Flavie en ouvrant les mains :

– Pardonnez-moi, Flavie, je n'avais pas conscience... Si vous saviez comme je suis fatigué de faire semblant! En société, je *dois* cacher ma vraie nature, même si tout le monde la connaît, tout simplement parce que ce ne serait pas convenable! Plus je vieillis, plus cette hypocrisie me pèse. Tandis qu'avec vous deux... Vous comprenez?

Attendrie, Flavie hoche la tête. Elle ne connaît rien du monde étrange des pédérastes, mais elle est bien disposée à en apprendre davantage! Comme il la considère d'un air suppliant, elle dit enfin :

– Moi aussi, en société, je dois cacher ma vraie nature. Je dois adopter des manières censément féminines et faire semblant de m'intéresser à la broderie et aux belles toilettes!

Les deux hommes rient brièvement en échangeant un regard soulagé. Flavie ajoute lentement, avec gêne :

— J'apprécie fièrement l'amitié dont vous nous comblez. Je serais désolée de vous perdre. Me croyez-vous ?

— Je vous crois, répond-il gravement.

— Pour moi, il va de soi que l'honnêteté est essentielle, en amitié comme en amour. N'est-ce pas, Bastien ?

Ce dernier hoche vigoureusement la tête. Encore ému par cet échange de propos, Étienne les quitte plutôt brusquement après avoir accepté l'invitation de Flavie. En silence, le jeune couple ferme le bureau, puis prend le chemin de la rue Sainte-Monique. Tout en cheminant, Flavie s'informe des sentiments réels de son mari au sujet de cette inclination prétendument «contre nature» de son ami. Après avoir réfléchi un bon moment, il répond :

— Nous savons tous les deux que l'Église la condamne. Elle fait semblant d'ignorer que plusieurs prêtres s'y adonnent, même avec des jeunes garçons, ce qui est révoltant, mais elle la condamne ! Juste à cause de ça, Flavie, j'ai beaucoup d'indulgence pour Étienne. Je crois qu'il est gouverné par sa préférence, comme je suis gouverné par la mienne pour les femmes et plus particulièrement pour toi. Je l'aime bien, Étienne. Il a un cœur d'or. Dire que pendant nos études à l'École de médecine, je le considérais avec une certaine… disons, hauteur…

Flavie acquiesce d'un grognement. Bien des jeunes bourgeois sont contaminés par la détestable manie de se croire supérieurs au commun des mortels ! Dans les jours qui suivent, elle planifie selon sa fantaisie un menu qui la fait saliver d'avance : une immense salade verte rehaussée de vinaigrette, un plateau de ces petits concombres dont les Canadiens, à juste titre, ont la réputation de raffoler, un assortiment de pâtés et de fromages paysans, du pain de ménage et des viennoiseries, le tout accompagné de vin et de thé. Bastien s'épate de ce repas où les aliments échauffants et stimulants, qui sont la cause de tant de maux, brillent par leur absence !

Le jour convenu, Étienne fait bientôt son apparition, les bras chargés de fleurs, la mise impeccable comme à l'accoutumée, son crâne à moitié chauve orné d'un chapeau fort élégant. Devisant gaiement, tous trois se promènent d'abord dans la petite cour. Le jeune médecin s'étonne du minuscule potager qui en occupe un recoin et Flavie lui explique qu'elle est bien incapable de passer l'été sans faire pousser des carottes, des patates et quelques herbes aromatiques.

Elle décrit la scène en rigolant : si Archange, vêtue d'une jolie robe et protégée du soleil par une coiffe toute mignonne, se promène dignement dans ses plates-bandes, un sécateur à la main, coupant une tige ici, arrachant une mauvaise herbe là, elle-même enfile sa plus vieille jupe qu'elle retrousse jusqu'à la taille pour, pieds nus, prendre soin de son jardinet ! Il va sans dire qu'Archange lui jette souvent des regards en coin dans lesquels Flavie décèle une certaine réprobation...

— Flavie a travaillé très fort après notre mariage, précise Bastien, un grand sourire aux lèvres. Tu aurais dû la voir, Étienne, c'était d'un réjouissant ! Retourner le sol, le nettoyer, l'engraisser en transportant des poches de fumier...

— Le pauvre, il a bien dû m'aider ! À me laisser faire seule tout ce travail, il passait pour un fieffé paresseux !

— J'avoue que, de temps en temps, je ne déteste pas venir déterrer une carotte. Elles sont tendres et sucrées en diable... D'ailleurs, si je me permettais...

– Pas touche! s'exclame Flavie en lui donnant une tape sur le bras. Elles ne sont pas encore tout à fait à point... Si tu as si faim, je peux te donner une brindille de thym à mâchouiller. C'est excellent pour l'haleine...

Bastien lui fait une mine exagérément outrée et, après un rire léger, Flavie glisse ses bras sous ceux des deux hommes pour les entraîner gentiment vers la maison.

– Parlez-moi de vous, Étienne. Je ne sais presque rien de votre passé. Où avez-vous grandi?

Légèrement embarrassé, le médecin se racle la gorge avant de répondre:

– Faubourg Québec. Mon père est artisan brasseur chez Molson.

– L'un des meilleurs de la colonie, ajoute Bastien.

– Plaisant métier, apprécie Flavie. Aimez-vous la bière?

– Pas tant que ça, répond-il avec un rire bref. Je préfère le vin et quelques liqueurs fortes...

Au-dessus de Flavie, les deux hommes échangent un regard entendu. Alertée, la jeune femme se demande ce que cela signifie. Étienne serait-il porté sur la bouteille, au point de ne plus être maître de lui? Avec moins d'assurance, elle l'interroge ensuite sur son apprentissage, qu'il lui décrit rapidement. Bastien intervient encore:

– Étienne est excellent pour les diagnostics. Je n'ai pas encore pu percer son secret... Il réussit bien plus souvent que moi à viser juste. Ses traitements curatifs ont beaucoup plus de succès que les miens!

– Je passe mon temps, Flavie, à répéter à votre mari que c'est uniquement une question d'intuition. Je ne sais pas comment j'y parviens, mais quand je prends le temps de considérer attentivement les symptômes et les signes vitaux, la réponse se présente d'elle-même en moi, comme une évidence.

— Je redirige souvent mes patients vers lui, affirme Bastien à Flavie avec un clin d'œil.

— La plupart du temps, je ne fais que confirmer ton propre diagnostic.

— Mais tu ajoutes à la cure quelque élément miraculeux…

— De mon côté, je préfère que tu prennes charge des cas compliqués de fracture et d'entorse. Tu as une sûreté de geste qui me fait cruellement défaut !

— C'est que, depuis deux ans, j'étudie intensivement l'anatomie… féminine.

Les deux hommes pouffent de rire. Luttant pour conserver sa dignité, Flavie marmonne :

— À ce que j'entends, vous faites une sacrée belle paire de praticiens !

Étienne la corrige aimablement :

— Ou plutôt, un plaisant trio ! Grâce à vous deux, je peux me permettre d'éviter les délivrances, devant lesquelles je me sens aussi à l'aise qu'une soutane dans une maison déréglée…

Craignant de l'avoir offensée, comme toute bourgeoise devrait l'être, il jette à la jeune femme un regard circonspect, mais Flavie lui offre un sourire épanoui. Elle est ravie de se sentir, même un bref moment, considérée comme son égale, presque aussi savante que lui… Elle s'exclame gaiement :

— Maintenant, que diriez-vous de passer à table ? Pour le sûr, vous mourez d'envie de croquer une de ces tranches de concombre! Et ne prétendez pas que l'abus de ce légume est mauvais pour la santé. Pouvez-vous me dire d'où ça vient, cette croyance bizarre des médecins?

Profitant de l'agréable température, Bastien et elle ont dressé la table dehors, sur le patio de pierres. Le souper se déroule paresseusement, dans un jardin peu à peu envahi par la pénombre. Au moment où ils allument quelques chandelles, des bruits leur parviennent en provenance de l'intérieur. Flavie s'étonne que Guillemette rentre si tôt, mais c'est la silhouette d'un homme massif et d'une taille plus grande que la moyenne qui s'encadre dans la porte. La voix gouailleuse d'Édouard Renaud résonne:

– Quel plaisant portrait vous faites, tous les trois! Comme une peinture ancienne…

– Ton voyage est terminé? s'étonne Bastien. On ne t'attendait pas si vite…

– Quand les affaires sont bonnes, nul besoin de s'éterniser!

– Si vous avez un petit creux, venez vous joindre à nous! Bastien, tu pourrais lui approcher un siège…

– Ce n'est pas de refus, grommelle Édouard. Vous permettez? Je vois que ces jeunes messieurs se sont déjà mis à l'aise…

Il retire sa redingote poussiéreuse puis, après avoir échangé avec Étienne une poignée de main, il prend place tandis que Flavie installe un couvert devant lui. Considérant les plats éparpillés sur la table, il s'extasie:

– Quel menu parfait pour une chaude soirée d'été! Dorénavant, Flavie, je vous charge de la planification des repas!

– Je crois que votre épouse n'apprécierait pas du tout! remarque la jeune femme en riant. Mais je lui ferai diplomatiquement quelques suggestions...

Édouard remplit son assiette et se met à dévorer avec une mine réjouie. Entre deux bouchées, il articule:

– Dans les auberges, on nous offre seulement des pot-au-feu ou des viandes grillées. Horriblement monotone!

Une discussion s'engage sur les inconvénients des voyages et Flavie, alanguie, laisse son regard errer de l'un à l'autre. Les trois hommes sont en chemise; Bastien en a même roulé les manches et détaché les premiers boutons du col. C'est ainsi qu'elle le préfère, décontracté et dépeigné... Fort comiquement, Étienne a préféré conserver son chapeau, placé de guingois. Malgré ses traits légèrement empâtés, la joliesse de ses yeux ourlés de cils fournis et de sa bouche gracieuse frappe le regard. Sa faible pilosité donne à sa peau une texture délicate, presque féminine...

Le contraste est grand avec le visage aux traits rudes et accusés d'Édouard, qui lui donnent l'air d'un bûcheron mal dégrossi. Ses longs favoris sont en broussaille, comme ses sourcils; esquissant un sourire discret, Flavie l'imagine devant la glace en train de les peigner soigneusement, comme il doit le faire chaque matin...

Brusquement, Édouard se retourne à moitié sur son siège et il ouvre la bouche pour appeler. Son fils l'avertit aussitôt:

– Inutile. Guillemette est en ville.

Il sollicite une explication, que Flavie lui fournit plaisamment. La considérant d'un air taquin, son beau-père se gausse:

322

– Votre initiative, j'imagine? Ma parole, ma bru est sur le point de faire adhérer mes domestiques à une union de métier!

– Ça existe? s'étonne ingénument Étienne.

– Non, mais ça devrait! réplique Flavie.

Se tournant vers Édouard, elle demande suavement:

– Je peux aller quérir quelque chose pour vous, beau-papa?

– Je préfère envoyer fiston, répond-il. Comme ça, on ne m'accusera pas d'être, en plus d'un patron tyrannique, un mâle misogyne! Bastien, près du guéridon de l'entrée, il y a une petite valise par terre.

Le jeune homme se lève de bonne grâce et revient bientôt avec l'objet demandé. Édouard en tire un paquet lâchement emballé dans un tissu léger, qu'il remet à Flavie. Surprise, cette dernière balbutie:

– C'est pour moi? En quel honneur?

– J'ai pensé qu'il vous irait bien. Les Sauvages fabriquent de magnifiques parures...

Elle découvre un collier fait de multiples brins joints en un quadrillage complexe et garnis d'innombrables minuscules perles multicolores. Tandis qu'elle le contemple avec admiration, Édouard ajoute à la cantonade:

– Ma bru est la seule dame de ma connaissance, il me semble, qui se risquera à porter un tel bijou.

La jeune femme hésite tandis que l'œuvre d'art circule entre les deux médecins. Osera-t-elle embrasser son beau-père? La chose se fait si peu entre gens de qualité... Mais elle ne peut se retenir de lui exprimer ainsi sa sincère reconnaissance. Se levant, elle vient mettre en rosissant un léger baiser sur sa joue rugueuse. Édouard serre un bref instant la main qu'elle a posée sur son épaule, puis il interpelle son fils d'un ton bourru :

— Tu en pares le cou de ta femme ? Elle a la vêture parfaite pour aller avec...

Pudiquement, il fait allusion au décolleté de Flavie, qui dénude tout le haut de sa poitrine. Embarrassée d'être la cible de tant d'attention, elle laisse néanmoins Bastien relever sa tresse et attacher le collier, puis elle s'assoit sans rien dire. Les grains caressent sa peau d'une façon si agréable qu'elle ne peut s'empêcher d'y porter sa main pour les flatter. Elle constate, les joues rouges, que les trois hommes suivent son geste des yeux, comme captifs d'un enchantement. C'est Étienne qui, le premier, rompt le silence avec un sourire en direction de Bastien :

— Un régal pour les yeux. Ta femme a les atouts pour le mettre en valeur...

Pour atténuer l'effet provoquant de sa remarque, il adresse à Flavie un clin d'œil complice. Cette dernière se met, avec des gestes brusques, à empiler les assiettes et les ustensiles.

— Vous avez terminé, Édouard ? Je peux vous offrir un thé ?

Soulagée de laisser les hommes entre eux, elle s'active un bon moment, dans la cuisine, à ranger pendant que l'eau pour la vaisselle chauffe. Chassés par les moustiques, ces messieurs finissent par venir la rejoindre, après avoir succombé aux cigares offerts par Étienne. C'est ainsi que les trouve une Guillemette médusée de voir son maître le torchon à la main ! Flavie la renvoie immédiatement à sa chambre. Elle ne libère pas ses soirées pour lui imposer, à son retour, un surcroît d'ouvrage !

Si Étienne commence à peine sa journée, il n'en va pas de même pour ses hôtes; le jeune médecin a donc la délicatesse de prendre congé. Aussitôt refermée la porte de leur boudoir, Bastien saisit Flavie par-derrière et l'embrasse dans le cou, tout en faisant glisser ses doigts sur les perles du collier. Il murmure:

— J'en avais envie depuis tout à l'heure... Ce joli bijou attire l'œil vers ta peau si douce, vers la rondeur de ce qu'il y a plus bas... Je crois que je vais t'interdire de le porter ailleurs qu'ici, seule avec moi.

Elle plaisante d'une voix rauque:

— Je te laisse le soin d'en expliquer la raison à ton père. Je ne voudrais pas le froisser...

De ses lèvres, il effleure sa joue, puis la commissure de sa bouche. Plissant le nez avec dédain, elle proteste pour la forme:

— Tu sens le cigare!

— Tant que ça? J'ai seulement pris quelques bouffées. Tu sais à quel point le tabac me donne mal au cœur...

Avec un soupir, elle s'abandonne contre lui. Il ceinture sa taille de son bras et tous deux restent ainsi un moment, à écouter à travers le battant ouvert la brise légère qui fait chanter les feuilles des grands arbres voisins. Peu à peu, Flavie sent un bouleversement inattendu prendre possession de tout son être. Effarée par cette émotion puissante, la gorge inexplicablement serrée, elle s'agrippe d'une main au bras de Bastien, tandis que, machinalement, l'autre se porte à son collier. Soudain, une vision l'envahit, l'image floue de l'un de ces campements amérindiens qu'elle a pu admirer, reproduits dans quelques livres, mais au milieu duquel elle reconnaît distinctement sa sœur, habillée comme une Sauvage, portant un bébé sur son dos...

La respiration précipitée, elle pivote et noue ses bras autour du cou de Bastien, l'étreignant de toutes ses forces. Il la presse à son tour, devinant cependant que son trouble n'est pas de ceux que suscite la montée du désir. Après un temps, elle balbutie :

— Le collier... Le collier a fait venir Cécile dans mes songes. Oh ! Bastien, je m'ennuie tant d'elle... J'ai si peur qu'il lui arrive quelque chose !

Il la soutient jusqu'à ce qu'elle s'apaise enfin. Il lui propose ensuite, comme un jeu :

— Tu veux que je te l'enlève ? Peut-être qu'un sorcier lui a jeté un mauvais sort...

Souriant malgré tout, elle secoue la tête. Maintenant que le choc initial est passé, elle est contente de porter, à même la peau, cette si belle parure qui lui permet de garder contact avec la société d'adoption de sa sœur. Elle murmure :

— Peut-être que... que mes pensées s'envoleront plus facilement jusqu'à elle, grâce au cadeau de ton père ?

— Peut-être, répond-il sur le même ton, sans rire. Les Sauvages ont des magies puissantes, c'est bien connu.

Flavie constate que son homme ne peut s'empêcher de la contempler avec appétit et de promener sur tout son corps des mains gourmandes. Se haussant pour l'embrasser, elle dit tout contre sa bouche :

— Je crois surtout qu'il a été trempé dans un philtre d'amour...

— J'aimerais te déshabiller, articule-t-il de même. Sauf pour le collier... À moins que tu ne sois trop fatiguée ? Tu t'es bien activée, aujourd'hui...

Pour toute réponse, elle laisse glisser sa main jusqu'à la bosse qui soulève son pantalon et qu'elle flatte en se soumettant à son baiser. Avec un sourire mutin, elle plaisante encore :

– Tu as un don, mon ange. Tu ressusciterais le plus roide d'entre les morts...

Il fait comme s'il n'avait rien entendu et, tout en la déshabillant, il l'oblige à reculer jusque dans leur chambre, jusqu'au lit, où elle se laisse tomber. En un tournemain, il dénude la moitié inférieure de son corps et il s'allonge tout contre elle, plaçant ses jambes de part et d'autre d'une des siennes. Elle aime la façon dont sa chemise le couvre pudiquement et elle s'amuse à suivre par-dessus le tissu, à l'aveugle, le galbe de ses fesses, de son torse et de son dos aux muscles tendus... Mais bientôt, captive de ses caresses, elle s'abandonne à la pression de ses doigts tantôt souples et délicats, tantôt droits et fermes.

La cloche de l'entrée résonne à ses oreilles comme un coup de tonnerre. Il leur faut plusieurs secondes pour en prendre conscience et pour s'immobiliser. Bastien jure sans retenue, tandis que Flavie se tortille pour se délivrer de son poids, partagée entre la contrariété et l'hilarité. Sans un mot, elle se dépêche d'enfiler sa chemise de nuit et son peignoir. Lissant hâtivement ses cheveux dénoués, elle sort de la chambre avec une lampe à huile et dévale silencieusement l'escalier.

Un jeune homme de quinze ou seize ans est à la porte, qui la contemple avec des yeux ronds. Flavie reste impassible. Les gens s'attendent-ils à ce qu'elle les reçoive en grande tenue, même en plein milieu de la nuit ? Elle le fait entrer et le conduit à la cuisine, où elle écoute ses explications. Elle s'en doutait bien : leur cliente, trop nerveuse, la mande déjà même si les douleurs sont à peine installées...

Elle avertit le jeune domestique d'être patient et l'invite à se servir à boire et à manger à sa guise, puis elle remonte dans l'obscurité. Manifestement de fort mauvaise humeur, Bastien est resté à la même place. Ce n'est pas la première fois qu'ils se font ainsi interrompre, mais ce soir, à cause du collier, leur étreinte avait une saveur inusitée... Toujours en silence, Flavie retire ses vêtements et monte sur le lit pour venir s'agenouiller à côté de lui.

Il la considère avec surprise et elle lui explique que rien ne presse. Il hésite un moment ; il serait fort regrettable que leur manque d'empressement ait une conséquence fâcheuse. Mais la délivrance est un processus d'une formidable lenteur, n'est-il pas vrai ? S'assoyant à califourchon sur les jambes de son mari, Flavie se laisse retomber au-dessus de lui en flattant sa poitrine de la pointe de ses seins. Elle recule ensuite pour envelopper de caresses son pénis gonflé. Il n'y a rien à craindre : vu la vitesse avec laquelle tous deux prennent feu, le messager n'attendra pas très longtemps...

Séduite par l'idée d'une association de sages-femmes, Marguerite Bourbonnière accepte avec empressement, dès son retour de vacances, de participer à une réunion préparatoire en compagnie de Flavie et de Léonie. Cependant, après vingt minutes de discussion, leur enthousiasme initial est tempéré par un problème de taille, qui apparaît dans toute son amplitude : celui de la religion.

Parmi les sages-femmes d'expérience, beaucoup sont des anglophones protestantes et il est illusoire de vouloir faire prospérer cette association sans elles. Or jamais l'évêque de Montréal, Mgr Bourget, n'acceptera que les Canadiennes catholiques deviennent membres d'une association neutre, non confessionnelle! Les trois femmes ont beau examiner la situation sous toutes ses coutures, l'obstacle reste insurmontable, puisque fort peu de sages-femmes canadiennes en deviendront membres si l'évêque ne la soutient pas...

Découragées, les trois accoucheuses restent muettes pendant de longues minutes, plongées dans leurs pensées. Leur évêque tue littéralement dans l'œuf cette association professionnelle dont elles ont tant besoin! En désespoir de cause, Marguerite suggère alors la création d'un regroupement voué à la promotion de l'instruction parmi elles. Les besoins sont criants en ce sens et peut-être que cette initiative effraiera moins le clergé?

Léonie fait remarquer que les conférences de la Société compatissante remplissent déjà ce but, du moins en partie, mais qu'en effet il serait souhaitable de fonder un organisme qui, officiellement et gratuitement, offre aux sages-femmes l'occasion de se perfectionner. Peut-être qu'ensuite les accoucheuses ressentiront d'elles-mêmes la nécessité de se regrouper pour défendre leurs droits?

Elles se rallient à ce compromis qui leur redonne du cœur au ventre..., même s'il leur faudra s'assurer de la collaboration du curé de la paroisse. Se rendre à l'évêché pour exposer leur requête équivaudrait en quelque sorte à descendre dans une fosse où rôdent des lions affamés! Marguerite ne peut s'empêcher alors de réprouver le fait que l'Église catholique du Bas-Canada réprime ainsi le libre arbitre, se réservant le droit de faire un tri sévère pour choisir les seules idées et les théories qui méritent considération !

Flavie saisit la balle au vol, avouant qu'elle n'est pas loin d'être d'accord avec George Brown, un député protestant du Haut-Canada, également éditeur d'une gazette, qui affirme que les prêtres catholiques sont comme des loups dévorants, empêchant toute discussion, usant même de violence contre ceux qui leur font de l'opposition ! Ce qui irrite le plus nombre d'Anglais et d'Écossais, ce sont les tentatives d'ingérence de la hiérarchie catholique francophone dans les affaires civiles.

Ainsi, le débat fait rage au parlement du Canada-Uni, dont l'actuelle session a commencé le 19 août dernier. Débattant de projets de loi sur les réserves du clergé et les écoles séparées, les députés poussent moult vociférations les uns contre les autres ! Même les habitants des rangs les plus reculés se passionnent pour cette question épineuse, qui oppose protestants et catholiques du Canada-Uni.

Les premiers s'indignent du pouvoir que veulent détenir les évêques catholiques dans la gestion des écoles. Ce qu'ils détestent par-dessus tout, c'est que l'argent du gouvernement central, *leur* argent, soit distribué par la législature aux écoles catholiques. Ils ne peuvent supporter que des fabriques de paroisse ou des établissements catholiques, gérés par des religieuses ou des prêtres, obtiennent la personnalité civile et, ainsi, le droit à la propriété foncière et à l'enrichissement ! Les plus véhéments des protestants s'opposent à augmenter encore les privilèges, selon eux déjà excessifs, de l'Église catholique et de ses représentants.

Au Canada-Uni, le protestantisme et ses diverses branches font des gains auprès de ceux qui reprochent au catholicisme romain son culte du grandiose ainsi que son papisme, c'est-à-dire l'importance exagérée accordée à la personne du pape et à son autorité, spirituelle autant que temporelle. Daniel Hoyle, l'invité de Simon et de Léonie, en est la preuve vivante: pour pouvoir épouser Sarah, il a embrassé la religion protestante avec empressement, devenant étranger à son propre peuple, ces Irlandais d'Amérique farouchement catholiques qui s'accrochent à leur foi pour survivre aux persécutions et aux déracinements. Thomas, son père, était déjà une espèce rare: catholique sceptique, il a transmis cette méfiance à son fils cadet.

Auprès de Sarah, Daniel a eu l'impression d'avoir trouvé une voie nouvelle pour combler son besoin instinctif de croire en quelque chose de surnaturel et de sublime. Comme lui, de nombreux Américains, tannés par la lourdeur du rite traditionnel catholique et désireux de vivre leur foi d'une manière plus spontanée et plus autonome, adhèrent à diverses sociétés évangéliques s'inspirant de la religion protestante. Prédicateurs et fidèles retournent aux sources de la Bible, prétend Daniel, pour se forger une croyance épurée, plus proche de l'essentiel.

Après une saison entière de démarches, Daniel a réussi à décrocher un poste d'enseignant dans une école anglaise du faubourg Saint-Antoine. Pour Léonie, il n'a pas toujours été facile de s'ajuster à la vie en commun avec lui et ses deux enfants. Depuis le départ de sa propre progéniture, elle s'était empressée de se déshabituer de la préparation de repas copieux! Mais la présence de celui que Simon et elle considèrent quasiment comme un fils leur a simplifié l'existence de bien des manières, en plus de mettre une animation bienvenue entre les quatre murs de leur maison.

Le dimanche qui suit la première rencontre entre les trois accoucheuses et la résolution de fonder un cercle d'études, Flavie se rend à l'église Notre-Dame pour la messe, puis elle attend l'heure du confessionnal. Elle estime avoir trouvé le prétexte idéal, soit la confession, pour rencontrer son curé au sujet du cercle d'études pour sages-femmes! Chicoisneau sera pris en otage et il devra l'écouter aussi longtemps qu'elle le jugera à propos. Même si chacun sait que l'anonymat de la confession est un leurre lorsqu'il s'agit d'un curé de paroisse qui connaît personnellement un bon nombre de ses ouailles…, le prêtre sera-t-il offusqué de cette entorse au règlement?

Fort heureusement, la file n'est pas trop longue devant l'isoloir dans lequel l'homme de robe s'installe enfin. Flavie a le cœur qui bat fort et elle profite de ce moment d'attente pour tenter de se calmer. Lorsque son tour est venu, elle s'agenouille de l'autre côté de l'étroite ouverture fermée d'un grillage de bois. Elle prend soin de s'accuser des quelques péchés qui ne peuvent guère surprendre son curé: un penchant pour l'orgueil, une ambition professionnelle que plusieurs qualifieraient de trop virile et le goût de la luxure en compagnie de son mari…

Comme celle de tous les prêtres qui entendent la confession, la réputation de Chicoisneau est établie depuis longtemps. Si d'autres fouilleraient davantage en interrogeant Flavie sur le genre d'ébats auxquels elle s'adonne, prétendument pour se faire une idée plus précise du péché qu'elle doit se faire pardonner, il se contente de lui faire quelques vagues remontrances et de lui imposer une légère pénitence.

Après avoir reçu l'absolution, Flavie s'empresse de murmurer au sulpicien qu'elles sont quelques accoucheuses qui souhaiteraient se regrouper pour poursuivre leur instruction. Ce cercle d'études serait rattaché à l'École de sages-femmes, se servirait de ses locaux, mais il serait ouvert à toute praticienne souhaitant se perfectionner dans son art. Les organisatrices sollicitent donc son appui en ce sens

Le silence dure tellement longtemps que, persuadée qu'il est intentionnel, une Flavie mortifiée s'apprête à quitter le confessionnal. Comme si ce mouvement le réveillait, Chicoisneau lui demande ce qu'elle entend par « quelques accoucheuses ». Encouragée, Flavie lui parle d'abord de Marguerite, expliquant que le désir de son amie de contribuer à la réforme morale de la société l'a conduite à l'École de sages-femmes de Montréal, puis à la Maternité de Paris. Le prêtre l'interrompt avec impatience : une telle description est inutile, Marguerite étant l'une de ses paroissiennes. Elle veut enchaîner au sujet de ses autres consœurs, mais il l'interrompt :

— Sa Grandeur m'a bien spécifié que toute nouvelle initiative concernant l'École de sages-femmes ou la Société compatissante devait lui être soumise.

Bourget est devenu, à Montréal, un rappel vibrant de l'importance de l'Église catholique au Bas-Canada. Patron de plusieurs bonnes œuvres, laïques ou religieuses, il consolide ainsi ses alliances avec les personnes parmi les plus influentes de la métropole.

— À lui ? souffle Flavie, atterrée.

– À lui-même. Je crois que vous comprenez ce que cela signifie. Vous seriez fort présomptueuse en croyant réussir à le convaincre de la nécessité d'une telle fondation. Jamais, même sous la surveillance du plus zélé confesseur, il ne vous laissera installer un cercle d'études pour accoucheuses dans son diocèse.

Pendant un bon moment, Flavie laisse ces phrases s'imprégner dans son esprit. Puis, la voix tremblante, elle bafouille :

– Mais nous ne faisons rien de mal ! Vous le savez, vous, monsieur Chicoisneau !

Il réplique avec une étrange gentillesse :

– Vous parlez tout haut des choses du corps et même des… des…

– Des fonctions sexuelles, termine sourdement Flavie.

– Pour le clergé, c'est extrêmement offensant. Le démon a des moyens très puissants pour prendre possession des êtres et les corrompre. Le moyen suprême pour le combattre, c'est de cultiver l'innocence et l'esprit de sainteté.

Après un silence, le prêtre ajoute lentement :

– Les croyants, madame Renaud, doivent oublier qu'ils ont un corps. Votre culte de l'instruction et de la science anatomique entraîne exactement l'effet contraire.

Envahie d'un fort sentiment de révolte, Flavie s'écrie d'une voix contenue, les mains largement ouvertes :

– C'est complètement ridicule ! Il est impossible d'enseigner autrement ! Il nous faut mettre des mots justes sur les organes, les fonctions et les processus. Il nous faut les décrire, les expérimenter ! N'importe quel esprit éclairé le comprend !

– Prenez garde de ne pas insulter Sa Grandeur.

Flavie se laisse aller vers l'arrière, posant ses fesses sur ses talons. Elle reprend, avec lassitude :

– Qu'est-ce que ça peut bien lui faire, à Sa Grandeur, si je crois avec moins d'intensité que lui ? N'est-ce pas suffisant de m'offrir la possibilité d'être convaincue ? C'est à moi, ensuite, de faire un choix…

– Ce n'est pas l'avis de notre évêque. Croyez-moi sur parole : monseigneur est le prêtre le plus déterminé que j'aie jamais rencontré…

Ses idées s'agitant dans tous les sens, Flavie l'interrompt :

– Mais enfin, monsieur Chicoisneau ! Au fil des siècles, l'idée que l'humanité se fait de Dieu grandit et se perfectionne. Comme toutes les manifestations de la pensée humaine, la religion est soumise à la loi du progrès ! Selon cette loi, l'unité purement spirituelle promise par Jésus est insuffisante. L'humanité aspire à l'association universelle de toutes les races de toutes les parties du monde ! Ne sentez-vous pas à quel point cette perspective est exaltante et à quel point la loi divine, soit l'esprit de justice et de charité, est encouragée au lieu d'être contrariée ?

Après un silence, Chicoisneau réplique, une nuance d'admiration dans la voix :

– Votre discours est très habile, madame. Malheureusement, monseigneur est imperméable à un tel raisonnement. Sa Grandeur s'est donné pour mission dans la vie d'établir la douce tyrannie du règne de Dieu dans toutes les âmes. La dissidence lui est personnellement, viscéralement intolérable. Je me sens donc obligé de me faire son interprète : la religion catholique est attaquée de toutes parts et il se doit…

– Mais c'est archifaux! Les deux mouvements immenses de notre siècle, d'abord les poussées révolutionnaires et ensuite la conquête de l'unité matérielle du globe par le commerce et la colonisation, nous préparent un avenir merveilleux...

– Je suis suffisamment familier avec cet assemblage bizarre de christianisme et de socialisme, je vous remercie. Permettez-moi de douter de la pertinence d'allier ainsi des dogmes irréconciliables : péché originel et progrès, mortification de la chair et glorification de l'industrie... Que dis-je? Sa Grandeur s'offusquerait de m'entendre qualifier de dogme ce qui n'est que salmigondis! Cette fausse confession a bien assez duré, madame. Si vous souhaitez discuter plus avant, je vous prierais de prendre rendez-vous avec moi, au presbytère.

La mort dans l'âme, Flavie pousse un soupir résigné avant de murmurer distinctement :

– Tant pis. Nous fonderons une société secrète. Il paraît que le clergé en raffole...

Ses oreilles la trompent-elles? Elle croit entendre le sulpicien laisser échapper un rire, promptement étouffé. Son mouvement pour quitter l'isoloir est interrompu par Chicoisneau, qui commente sereinement :

– Une société secrète? La chose n'est point nécessaire. À ma connaissance, aucune loi n'interdit à quelques dames de se réunir benoîtement pour discuter des perfectibilités à apporter à ce monde et, par ricochet, à elles-mêmes. Il serait malséant de déranger Sa Grandeur pour une initiative si dérisoire, n'est-ce pas? Prétendons, madame Renaud, que cette discussion entre nous n'a jamais eu lieu...

Avec un sourire reconnaissant, Flavie chuchote :

— Je suivrai vos conseils, monsieur. Bonne fin de journée.

Et l'âme toute légère, elle s'empresse de descendre l'allée de la nef pour retrouver le doux soleil de cette lumineuse journée d'automne.

CHAPITRE XVI

Pour Léonie, dont l'esprit se tourmente sans cesse au sujet de Cécile, le deuxième semestre de l'année 1851 à l'École de sages-femmes de Montréal s'avère particulièrement exigeant. En plus de la planification générale et de sa préparation pour l'enseignement, elle doit penser au déroulement de l'année suivante: nouveau plan de cours, proposition formelle de stages à la Société, organisation du séjour à Montréal de quatre jeunes sages-femmes de la campagne... Avec anxiété, elle voit la saison avancer, mais encore si peu d'inscriptions se confirmer!

Sa tâche est davantage alourdie par le fait qu'à la Société compatissante l'année entière s'est passée dans un brouhaha constant de parturientes; même la belle saison n'a pas vraiment ralenti les activités comme à l'accoutumée. La population de Montréal continue de croître sans relâche et la pression est forte sur les organismes de charité. Les conseillères et le personnel du refuge n'ont même pas le temps de fêter le premier anniversaire de l'installation rue Henry, sauf en rassemblant à la hâte un goûter servi après l'assemblée générale des membres.

Dès le milieu du mois de novembre, un froid glacial s'installe sur la métropole et les demandes d'hébergement à la Société compatissante sont si nombreuses que les responsables de l'accueil doivent, à leur corps défendant, raccourcir le séjour des jeunes accouchées. Le conseil institue un service de suivi à domicile et, en plus des membres habituels de la Société, plusieurs dames de la Charité sont enrôlées pour s'assurer que, de retour à la maison, les nouvelles mères soient pourvues du strict nécessaire.

Un matin de la mi-décembre, après avoir envoyé la main à Daniel qui emmène ses petiots pour la journée chez leur gardienne, non loin de là, Léonie saisit le balai pour repousser la neige folle qui, au cours de la nuit, s'est accumulée dans l'allée qui mène de leur galerie à la rue Saint-Joseph. Une tenace bise nocturne a soufflé, obligeant tous les occupants de la maison à dormir chaudement vêtus. Les deux hommes se sont levés à quelques reprises pour remettre du bois dans le poêle, mais malgré cela, les carreaux des fenêtres étaient, ce matin, couverts de givre.

Parvenue au bord de la rue, Léonie se redresse pour contempler l'horizon. Les bancs de neige sont encore bas, puisqu'un temps très froid n'apporte généralement pas beaucoup de précipitations. Les voitures à cheval et les promeneurs sont rares, chacun réduisant ses sorties à l'essentiel. Léonie plisse les yeux. Sa soutane qui dépasse à peine de sa bougrine de laine noire, un ecclésiastique marche dans sa direction, répondant par un bref signe de tête aux salutations des passants qui le croisent. Il lui faut quelques secondes à peine pour reconnaître la haute et mince silhouette de Philibert Chicoisneau, le curé de Notre-Dame de Montréal. Il y a bien longtemps qu'elle a eu une rencontre particulière avec lui ; en fait, depuis 1846, alors qu'avec quelques conseillères de la Société elle lui annonçait l'ouverture de son école.

Elle se contredit ensuite avec un gloussement intérieur : la visite annuelle au confessionnal n'est-elle pas un entretien privé ? Le curé est censé ignorer à qui il a affaire, mais personne n'est dupe. Pour un réel anonymat, il vaut mieux s'adresser – avec la permission du curé, bien entendu – à l'un des vicaires ou aux prédicateurs de passage. Léonie soupçonne que les prétendues ruées de ces dernières années vers les confessionnaux, à l'occasion de la venue de célèbres orateurs en soutane, dont l'épiscopat se gargarise, sont surtout motivées par ce désir bien légitime de confier ses plus horribles péchés à de parfaits inconnus !

Décemment, Léonie ne peut pas se détourner avant d'avoir salué son curé. Tous deux font donc un signe de tête lorsque leurs yeux se croisent. Parvenu à sa hauteur, Chicoisneau s'arrête net, au grand désarroi de Léonie, et lui lance avec une jovialité forcée :

– Quel froid de canard, n'est-ce pas, madame Montreuil ? J'apprécierais fort une tasse de thé bouillant et la chaleur d'un feu...

Bientôt, tous deux pénètrent dans la salle de classe, à peine chauffée lorsqu'elle n'est pas utilisée. Chicoisneau se débougrine en promenant un regard scrutateur dans la pièce. Léonie avait couvert les murs d'affiches anatomiques, mais elles sont maintenant réunies dans une pochette rangée sur une étagère. Une âme charitable lui a fait remarquer qu'au grand scandale de certains les enfants ne se privaient pas de les contempler à travers les carreaux de la fenêtre...

Tout en préparant le thé dans la cuisine, Léonie s'informe des affaires de la paroisse. Installé dans la chaise berçante, Chicoisneau répond évasivement. Tirant une chaise qu'elle place non loin du poêle, Léonie s'y assoit en demandant, avec un sourire :

— Est-ce que ma cuisine est une halte vers une destination éloignée ?

— Vous étiez mon but, répond-il sans détour. Après plusieurs jours de tâches cléricales, j'avais besoin d'une promenade, alors j'ai profité de l'occasion.

Même si l'attitude de Chicoisneau n'est nullement menaçante, Léonie se tient sur le qui-vive. Il y a quelque chose de différent en lui. Le personnage qu'il joue habituellement, celui du prêtre possesseur d'un savoir ultime qui doit être répandu sur l'ensemble des fidèles, semble présenter une fêlure… Elle attend donc, en sirotant son breuvage, qu'il poursuive :

— Je tenais à venir vous rencontrer avant le début de votre prochaine année scolaire. Je sais que je suis un peu juste, mais vous n'ignorez pas à quel point la tâche de pasteur d'âmes est exigeante… Avant que notre évêque ne s'en mêle, je viens donc exiger ceci de vous : l'apprentissage de vos élèves doit dorénavant être encadré par la présence d'un conseiller spirituel. L'un de mes vicaires viendra, à intervalles réguliers, les éclairer au sujet des grandes vérités de la religion. L'arrivée d'élèves en provenance des campagnes n'est pas la seule cause de cette exigence. Sa Grandeur est préoccupée d'assurer sans équivoque une prépondérance des principes catholiques dans votre école.

Cette annonce contrarie grandement Léonie, qui s'efforce cependant de conserver une attitude sereine. À vrai dire, elle anticipait cette intrusion des soutanes dans le fonctionnement de son école. Tout de même, rien ne les effraie davantage qu'un enseignement libre, à leurs yeux source de toutes les impiétés! Elle ne peut supporter le besoin qu'ont les membres du clergé de s'immiscer dans la vie privée de tout un chacun, sous prétexte d'y cultiver l'idéal religieux! Tout aussi viscéralement, elle déteste leur volonté de plus en plus affirmée de se faufiler au sein de tout regroupement humain, surtout féminin. Sont-ils en manque de la compagnie des femmes? Léonie est bien près de le croire...

Toutefois, les conséquences d'un refus seraient désastreuses. Une société «impie» condamnée publiquement du haut de la chaire doit bénéficier de puissants appuis pour ne pas disparaître. L'École de sages-femmes de Montréal est si fragile que le moindre courant d'air pourrait la renverser comme un château de cartes!

Elle rétorque, d'une voix mal assurée:

— Je vous assure, monsieur Chicoisneau, que vos scrupules sont sans fondement. Jamais, dans mon école, nous ne discutons de religion.

Son interlocuteur ne se donne même pas la peine de répliquer et Léonie réprime difficilement une forte envie de le jeter hors de sa maison. Elle s'oblige à continuer:

— Le temps de classe est déjà suffisamment rempli ainsi. Nous peinons à voir toute la matière! Je ne suis pas parée à allouer une période de classe à l'usage de votre vicaire. Cependant, après la classe, les réunions seraient possibles.

— Des réunions obligatoires, insiste Chicoisneau, au moins une fois par mois. De même, vos élèves seraient tenues d'assister à la messe et de fréquenter le confessionnal.

— Elles seraient tenues? relève Léonie, incrédule. Monsieur, à ce que je sache, la fréquentation des sacrements n'est pas un esclavage, c'est un libre choix de la conscience. Est-ce que je me trompe?

Chicoisneau garde les yeux fixés sur la tasse qu'il tient entre ses mains et Léonie reprend:

— Je suis d'accord pour instaurer une réunion mensuelle pour l'instruction religieuse, en présence de votre vicaire, à laquelle la participation sera obligatoire. Je suis d'accord pour qu'il souligne l'importance de la communion et de la confession. En fait, je n'ai pas le choix. Mais là s'arrête mon rôle et surtout, là s'arrête l'obligation. Je me charge d'enseigner mon savoir, pas de surveiller les âmes. Si c'est insuffisant pour vous, je préfère mettre le cadenas sur la porte de mon école immédiatement.

Léonie est sincère et le sulpicien, qui connaît suffisamment son caractère bien trempé, en est parfaitement conscient. Elle assène encore:

— L'École de médecine et de chirurgie n'a pas de conseiller spirituel. Vous n'auriez même pas le culot de les aborder à ce sujet parce que vous savez très bien qu'on vous claquerait la porte au nez, et à juste titre! Mais dès qu'il s'agit de femmes, ces êtres faibles et impressionnables... Le clergé aime bien manipuler la gent féminine à son gré, n'est-ce pas, monsieur Chicoisneau?

Cette dernière remarque a déjà un caractère outrageusement provocateur et Léonie ravale les phrases qui suivent. Malgré sa mine sévère, le curé a une lueur inhabituelle dans l'œil. Le sulpicien est un homme d'une intelligence trop fine pour se laisser aller à une rhétorique oiseuse. Néanmoins, il la réprimande calmement:

— Ce n'est pas de la manipulation, madame, mais une protection indispensable contre la nature instinctive et sentimentale des femmes. Elles ont besoin de ce garde-fou moral pour régler leur conduite.

– On connaît la chanson, marmonne Léonie en repoussant ses arguments d'un geste de la main. Alors, nous sommes d'accord?

– Marché conclu… pour l'instant, répond-il en se levant.

Debout, il reste indécis, puis il considère Léonie avec, sur les traits, une franchise qu'elle n'y a jamais lue auparavant. Lentement, elle se met sur ses pieds à son tour et tous deux restent en silence, face à face. Après un temps, il dit d'une voix basse et hésitante :

– Vous savez, madame Montreuil… Mon cœur de prêtre ne se réjouit jamais autant que lorsque je rencontre une âme animée d'une foi authentique, plongée dans l'allégresse du paradis promis. Mais mon cœur de prêtre ne se désole jamais autant que lorsque je rencontre une âme mue par une foi de pacotille. Hélas! Ces derniè-res sont innombrables. Elles accumulent les indulgences comme des billets de banque qui leur achèteraient la vie éternelle. Elles négocient la rémission des péchés uni-quement par peur de l'enfer! J'ai terriblement honte du comportement des catholiques, même si…

Il n'ose pas entendre la conclusion de sa confidence de sa propre bouche, alors Léonie murmure à sa place :

– Même si ce comportement est sciemment cultivé par les hommes de robe, il faut l'avouer.

Chicoisneau bat des cils en guise d'acquiescement. Pour la première fois depuis qu'elle le connaît, Léonie sent que son curé ne met aucune distance entre eux, qu'il accepte sa présence physique et intellectuelle. La sensation est si étrange que Léonie a envie de la combattre en reculant jusqu'à l'autre extrémité de la pièce. Elle a l'impression qu'il ne se cache plus derrière sa soutane, sa position d'influence ou sa prétendue supériorité intellectuelle ; il est un homme qui doute.

— Je déteste l'hypocrisie et le marchandage, surtout en religion. Comme vous, n'est-ce pas ? Je vais vous confier une hérésie, parce que je sais que vous ne vous en servirez pas contre moi : je préfère de loin les gens de votre genre aux pseudo-croyants. Je m'amuse bien dans le confessionnal, avec votre mari...

Malgré sa surprise, Léonie ne peut s'empêcher de rire. Simon et Chicoisneau y jouent au chat et à la souris, le second commentant les grossières affirmations du premier avec une singulière ironie... Chicoisneau n'était pas encore curé de Notre-Dame de Montréal lorsque Simon et elle se sont installés dans le faubourg. C'était un autre sulpicien, un homme sans envergure, point trop zélé, qui se contentait de quelques péchés marmonnés avant de donner l'absolution. Avec Chicoisneau, d'une intégrité morale exceptionnelle, c'est une autre paire de manches : il exige une foi sincère, libérée de quelconques faux-semblants.

Le prêtre s'assombrit avant de poursuivre :

— C'est pourquoi je tiens à vous prévenir. Vous jouez un jeu dangereux et j'ai peu d'espoir en votre victoire. Savez-vous à quel point les conférences de la Société compatissante font jaser ? Non seulement vos choix de sujets sont offensants pour les plus chastes oreilles, mais votre association avec l'Institut canadien de Montréal rend votre organisme suspect. Il y a aussi la mixité des stages... L'évêque commence à estimer que la farce a assez duré. Il a l'impression que vous vous riez de lui !

Il ne pourra accepter encore longtemps une telle liberté d'action, un tel mépris de son autorité.

Il ajoute à mi-voix :

– J'ai soixante-treize ans. Bientôt, je ne serai plus en mesure de vous protéger.

Léonie redresse la tête. Son curé abandonnerait bientôt son poste ? Déjà, il délègue de plus en plus de fonctions, ne conservant que les plus importantes. Il semble si vieux, soudain, si usé... Si son successeur est l'un de ces jeunes prêtres formés à l'étroitesse d'esprit en vogue dans les séminaires, elle le regrettera.

– Prenez l'initiative, madame Montreuil. Donnez l'impression à monseigneur que, de votre plein gré, vous placez vos élèves sous le patronage de la religion. Instaurez une retraite annuelle, choisissez une sainte patronne qui sera honorée, sollicitez les bénédictions de Sa Grandeur... Je suis sûr que dans votre classe une élève se fera un plaisir d'organiser ces démonstrations de piété. Vous y gagnerez, pour votre école, de solides avantages politiques.

Lentement, comme à regret, le prêtre rebrousse chemin vers la sortie. Tout en se couvrant chaudement, il conclut plus gentiment, avec un sourire discret :

– Pour vous, je choisirai mon vicaire le moins obtus comme conseiller spirituel. À la revoyure, madame.

Incapable d'articuler le moindre son, Léonie fait un vague signe de la tête. Elle referme la porte derrière lui, puis elle se plante devant la fenêtre pour observer la longue silhouette, tache sombre sur la neige blanche, s'éloigner lentement. Elle se sent si fatiguée tout à coup, abattue et découragée... C'est avec impatience qu'elle attend le retour de Simon, en fin d'après-dînée. Elle lui laisse à peine le temps de reprendre son souffle avant de lui narrer l'épisode. À son grand désarroi, il réagit par une grimace d'impatience, puis s'attable devant une tasse de thé.

— Déjà… J'estimais pourtant que tu aurais encore quelques années de répit. Ne me fais pas accroire que tu ne t'y attendais pas?

Déconfite, Léonie prend place face à lui et bougonne:

— Je ne suis pas sotte, quand même. J'ai bien compris le caractère catholique de notre peuple. Mais quoi qu'on en dise, ça n'a rien à voir avec mon école ni même avec la Société compatissante. Depuis quand faut-il l'autorisation de son curé et de son évêque pour mettre un pied devant l'autre? Pour offrir aux sages-femmes un apprentissage de qualité?

Brusquement, Simon prend sa main dans la sienne et la serre à lui faire mal. Il réplique avec colère:

— Dans ce cas-là, tu n'as rien compris! L'intention de Bourget, au contraire, c'est de faire pénétrer dans tous les foyers, dans toutes les manifestations de la vie civile, le fumet de la religion!

— Mais Bourget n'est qu'un seul homme! Son pouvoir ne s'appuie sur rien de tangible!

— Bourget donne le ton à l'ensemble des prélats du Canada-Uni. Bourget impose ses vues à toutes les soutanes de la colonie. On se gausse parce qu'il les inonde de circulaires et de lettres pastorales, mais sa stratégie est claire: signifier à tout le bas clergé que son opinion a préséance et que chacun doit non seulement la faire sienne, mais la propager parmi les fidèles.

Simon se redresse, le visage marqué par une subite souffrance.

– Bourget possède enfin un pouvoir ultime, celui devant lequel tremble le Canadien le plus sceptique. Lui refuser le pardon, lui refuser l'accès aux sacrements, même à l'absolution et à une sépulture dans un cimetière consacré. Jeter un Canadien hors de son Église, c'est en faire un paria. Même toi, même moi, nous ne pourrions le supporter. J'en ai honte, Léonie, mais c'est ainsi : je tiens à ma place sur le banc de l'église paroissiale, même si je n'y vais que deux fois par année et que je n'ai rien à foutre de tous ceux qui parlent à la place de Dieu. Je ne sais pas pourquoi j'y tiens tant, mais c'est ancré au tréfonds de moi-même. Et cela, Bourget le sait parfaitement.

Dans le regard de son mari, Léonie décèle une telle détresse qu'une boule de chagrin se forme dans sa gorge. Il bredouille :

– J'aurais tant voulu que les choses se passent différemment. Que les idées de liberté soient adoptées avec un tel enthousiasme que des centaines d'évêques n'y pourraient rien. Mais même à l'Institut canadien, on tremble. À part quelques rouges purs et durs, on commence à reculer, à mettre une sourdine à des idéaux pourtant si légitimes !

Il abat son poing sur la table et sa tasse se renverse presque. Léonie la met en sûreté entre ses propres mains tandis qu'il s'insurge :

– Les évêques de la colonie réprouvent la circulation d'idées contraires à la foi ou aux mœurs. N'est-ce pas ce qu'ils ont fait proclamer dans toutes les églises, l'année passée ? Voilà ce qui nous pend au bout du nez, ma femme : une théocratie ! Ce n'est pas le Parlement qui va dicter les lois, mais l'évêché !

L'emportement de Simon s'évanouit aussi subitement qu'il était apparu et c'est avec un sourire désolé, plein d'une tendre commisération, qu'il dit encore :

– Alors, pour ce qui est des œuvres du sexe faible... C'est une cible de premier choix pour Bourget, une proie sans défense. Pieuses et déjà soumises à l'autorité masculine, les femmes ne peuvent lui opposer qu'une bien faible résistance.

– Ce que tu es dur ! s'écrie Léonie, soudain exaspérée, en se dressant sur ses jambes.

Incapable d'en entendre davantage, elle erre dans la cuisine un moment avant de se décider à grimper l'escalier jusqu'à l'étage. Entre les quatre murs de sa chambre, elle s'assoit au bord de son lit, puis se laisse tomber sur le dos, les bras en croix, le regard fixé au plafond. Le pas lent de Simon fait craquer les marches et, du coin de l'œil, Léonie voit sa mince silhouette s'encadrer dans la porte. Elle l'ignore cependant, jusqu'à ce qu'il vienne prendre place à ses côtés, posant la main sur son épaule.

Après un moment de silence, elle grommelle avec rancune :

– Tu es trop décourageant. Pour le sûr, si on abdique sans se battre...

– Il y en a plusieurs qui se battent, la contredit-il gentiment. Le conseil de l'Institut canadien, certains de ses membres et quelques dames courageuses de ma connaissance...

Radoucie, Léonie daigne enfin regarder son visage à peine discernable dans la pénombre de cette fin de journée. Elle est persuadée qu'en ce moment précis il pense exactement la même chose qu'elle. Les femmes, contrairement aux hommes, sont prisonnières d'un double carcan :

celui des mœurs contraignantes de la religion et celui des opinions misogynes de la plupart des mâles... Sa vulnérabilité dans ce monde masculin lui apparaît alors dans toute son amplitude. En quête de réconfort, elle tire le bras de Simon pour qu'il incline le torse vers elle. Lorsqu'il approche son visage du sien, elle lui embrasse la joue longuement, avec une intensité émue. Elle souffle :

— Tu seras toujours là, n'est-ce pas ? Tu me fais tant de bien...

— Je serai là, acquiesce-t-il d'une voix rauque.

— Sans toi... Sans la consolation que tu m'apportes...

Simon laisse glisser sa bouche vers la sienne. Son homme, comme bien d'autres, fait rarement état de ses sentiments pour elle. Parfois, il lui chuchote quelques mots d'amour, mais avec tant de pudeur ! Néanmoins, à l'instant, elle sent avec une vive acuité à quel point ses gestes sont éloquents. Les hommes se confient avec leurs corps, avec la douceur de leur désir. Par ses lèvres au creux de sa gorge, par sa main sur ses hanches, Simon lui dit qu'il l'aime et la respecte. Il la veut comme elle est, tout entière offerte, abandonnée.

En bas, le bruit de la porte d'entrée qui s'ouvre à la volée les fait tressaillir. On crie :

— Il y a quelqu'un ?

C'est Daniel. Poussant un soupir de regret, Simon se redresse. Léonie, qui ne peut se résoudre à rompre un si agréable contact, le retient un instant de la main. Mais manifestement, d'après son agitation, Daniel n'est pas dans son état normal. Tous deux sortent de la chambre et descendent rapidement l'escalier. Tout habillé, tenant son fils dans ses bras, Daniel les regarde apparaître avec un immense soulagement. Léonie vient à lui et le soulage de l'enfant, qui semble à moitié inconscient mais qui gémit doucement. Daniel annonce, le visage creusé par l'inquiétude :

— Tom est malade.

— Il délire, constate Léonie à mi-voix. Il est très chaud…

— Ils sont neuf chez sa gardienne et les maladies sautent de l'un à l'autre ! se désespère le grand jeune homme en se débougrinant prestement.

— Simon, aide-moi à déshabiller le garçon.

Bientôt, Tom est installé dans le lit de son père et Léonie le palpe pendant un long moment. Il respire difficilement, avec grand bruit, et geint à chaque inspiration. Elle murmure à Daniel, debout à côté du lit :

— La fièvre semble forte. Il faut surveiller sa progression… Je peux lui faire boire quelques préparations, mais… le mieux serait de faire venir Bastien, le mari de Flavie. Je ne sais pas si tu connais cette branche de la médecine qu'est l'hydrothérapie, mais, d'après ce que j'ai pu comprendre, ce traitement aux enveloppements mouillés réussit souvent à chasser la fièvre du corps.

L'air fort sceptique, Daniel demande :

— Il acceptera de venir sur-le-champ ?

— Bien entendu. C'est un très gentil garçon… À cette heure-ci, il est soit à son bureau, soit chez un particulier. Allez, vas-y ! Je reste ici avec ton fils.

Pendant son absence, Tom est secoué par plusieurs quintes de toux dont l'intensité inquiète Léonie. Une demi-heure plus tard, Daniel est de retour avec Bastien, qui fait un léger signe de tête à sa belle-mère avant de s'asseoir au chevet du petit garçon. Debout à quelques pas, Léonie l'observe avec intérêt. Elle sait, par Flavie, qu'il est en train de devenir un excellent accoucheur. Elle note à quel point ses gestes se sont affirmés depuis la dernière fois qu'elle l'a vu pratiquer la médecine, plus d'un an auparavant, alors que, un soir de veillée, des voisins avaient transporté dans leur cuisine un homme à l'épaule démise par la terrible ruade d'un cheval.

Son examen terminé, Bastien reste immobile à contempler Tom, la main sur son épaule pour l'empêcher de s'agiter excessivement. Léonie ne peut voir son visage, mais sa gorge se serre lorsque, de son doigt, il caresse doucement la joue du petit malade. Chez son gendre, songe-t-elle encore une fois avec une tendresse émue, il y a un étrange besoin de contact avec de très jeunes enfants, comme une soif d'être père... Une soif qu'il manifeste seulement lorsque Flavie est absente.

Léonie est subitement envahie par l'envie d'aller prendre le jeune homme dans ses bras. Elle se raidit, surprise, le cœur battant, et tente de maîtriser cette impulsion qui la chavire tout entière. Ce n'est pas une affection maternelle qu'elle ressent pour lui, mais un véritable élan charnel! Secouée et transie, elle se détourne un instant en fermant les yeux pour reprendre la maîtrise de ses émotions. Elle qui, une heure auparavant, se pâmait dans les bras de Simon!

Pour l'amour du ciel, qu'est-ce qui lui prend? Le Dr Renaud est son gendre, un homme pour lequel elle avait, jusqu'à présent, une tendresse toute filiale, une chaleureuse estime! Va-t-elle se mettre à désirer n'importe quel jeune mâle qui croise sa route, fût-il son neveu, son petit-cousin ou son beau-fils? Pestant contre cette nouvelle manifestation du dérèglement de ses sens, elle s'ébroue mentalement et reporte son attention vers le médecin, dont le mouvement pour se relever est interrompu par une déchirante quinte de toux du petit garçon, qui crache un peu de sang.

Bastien lui essuie le menton avec son propre mouchoir, puis il se relève brusquement. S'adressant à Daniel, il dit :

— Inflammation de poitrine. Pneumonie ou pleurésie, les symptômes sont difficiles à distinguer. Votre fils a-t-il déjà été diagnostiqué comme souffrant de l'une ou l'autre de ces maladies ?

— Pneumonie. Il n'avait pas tout à fait un an.

— Quel traitement le médecin a-t-il prescrit ?

— Repos et médicaments. Lesquels, je ne saurais dire exactement, c'était Sarah qui...

Bastien hoche la tête tout en considérant attentivement le jeune garçon.

— Pneumonie, donc, fort probablement. De toute façon, pour les deux inflammations, le traitement est le même. Vous connaissez ma philosophie soignante ? Si je peux me permettre, je vous conseille sincèrement la cure à l'eau froide. La fièvre inflammatoire découle d'un effort extrême de l'organisme pour expulser un principe morbidique qui a établi son siège dans la masse des humeurs. La force médicatrice de la nature tente d'éliminer ce principe à travers un organe. Étant donné que votre fils a déjà les poumons faibles et irrités... Il faut d'abord calmer l'inflammation, puis faire dériver la matière morbidique vers la peau.

Comme Daniel ignore manifestement tout de la valeur thérapeutique de l'hydrothérapie, Bastien prend le temps de préciser que, pour combattre l'inflammation, un simple bain de siège est un moyen plus puissant que tout l'arsenal antiphlogistique de l'allopathie.

– Les saignées affaiblissent le malade et les médicaments arrêtent l'expulsion de la matière peccante, qui alimentera une maladie subséquente. L'eau froide, au contraire, redirige l'inflammation vers une partie secondaire, puis les suées éliminent la matière morbidique. Si l'inflammation est bénigne, se tenir chaudement au lit et s'envelopper périodiquement de draps mouillés sont suffisants. Mais je crois que son caractère est déjà malin...

Le jeune médecin propose à Daniel de remonter avec lui rue Saint-Antoine, où il y a toutes les installations requises. Son interlocuteur hésite encore et Bastien le presse:

– C'est une maladie qui progresse rapidement. Je crains que les derniers jours n'aient aggravé un état latent... Tom toussait déjà?

– Depuis une bonne semaine, répond Léonie d'une voix sourde, mais j'ai cru à une simple grippe...

– C'est moi qui aurais dû y songer! réagit aussitôt Daniel. Je connaissais pourtant la fragilité de mon garçon!

Ignorant ces reproches, Bastien précise encore:

– Il ne faut pas attendre une suppuration du poumon. De tels abcès pardonnent rarement.

Il ajoute avec un sourire amical:

– Pour votre garçon, le traitement est gratuit. Flavie ne l'accepterait pas autrement...

Daniel donne finalement son accord d'un bref signe de tête et, peu après, les deux hommes repartent à pied avec Tom avec l'espoir de héler une carriole en chemin. Sitôt qu'ils sont arrivés à son cabinet, Bastien installe le garçon pour un bain de siège à l'eau dégourdie et lui couvre la poitrine d'un linge plié en plusieurs épaisseurs pour absorber la chaleur, comme Flavie le découvre lorsqu'elle vient aux nouvelles. Ensuite, pour rétablir la circulation sanguine, le jeune médecin frictionne les extrémités du malade maintenant enroulé dans un peignoir qui protège des refroidissements.

Lorsqu'il constate que la chaleur interne semble avoir diminué, que la respiration est moins sifflante et que la douleur s'est calmée en apparence, Bastien provoque la suée par un enveloppement de draps mouillés. Manifestement soulagé, Tom est ensuite couché dans le lit installé dans une petite pièce attenante pour les malades qui exigent une surveillance constante. Flavie quitte les deux hommes qui vont passer la nuit au chevet du garçon, alternant entre périodes de repos et de veille.

Au matin, Léonie vient proposer au jeune père de prendre la relève. Daniel hésite en consultant Bastien du regard ; après un moment, ce dernier lui permet de partir pour aller accomplir sa journée de travail. Dès qu'il s'est éloigné, Bastien dit d'une voix sourde à Léonie :

— Je suis inquiet, belle-maman. Depuis quelques heures, l'état de Tom a empiré de nouveau. Sa respiration, son pouls, sa toux... Je vais recommencer le traitement au complet, mais je crois que cet enfant a bien peu de forces à opposer à la maladie.

— Il s'essoufflait beaucoup, confirme Léonie. J'étais surprise de le voir si peu actif, comparé à mes souvenirs de la jeunesse de mes enfants... Il ne courait pas. Il préférait les jeux calmes.

Flavie arrive à son tour, le déjeuner de Bastien dans un panier. Avec un sourire reconnaissant, il la délivre de son fardeau et prend le temps de se sustenter, puis il demande à la jeune accoucheuse d'aller sonner chez Étienne, au risque de le réveiller. Il a besoin de son avis professionnel. Flavie embrasse rapidement son mari avant de s'exécuter. Elle est à peine de retour lorsqu'une servante vient la quérir pour la délivrance attendue de sa maîtresse.

Au soir, alors que les Renaud et Flavie sont réunis pour le souper, Bastien fait son entrée. À sa mine, la jeune femme comprend instantanément qu'il est envahi par le découragement. Il monte à leur chambre et Flavie le suit.

– L'inflammation est en train de ravager Tom, explique-t-il d'une voix éteinte de fatigue, et il crache de grandes quantités de sang.

Il n'en dit pas davantage et, après s'être changé, il re-descend dans la salle à manger. Dans un lourd silence que personne n'ose rompre, sauf Flavie qui répète les informations de Bastien à l'intention de sa belle-famille, il avale quelques bouchées, léger repas qu'il conclut par une longue rasade de thé tiède avant de repartir pour son cabinet.

Flavie passe une nuit agitée et l'aube est à peine levée lorsqu'elle descend à la cuisine préparer, de nou-veau, un déjeuner copieux qu'elle emporte au cabinet de la rue Saint-Antoine. À son entrée, elle fige : des éclats de voix lui parviennent du bureau de Bastien. Elle hésite, puis, reconnaissant le timbre de Daniel, elle pénètre len-tement dans la petite pièce.

Pâle comme un spectre, Bastien est debout devant son bureau, les bras ballants. Face à lui, rouge de colère, Daniel s'insurge avec fureur :

— Aucun médicament? Mais Tom est déjà l'ombre de lui-même!

Bastien répond posément, mais d'une voix blanche:

— Je conçois qu'on peut être sceptique devant le style de traitement que j'ai utilisé pour votre garçon. Cependant, je veux vous assurer que j'ai sérieusement examiné toutes les branches de la médecine. Comme je vous l'ai déjà expliqué, j'ai passé une année à Boston, à travailler dans la clinique d'un praticien réputé, et j'ai été témoin de guérisons spectaculaires, sans aucun recours...

— Épargnez-moi votre micmac! La vie de mon fils ne tient plus qu'à un fil et il faut tout tenter pour le sauver! Je repars avec lui et je trouverai bien un médecin compatissant qui...

Apercevant Flavie, Daniel interrompt brusquement son mouvement de retraite. Il reste cloué sur place et un lourd silence s'installe dans la pièce, troublé seulement par le bruit de sa respiration précipitée. Dominant sa propre émotion, Flavie tente de sourire et dit posément:

— Bien le bonjour, Daniel. À ce que je peux comprendre, tu es très inquiet. Bastien aussi, pour le sûr. Crois-moi, mon mari fait tout son possible pour ton garçon. Je t'avoue que sa méfiance des potions n'est pas aisée à accepter. Moi-même, au début, j'étais réellement étonnée! La médecine telle qu'elle s'enseigne fait la part belle aux médicaments les plus divers. On voit tellement de réclames dans les papiers-nouvelles, vantant les vertus de ceci ou de cela! À les en croire, leurs produits ne sont rien de moins qu'infaillibles, opérant à tout coup une guérison miraculeuse...

Flavie reprend son souffle. Elle a réussi à capter l'attention de Daniel et à le détourner de son plus vif ressentiment, et c'est d'un débit plus lent qu'elle reprend, tout en déposant son panier par terre :

— Les médecins hydrothérapeutes les plus notoires, ceux qui ont ouvert les premières cliniques en Europe et aux États-Unis, ceux qui ont publié de savants ouvrages après bien des années d'expériences... eh bien, ils affirment tous qu'il faut se méfier comme de la peste des médicaments. Bien des poisons se sont introduits dans l'usage et créent des maladies redoutables aux effets les plus variés. Le mercure est l'un des plus virulents et pourtant l'un des plus utilisés.

Bastien ne peut s'empêcher d'intervenir, avec prudence cependant :

— Dans la médecine des enfants, on le considère souvent comme une planche de salut. Et pourtant ! Cette substance a une action vénéneuse et provoque tantôt des désastres instantanés, tantôt des maux innombrables quand elle se combine avec l'un ou l'autre des tissus constituants du corps humain. Il y a aussi le soufre, le plomb et le zinc, et dans le règne végétal, la digitale et la ciguë...

Refusant d'envisager Bastien, Daniel reste les poings serrés, mais, manifestement, sa colère s'atténue peu à peu, minée par le doute. Bastien fait deux pas :

— Il me serait très facile de rédiger une ordonnance. Bien peu de médecins s'en passeraient, sachant à quel point cela rassure les patients. Mais je ne peux m'y résoudre. Je ne connais aucune substance fabriquée de main d'homme qui puisse guérir votre fils. Aucune.

Daniel tourne brusquement la tête vers lui et tous deux s'affrontent du regard. Gentiment, Bastien ajoute :

– Si vous préférez aller en consulter un autre, libre à vous. Ma science est loin d'être parfaite.

Flavie a envie de protester farouchement, mais elle se retient, consciente que son avis pourrait paraître totalement subjectif. Après un temps, Daniel pousse un long soupir et baisse la tête en fermant les yeux. Lorsqu'il les rouvre, il se tourne lentement vers Flavie et, emprisonnant son regard dans le sien, il balbutie :

– Je ne connais rien à la médecine. Je veux bien, monsieur Renaud, vous faire confiance… comme Flavie vous fait confiance.

Sur ce, il quitte la pièce à grandes enjambées. Instantanément, Bastien semble perdre tous ses moyens ; il recule jusqu'à son bureau sur lequel il dépose les fesses. Son visage devient verdâtre et ses tempes se couvrent d'une fine sueur. Inquiète, Flavie se précipite vers lui et le saisit sous les bras juste à temps pour l'empêcher de s'effondrer, victime d'une faiblesse. Peinant sous son poids, elle le secoue de toutes ses forces pour le ranimer et il inspire brusquement en marmonnant :

– Quoi ? Qu'est-ce que… ?

– Tu as perdu conscience. Allonge-toi !

– Me pencher suffira…

Flavie le délivre et, toujours assis sur le rebord de son bureau, il incline le torse vers l'avant, les coudes sur les genoux, en prenant de profondes inspirations. Toute retournée, Flavie s'installe à ses côtés, posant sa main sur sa nuque humide de transpiration. Après un temps, il souffle :

– Je vais mieux. Va veiller Tom, il est seul…

Flavie obéit à contrecœur. À la vue du garçon, elle a un choc : il est si maigre ! Il dort en respirant faiblement, avec une grande précaution, comme pour ne pas trop souffrir… Elle s'assoit et reste ainsi, à le regarder, jusqu'à ce que Bastien la rejoigne, un gobelet d'eau à la main. Après avoir regardé longuement le malade, il s'assoit par terre, adossé au mur, les genoux relevés, et boit lentement. Il renverse la tête en fermant les yeux. Rompant enfin le silence, il murmure :

– C'est trop dur, Flavie. Déjà qu'il faut accepter d'être impuissant… Mais si je dois me battre contre mes patients, je n'y survivrai pas.

Flavie fait une grimace de douleur, puis elle se lève et vient s'asseoir à côté de lui. Elle glisse son bras sous le sien et appuie sa tête contre son épaule, disant :

– Tu as choisi un chemin malaisé… Tu aurais pu faire comme les autres. Noter les recettes de tes maîtres dans un gros cahier. Appliquer pour chaque symptôme, chaque petit mal, un remède…

Il réplique, d'un ton sarcastique :

– On peut faire ça les premières années, mais si on est le moindrement consciencieux, on réalise vite que ça ne marche pas ! Je ne peux pas croire que mes confrères procèdent de même pendant toute leur carrière !

– Je t'admire fièrement, chuchote-t-elle encore.

Et s'avançant, elle pose doucement sa bouche sur ses lèvres, caresse qu'il accueille avec une moue sceptique mais émue.

Les efforts acharnés du jeune médecin sont vains et, quelques jours plus tard, la maladie emporte Tom. Son père est anéanti par cette mort si pénible à accepter, celle d'un si jeune et si attachant enfant. À court de mots pour réconforter Lizzie, qui pleure toutes les larmes de son corps, Léonie et Simon ne peuvent que la bercer inlassablement...

Assommé par cette tragédie, Bastien peine à reprendre courage. Le voyant se débattre contre l'accablement, Flavie se demande si réellement, à force de croiser la souffrance et la mort, on finit par s'endurcir... Tous deux viennent veiller le petit garçon, allongé sur une couche en plein milieu de la salle de classe, tendue de noir pour la circonstance.

Depuis que Daniel s'est installé rue Saint-Joseph, Flavie n'a pas vraiment eu l'occasion de renouer avec lui. Alors elle en profite pour s'asseoir avec lui et, après lui avoir exprimé son chagrin sincère, pour causer un long moment en tête à tête. Elle raconte l'essentiel de ce qui lui est arrivé depuis son départ pour les États-Unis, de même que son bonheur à partager l'existence de Bastien et ses projets professionnels.

D'abord peu loquace, Daniel l'écoute attentivement, de toute évidence soulagé d'être distrait de sa peine. Puis, au fil de la conversation, il se laisse aller peu à peu à évoquer quelques bribes de son existence de l'autre côté de «la ligne». Lorsqu'il tente de lui dépeindre Sarah, une femme malmenée par l'existence mais dotée malgré tout d'un appétit réconfortant pour la vie, il se trouble soudainement et chuchote en baissant la tête:

— Tu sais, Flavie... Le départ de Tom me laisse comme orphelin. Mais le plus dur, c'est que plein de souvenirs remontent. Ma mère, ma sœur... et Sarah. À chaque accès de folie, pour nous, c'était comme si elle s'enfuyait, de plus en plus loin...

Le lendemain, Tom est mis en terre dans un cimetière protestant. Daniel a déjà confié aux Montreuil à quel point sa conversion religieuse est mal vue par son frère Jeremy et sa belle-sœur. À cette occasion, cependant, nulle trace de cette réprobation : la sobre cérémonie se déroule dans un recueillement tout empreint de respect. Lucy et son mari sont dévastés et se mettent à couver leur propre bébé avec une sollicitude inquiète. Malgré leur vitalité, les enfants sont si vulnérables, si fragiles !

Avant de quitter le cimetière, Bastien s'approche de Daniel, Flavie à ses côtés. Gratifiant le père affligé d'une chaleureuse poignée de main, le jeune médecin bredouille :

– Je tenais à vous dire… L'argument que nous avons eu l'autre jour… J'espère qu'il ne vous a pas trop affecté…

Sans aucune animosité, le jeune homme répond :

– Je vous ai vu à l'œuvre. Vous avez déployé pour mon fils une telle industrie ! Je n'ai que des remerciements à vous adresser, monsieur Renaud.

Manifestement délivré d'un grand poids, Bastien inspire avant de poursuivre :

– Je sais que le moment est mal choisi, alors que la tristesse vous accable, mais… il me semble important de vous faire comprendre encore davantage le dédain que nous, les hydrothérapeutes, avons pour les médicaments. Nous sommes persuadés que ce sont des substances nocives qui nuisent aux malades ! Tous les vomitifs et les laxatifs causent, à long terme, bien des maux comme l'hypocondrie, la constipation, les difficultés à digérer, les obstructions au foie. Et je ne parle pas des terribles gonflements osseux et des ulcères mercuriels…

Flavie intervient en posant la main sur son bras.

– Bastien, je crois que notre ami a bien d'autres chats à fouetter…

— Nous reprendrons cette discussion à un autre moment, si vous le voulez bien, dit Daniel avec un pauvre sourire. J'ai bien de la misère à vous suivre...

Il s'éloigne et Flavie glisse son bras sous celui de Bastien, qui se tourne vers elle et poursuit sur sa lancée :

— Je voudrais aussi lui préciser une chose fondamentale et que bien peu de gens comprennent. Il paraît que même le fondateur de cette méthode, Priessnitz, n'avait pas saisi que la cause principale de guérison, celle qui assure un retour permanent de la santé, c'est un régime alimentaire léger et bien proportionné aux facultés digestives.

— Tu en auras le loisir éventuellement, indique-t-elle d'un ton apaisant.

— Le public ne se doute pas dans quel état d'esprit nous sommes, nous les jeunes médecins, quand nous quittons les bancs d'école. On s'imagine pouvoir tout guérir ! Un petit moyen contre chaque symptôme fâcheux ! Mais la foule d'incurables vient nous tirer de ce beau rêve. On ne s'attache pas assez à nous faire connaître le peu de certitudes de cet art ! On ne nous enseigne pas que les plus grandes qualités d'un médecin sont la circonspection et la faculté abstractive ! Il faut contempler de haut les phénomènes pathologiques ! Il faut scruter et comparer, et se défier de soi-même...

— Le vent se tourne du côté des mitaines... Où as-tu fourré les tiennes ?

— Dans mes poches. Moi, si je n'avais pas eu l'hydrothérapie, il y a longtemps que je serais allé voir ailleurs si j'y suis ! C'est elle qui me garde dans cette foutue profession, tu le sais, Flavie ?

— Puisque tu le dis, mon ange... J'ai une envie féroce de t'embrasser. Je te trouve tellement croquable quand tu t'emportes ainsi! Tu crois qu'on dénicherait une pierre tombale assez haute pour se cacher derrière?

Sa verve abruptement tarie, Bastien considère Flavie avec un air ahuri. Cette dernière lui fait une grimace contrite suivie d'un clin d'œil complice, avant de lui tendre ses mitaines qu'il enfile rapidement tout en se laissant entraîner, à la suite des autres, hors du cimetière.

CHAPITRE XVII

Le cœur rempli d'un légitime orgueil, Léonie envisage, l'une après l'autre, les seize élèves qui emplissent sa classe. Ce nombre, même si elle sait qu'il diminuera quelque peu au cours des semaines suivantes, la comble d'aise. Elles sont seize à avoir osé s'inscrire, malgré le coût élevé, pour suivre la toute première formation s'étendant sur deux années complètes, soit de janvier 1852 à décembre 1853!

Au premier cours, deux jours plus tôt, Léonie et ses deux professeurs adjoints, Marguerite Bourbonnière et Marcel Provandier, ont présenté l'ensemble de la matière et le déroulement des deux années d'études. Aujourd'hui, comme de coutume, Léonie aborde la description des organes externes de la génération. C'est une matière qui s'assimile aisément, mais surtout, cela lui permet de mettre, dès le départ, les vrais mots sur les bonnes parties. Les sensibilités trop prudes comprennent rapidement qu'elles ne sont pas ici à leur place!

– La description qui suit est empruntée à l'ouvrage célèbre de l'accoucheuse française Marie-Anne Boivin, avec lequel vous ferez amplement connaissance au cours des deux années qui vont suivre. Les organes qui servent à la génération sont composés d'une série de parties d'une texture délicate et complexe. Elles sont comprises sous le nom collectif de vulve, mot dérivé du latin qui signifie la porte ou l'entrée, soit une ouverture longitudinale qui commence sur la partie antérieure des pubis et s'étend dans la direction de la ligne médiane du corps. Cette vulve, explique Léonie, est constituée d'abord de l'éminence sus-pubienne, entièrement formée par la peau et un tissu graisseux plus ou moins abondant, qui se couvre de poils à la puberté. Ensuite, deux lèvres longitudinales et parallèles forment les bords de l'ouverture, dont la saillie, l'épaisseur et la consistance varient beaucoup.

Dans la salle de classe, le silence est à couper au couteau et les demoiselles sont littéralement figées sur place, leurs yeux démesurément ouverts fixés sur Léonie, qui ajoute :

— Si la face externe de ces lèvres, convexe et arrondie, est parsemée de poils, la face interne est formée par une membrane molle parsemée de quelques follicules qui filtrent un mucus sébacé gras et onctueux. L'union de ces deux lèvres sur les pubis est nommée commissure supérieure.

La maîtresse sage-femme reprend à peine son souffle avant de poursuivre :

— Sous les lèvres, les nymphes se réunissent en un prépuce, sorte de repli recouvrant l'extrémité du clitoris, qui ressemble à un petit corps cylindrique à l'extrémité arrondie et saillante. Cependant, à la dissection, on reconnaît que le clitoris est beaucoup plus étendu qu'il n'y paraît. Il est composé d'une sorte de corps caverneux et oblong, qui se divise en deux branches qui sont recouvertes de faisceaux de petits muscles et qui s'implantent aux branches inférieures des pubis.

Léonie est interrompue dans sa lancée oratoire par des coups impérieux frappés à la porte. Irritée, elle s'y rend en trois enjambées. Il y a pourtant un écriteau qui spécifie de ne pas déranger! D'abord aveuglée par la lumière du jour, elle reconnaît enfin la massive silhouette du médecin Nicolas Rousselle, qui s'empresse de déclarer d'une voix forte :

— Je sais que je vous dérange, chère Léonie, mais comme j'ai fait tout ce chemin pour venir vous voir, j'ai cru que vous m'accorderiez quelques minutes de votre temps...

D'un mouvement de la tête, Léonie lui fait signe d'entrer, puis elle commande à ses élèves de feuilleter les quelques ouvrages qui sont empilés au centre de la table et de s'attarder plus longuement aux diverses planches anatomiques qui s'y trouvent. Sans un mot, elle indique à Rousselle de la suivre jusqu'à la cuisine, ce qu'il fait avec une lenteur exaspérante, examinant sans vergogne non seulement les demoiselles rougissantes, mais la disposition générale des lieux.

Léonie décèle dans l'attitude de son visiteur une pétulance narquoise qui l'avertit de se tenir sur ses gardes. Sans y être prié, il prend le temps de se débougriner et s'installe sur une chaise basse, puis il invite Léonie à s'asseoir aussi. La considérant avec un sourire qui se veut charmant, il susurre :

— Mes confrères de l'École de médecine m'ont confié une mission et je suis bien aise, pour une fois, de pouvoir bavarder avec vous. Nous sommes enchantés, à l'École de médecine, de constater à quel point, sous la gouverne de ces bonnes dames, votre refuge semble prospère. Et surtout, nous sommes ravis de collaborer avec vous à ce succès qui nous permet de faire profiter à nos étudiants des enseignements que l'on peut tirer des cas qui se présentent à votre maternité.

Ayant bien d'autres choses à faire que d'écouter ce verbiage, Léonie laisse tomber :

— Nos professions respectives ont tout à gagner d'un échange réel de connaissances.

Chaque fois qu'elle qualifie le métier de sage-femme de « profession », les hommes de l'art tiquent. Pour la plupart d'entre eux, cette position est irrecevable : les sages-femmes sont de vulgaires praticiennes sur lesquelles ils doivent exercer une autorité légitime. Pourtant fondée il y a déjà cinq ans, l'école de Léonie suscite encore bien des remous et des indignations parmi la belle société montréaliste. Cette petite classe prive les médecins qui s'improvisent professeurs d'une partie de leur lucrative clientèle, celle des sages-femmes qui veulent acquérir quelques notions d'obstétrique. Son succès prouve aussi que, contrairement aux préjugés en vogue, les femmes sont capables d'apprendre, d'enseigner, de diriger ! Après quelques mois, elles ne s'écroulent pas, en proie à des convulsions hystériques...

Rousselle tente de retenir un fort accès de mauvaise humeur, mais, n'y parvenant pas, il profère d'un ton sans appel :

— Les accoucheuses ont toutes les opportunités possibles pour parfaire leur savoir. Plusieurs médecins leur offrent des cours très complets d'introduction à la médecine. Quelques années d'apprentissage, quelques cours théoriques sur les bases de la médecine et de l'anatomie, voilà qui est amplement suffisant ! Ce sont les médecins qui prennent charge de tous les cas difficiles. La chose est entendue, acceptée par l'élite de notre population !

— Allez droit au but, monsieur Rousselle, je n'ai pas de temps à perdre.

— Si ces dames désirent encore la présence d'une sage-femme à leur chevet, c'est seulement parce qu'il manque aux jeunes médecins une nécessaire expérience pratique. Ce trou est en train de se combler, en partie à cause, chère Léonie, du refuge que vous dirigez si expertement.

Il ajoute avec une intense satisfaction qu'il ne tente même pas de dissimuler :

— Bientôt, les médecins seront aussi habiles que les accoucheuses. Les clientes afflueront à leurs portes parce que la science médicale leur offrira un bien meilleur secours. Nous sommes dans un siècle de progrès, Léonie. L'anesthésie et l'art de la chirurgie font de grands pas en avant. Croyez-moi sur parole, aucune dame ne refusera les avantages de cette science à un moment si éprouvant de son existence.

Brusquement, le médecin se penche vers sa valise et en extirpe quelques feuillets pliés en trois, qu'il remet à Léonie. Il lui fait cavalièrement signe d'en parcourir le contenu et Léonie déplie les feuillets à contrecœur, outrée par son manque de courtoisie. Un vrai gentil-homme l'informerait verbalement du contenu de la mis-sive! Signée par le président du conseil d'administration de l'École de médecine et de chirurgie de Montréal, elle est adressée à la présidente de celui de la Société compa-tissante. Le constatant, Léonie replie immédiatement les feuillets en disant froidement :

— Je vous ai déjà prié de ne pas me considérer comme une intermédiaire entre ces dames de la Société et ces messieurs de l'École de médecine. Vous savez par-faitement à qui l'envoyer.

Intentionnellement, pour la rabaisser davantage, Rousselle lui fait jouer le rôle de messagère! Encore une fois, elle regrette amèrement leur brève relation amoureuse, il y a longtemps, alors qu'il était jeune praticien à Longueuil et elle, apprentie sage-femme. Comme les choses seraient plus simples aujourd'hui s'il n'y avait pas, entre eux, ce rappel constant d'une intimité à laquelle Léonie a mis brusquement terme! Il ne serait sans doute pas davantage sympathique à ses yeux, mais au moins, il la traiterait avec moins d'arrogance...

Le médecin précise sèchement:

— La requête vise à faire augmenter le nombre d'étudiants qui peuvent approcher en même temps les patientes. Trois, ce n'est pas suffisant. Il faut augmenter à cinq. Il est inacceptable, Léonie, que le conseil encourage la bonification de la formation des élèves de votre école sans faire de même pour nos étudiants. De plus, je souhaite me faire accompagner, lors de mes tournées, par deux étudiants de l'École, avantage qui sera étendu à tout médecin attitré. Enfin, nous voulons être partie prenante aux décisions qui sont prises par votre conseil d'administration. À cet effet, nous demandons la création d'un bureau médical consultatif dont l'un des membres siégera au conseil d'administration de la Société compatissante.

Sans un mot, Léonie remet l'enveloppe à Rousselle et il la prend mécaniquement, l'air interdit. Elle se lève et dit sèchement:

— J'ai à faire, monsieur. Je vous signifie votre congé.

Il se dresse et, avec une fureur contenue, il glisse la missive dans la poche intérieure de sa redingote. Avec un mélange calculé de brutalité et de familiarité, il jette encore:

— N'oublie jamais, ma belle, que c'est grâce à l'argent et à l'encouragement de *mon* école que *ta* société continue d'exister.

Outragée, Léonie tend le bras vers la salle de classe en intimant à mi-voix :

— Décanille ou je fais venir les soldats au pas de charge !

Il obéit enfin, l'air satisfait, et Léonie s'octroie un court moment de répit pour reprendre ses esprits. On croirait que tous les hommes importants de la ville se sont donné le mot pour assurer leur ascendant sur un bien petit organisme, un frêle esquif où il se passe si peu de choses, rien d'autre que la transmission de la vie, cet acte si féminin... à leurs yeux si terriblement féminin. Ces hommes de l'art font montre d'une telle outrecuidance, et Rousselle est le pire d'entre eux ! Plus d'étudiants à la Société, un bureau médical... Pourquoi ne pas exiger de remplir la fonction de garde-malade, tant qu'à faire ? Mais non, voyons : c'est une occupation bassement triviale, indigne des études avancées qui leur farcissent le cerveau de mots savants !

Enfin, Léonie retourne dans sa classe.

— Refermez ces livres, mesdemoiselles. Je reprends mon exposé. Après les lèvres, les nymphes et le clitoris, nous sommes parvenues à l'orifice de l'urètre et surtout à celui du vagin, une grande ouverture circulaire située en dessous. Chez les vierges, elle est rétrécie par un prolongement membraneux que l'on désigne sous le nom d'hymen. Chez les autres, et surtout après l'accouchement, cet orifice a plus ou moins d'amplitude et l'on y remarque trois ou quatre petits tubercules rougeâtres, nommés caroncules vaginales.

Enchaînant sur la description du périnée, cet espace intermédiaire qui sépare la vulve de l'anus et qui présente dans son milieu une petite ligne saillante, Léonie observe subrepticement ses élèves. Quelques-unes ont les yeux pudiquement baissés sur leurs mains croisées par-dessus la table, la plupart la dévisagent avec un mélange d'étonnement et de défiance, et quelques-unes enfin portent, inscrite sur tous les traits de leur visage, une grande soif de connaissance. Léonie est prête à parier cent louis que ces dernières deviendront ses meilleures élèves !

Sur un ton dans lequel perce l'émerveillement, Magdeleine Parrant s'écrie :

– Quelle praticienne de talent ! Excusez-moi de vous distraire de votre lecture, mais cette maîtresse sage-femme est tout un personnage !

Plongée depuis un bon moment dans *Pratique des accouchemens* de Marie-Louise Lachapelle, Magdeleine n'a pu retenir cette exclamation d'admiration. Souriante, Léonie déclare à son tour :

– Quelle somme documentaire, n'est-ce pas ? À mon sens, ces trois volumes sont… comment diriez-vous, Marguerite ? La quintessence de notre savoir.

L'interpellée renchérit :

– Comme si Mme Lachapelle avait réussi à faire la synthèse de toutes les connaissances accumulées depuis des siècles, et surtout à les porter à un degré de raffinement inégalé.

– Je n'avais que des éloges pour l'ouvrage de Marie-Anne Boivin, commente Flavie à son tour, mais j'avoue qu'il pâlit en comparaison !

Les accoucheuses sont rassemblées dans la salle de classe de l'École de sages-femmes pour la deuxième réunion du cercle d'études depuis sa création à l'automne précédent. Sally Easton est présente; une des élèves de Léonie a préféré s'abstenir, mais une autre s'y est jointe, portant à neuf le nombre de membres. L'étude des livres rapportés de France par Marguerite n'est pas terminée, tant s'en faut!

Il a été d'une facilité déconcertante de transformer le groupe informel d'accoucheuses en un corps mieux défini. Les organisatrices ont pris bien soin de ne jamais mentionner le besoin d'une quelconque approbation de la hiérarchie catholique et personne n'a posé de question! À la première réunion, certaines affaires administratives ont été débattues, comme le montant de la cotisation, toute symbolique, le calendrier des rencontres et la tenue des procès-verbaux.

Constatant qu'elle est la cible de l'intérêt général, Magdeleine reprend, avec enthousiasme:

– C'est son ton qui me plaît tant. Elle a une telle force de conviction! Mais une conviction parfaitement tranquille... Elle traite de l'excitation des organes expulseurs. Comme nous le savons déjà, si les muscles de l'abdomen sont volontaires, ceux de la matrice ne le sont pas, et il est impossible d'agir sur eux directement. Elle s'élève contre les dilatations forcées par lavements purgatifs...

Sally l'interrompt:

– Elle écrit quoi, au juste? Je pourrai m'appuyer sur sa science pour faire face à certains médecins...

– Elle écrit: « Le peu d'effets que j'ai vu résulter des lavements ordinaires m'a également détournée de l'emploi des lavements irritants. » Par contre, l'effort des muscles abdominaux peut exciter l'utérus ; c'est pourquoi il est conseillé de faire marcher la femme souffrante. De plus, la pression du fœtus sur l'orifice utérin est une cause d'excitation également forte. Enfin, des frictions circulaires sur l'abdomen réveillent fréquemment l'utérus assoupi. Remarquez, elle écrit *assoupi*, mais non complètement *inerte*.

Magdeleine poursuit sa lecture à voix haute. Mme Lachapelle estime que les pressions directes sur l'orifice utérin, surtout sur la partie postérieure des lèvres de la vulve, mais aussi sur la commissure antérieure du périnée, peuvent avoir de salutaires effets sur l'intensité des douleurs.

— « En appuyant ainsi sur les muscles transverses du périnée et le releveur de l'anus, j'obtiens des résultats d'un avantage non équivoque ; je détermine un ténesme qui force la femme à pousser, en même temps qu'il accroît sympathiquement le spasme de la matrice. »

Marie-Julienne Jolicœur, l'ancienne jeune élève de Léonie, délurée et d'une intelligence vive, demande timidement :

— Un ténesme ? Je ne connais pas ce mot…

— Des sensations de brûlure associées à une envie continuelle d'uriner ou de déféquer, explique Léonie. Je crois que Mme Lachapelle veut parler de la tension qu'elle provoque manuellement et qui s'apparente à cette affliction. Qu'en pensez-vous, Marguerite ?

— J'abonde en ce sens. J'ai vu les assistantes sagesfemmes agir ainsi à quelques reprises, à la Maternité.

Manifestement interloquée, Sally s'exclame :

— Je ne connaissais pas cette pratique ! C'est prodigieux ! L'effet est réel ?

– À mon sens, oui. Lorsque les douleurs ralentissent, tous ces moyens combinés ne devraient pas manquer de les accélérer… sauf si la mère est mal conformée.

Léonie interjette:

– Il me faut vous lire ce qu'elle écrit sur la nomenclature des positions du fœtus. Marguerite a eu la gentillesse de me prêter son livre il y a quelques jours et j'ai pu m'y plonger à loisir… Je trouve la page… Le célèbre obstétricien Baudelocque, rattaché lui aussi à la Maternité de Paris, a singulièrement multiplié les positions. C'est, dit-elle, un échafaudage théorique! Mme Lachapelle croit que seule une mort prématurée a empêché Baudelocque de simplifier sa classification. Écoutez: «Des 94 positions admises, il n'en est que 22 dont trente années de pratique m'aient confirmé l'existence.»

– Cette nuance est d'une importance fondamentale, intervient Marguerite avec agitation. Non seulement la mémoire des élèves est inutilement surchargée, mais elle leur fait croire des choses qui n'ont jamais existé. La nomenclature peut donc les tromper dans leur diagnostic et, pire, dans leurs procédés opératoires!

Léonie conclut en lisant d'un ton malicieux:

– «Les tromper jusqu'au temps, du moins, où l'expérience leur a appris à distinguer le certain de l'hypothétique.»

– Il faudrait que tous les médecins de la colonie lisent et relisent ce livre jusqu'à l'apprendre par cœur! s'écrie Flavie. Les maîtresses sages-femmes de Paris possèdent un savoir inégalé, non seulement en cas de complication, mais lors d'une délivrance naturelle! C'est ce dernier aspect qui manque cruellement à la plupart de nos savants praticiens…

Marie-Barbe Castagnette, qui s'était contentée jusque-là d'écouter sagement, ne peut s'empêcher de relever avec incrédulité :

– Vous dites *quatre-vingt-quatorze* positions ? Un nombre selon moi fièrement exagéré !

Léonie enchaîne sur les tableaux dressés par Mme Lachapelle. Les positions du sommet représentent, dans ses statistiques, quinze délivrances sur seize. Celle des fesses vient ensuite, puis celle des pieds. Face et épaules sont rarissimes. Elle n'a jamais rencontré ni position du cou ni position du tronc proprement dit, des présentations invraisemblables parce que l'enfant ne peut pas se ployer totalement ainsi, vers l'arrière. À ce sujet, les médecins auteurs ne font que se copier mutuellement !

Après quelques instants de silence, Marguerite prend la parole :

– Je crois qu'il serait sage pour nous, accoucheuses, d'étudier soigneusement les descriptions de cas de Mme Lachapelle. Déjà, il me semble, plusieurs d'entre vous ont constaté que c'était une mine d'or d'informations sur les délivrances compliquées.

– Elle se livre aussi à une longue discussion sur l'usage du forceps, intervient Flavie. Plusieurs dizaines de pages, au moins. C'est fort éclairant…

Léonie l'interrompt avec emportement :

– Une discussion qui m'a rendue encore plus méfiante à l'égard de cet instrument. À la lire, il est dangereusement aisé de meurtrir l'orifice utéro-vaginal, de rompre le périnée ou de blesser la tête du fœtus ou sa face… Elle a constaté chez le bébé une disposition aux convulsions à la suite de son emploi, à cause peut-être d'une compression du cerveau.

Flavie ajoute aussitôt :

– Mme Lachapelle décrit, pas à pas, comment il faut s'y prendre pour introduire les fers et s'en servir, selon que le fœtus a franchi l'orifice ou non. Elle préconise un mouvement en spirale qui fait cerner la tête par un trajet oblique, très différent de celui de Levret.

Envisageant sa fille avec une franche impatience, Léonie discourt à son tour :

– Sa description du travail effectué par les mains m'a semblé bien davantage convaincante, et c'est là-dessus que je vais me baser pour mon enseignement. Toutes les interventions peuvent se faire avec les mains et les instruments sont inutiles... sauf, comme de coutume, le crochet du chirurgien pour extraire un enfant mort. L'extraction manuelle de l'enfant par les pieds, dans les cas problématiques, m'apparaît la meilleure solution, et la *Pratique des accouchemens* le décrit parfaitement bien.

– En effet, observe Sally, qui a une bonne expérience de cette intervention, elle demande une grande patience et je vais en prendre de la graine. Par exemple, ne jamais forcer un orifice utérin rigide qui n'a pas encore été ouvert...

La discussion languit ensuite jusqu'à devenir un bavardage néanmoins instructif, pendant lequel les sages-femmes d'expérience partagent avec les plus jeunes les enseignements qu'elles ont tirés de certains cas problématiques.

Simon ouvre la porte toute grande pour se trouver nez à nez avec deux personnages tenant devant leur visage un loup de fabrication grossière. Dans un éclat de rire contagieux, Flavie et Bastien sont aussitôt démasqués, mais il hésite néanmoins un moment devant celui qui se tient incognito derrière le jeune couple. Sa voix le trahit cependant : dans un concert d'exclamations, les Montreuil accueillent Édouard Renaud, venu célébrer en leur compagnie.

Le père de Bastien leur explique que Julie est invitée à un grand bal masqué pour le Mardi gras et qu'Archange, en mère responsable, a bien dû l'y accompagner ; il n'a donc pas refusé l'offre de Flavie de venir veiller dans les faubourgs. De sous sa bougrine, il tire un vieux porto, qu'il offre à Simon, lequel tombe en extase, caressant la bouteille comme s'il s'agissait de la plus exquise des femmes.

Le rez-de-chaussée est illuminé et les tables de la salle de classe ont été empilées dans un coin. Sur celle de la cuisine, Flavie et Léonie, aidées d'Agathe et de sa mère Léocadie, alignent les plats d'un goûter simple mais copieux. Tandis que les jeunes Sénéchal, poursuivis par Lizzie, la fille de Daniel, courent en tous sens, Simon et Laurent finissent de bourrer les feux. L'atmosphère est gaie et désinvolte, taquineries et grivoiseries se succédant sans relâche.

Mais déjà, des coups retentissent à la porte et Léonie fait entrer un petit groupe de voisins masqués. Un doigt de remontant leur est offert pendant que chacun s'évertue à les reconnaître. L'exploit réussi, on s'écrie et on s'embrasse, puis la petite troupe prend son envol vers une autre maisonnée.

Bastien pousse un long sifflement :

— Bistouri à ressort ! À ce rythme, quand les neuf heures vont sonner, il y en a un paquet qui vont tricoter sur leurs jambes !

– Mon fils est un adepte de la modération, explique Édouard d'un air docte à Simon et à Léonie. Je vous avoue que c'est parfois un peu ennuyeux… Si je l'avais écouté, j'aurais installé une balance sur la table de la salle à manger, pour que chacun pèse la quantité de viande rouge ingérée!

– Une modération en tout? demande Simon à son beau-fils, une étincelle dans l'œil.

Bastien baisse la voix et fait mine d'ignorer que Léonie, qui ramasse quelques gobelets qu'elle rince distraitement, entend clairement la conversation:

– Je sens en vous, cher beau-père, une intense curiosité… Puisque nous sommes entre hommes, je serai franc. Oui, d'après les grands maîtres de l'hydrothérapie: même dans le… hum… dans le coït, comme ils disent.

Simon insinue encore:

– Une exigence que, mon cher gendre, vous respectez vous-même?

Rougissant légèrement, Bastien réplique avec dignité:

– Je suis en parfaite santé, tout de même!

Ses deux interlocuteurs éclatent de rire et Simon fait un clin d'œil à Édouard:

– Il me semblait bien, aussi, que votre fils avait les yeux à la perdition de son âme! Allez, cette conversation scabreuse a assez duré! Il ne faudrait pas froisser les collets montés que vous êtes…

M. Renaud riposte:

– C'est en me traitant ainsi que vous me froissez bien davantage! Ne m'associez pas avec ceux qui ne mettent quasiment plus pied à terre, passant directement de leur calèche au portique de leur château! Je me targue, moi, de renifler encore la boue dans laquelle marche le menu peuple...

— Je suis ému! s'écrie Simon, hilare. Réellement, quel lyrisme!

Les jeunes Sénéchal ne se contiennent plus d'impatience et bientôt, tous trois se vêtent chaudement tandis que Daniel s'occupe d'habiller Lizzie, avant de se gréer lui-même. Agathe et Laurent se préparent de leur côté et Flavie, qui se meurt d'envie de les accompagner, vient annoncer à Bastien, en posant un baiser léger sur sa joue, qu'elle part en promenade avec la troupe. Il est tenté, un moment, de les suivre, mais il juge plus sage que l'un des deux reste à l'intérieur, en cas d'urgence...

Suivant du regard Flavie qui s'éloigne, Édouard murmure pensivement à Simon et à Léonie:

— Vous avez observé que votre fille n'a pas demandé sa *permission* à mon fils? Elle ne le fait jamais. Elle s'enquiert de son avis, elle discute avec lui et cède parfois s'il n'est pas d'accord, mais elle agit avec lui en égale, en personne responsable. C'est remarquable. J'ai connu très peu de femmes qui agissent ainsi... Comment vous y êtes-vous pris?

Les parents de Flavie échangent un regard surpris, puis Léonie bredouille:

— Votre fils ne s'en offusque pas?

— Elle ne lui a pas laissé le temps de s'imaginer qu'il avait une autorité naturelle sur elle. Je l'ai vue agir dès les premiers temps de leur mariage: elle a installé entre eux, au départ, un climat d'égalité. Ce n'est pas parce qu'il est son mari que son opinion a préséance, mais bien parce qu'il connaît mieux un sujet qu'elle ou parce qu'il a plus d'expérience en certaines matières. Comme elle, en d'autres. J'adore les voir discuter. C'est tellement plus sain… Ça me fait réfléchir sur mes propres comportements, sur la manière dont je m'arroge des droits sur la vie d'Archange et de Julie…

— Je ne vous cacherai pas que ma fille m'effraie parfois, avoue Simon. C'est en grande partie de ma faute : je n'étais pas un père autoritaire, du moins je m'en targue, et je préfère nettement éveiller l'intelligence des jeunes par la discussion et par un examen éclairé de toute question. Quant à ma femme, vous la connaissez, elle laisse autant de liberté à ses filles qu'elle en a besoin pour elle… Mais notre monde n'est pas accueillant pour un tel genre de femme. Je crains fort que Flavie, si ambitieuse, ne s'y brûle les ailes.

— Le risque est réel, admet Édouard. Mais comment l'empêcher de voler à sa guise ? Ne serait-ce pas encore plus cruel ? Je crois qu'elle est bien avertie des dangers qui la guettent.

— Je ne sais pas… J'en doute parfois. Elle est naïve, trop confiante. Avant que d'y avoir goûté, on ne peut se douter des perfidies dont nos semblables sont capables.

Attendri par les quelques onces de porto qu'il a déjà ingurgitées, Simon souligne :

— Je suis soulagé, Édouard, qu'elle ait non seulement un mari, mais un beau-père de cette qualité. Je sais qu'en cas d'adversité vous en prendrez soin comme nous le ferions…

Hochant sobrement la tête, Édouard lève son gobelet et tous trois boivent une gorgée, puis il amène la discussion sur le terrain de la tyrannie de la religion catholique qui, au Bas-Canada, s'incarne avec le plus de vigueur dans la personne de Mgr Ignace Bourget, évêque de Montréal. À l'entendre, s'indignent les deux hommes en chœur, le protestantisme serait la pire calamité à s'abattre sur le peuple canadien, menaçant non seulement sa foi supérieure, mais sa survie même!

Leur évêque craint surtout pour la solidité de son trône, rigolent-ils ensuite. Mais ils perdent toute envie de se moquer lorsqu'ils évoquent les conséquences funestes de cette attitude : l'obscurantisme intellectuel, la terreur de doctrines nouvelles. S'instruire, au Bas-Canada, équivaut à ânonner bêtement une série de croyances immuables! Aucun système de pensée, proteste Simon, n'est digne de se répandre au sein de l'humanité s'il ne peut être soumis à l'examen de la raison, s'il ne peut être tout de bon discuté, analysé, comparé!

L'irruption de joyeux drilles, en l'occurrence l'épicier Marquis Tremblay, cousin de Simon, son épouse Appolline, leur fille Rosette grosse d'au moins huit mois et son mari, remplit la pièce d'éclats de rire et de bavardages. Léonie s'y joint tout en restant, un peu trop à son goût, attentive aux réactions de son gendre.

Dans le courant de sa vie ordinaire, chaque fois qu'elle pense à lui, elle s'étonne du plaisir que ces évocations suscitent en elle. Cette attirance la plonge dans une perplexité abyssale. Non seulement il est fort indécent de désirer le mari de sa fille, mais il n'est même pas du genre qui lui plaît d'habitude! Elle est profondément mortifiée que son appétit renouvelé pour les hommes la conduise à une telle fixation. Si elle peut se rebeller en pensée, elle ne peut cependant pas maîtriser les élans de son corps! Elle ne s'imagine pas réellement dans ses bras, la chose serait par trop révoltante, mais elle a une furieuse envie de se laisser envelopper par l'aura de sensualité qui, a-t-elle l'impression, se dégage de lui...

Peu après, la troupe de fêtards fait un retour bruyant et, de nouveau, la cuisine est bondée. C'est la ruée joyeuse vers le buffet, puis chacun s'installe de son mieux sur l'une des chaises déménagées de la salle de classe. Il commence à être tard ; fatigués, repus, enfants et adultes se mettent à bâiller sans retenue. Selon cette préférence qu'ont souvent les fillettes pour les jouvencelles, Lizzie s'endort sur les genoux d'Émérine, la sœur d'Agathe.

De sa place près du poêle, Léonie observe Flavie et Bastien, assis l'un à côté de l'autre, elle reposant sa tête contre son épaule et lui y appuyant la sienne dans un geste d'abandon charmant. Sans doute ignorent-ils à quel point, même dans une scène aussi tranquille, l'entente charnelle transpire par tous les pores de leur peau... Quiconque, les voyant ensemble, ne peut être que frappé de leurs gestes discrets d'un naturel parfait, dans lesquels se devine une intime connaissance des goûts et des besoins de l'autre.

Leur couple est comme un port accueillant, où chacun se repose dans les bras de l'autre des épreuves de la navigation en haute mer. Ce qu'ils sont plaisants, songe Léonie, si bien accordés et d'une enivrante jeunesse... Elle aimerait prendre place dans le tableau qu'ils forment. S'assoyant tout contre leurs jambes, elle poserait la tête sur leurs genoux. Elle serait tant réconfortée ainsi, réchauffée jusqu'aux tréfonds de son être, enveloppée et régénérée par la force de leur désir mutuel...

Déstabilisée par cette évocation surprenante, Léonie bouge avec malaise sur sa chaise, mais peu à peu, un profond soulagement la gagne. Ce n'est pas l'énergie mâle de son gendre qui l'attire tant, mais plutôt ce qu'il représente et qu'elle est sur le point, vu son âge, de quitter : la fougue, la passion ! Devant le spectacle de ces deux jeunes amoureux, à qui il reste tant d'années pour brûler, elle se rebelle d'être déjà sur l'autre versant, si proche du jour où s'éteindra son goût pour Simon, ou encore pire, le sien pour elle !

L'attrait qu'elle ressent actuellement pour son homme, et même, doit-elle se l'avouer, pour quelques autres mâles, lui fait craindre qu'il ne s'agisse que d'un feu d'artifice, qui brûle avec vigueur mais qui s'éteint presque aussitôt. Son appétit exacerbé, dont elle profite tant lorsque Simon peut y répondre, est-il sur le point de mourir à jamais ? Comme ce serait dommage pour elle, enfin libérée des contraintes de la fertilité !

De toute la force de cet élan de jalousie envers sa fille et son mari, Léonie refuse de passer la fin de sa vie allongée dos à dos avec Simon, sans plus ressentir ce bonheur ineffable, celui de quelques minutes d'immortalité. Elle refuse de se flétrir, de devenir un objet de pitié, une personne encombrante dont on attend seulement la disparition ! Ce que les enfants sont cruels envers leurs vieux parents ! songe-t-elle encore avec amertume. Sans vergogne, ils font étalage de leur ivresse de vivre et de jouir…

Léonie est distraite de ses sombres pensées en voyant Laurent se lever avec effort. Son air embarrassé lui met la puce à l'oreille. Il étreint la main d'Agathe, encore assise, qui rougit en baissant la tête. Aussitôt, Léonie en conçoit un fort soupçon. Se pourrait-il… ? Après s'être raclé la gorge, son fils aîné déclare maladroitement :

– Tandis que nous sommes tous réunis ici… Agathe et moi, nous voulons en profiter pour vous annoncer que bientôt, enfin, à la fin de l'été, nous serons maman… euh, papa… enfin, parents !

La fin de son annonce est couverte par un concert d'exclamations auquel Léonie participe d'un cœur joyeux. Un petit-enfant ! Un nourrisson à bercer au coin du feu, en admirant la finesse du grain de sa peau, l'ourlet délicat de sa bouche, le duvet si doux de ses cheveux ! Ravie, elle se précipite pour donner l'accolade au jeune couple. On trinque à sa santé et on lance, comme de coutume, quelques blagues grivoises…

Debout comme tout le monde en plein milieu de la pièce, Flavie se joint à la liesse générale, puis elle glisse un regard attendri vers son mari, qui s'est retiré à l'écart en compagnie d'Édouard. À la vue de son visage grave et troublé, elle se fige. Bastien fait visiblement un effort pour paraître dégagé, mais il semble bien tourmenté… Un brusque accès d'émotion serre la gorge de Flavie. À quoi songe-t-il donc ? Se pourrait-il qu'il regrette leur décision de repousser encore la venue d'enfants ? Pourtant, il semblait bien déterminé ! Il la serrait dans ses bras en frissonnant à la perspective des douleurs de la délivrance et des dangers de l'enfantement, qu'il exagérait notablement ! Non, pour le sûr, ce sont des évocations fort lointaines qui le hantent ainsi…

Par-dessus le petit groupe, Simon lance à haute voix à l'adresse de son gendre, en élevant son gobelet vers le ciel :

– Prends-en de la graine, fiston ! Icitte, on commence à avoir hâte que Flavie nous fasse la même annonce ! À moins qu'il y ait un manque… dans ton instruction ?

Avec un sourire contraint, Bastien trinque à distance, sans répondre. Craignant que Simon ne poursuive dans la même veine, Léonie lui murmure à l'oreille de cesser ses allusions malséantes. Il la considère avec surprise ; elle ajoute qu'elle lui expliquera plus tard. Haussant les épaules, il la saisit par la taille et la presse contre lui, au risque de renverser son précieux breuvage.

Flavie s'approche de Bastien, lui prend la main et se hausse pour l'embrasser sur la joue, avec toute la douceur dont elle est capable. Elle chuchote :

– Je crois, mon ange, qu'il serait temps de partir...

Il coule vers elle un regard dans lequel un bouquet d'émotions frémit comme une larme d'enfant sur le bord de la paupière : une tendresse infinie à son égard, une vulnérabilité touchante et, tout au fond, comme une douloureuse incertitude... Troublée, Flavie se retient à grand-peine de le serrer dans ses bras. Elle l'interroge des yeux, mais un calme détachement recouvre aussitôt ses traits et c'est en vain qu'elle l'épie jusqu'à ce que, de retour rue Sainte-Monique, ils s'installent au creux du lit et soufflent la chandelle.

Chapitre XVIII

Sur le point de pénétrer dans le bâtiment où aura lieu la dernière conférence de la saison 1851-1852 parrainée par la Société compatissante, Marguerite, Flavie et Bastien butent littéralement contre Joseph Lainier, qui faisait le pied de grue et qui s'exclame à leur vue :

— Bien le bonsoir ! Oserais-je l'avouer ? Je vous espérais…

— Je conçois sans peine, réplique un Bastien goguenard, que l'on puisse s'ennuyer ainsi de moi…

— Je vous laisse à vos illusions, cher collègue… À dire vrai, j'avais fort hâte de reprendre notre discussion là où nous l'avons laissée, ces deux dames et moi.

Il ajoute avec reproche :

— Notre discussion d'il y a dix mois déjà !

Marguerite le regarde d'un air désolé :

— Les semaines filent si vite ! Flavie et moi, nous avons été très prises par une organisation passionnante, comme nous vous le raconterons dès après cette conférence. Mais chut ! C'est un secret…

— Vous voulez dire vos réunions informelles d'accoucheuses ?

Lainier éclate de rire devant la mine dépitée de son interlocutrice.

– En dix jours, la nouvelle avait fait le tour de la communauté! Je soupçonne même que le jeune docteur ici présent n'y est pas étranger…

– Moi? proteste Bastien avec un air innocent. Je ne me suis confié qu'à une ou deux personnes, dont je me porte garant!

– De toute façon, rien de mal à ça, au contraire! Je donnerais cher pour me transformer en oiseau afin d'aller épier vos discussions…

Flavie proclame d'un ton péremptoire:

– Interdit aux plumages colorés! Quelques-unes d'entre nous en perdraient la langue… Mais il est temps de rentrer, si on ne veut pas manquer le début.

Françoise Archambault, la vice-présidente de la Société compatissante, traitera pour son public d'un sujet controversé, *Le féminisme à travers les âges*. La foule n'est pas très nombreuse, une cinquantaine de femmes et une huitaine d'hommes, mais Flavie se dit philosophiquement que c'est mieux que rien! Puis elle fronce les sourcils, examinant sans gêne le groupe de quatre messieurs, assis ensemble dans la première rangée réservée aux hommes. Est-ce que ce ne sont pas les mêmes qui ont perturbé la conférence de Marguerite sur les sages-femmes célèbres, une année plus tôt?

La voix de Bastien à son oreille la fait sursauter:

– Tu les reconnais? Il y aura de la houle, ce soir… Il paraît que ceux-là se sont juré de saisir chaque occasion qui leur sera donnée pour remettre les féministes à leur place.

– Qui est le plus grand, aux cheveux poivre et sel?

– Jacques, le fils de Nicolas Rousselle.

Flavie s'ébahit:

– Tu dois te tromper, il est fièrement trop vieux!

– Ne te fie pas à l'aspect de sa tignasse. Il est de mon âge. Un médecin doué et arrogant, tout le portrait de son père.

Le petit groupe formé de Lainier, Marguerite, Bastien et Flavie se sépare et bientôt, la conférencière écarte le rideau qui ferme l'arrière de la scène. Dès ses premiers pas, un murmure de stupéfaction emplit la salle. Françoise Archambault a revêtu cet extraordinaire *bloomer*! Ébahie, Flavie se lève à moitié pour jouir plus commodément du spectacle. Le haut de son corps est couvert d'une jolie chemise et d'une veste sans manches, et le bas, de pantalons bouffants à la turque, les jambes serrées à la cheville, sous une jupe qui descend tout juste en bas de ses genoux.

Légèrement empourprée, Françoise se dissimule avec un soulagement évident derrière le haut lutrin. Les commentaires vont bon train dans la salle, de sorte qu'elle doit attendre de longues minutes avant de pouvoir ouvrir la bouche. Tout le monde connaît cette mode extravagante créée par des féministes américaines pour plus de commodité, tout le monde a pu contempler des illustrations à loisir, mais c'est la première fois qu'une femme ose en porter, ici, à Montréal!

Enfin, envisageant franchement l'assemblée, Françoise articule avec un sourire:

– Vous voulez savoir comment on se sent? Magnifiquement bien, je vous assure! Je vous encourage à en faire l'expérience!

Un rire gêné, entrecoupé par les remarques condescendantes de quelques femmes qui refusent de se couvrir ainsi de ridicule, ponctue sa remarque. Sans se démonter, Françoise poursuit:

– Il n'y a pas si longtemps, mesdames, les Romains et les Grecs portaient la robe! Plus près de nous encore, dans l'entourage des rois, ces messieurs se maquillaient, se poudraient et se couvraient le crâne d'une perruque. Comme quoi ce n'est pas l'attifement qui fait l'homme ou la femme...

Quelques huées, discrètes cependant, accueillent cette dernière tirade. Flavie n'a pas besoin de se tourner pour en distinguer l'origine. Impassible, Françoise profite de ce retour humoristique vers les civilisations glorieuses du passé pour entrer dans le vif de son sujet, soit la position juridique et sociale des femmes depuis l'invention de l'écriture. C'est une question beaucoup trop vaste et complexe pour être traitée en détail en une seule conférence, mais Françoise prend le temps de brosser le portrait de la vie des femmes aux époques reculées, puis dans les cités grecques et sous l'Empire romain.

Elle en tire une conclusion générale: le joug que portent les femmes a toujours existé, plus ou moins lourd selon les époques et les civilisations, selon les régimes politiques et les rois. Toujours, la femme a été considérée comme une personne de seconde classe, dont les devoirs étaient beaucoup plus nombreux que les droits. Avec un sourire moqueur, elle enchaîne:

– Plusieurs d'entre vous, sans doute, en profiteront pour conclure que la sujétion des femmes est dans l'ordre naturel des choses. Puisque les femmes sont dominées depuis le début des temps historiques, c'est que cela correspond à une situation logique. Faibles et destinées à la maternité, les femmes ont besoin d'être protégées, au détriment même de leur liberté personnelle! Pourtant, mesdames et messieurs, un autre troublant phénomène social dont les racines remontent jusqu'au début du monde civilisé est en train d'être férocement combattu : la pratique de l'esclavage, ce droit que se donnent certains hommes de réduire d'autres hommes au rang de bêtes.

Après une longue pause pour laisser à chacun le temps de méditer ces quelques phrases, Françoise poursuit son parcours du fil de l'histoire en expliquant comment, peu à peu, des institutions aussi importantes que les grandes écoles et les corporations professionnelles ont formellement exclu de leurs rangs la moitié féminine de l'humanité. Les codificateurs se sont mis de la partie, et à mesure que les textes de lois se raffinaient, les exclusions humiliantes s'y précisaient.

— Pour tous ceux qui ont foi en la marche du progrès et de la science, l'époque contemporaine est exaltante. Les grandes idées républicaines qui mettent l'accent sur la quête de dignité pour chacun, sur la quête de l'égalité, laissent présager l'approche d'une ère de félicité universelle. Hélas ! Dans ce grand mouvement démocratique, la moitié de la population du globe est encore laissée pour compte. Les principes de suffrage universel et d'égalité juridique ne s'appliquent pas encore...

Le reste de sa phrase se perd dans un brouhaha de voix masculines. Flavie commence à discerner celle de Jacques Rousselle, un timbre chaud et puissant qui ressemble beaucoup à celui de son père, qui grasseye presque imperceptiblement. Françoise regarde fixement les perturbateurs jusqu'à ce qu'un calme relatif revienne. Sans les quitter des yeux, elle les interpelle :

— Comme la cité entière, messieurs, je suis au courant de votre intention de jouer les trouble-fêtes. Vous ne pouvez pas vous taxer d'originalité : bien des réunions féministes sont ainsi dérangées par quelques hommes outragés, qui voudraient bien voir ces dames retourner tricoter dans leur foyer. Selon eux, Dieu lui-même a assigné un rôle bien précis au sexe faible et Il s'offusque de la moindre contestation ! Selon eux, le sexe faible doit se laisser conduire par le sexe fort là où il l'entend, avec une confiance aveugle !

– C'est exact, crie l'un des hommes, et il est indécent de voir une dame parler en public !

– Une *vraie* dame, renchérit un autre, ne s'y abaisserait jamais !

Avec un intense sarcasme, Françoise riposte :

– Jamais un *vrai* homme à l'esprit chevaleresque ne s'abaisserait à troubler ainsi une réunion. Un vrai homme comprendrait que l'autorité que l'espèce mâle s'arroge sur la gent féminine ressemble parfois à de la tyrannie ! Plutôt que de museler les dames, un vrai homme, magnanime et courtois, prêterait une oreille attentive à leurs doléances !

Dans un silence de mort, l'écho répercute ces affirmations frappantes. Marguerite souffle puissamment et vient étreindre l'avant-bras de Flavie, laquelle n'hésite pas à se retourner pour contempler le fond de la salle. Accroupi devant les quatre hommes qui arborent une mine ombrageuse, Joseph Lainier est en train de les morigéner à voix très basse. Croisant son regard, Bastien lui fait une grimace d'impuissance et, après lui avoir adressé une moue mi-indignée, mi-compatissante, Flavie reprend sa position.

D'une voix notablement plus paisible, Françoise retrouve le fil de sa conférence. Depuis le Siècle des lumières, les nations se débarrassent progressivement du régime séculaire du privilège pour installer celui de la république et de l'indépendance des classes. La même logique ne s'applique-t-elle pas dans toutes les sphères de la société ? Françoise rappelle que, tout récemment encore, en 1848, les Françaises ont profité des remous révolutionnaires pour mettre sur pied les premières associations féministes, qui ont toutefois été rapidement interdites, comme tous les clubs politiques et les ateliers de travail, par un régime de plus en plus rétrograde.

Solennelle, la vice-présidente de la Société compatissante déclare :

– Mais ce sont des rétrogradations éphémères. Les vieilles souverainetés chancellent, car les vieilles croyances sont irrémédiablement ébranlées. Les masses populaires s'empareront des lumières et du bien-être et entraîneront même les forces sociales les plus hostiles sur la voie du progrès. Tôt ou tard, les femmes réussiront à prendre la place qui leur revient légitimement aux côtés des hommes, non pas leurs maîtres, mais leurs égaux.

Elle lance un regard de défi vers l'auditoire, et plus particulièrement vers les rangées d'hommes au fond de la salle. Flavie meurt d'envie de se retourner pour voir la mine de Jacques Rousselle et de ses acolytes, mais elle refuse de s'y abaisser. Déjà, Françoise enchaîne sur les préjugés qui entourent le travail des femmes. Depuis la Révolution française, à la fin du dix-huitième siècle, la question du travail féminin est au cœur des manifestations féministes. De nombreuses voix se sont élevées pour dénoncer cette « oppression » qui est à la source de la plupart des maux des femmes. Trop peu instruites, trop soumises, les femmes ne sont, entre les mains d'abuseurs, que des victimes sans défense. Comme les Françaises de 1848, les Américaines viennent également de le proclamer haut et fort!

– On prétend que ces qualités féminines que sont la grâce et la délicatesse et qui sont, paraît-il, suprêmement appréciées ne survivraient pas au contact d'activités dites viriles. On prétend que les dames y perdraient tout attrait aux yeux de ces messieurs! Quelle affirmation grossière! Ce ne sont que des assertions mensongères, qui veulent nous faire oublier la seule, l'unique raison pour laquelle les hommes nous tiennent à l'écart des professions les plus prestigieuses et les plus lucratives: la peur! La peur des succès féminins, mesdames, desquels découlerait une légitime envie d'indépendance!

Dans l'auditoire, quelques personnes grognent et rouspètent, mais, d'une voix tout à coup vibrante d'émotion, Françoise laisse tomber:

– C'est pour moi une source de grande tristesse. J'y réfléchis depuis longtemps, mais je n'arrive pas à cerner la raison ultime de ce comportement. Pourquoi ces messieurs sont-ils si effrayés par notre intelligence? Pourquoi sentent-ils le besoin de nous enfermer dans l'ignorance et dans la vanité? Que craignent-ils donc?

Le silence est de plomb et Flavie est prête à parier que chacune des femmes présentes se sent, comme elle, remuée jusqu'aux tréfonds de son être. Un bruit à l'arrière et une voix masculine, impérieuse, qui chuchote un ordre: elle devine qu'un mari intolérant est en train d'obliger son épouse à quitter la conférence. Comment réagirait-elle si c'était Bastien qui se dressait ainsi? Bien certainement, elle se rebellerait devant cet abus de pouvoir. Mais quel homme supporterait de voir son autorité ainsi bafouée en public ?

Françoise ajoute, avec un chagrin manifeste dans la voix :

– J'en appelle à vous tous pour que cette situation cesse, et surtout à vous, messieurs. Pour la plupart, vous ne souhaitez aucun mal à celles qui partagent votre vie. Au contraire, ne désirez-vous pas, pour ces femmes que vous aimez, l'existence la plus riche possible ? Non pas riche de biens, mais d'expériences de toutes sortes... Comment se fait-il, alors, que vous acceptiez de les assujettir ainsi, sans vous préoccuper de leurs aspirations véritables ? Comment se fait-il que vous supportiez, sur la planète, l'existence de même *une seule* femme abusée ?

En son for intérieur, Flavie s'extasie de la force morale de Françoise, qui ne craint pas de prononcer à voix haute des phrases qui donneraient des vapeurs à tous les pudibonds de la ville ! Elle s'émerveille de la manière dont elle balaie du revers de la main tous les arguments assommants et futiles qui s'affrontent au sujet du féminisme, pour ramener le débat à l'essentiel : les femmes forment un groupe d'êtres humains impuissants, soumis à l'arbitraire, comme des esclaves sont la propriété de leurs maîtres et comme des serves, de leurs seigneurs !

À quelques reprises, toutes deux ont discuté des grandes idées qui bouleversent maintenant l'ordre établi et Françoise n'a pu cacher sa souveraine impatience devant la stérilité de la plupart des débats qui occupent pourtant le devant de la scène. Pour savoir si Dieu a conféré autant de droits à la femme qu'à l'homme, la Bible est relue dans le texte original et scrutée à la loupe. Pour savoir si les différences physiques entre les deux sexes entraînent des rôles différents, on fait un véritable procès à la nature féminine !

Fragiles et molles, les femmes seraient des êtres perpétuellement souffrants, affligés par la chlorose, les migraines, les troubles digestifs et l'hystérie ! Mais comment pourrait-il en être autrement, s'indigne Françoise, quand on rabroue les femmes remuantes et actives, quand on les contraint à un calme contre nature ? Quand l'épouse n'est plus qu'ornement du foyer, objet paré de mirlifichures, preuve vivante de l'aisance de son mari ?

Les femmes ne sont passives et silencieuses que par la volonté mâle, cette absurde et incompréhensible volonté mâle, et le seul moyen de leur redonner le goût de la conquête, c'est de refuser ce conditionnement social, cette véritable *répression*, comme n'hésitent pas à l'écrire certaines Américaines, répression qui diminue la vitalité et la santé en interdisant aux petites filles l'exubérance et la joie du corps ! C'est d'ailleurs ainsi que Françoise conclut sa conférence, en dénonçant la façon dont l'arbitraire décret des hommes a transformé des femmes autrefois vigoureuses, au moyen de sottes coutumes, de modes et de superstitions, en des êtres artificiellement maladifs !

Des applaudissements tantôt empreints de retenue, tantôt enthousiastes, saluent la performance de Françoise, qui descend enfin de l'estrade. Elle est bientôt entourée par un petit groupe de femmes : les conseillères Marie-Claire Garaut, Delphine Coallier et Céleste d'Artien, ainsi que Marguerite et Flavie qui palpent le tissu soyeux du *bloomer*. À quelque distance, des dames s'échangent à mi-voix des commentaires désobligeants sur cette indécence. Seules des femmes dénaturées, presque des travesties, osent s'accoutrer du symbole mâle par excellence, le pantalon !

Des bribes de ces commérages parviennent aux oreilles de Flavie, qui en grince des dents. C'est bien connu, une dame digne de ce nom doit littéralement faire oublier qu'elle est munie, sous son encombrante crinoline, d'une paire de jambes ! Si, par hasard, on la surprend à marcher, elle doit faire semblant qu'elle vole à quelques pouces du sol... Par quel sortilège ces dames ne s'élèvent-elles pas plutôt contre la robe et le corset impudiques, qui soulignent de manière outrancière la taille et la poitrine des femmes ?

Il se fait tard et les deux jeunes sages-femmes s'empressent de rejoindre Bastien et le Dr Lainier, qui sont restés à l'écart, devisant gravement. Tous quatre se retrouvent sur le trottoir, dans l'air pur et frisquet du printemps, et Flavie s'exclame aussitôt :

— Vous leur avez bien rabattu le caquet, monsieur Lainier, à ces grichous qui osent interrompre une conférence pour rouspéter !

— J'ai fait mon possible, répond l'interpellé avec un mince sourire, en faisant appel à toute mon autorité de professeur...

— J'ai adoré la réplique de Françoise, dit Marguerite à son tour, sur leur manque d'esprit chevaleresque !

D'un commun accord, les quatre dédaignent la voiture à cheval, préférant cheminer ensemble à un rythme tranquille. Joseph laisse tomber, avec un soupir :

— En effet, de graves questions ont été soumises à notre intelligence, ce soir. N'est-ce pas, cher collègue ?

On peut dire que Mme Archambault a une manière particulièrement sentie de pérorer…

Croisant le regard de Flavie, Bastien s'enquiert, narquois :

— J'espère, ma belle blonde, que tu n'envisages pas endosser un tel… un tel accoutrement ?

— Il te déplaît ? Moi, je l'ai trouvé plutôt mignon…

— À dire vrai, fait remarquer Marguerite, ce n'est pas une si grande amélioration. Il suffit de garder la tête froide dans sa vêture et le tour est joué…

Joseph Lainier intervient avec emphase :

— Après ce discours, mesdames, comment ne pas vouloir vous aider dans votre quête ?

— Une quête ? s'étonne Bastien. Quelle quête ?

Après un regard incertain en sa direction, Joseph jette un œil surpris à Flavie, qui en rosit de confusion. Encore une fois, elle est ballottée entre des envies contradictoires, celle de repousser les frontières de son savoir et celle de passer une existence confortable d'associée de son mari… Elle balbutie, en réponse à la question de son mari :

— L'autre jour, je t'ai raconté que Marguerite souhaite devenir médecin et que, toutes les deux, nous avons rendu visite à M. Lainier en ce sens… Tu t'en souviens ?

— Oui, mais je présumais, Marguerite, que votre cercle d'accoucheuses vous avait détournée de cette ambition…

Après un bref signe de dénégation à l'adresse de Bastien, elle se tourne vers Lainier pour laisser tomber :

— J'y ai amplement réfléchi depuis notre dernière conversation, professeur.

– Quoi que vous décidiez, dit-il aussitôt, je suis prêt à faire jouer mes quelques relations et à vous appuyer avec autant de lettres qu'il sera nécessaire.

C'est une offre d'une grande générosité et Flavie l'apprécie à sa juste valeur. À quelles railleries s'expose-t-il! Sa position à l'École pourrait-elle en être compromise? Rose d'émotion, Marguerite le contemple avec un tel émerveillement qu'il s'empourpre. Puis, s'assombrissant, elle secoue la tête d'un geste farouche.

– C'est beaucoup trop vous demander. Votre propre carrière…

– Même la plus glorieuse carrière n'a aucun sens si elle se construit sur l'injustice.

Prononcée avec une extrême sobriété, cette déclaration est accueillie par un silence respectueux. Enfin, Marguerite bredouille:

– Je veux trouver un médecin qui m'acceptera comme apprentie.

Bastien ne peut cacher son ahurissement:

– Un apprentissage? Voyons, Marguerite! Aucun médecin n'oserait! Imaginez les commérages!

La voix légèrement altérée, Joseph Lainier s'enquiert:

– Et… à qui songiez-vous comme maître?

Sans oser le regarder, Marguerite hausse les épaules.

– Il faut que ce soit un homme d'expérience et, surtout, qui se moque des qu'en-dira-t-on. J'ai songé à Peter Wittymore, le médecin résident de la Société compatissante. Tout le monde sait que les Anglais sont moins timorés que les Canadiens…

Flavie souffle discrètement dans ses joues. La manœuvre lui paraît évidente, mais Lainier, lui, mordra-t-il à l'hameçon ? Le professeur inspire profondément avant de protester avec une singulière énergie :

– Et moi ? Aviez-vous pensé à moi ? Mais peut-être que je manque d'expérience à vos yeux...

Soudain clouée sur place, Marguerite ouvre de grands yeux ravis avant de s'écrier :

– Mais bien sûr que j'y avais pensé ! Seulement...

Exaltée, elle saisit ses deux mains, qu'elle serre avec force avant de les lâcher précipitamment et de reculer d'un pas, gênée.

– Seulement, intervient Bastien farouchement, jamais vos parents n'accepteront !

Marguerite déclare, l'envisageant avec défi :

– Après tout, je serai majeure bientôt... À vingt-cinq ans, je peux faire ce que je veux, n'est-ce pas ?

Tout en observant à la dérobée le visage de Bastien, qui contemple Marguerite avec un mélange d'étonnement et d'incompréhension, Flavie se lance dans la mêlée :

– Les parents de Marguerite ont été scandalisés quand elle a voulu s'inscrire à l'École de sages-femmes. Maintenant, ils sont terriblement fiers d'elle !

Hedwidge et Georges ont finalement compris que leur fille est maintenant une femme qui travaille. Elle a assez de clientes pour occuper presque toutes ses journées et elle est en train de garnir lentement le compte qu'elle a ouvert – avec la nécessaire autorisation de son père – à la Banque du Peuple. Plutôt déstabilisés au début, ils se font maintenant une gloire de sa réussite, défendant son choix face à quiconque le remet en question.

– Ne vous illusionnez pas, Marguerite, lance Bastien durement. Jamais un père qui tient le moindrement à la réputation de sa fille ne la laissera devenir l'apprentie d'un médecin.

Avec une légèreté étudiée, Marguerite riposte :

— Vous avez raison. Mais il y a plusieurs manières de contourner ce problème. Étudier à deux, par exemple.

— À deux ? relève Flavie, saisie. Tu veux dire, deux étudiantes ?

— Voilà. Peut-être as-tu une consœur qui serait intéressée ?

Marguerite a posé la question avec un sourire légèrement ironique et, pour faire diversion, Flavie lance :

— Je ne sais pas si vous en êtes conscient, monsieur Lainier, mais vous devrez vous astreindre à un véritable siège auprès de papa et maman Bourbonnière !

Il sourit faiblement et Marguerite, encore plus embarrassée, n'ose plus croiser son regard. Il murmure :

— En effet, la première étape serait que je rencontre vos parents. Avec votre permission, bien entendu. Il y a bien longtemps que je n'ai pas fait de visite chez une demoiselle. Je ne me souviens plus très bien des usages…

— Vous n'avez qu'à faire parvenir un petit mot à ma mère en suggérant le meilleur moment pour vous, se hâte de répondre Marguerite. Je la préparerai…

Excitée, elle ne peut s'empêcher de danser sur place, tout en évitant soigneusement les yeux de Joseph Lainier qui, lui-même fort intimidé, garde la tête bien droite vers l'avant.

— Il est temps de vous reconduire, Marguerite, dit Bastien fermement. À la revoyure, professeur ! N'habitez-vous pas Grande rue Saint-Jacques ? C'est dans la direction opposée…

Vingt minutes plus tard, le jeune couple se retrouve derrière la porte fermée de ses appartements, rue Sainte-Monique. Dénouant son col à la lueur de la bougie, Bastien imite à mi-voix, avec dérision :

— «À vingt-cinq ans, je peux faire ce que je veux, n'est-ce pas ?» Pauvre Marguerite... À condition que son père ne lui coupe pas les vivres ni ne la chasse de sa maison !

— Jamais M. Bourbonnière ne serait aussi vil ! réplique Flavie avec force.

— Tu sais, bien des hommes disent plein de grossièretés sur les femmes. Ils n'y croient pas réellement dans le secret de leur âme, mais ils ont besoin d'assurer leur pouvoir. Mais il y a quelques opinions qui sont presque universellement partagées, comme l'interdit professionnel qui pèse sur les femmes. Les hommes préfèrent, et de loin, leur femme à la maison.

— Ils la veulent disponible pour eux seuls, grommelle Flavie. Ils ne veulent pas que son attention soit prise par quelque vaste problème. Comme s'ils avaient peur d'en perdre de l'importance !

— Il y a un peu de cela, concède-t-il en riant. J'en suis la preuve vivante. Parfois, je suis jaloux de tes patientes !

— C'est ridicule, bougonne Flavie.

Telle une onde de chaleur, un élan farouche d'énergie vitale est en train d'irradier du centre de son corps jusqu'à l'extrémité de ses membres. Sans dire un mot, les paupières à moitié baissées, elle dénoue ses tresses et les démêle avec ses doigts, puis elle déboutonne délibérément son corsage, qu'elle retire, et laisse choir sa jupe à ses pieds. Obsédée par une envie souveraine de chambarder l'ordre établi, de rompre les chaînes qui retiennent les femmes sur un chemin si convenu, elle se débarrasse finalement de sa chemise.

Enfin, elle lève franchement les yeux vers Bastien qui, conscient de ses gestes délibérés, l'observe avec intérêt. D'un geste lent, elle défait le nœud de ses pantalettes, avant de les faire glisser jusqu'au sol.

— Tu as vu faire bien des accoucheuses. Tu sais à quel point elles sont adroites. N'est-ce pas, mon ange ?

Interloqué, il acquiesce vaguement.

— Imagine-toi, maintenant, que j'ai la tête farcie d'expressions latines. Que je sais tout de la botanique, de la pharmacie et de la physiologie. Que je peux manipuler les fers et même tenir un scalpel entre mes doigts. Imagine-toi qu'aujourd'hui j'ai reçu en consultation une dizaine de patients, que je les ai interrogés et auscultés. Quand tu me regardes, est-ce que tu trouves que je suis différente ? Que j'en suis moins femme ?

Le visage sans expression, il se contente de la contempler de haut en bas.

— Aujourd'hui, j'aurais pu siéger à la Chambre d'Assemblée. Ou bien, devant un tribunal, à défendre un client accusé d'un délit. J'aurais discuté avec bien des hommes, sans baisser les yeux, sans fausse modestie. De retour ici, devant toi, qui je serais pour toi ? Une dévergondée ? Une immorale ?

S'approchant, elle lui enlève sa chemise des mains et la lance au loin. Sans poser ses mains sur lui, elle frôle sa poitrine dénudée avec la sienne, suivant des yeux la ligne de ses épaules et la rondeur de ses pectoraux, recouverts par la fine toison qui dissimule les mamelons miniatures que, du doigt, elle va enfin délicatement toucher. Elle murmure :

— Je serais toujours la même Flavie, gouvernée par ma nature... et par mon désir de toi. Seulement de toi.

Elle lève les yeux pour constater qu'il ne peut retenir une grimace sceptique. Lui faisant les gros yeux, elle jette furieusement :

— Tu ne me crois pas ? Tu imagines que tous les hommes que je côtoie sont autant d'occasions de pécher ?

Il glisse une main impérieuse derrière sa croupe pour la presser contre lui.

— Certes non... Cependant, je connais ta nature et surtout, je connais celle des mâles... En Orient, ils ont accompli ce fantasme que nous avons tous, soit enfermer nos femelles dans un harem pour leur interdire même de penser à quelqu'un d'autre qu'à leur seigneur et maître.

— En Orient, ce sont des barbares, des brutes !

Il se penche sur elle. Elle finit par souffler :

— Il reste des baudruches ?

Peu de temps auparavant, un collègue a conseillé à Bastien la lecture d'un livre publié aux États-Unis quelques années plus tôt, *The Married Woman's Private Medical Companion*. Cet ouvrage sérieux décrit la physiologie féminine de manière très détaillée, mais la raison principale de sa popularité est la mise en vente par correspondance de cet engin contraceptif, aussi appelé capote anglaise, par son auteur. Comme de nombreux Canadiens fatigués de faire des détours pour s'en procurer, Bastien en a aussitôt commandé un lot.

Détachant sa bouche de la sienne, elle murmure :

— Ce soir, je crois qu'elle m'ira comme un gant...

Flavie a constaté que, lorsque le frottement de la baudruche causait une irritation en elle, c'est qu'elle n'était pas suffisamment humide, ce qui n'est pas le cas à l'instant même. Bientôt, elle s'installe à califourchon sur lui, assis au bord du lit, et s'abandonne à la pénétration, lui imposant son propre rythme. Elle adore cette position, qui laisse les mains libres à son partenaire pour l'explorer sous toutes ses coutures… Après un long moment, elle cesse ses déhanchements, jugeant qu'une pause est nécessaire pour faire durer le plaisir. Prévenant le mouvement de Bastien pour la renverser sur le lit, elle souffle :

— Parfois, je songe… je songe que j'aimerais bien, moi aussi, reprendre mes études…

Sans lui laisser le temps de réfléchir, elle se penche pour un baiser qu'il finit par interrompre en la considérant avec étonnement.

— Que veux-tu dire, reprendre tes études ?

Flavie inspire profondément, puis elle évoque un éventuel apprentissage en compagnie de Marguerite. Elle lèche et mordille le lobe de son oreille, puis elle glisse jusqu'à ses lèvres qu'elle caresse avec sa langue. Il l'agrippe aux hanches et la maintient fermement empalée sur lui, grommelant :

— Devenir médecin ? Mais tu ne m'en as jamais causé !

— Je n'osais pas, se confesse-t-elle, légèrement piteuse. J'avais peur de ta réaction.

— Et à Lainier, tu en as parlé ?

Elle fait un signe vague et il s'indigne :

— Un parfait inconnu !

— Justement, il ne m'est rien. Peu m'importe son opinion. Tandis que toi… J'y ai pensé souvent, tu sais, à me confier à toi. Mais je risquais gros… Si tu t'étais moqué…

— C'est vrai que bien peu de maris encourageraient leur épouse en ce sens, concède-t-il. Viens là…

Ils se détachent et Flavie s'installe en plein milieu du lit, le dos légèrement redressé par des coussins. Bastien prend place entre ses jambes et s'insinue de nouveau en elle, fermant les yeux pour mieux jouir de la sensation à laquelle elle s'abandonne elle aussi. Après un temps, il glisse un bras sous sa taille et l'accole plus étroitement contre lui. Plongeant son regard dans le sien, il s'enquiert :

— Pourquoi tu me dis ça maintenant ?

— Parce que... parce que tu es si bien occupé que tu ne te fâcheras pas...

Il ne peut s'empêcher de lancer un bref éclat de rire. Comme il accélère le rythme et qu'elle se sent monter vers le firmament, elle l'immobilise en le saisissant de toute la force de ses bras et de ses jambes nouées derrière les siennes. Avec un grognement, il obéit, posant sa tête dans le creux de son cou. Elle murmure encore, en le flattant des épaules jusqu'aux fesses :

— Je me disais pourtant que déjà, avec notre association, je ne pouvais guère demander mieux... Mais ça me tarabuste. D'abord, je ne veux pas laisser Marguerite toute seule. Ensuite...

— Ensuite, en plus d'être savoureuse comme une poire bien mûre, tu es curieuse, intelligente et déterminée.

Elle sourit du compliment.

— Ensuite... je sens que c'est ce qu'il *faut* que je fasse. Tu comprends ? Je sens que c'est par là que je dois aller. Devenir médecin...

Ce disant, elle frissonne à la fois de frayeur et de convoitise. Il tressaille légèrement, comme s'il réalisait tout à coup ce que ce mot signifie dans la réalité, et il se redresse sur les coudes, la détaillant avec un regard insondable. Elle chuchote tout en le pressant d'un mouvement des hanches :

— Baise-moi, mon cœur. Emporte-moi…

Il ne se le fait pas dire deux fois et, quelques minutes plus tard, enfin rassasiés, ils s'installent dans leur position préférée de l'après-jouissance, lui contre son dos à elle, comme deux cuillères d'apparat reposant dans leur écrin de soie. Tout en lissant ses longs cheveux pour les empêcher de chatouiller son nez, il dit d'un ton railleur :

— Est-ce que tu sais, mon petit chat sauvage, à quel point les études en médecine sont ardues ? Est-ce que tu sais quelle quantité de mots invraisemblables il faut apprendre par cœur ?

— Tu penses que je ne pourrais pas ?

— Tu pourrais. Mais au prix de quel effort ? Pour ma part, je ne crois pas que le jeu en vaille la chandelle.

Après un bâillement, il reprend :

— Je ne comprends vraiment pas ce qui t'attire dans la profession médicale. Tu affirmes pourtant, et avec raison, que la science des accoucheuses est bien supérieure à la nôtre ! Crois-tu que c'est agréable de traiter la clientèle ? J'en ai souvent le cœur au bord des lèvres, je t'assure.

Étonnée, Flavie bégaye :

— Je croyais que… que tu aimais ton travail…

— Il y a des choses que j'apprécie, d'autres moins. C'est un métier honorable qui permet d'apprendre une science passionnante. Une science qui, tout le monde le sent bien, en est encore à ses balbutiements ! Les vieux bonzes n'en ont que pour la théorie des humeurs, mais ils sont de plus en plus nombreux, ceux qui la remettent en question! Vous, les sages-femmes, vous vous doutez bien que la fièvre puerpérale est probablement contagieuse. Certains docteurs disent depuis longtemps que les germes sont des êtres vivants comparables aux parasites! Voilà ce qui est exaltant: découvrir comment les maladies se forment et se transmettent, pour y mettre un frein.

D'un ton las et amer, il articule encore:

– Quant au reste… Il faut se plonger le nez dans le pus, les excréments, les vomissures… Et pourquoi, en bout de ligne? Si souvent, on ne comprend rien. On assiste à une lente dégénérescence, au pourrissement d'une vie…

Sa voix s'éteint. Flavie est partagée entre le dégoût et la compassion, entre le désir de s'enfuir et celui de le prendre dans ses bras pour le réconforter… L'étreinte de Bastien autour de sa taille se relâche et sa main tressaille légèrement, comme chaque fois qu'il sombre dans le sommeil. À l'évidence, son mari ne la prend pas du tout au sérieux. Il croit que, confrontée à la dure réalité, sa lubie ne survivra que le temps des roses…

CHAPITRE XIX

Pendant que le printemps répand sur la ville son odeur parfumée, Marguerite et Flavie réussissent à se rencontrer à quelques reprises, chez l'une ou l'autre pour le thé ou à la bibliothèque de la Mercantile Library Association pour y consulter des livres. Flavie apprend que leur ami le Dr Lainier a entrepris un véritable siège auprès du couple Bourbonnière. Après une première visite où il a été reçu fort courtoisement, mais avec insouciance, il est revenu à la charge et les parents de Marguerite, abasourdis, ont finalement compris qu'il était sérieux comme un pape.

— Jamais il n'aura la patience d'aller jusqu'au bout, souffle Marguerite à Flavie en se penchant par-dessus la table pour ne pas déranger les autres usagers de la bibliothèque. Il a bien d'autres choses à faire que de passer ses relevées du dimanche à causer avec mes parents !

— J'imagine que le reste du temps tu poursuis l'offensive ?

Marguerite pouffe nerveusement de rire :

— C'est mon unique espoir : les tanner assez pour qu'ils cèdent ! Enfin, j'ai un autre espoir, mais...

Très grave soudain, la jeune femme se replonge aussitôt dans sa lecture et sa phrase laissée en suspens fait rosir Flavie. Marguerite ne réussira jamais à convaincre ses parents si elle est la seule apprentie du professeur. Son meilleur espoir, c'est que Flavie se joigne à elle. Comme cette dernière a envie, soudain, de sauter dans la calèche en compagnie de son amie et de se laisser emporter aussi loin qu'elles le décideront !

Depuis qu'elle s'est confiée à Bastien, sa conscience est libérée d'un gros poids et une ardeur fougueuse court dans ses veines…, qui se frappe cependant sur le mur de la bonhomie de son tendre époux ! Depuis ce soir-là, Bastien n'a pas ramené le sujet sur le tapis, manifestement persuadé que le désir exprimé par sa femme n'est qu'un caprice, une fantaisie ! Flavie a compris qu'elle a un autre pas à franchir pour qu'il change d'attitude, mais devant ce pas démesuré, elle perd courage.

Un soir, Flavie ramène de chez le maître de poste une invitation à une *garden-party* chez les Cibert, à la toute fin du mois de mai. Après l'avoir décachetée, Bastien tend la missive à la jeune femme avec un haussement d'épaules :

– On ne reviendra pas là-dessus… Ça ne m'intéresse pas, et toi non plus.

Flavie laisse son regard errer sur les jolis caractères d'imprimerie, puis elle relève la tête :

– Moi non plus ? Je ne sais pas… Je serais curieuse de voir comment ils sont installés.

Son mari la considère avec surprise.

– Mais qu'est-ce que tu racontes ? Je croyais que tu en voulais à Suzanne pour le restant de tes jours ?

– Je me méfie d'elle, pour le sûr… Mais il y a aura plein d'autre monde, n'est-ce pas ? Plein de tes confrères… qui seront peut-être mes futurs collègues !

Nullement amusé par cette taquinerie, Bastien réplique avec mauvaise humeur :

— Tes futurs collègues ! On aura tout entendu !

Flavie se colle contre lui et entoure sa taille de son bras.

— Mon grognon adoré... Je t'assure, j'ai très envie d'y aller. J'en ai assez de me cacher. Je crois que ce serait bon pour le succès de notre pratique. Il faut que je me fasse voir, que je vende mes talents ! Tu sais aussi bien que moi que c'est grâce aux mondanités qu'on se fait connaître. J'ai même le goût de me faire faire une nouvelle robe d'été pour l'occasion. Qu'en dirais-tu ?

Il proteste encore :

— Tu vas t'y ennuyer à mourir. On ne danse pas, dans une *garden-party* ! On ne chante pas ! On mange et on bavarde, c'est tout...

— Tu veux dire qu'on s'empiffre et qu'on fait du persiflage... De quelle couleur je devrais choisir le tissu pour ma robe ? J'ai vu des imprimés très mignons sur des dames de ma connaissance...

— Peut-être que je devrais te laisser y aller seule, réplique-t-il avec brusquerie. C'est à mon tour d'être contrarié par les niaiseries de Suzanne.

Flavie recule pour considérer ses traits altérés par un mélange d'obstination et d'incertitude. Elle suggère avec précaution :

— Je croyais que tu serais heureux que je lève la quarantaine... À cause de moi, tu es dans une situation plutôt inconfortable. Tu fréquentes très peu tes confrères, sauf Étienne. Je sais bien que c'est important pour ta carrière que...

— Laisse faire ma carrière, la coupe-t-il sans ménagement. Je ne tiens pas aux mondanités. Je préfère rester ici, avec toi, tranquille.

– Tu me flattes, dit-elle en souriant, mais je crois que tu enjolives un peu la situation. Il n'est pas souhaitable pour toi de rester à l'écart des discussions et des initiatives qui se prennent. C'est plus difficile d'embarquer dans le train une fois qu'il a pris de la vitesse ! Concernant le Collège des médecins, tiens. Pour le sûr, on en saurait bien davantage sur la teneur des délibérations…

– Le Collège des médecins ? lance-t-il avec un mélange de surprise et d'ironie. Depuis quand tu t'intéresses à ce groupe de vieux bonzes qui perdent leur temps en palabres inutiles ? Tout le monde s'en fiche, sauf ceux qui ont un intérêt pécuniaire personnel à allonger la durée des études ! En plus, le temps est encore loin où cesseront les escarmouches entre le McGill College et les autres ! J'en ai jusque-là, moi, de cette guerre de races !

Flavie se tient coite. Le jeune homme exagère fièrement son dédain. D'habitude, il est solidaire des médecins canadiens-français qui s'élèvent contre les privilèges concédés depuis la Conquête aux institutions anglaises ! Bastien ajoute encore, la considérant plutôt froidement :

– Mais bien évidemment, si toi, tu commences à songer à *ta* carrière, tu ne voudras manquer aucune *garden-party*…

Flavie accuse le coup et une boule de chagrin se forme dans sa gorge. Elle s'oblige à aller prendre sa main et elle balbutie :

– Tu as vu ? On se chicane chaque fois qu'il est question des invitations de Suzanne…

Il ouvre de grands yeux, puis, sans mot dire, il porte la main de Flavie à sa joue, fermant les paupières un court instant. Quand il les rouvre, il murmure, tout penaud :

— On fait à ta guise. Commande cette nouvelle robe.

— Je préfère laisser faire, jette-t-elle farouchement. Je préfère ne plus jamais me disputer avec toi à cause d'elle. La prochaine invitation, je la brûle, comme toutes les autres pour tout le reste de ma vie.

Il réplique doucement :

— Et tu crois que Suzanne va nous laisser en paix aussi facilement ? Tu ne crois pas qu'elle va demeurer bien installée entre toi et moi, pour tout le reste de notre vie ?

Étonnée par sa perspicacité, Flavie soutient son regard un long moment avant de laisser tomber :

— J'irai demain chez la couturière. J'en profiterai pour te trouver un nouvel habit d'été. Le tien est usé jusqu'à la corde.

— Il date de mon premier bal. L'année de mes dix-huit ans. Ne calcule pas, ça me donne frette dans le dos…

Après un sourire, Flavie se détourne. Parce qu'elle en a un peu honte, elle n'a pas osé lui confier la véritable raison de son changement d'attitude, soit son envie croissante de pénétrer les cercles sélects et son désir de se faire accepter comme l'une des leurs. La tâche ne sera pas facile, elle en est consciente, mais elle est séduite à son corps défendant par cette manière de vivre si nonchalante, si gracieuse… Et puis, comme tout praticien, ne doit-elle pas se constituer un capital de sympathie ?

Comme la température est d'une fraîcheur exquise et que les chemins sont secs, mais point trop poussiéreux, Flavie tient à marcher jusque chez le jeune couple Cibert, qui habite chez les parents de Louis, sur la pente de la rue Saint-Urbain, vers la montagne. Bastien se soumet à contrecœur, mais, après quelques minutes de marche, il se laisse toucher, lui aussi, par la douceur de cette somptueuse journée où la brise charrie le parfum capiteux des fleurs des pommiers et des pruniers des vergers environnants.

À l'époque où Flavie a fréquenté brièvement Louis, il habitait plus près de la cité, rue Sanguinet, mais son père, l'avocat Rodolphe Cibert, a profité d'une prospérité personnelle accrue et du mariage de son fils pour se faire construire une résidence à l'écart de la ville commerciale et des faubourgs surpeuplés. Le domaine est entouré d'une haute grille de fer forgé, que Flavie et Bastien longent un moment tout en jetant des coups d'œil curieux à travers les arbres.

Ils bifurquent ensuite sur le chemin qui pénètre sur la propriété et plusieurs élégantes calèches canadiennes les croisent. La capote étant relevée, leurs occupants, des couples bien mis, leur jettent des regards appuyés. À chaque fois, Flavie incline légèrement la tête et Bastien soulève avec gratitude son haut-de-forme : il a très chaud avec ce couvre-chef inconfortable qu'il a déniché dans la penderie de son père.

Flavie tente d'adopter une attitude dégagée, mais la perspective de renouer avec les Cibert et de côtoyer une belle société dans laquelle elle se sent encore une étrangère la rend fébrile, et elle s'agrippe au bras de Bastien. Bientôt, tous deux parviennent devant le porche monumental, où les attelages déversent leurs passagers, et Flavie s'octroie une pause tout en contemplant l'immense demeure de brique rouge. Elle murmure :

— Ce n'est pas une maison, c'est un manoir, un château ! Comme ceux des romans anglais…

Pour un peu, elle s'attendrait à voir l'une de ces héroïnes romantiques comme elle se les imagine, le teint pâle et les cheveux lissés en chignon, se pencher par une fenêtre de l'étage! Bastien la tire gentiment par le bras et ils gravissent l'escalier. Dans le hall, il accroche son chapeau avec soulagement, puis il entraîne Flavie jusqu'à l'entrée de la salle de réception. Un majordome se penche vers lui et Bastien murmure quelque chose à son oreille; l'homme se redresse et, au grand désarroi de Flavie, il annonce leur identité d'une voix de stentor pour le bénéfice des dizaines de couples qui vont et viennent dans la grande pièce. Aussitôt, de nombreuses têtes se tournent vers eux. Posant sa main sur celle de Flavie qui étreint son bras, Bastien la guide pour descendre les quelques marches.

Ils ont à peine fait un pas dans la pièce que Suzanne et Louis Cibert viennent à eux. La beauté du visage en forme de pleine lune de leur hôtesse est artistiquement rehaussée par un fond de teint crayeux et par un rouge à lèvres qui fait joliment contraste. Flavie note que la jeune femme, dont l'embonpoint est loin d'avoir diminué, cache sa deuxième grossesse sous un corset bien serré et une robe spectaculaire dont le luxe quasi ostentatoire est à la limite du mauvais goût. Manifestement, elle est passée maîtresse dans l'art de la vêture bourgeoise: un décolleté légèrement plus profond et quelques mirlifichures de plus à sa tenue colorée et compliquée la feraient passer pour une courtisane...

D'un rapide coup d'œil qui n'échappe pas à Flavie, Suzanne l'évalue des pieds à la tête, faisant une pause presque imperceptible sur sa taille dont la finesse est mise en valeur par la rondeur de ses hanches. Flavie croit déceler le passage d'une brève lueur de jalousie dans son regard… Louis serre chaleureusement la main de Bastien, s'exclamant avec jovialité :

– Voilà un ancien camarade de classe que je suis bien aise de retrouver !

– Moi de même. J'ai ouï dire que ta pratique était une réussite ?

– Je ne me plains pas, répond-il avec une modestie affectée.

– Nous pouvons vous renvoyer la balle au bond, intervient Suzanne avec un sourire mutin. Le succès de votre association a rapidement fait le tour de la communauté médicale !

– Tout le mérite en revient à mon épouse. Sans son talent d'accoucheuse, je ne vaudrais rien.

Flavie ne peut s'empêcher de rougir, adressant un faible sourire de reconnaissance à son mari. Elle s'éclaircit la voix avant de protester gentiment :

– Vous avez compris qu'il exagère fièrement. Ce ne sera pas long qu'il pourra se passer de moi !

– Ça, du côté des délivrances, ce cher Bastien est avisé comme un renard ! Il a compris entre quelles mains reposait le succès de notre profession : entre celles des dames du monde, qui se pâmeront devant le plaisant docteur si expertement formé par son épouse accoucheuse !

Outrée de cette allusion mesquine, Flavie n'a cependant pas le loisir de répliquer, car Louis se penche vers Bastien en disant d'un ton débonnaire :

– Par contre, pour ce qui est de ta clinique… À ta place, je rayerais au plus vite le mot « hydrothérapie » de ton enseigne ! Nos clients adorent se faire prescrire des potions et des petites pilules. En sortant du bureau, ils se sentent déjà mieux : n'est-ce pas merveilleux ? Pour ma part, j'ai organisé un laboratoire et j'ai engagé un commis pour les préparations. D'accord, l'investissement initial est substantiel, mais les retours sont immédiats !

— La manœuvre est astucieuse, s'empresse de commenter Flavie froidement. Les gens, en effet, préfèrent croire en une formule écrite, mais Bastien préfère laisser les forces naturelles agir par elles-mêmes. L'influence réelle des médicaments sur la guérison des maladies est loin d'être clairement établie et Bastien prétend même...

Suzanne met abruptement un terme à la conversation en les priant de les excuser : le nom d'un nouveau visiteur vient de voler au-dessus de leurs têtes. Le jeune couple dérive lentement vers le centre de la pièce, se frayant un chemin parmi les groupes. Bastien est interpellé par un collègue que Flavie ne connaît pas ; après les présentations d'usage, les deux hommes conversent un moment. Elle en profite pour examiner la pièce. Les murs sont tendus de papier peint fleuri et les fenêtres, encadrées de frises ; le plafond, où se déroule une scène allégorique joliment peinte, est orné en son centre d'une magnifique pâtisserie, toute en volutes et en fleurs.

À l'extrémité de la pièce, de larges portes-fenêtres sont grandes ouvertes sur un patio où Flavie distingue quelques musiciens occupés à réjouir les oreilles des invités avec une musique suave. Elle apprécie maintenant ces airs si différents de ceux qu'elle a entendus pendant toute son enfance. Bastien, sa mère et sa sœur les jouent souvent au piano, comme ils chantent parfois, déchiffrant des partitions écrites par des hommes aux noms exotiques.

Son mari la tire de ses pensées :

— Flavie ? Notre ami se demandait quel genre d'accord nous avons bien pu signer, tous les deux, devant le notaire...

— Ce n'est pas un secret, répond-elle avec un sourire. Un accord tout ce qu'il y a de plus... commercial. La pratique de Bastien est une chose, notre association en est une autre. Nous partageons les bénéfices de cette dernière à parts égales.

— Ce qui est plutôt injuste pour Flavie, ajoute Bastien avec un sourire au petit homme d'un certain âge qui les écoute avec un grand intérêt. La plupart du temps, elle travaille bien plus fort que moi.

Elle s'enquiert auprès de leur interlocuteur :

— Vous êtes médecin dans le faubourg Québec, disiez-vous ?

— Mon *office* est situé rue Amherst, répond-il avec un fort accent anglais. Ma clientèle est très diversifiée, mais j'ai l'honneur d'être devenu le médecin attitré de la famille Molson. Cela m'ouvre bien des portes, croyez-moi !

— J'en suis ravie pour vous.

— On vous laisse, déclare Bastien soudainement. Bien du monde à saluer !

Sans plus attendre, il entraîne de nouveau Flavie, qui lui indique le patio extérieur. Au passage, elle reconnaît, avec un coup au cœur, l'ancien camarade de classe de Bastien, Isidore Dugué. Il n'a pas vraiment changé : petit, fluet et blond, il s'est laissé pousser une moustache qui, bien graissée, frise aux extrémités. Avec un tressaillement, Bastien note lui aussi la présence du jeune médecin en compagnie duquel il a commis la tragique erreur médicale, à la suite de laquelle il a plongé dans l'enfer du remords...

Flavie chuchote :

– Tu l'as revu depuis ?

Il secoue la tête en un signe de dénégation tandis que Flavie croise, un bref instant, le regard pénétrant d'Isidore. Elle se détourne pour suivre Bastien jusqu'au patio. Tous deux s'arrêtent pour écouter le trio de musiciens et, de nouveau, Flavie s'émerveille que l'on puisse tirer d'un violon des mélodies si différentes des reels qui ont enchanté sa jeunesse... Enfin, ils vont s'accouder à la balustrade du patio, d'où ils contemplent le vaste domaine boisé et fleuri de Rodolphe Cibert.

En bas, à quelque distance, plusieurs tables ont été dressées et des domestiques sont en train de les garnir d'abondantes victuailles et de rafraîchissements divers. Le parterre est parsemé de chaises de jardin et de bancs de bois où quelques invités ont déjà pris place. À l'écart, installé dans un carrosse aux roues immenses poussé par une femme d'un certain âge à la robe sombre, au tablier blanc immaculé et à la drôle de coiffe, un enfant bien assis contemple le spectacle avec une mine réjouie. Suivant le regard de Flavie, Bastien marmonne :

– L'héritier Cibert, surveillé par sa *nanny*...

Mentalement, Flavie calcule qu'il a environ seize mois... Se souvenant soudain de Victorine, la jeune patiente de la Société compatissante que Suzanne a engagée comme nourrice, Flavie raconte l'épisode à Bastien tout en jetant sur les environs un regard inquisiteur. Il la décourage aussitôt :

– Dans la belle société, les nourrices restent sagement dans leur chambre pendant les réceptions. C'est plus convenable... De toute façon, il doit être sevré maintenant...

– Sevré? Peut-être pas. Il est petit encore...

Déçue, Flavie est en train de se demander si elle osera partir à la recherche de Victorine lorsqu'une voix féminine la hèle. En bas, une jeune femme au visage rehaussé de taches de rousseur et couronné d'une masse de cheveux sombres lève vers eux une mine réjouie. Reconnaissant l'officière de la Société compatissante chargée du bureau d'emploi pour les patientes, Flavie s'exclame en souriant :

– Delphine! Quelle belle surprise!

L'homme à ses côtés lance à son tour, à l'adresse de Bastien :

– Mais je vous connais! Nous faisons de la raquette ensemble!

– C'est ma foi vrai!

– Daignez vous abaisser jusqu'à nous! invite malicieusement Delphine d'une voix gaie. Ce sera plus commode pour bavarder!

Dès qu'ils se font face, Delphine leur présente son frère Philippe, un grand jeune homme au geste décidé et à la poignée de main manifestement vigoureuse. Bastien plaisante, à l'intention de Flavie :

– M. Coallier est notre raquetteur le plus rapide, le modèle que nous aspirons tous à imiter un jour!

Faisant mine de ne pas entendre, l'homme s'incline devant Flavie, une étincelle dans le regard.

– Je suis enchanté de faire votre connaissance, madame Renaud. Ma sœur n'a que des éloges à votre sujet. Il semble que vous êtes une source d'inspiration pour elle!

— Au grand désespoir de votre mère, j'imagine?

Échangeant un clin d'œil complice, frère et sœur rient sans retenue. Delphine dit ensuite:

— Vous avez misé juste! Ma mère n'en revient pas que j'aie envie de m'occuper à autre chose qu'à une tranquille vie domestique. Elle prétend que les femmes travaillent déjà assez comme ça, à prendre soin de leur mari, de leurs enfants et de leur intérieur!

— J'ai vécu la même situation quand je me suis promise à Bastien, avoue Flavie. Mes amies m'enviaient pour la vie d'oisiveté qui s'offrait à moi et qui les faisait rêver!

— Mais un travail rémunéré qui nous passionne, ce n'est pas du tout la même chose que des tâches ménagères...

— Ma sœur hésite même à se marier, interjette Philippe Coallier. Pourriez-vous la persuader, madame Renaud, que la vie d'épouse comporte quand même quelques plaisirs?

Amusée, Flavie considère son sourire où se devine une trace de grivoiserie.

— Vous conviendrez avec moi, monsieur Coallier, que de trouver le bon mari, celui qui apprécie *toutes* les qualités de sa femme, c'est un véritable défi.

Jetant un regard attendri à Bastien, elle conclut:

— Pour ma part, j'ai eu bien de la chance. Je vous en souhaite, Delphine, tout autant...

— Mais si cette perle ne croisait jamais ma route, devrais-je rester vieille fille plutôt que de risquer de passer ma vie en compagnie d'un... d'un insignifiant? Quel destin, selon vous, est le moins enviable?

Flavie s'étonne de la rapidité avec laquelle leur conversation a pris une tournure intime, et surtout à quel point Delphine et son frère y semblent parfaitement à l'aise. Prenant les deux hommes à témoin, elle plaisante :

— Sans aucun doute, ces messieurs, qui connaissent mieux que moi les usages secrets de la belle société, pourraient vous donner de judicieux conseils ?

— Mais que veux-tu insinuer ? s'insurge comiquement Bastien. Je suis aussi naïf que toi !

— Quant à moi, enchaîne Philippe Coallier, je serais un rustre, que dis-je, un malotru d'oser suggérer à ma sœur que je connais des épouses qui savent se consoler d'une union dépareillée ! Je connais aussi des vieilles demoiselles fort délurées… Je te prie, Delphine, de faire comme si tu n'avais rien entendu !

Tous deux pouffent de rire, tandis que Flavie et Bastien échangent un sourire étonné. Delphine glisse à son frère :

— Cessons ces plaisanteries stupides ou nous allons faire fuir notre charmante compagnie !

Philippe leur propose d'aller découvrir les environs, ce que le couple Renaud accepte avec empressement. Pendant l'heure qui suit, tous quatre sillonnent le domaine ceinturé par les grilles, parcourant tous les sentiers, explorant le moindre taillis. Ils en profitent pour faire plus ample connaissance. Flavie apprend que le frère de Delphine aurait bien voulu embrasser le métier de coureur des bois, ce qui lui aurait convenu parfaitement, mais que leur père, négociant en gros, s'y était formellement opposé. De toute façon, comme en convient le jeune homme, cette occupation est en voie de disparition puisque la période de gloire du commerce des fourrures est maintenant chose du passé.

Pour satisfaire à la fois son goût des voyages et l'ambition de son père, il a donc étudié d'arrache-pied pour devenir géologue. Flavie sursaute et s'écrie :

– Mais alors, vous connaissez sans doute mon frère ?

Bientôt, les deux couples s'ébahissent de la coïncidence : en effet, Philippe a croisé Laurent à plus d'une reprise au siège social de la Commission géologique. Il leur explique qu'il est tout juste de retour de l'Ouest, où il a effectué des forages, et qu'il repartira bientôt pour les « pays d'en haut »…

Bastien et lui égayent leurs compagnes avec des anecdotes sur leurs expéditions en raquettes, puis c'est au tour de ces dernières de raconter quelques épisodes savoureux de leur travail à la Société compatissante. Le sujet est épuisé au moment où ils reviennent se mêler aux invités pour étancher leur soif et se sustenter à leur aise. Bientôt, frère et sœur s'intéressent à une conversation animée entre les membres d'un petit groupe, tandis que Bastien est happé par des confrères.

Flavie n'est pas fâchée de ce moment de calme et elle s'assoit à l'écart sur un banc où, pendant un moment, elle se laisse charmer par l'art des musiciens. Peu à peu, cependant, son attention revient sur les invités des Cibert. Bien des hommes, échauffés par l'alcool et l'abondante nourriture, ont desserré leur col et déboutonné leur habit. Flavie note à quel point les toilettes des dames sont recherchées, leurs coiffures, savantes et leurs parures, superbes, colliers de perles ou de pierres précieuses, boucles d'oreilles étincelantes au soleil… Elles bavardent avec des gestes soigneusement étudiés, langoureux à souhait.

Il faut un certain temps à la jeune sage-femme pour réaliser qu'en retour elle est la cible d'un examen discret. On coule en sa direction des regards curieux qui se détournent avec nonchalance dès qu'elle les croise... À l'évidence, elle est un sujet de discussion parmi ces quatre dames assises en cercle et qui se penchent les unes vers les autres en murmurant de manière entendue, tout en lui jetant de fréquents coups d'œil. De même, ces trois hommes debout s'intéressent manifestement à elle...

Plutôt mal à l'aise, Flavie se redresse légèrement, se retenant de passer une main sur sa tête afin de discipliner les mèches qui s'échappent de sa tresse enroulée en un bas chignon. Mine de rien, elle continue de surveiller les petits cercles où les interlocuteurs ne se gênent plus pour la désigner presque ouvertement. Suzanne vient de se joindre au groupe de dames et, après avoir écouté un moment, elle tourne la tête dans sa direction. Après un court échange de propos animé, elle se redresse et vient vers Flavie :

— Ma pauvre, tu sembles si esseulée ! Mes amies aimeraient bien faire plus ample connaissance avec toi. Non, ne proteste pas ! Je refuse de te laisser ainsi, à te morfondre dans ton coin.

Elle ajoute, avec un clin d'œil :

— Tu sauras qu'il faut obéir aux ordres de la maîtresse de maison, c'est ce que je répète à tout venant !

Flavie se résigne à la suivre, renonçant à lui expliquer qu'elle était loin de s'ennuyer. Suzanne lui glisse, comme un secret :

— Je suis ravie que tu sois venue. Notre différend est bel et bien enterré, n'est-ce pas ? N'aie crainte, je prendrai garde, à l'avenir, de ménager ta susceptibilité dont je connais le caractère hautement inflammable...

Les dames ont agrandi le cercle et, en silence, elles observent sans vergogne Flavie qui s'approche et qui prend place parmi elles. Tandis que Suzanne fait des présentations soignées, insistant sur la situation professionnelle de Flavie et sur son association avec son mari, ces épouses de médecins la dévisagent avec une curiosité teintée d'un soupçon de dédain. L'une d'entre elles, une longue et mince jeune femme, sa tête ornée d'un extravagant chapeau, se penche vers elle en disant avec amusement :

— Nous entendons tant parler de vous, madame Renaud, que nous vous imaginions bien différente! Les commentaires de nos maris nous renvoyaient une image plutôt déformée...

Avec un mince sourire, Flavie réplique :

— Chère madame Fleurant, je crois que je préfère ne pas savoir jusqu'où votre imagination vous a emportée. Je suis une femme tout à fait ordinaire, croyez-moi.

— Ne vous cachez pas derrière une fausse modestie, rétorque une autre, la mine légèrement réprobatrice, vêtue d'une robe surchargée de dentelles. Bien certainement, vous n'êtes pas une *dame* ordinaire! Vos actes le prouvent!

Mme Fleurant enchaîne, jetant un regard narquois à ses compagnes :

— Un cerveau masculin dans un corps féminin!

— Pour être sage-femme, demande innocemment Flavie, il faut un cerveau masculin?

— Déjà, il y a la position que votre époux vous a donnée auprès de lui, et qui est une vraie gifle au visage de tous ceux qui croient que, dans un couple, l'homme a une nécessaire prépondérance, un ascendant sur les affaires de sa dame! Quant au reste… N'assistez-vous pas à toutes les conférences organisées par la Société compatissante de Montréal? Pourtant, il est de notoriété publique que Sa Grandeur les réprouve! Ne faites-vous point partie de ce cercle d'accoucheuses, où les discussions prennent souvent une tournure… immorale?

– Comment le savez-vous? Monseigneur a-t-il envoyé des espions?

– Et ton mari? interroge subitement Suzanne, les yeux plissés. Comment réagit-il à ces dernières… folies?

Un silence embarrassé s'installe. Flavie prend conscience que toutes, en tant que femmes mariées, sont liées à un homme dont l'opinion a une importance considérable. Le mariage est une balance à l'équilibre bien fragile, songe-t-elle, puisque l'époux a le loisir de peser d'un côté de tout son poids… Elle répond avec précaution:

– Pour bien des choses, il me laisse une entière liberté. Pour être franche, Suzanne, je ne lui ai pas demandé son avis concernant le cercle d'accoucheuses ni concernant les conférences…

Les dames réagissent avec des murmures de stupéfaction. Écarquillant les yeux, Suzanne répète dans un souffle:

– Tu ne lui as pas demandé son avis?

Littéralement abasourdie, elle échange un regard médusé avec les autres dames, qui s'exclament à voix basse entre elles que jamais leurs maris n'accepteraient un tel affront à leur autorité. Flavie intervient dans la mêlée:

– Bastien me fait confiance. Il sait que je n'ai qu'un seul but, celui de devenir la meilleure accoucheuse possible.

— Tout de même! réplique Mme Latrimouille, toute bruissante dans sa robe de dentelle. Où a-t-il donc placé son sens de l'honneur? Dans une boîte de tôle bien fermée et rangée dans la dépense?

Flavie reste de marbre tandis que les autres dames gloussent. Son interlocutrice se penche vers elle avec commisération:

— On voit que vous n'êtes pas familière avec les usages dans la société. Les messieurs s'y font un point d'honneur d'épargner à leur épouse tous les tracas possibles. C'est pour eux un signe de respect et d'estime. Je serai franche avec vous à mon tour, madame Renaud: un époux qui ne protège pas sa dame des vicissitudes du monde, qui supporte de la voir s'avilir au contact de tout ce qui est le moindrement... répugnant, le moindrement dégradant, cet époux ne mérite pas de faire partie des cercles les plus sélects.

La dame à l'éventail, Mme Robichaud, ajoute de sa voix perçante:

— La grâce et la fragilité sont les atouts les plus précieux d'une dame et tous les époux, du moins ceux qui ont une certaine considération pour leur dame, se doivent de les protéger des flétrissures.

Estomaquée par ces valeurs bourgeoises si éloignées des siennes, Flavie reste sans voix. La dame conclut, avec un rire de gorge:

— Pour ma part, je suis enchantée de vivre aux côtés d'un mari si rempli de sollicitude pour mon bien-être. J'adore cette vie parfaite qui me permet de me parer à ma guise, de recevoir à mon aise et de cultiver les arts d'agrément, qui sont le sel de l'existence...

Elle promène de l'une à l'autre un visage épanoui de contentement et Flavie baisse les yeux pour masquer son mépris. Le silence gêné qui s'installe lui met cependant la puce à l'oreille et elle relève la tête juste à temps pour remarquer un éclair de souffrance qui altère le visage de la dame au chapeau, Mme Fleurant. De surcroît, celle qui est restée jusque-là muette, une dame bien en chair au visage plutôt placide, clôt les paupières un court instant pour dominer un accès d'émotion manifestement tumultueux. Flavie réplique d'un ton railleur :

— Madame Robichaud, votre sort semble tout à fait idyllique. J'ignorais que tous les hommes de qualité étaient, sans exception, dotés d'une telle grandeur d'âme. J'ignorais que la richesse seule était suffisante pour transformer un mâle en ange...

Suzanne pouffe d'un rire nerveux, bientôt imitée par une ou deux de ses amies. Flavie ne peut s'empêcher d'ajouter :

— Moi, à votre place, je me sentirais *légèrement* coupable de me vautrer, je veux dire, de profiter d'une existence aussi oisive grâce au travail des autres.

Mme Latrimouille vient au secours de son amie en répliquant avec acidité :

— Que voulez-vous, madame Renaud, les qualités ne sont pas également distribuées parmi tous les enfants de Dieu ! Certains, de par leur intelligence supérieure et leur moralité à toute épreuve, ont droit à des privilèges. Notre monde irait au chaos s'il n'avait pas à sa tête une élite apte à en diriger judicieusement la destinée !

Flavie bondit :

— Judicieusement ? Je ne vois rien de judicieux, je vous assure, à la grande marche du monde ! Je vois surtout bien des vautours qui profitent de leur pouvoir pour abuser de la classe ouvrière!

Suzanne frappe dans ses mains, une expression de gaieté forcée sur le visage.

— Mesdames, la discussion prend un détour fâcheusement ennuyeux! Ne trouvez-vous pas que notre nouvelle amie aurait un grand besoin de nos conseils? À l'évidence, elle bénéficierait de quelques leçons de… comment dirions-nous… d'étiquette? Cela dit sans vouloir te froisser le moins du monde, Flavie. Mais disons qu'il faudrait adoucir certaines arêtes…

— L'expression est faible, commente Mme Latrimouille en retirant son chapeau pour s'éventer. Je dirais plutôt un polissage en règle. Un véritable ponçage.

Des rires moqueurs s'élèvent tandis que Flavie masque son désarroi sous une apparente bonne humeur. Elle n'a pas le temps de chercher un prétexte pour s'esquiver: se relevant gracieusement, Suzanne vient à elle et lui tend la main pour l'inviter à l'imiter. Après un temps, Flavie obéit, constatant avec ennui que le petit manège de leur hôtesse attire l'attention d'un nombre croissant d'invités qui s'approchent subrepticement. Avec un large sourire bienveillant et en apparence attendri, Suzanne fait tourner Flavie sur elle-même.

— Pas mal, n'est-ce pas, mesdames? Notre amie est dotée d'une tournure qui rendrait jalouse même la plus élégante… Sa robe est simple mais de bon goût, qu'en pensez-vous? Après tout, il n'y a rien de plus vulgaire qu'une dame vêtue de manière outrancière, comme une courtisane. Néanmoins, je soulignerais cette taille bien davantage…

Elle s'approche et fait semblant de murmurer à Flavie un secret, cependant bien audible pour un auditoire de plus en plus nombreux.

— Crois-moi, chère Flavie, les maris adorent lacer un corset. Tu as sûrement remarqué à quel point ils se pâment devant un galbe extravagant...

Reprenant sa voix normale, elle poursuit avec malice, en tâchant de diminuer le caractère offensant de ses remarques par des œillades amicales dans sa direction :

— Mesdames, ne déposeriez-vous pas un bijou sur cette gorge ? N'enfileriez-vous pas des bagues à ces doigts ? Oh, mais je vois... Remarquez, mesdames, même l'alliance est absente. Nous avons affaire à une praticienne, n'est-ce pas ? Parée à étaler l'étendue de son savoir, si la nécessité s'en présentait, même à l'occasion d'une réception mondaine !

La quinzaine d'hommes et de femmes qui fait cercle autour d'elles s'esclaffe sans retenue et, tout en luttant pour garder l'essentiel de sa dignité, Flavie se creuse frénétiquement la cervelle pour trouver une raison de s'excuser, mais en vain.

— C'est sans doute pour cette même raison que notre amie préfère ces chaussures d'un confort certain et, ma foi, d'une grande finesse de confection malgré les apparences. Je n'ai pas besoin de soulever l'ourlet de la jupe, même modestement, pour vous les faire voir : de toute évidence, une accoucheuse doit conserver pour la pratique de son métier, en tout temps, une grande liberté de mouvements. Elle doit pouvoir parcourir la ville en tous sens sans avoir besoin de quérir l'un de ces cabrouets de malheur ! Après tout, leurs conducteurs sont si peu fiables! Querelleurs, portés sur la bouteille et sur les jeux de hasard...

N'en pouvant plus, Flavie ébauche un mouvement de fuite, mais Suzanne lui agrippe la main comme si elle la sauvait d'une noyade.

— C'est un jeu, Flavie, bien certainement, tu t'en amuses autant que nous?

Elle prend l'assemblée à témoin:

— Si vous saviez comme ma gentille amie est d'un caractère ombrageux! Le moindre souffle lui donne la chair de poule... Première leçon: il faut savoir accepter les taquineries bienveillantes, comme celle-ci, avec le sourire et, si possible, une repartie spirituelle. C'est un art difficile, je l'avoue, mais absolument nécessaire pour avoir du succès en société.

Se tirant enfin de l'hébétude dans laquelle elle était tombée, Flavie articule, d'une voix rauque:

— Je suis bien marrie de te décevoir, ma chère Suzanne, mais tu dois te douter de mon ignorance en la matière. Je préfère, comme lecture, M. Baudelocque à M. Molière...

L'auditoire réagit avec gaieté et Flavie, consciente d'avoir marqué un point, se détend légèrement. Suzanne lève comiquement les yeux au ciel:

— M. Baudelocque! Quelle lecture savante d'un ennui mortel! Je n'ose pas imaginer les conversations que tu entretiens en privé avec ton cher mari!

Une bouffée de colère monte à la tête de Flavie, qui riposte, sans se préoccuper de son accent des faubourgs:

— Et pourquoi tu penses qu'il n'a pas voulu cuire à ton four?

Un lourd silence tombe sur l'auditoire, que remplit peu à peu un murmure offensé. Le cœur battant, Flavie reste impassible, le regard fixé sur Suzanne qui, pendant un court moment, a perdu contenance. En provenance de la foule, la voix calme de Bastien retentit alors :

— C'est de moi que vous causez, toutes les deux? Permettez-moi alors de descendre dans l'arène...

Souriant et en apparence détendu, il franchit la courte distance qui le sépare des deux femmes et vient s'incliner devant elles. Il se redresse et dit avec une grande courtoisie :

— Mes chères et belles dames, vous comprendrez que mes préférences disons... galantes ne sont pas matière à discussion en public.

— Je suis tout à fait de votre avis, répond Suzanne en jetant un regard furibond à Flavie.

Il tend le bras à cette dernière, qui y dépose sa main avec un profond sentiment de gratitude. Sans se départir de son attitude joviale, il ajoute à l'intention de leur hôtesse :

— Vous permettez que je vous vole ma tendre épouse, dont je m'ennuie dès que j'en suis séparé trop longtemps? Comme vous l'avez souligné vous-même, elle n'est pas encore parfaitement accoutumée aux usages en vigueur dans la belle société, des usages qui, vous en conviendrez avec moi, ne sont pas toujours exempts d'une certaine cruauté...

— Je serais terriblement malvenue de vous priver d'elle plus longtemps, monsieur Renaud. De toute façon, il était plus que temps de passer à autre chose... Flavie, je te laisse en compagnie de ton chevalier servant! Nous avons bien apprécié bavarder avec toi, n'est-ce pas, mesdames? Alors, chère amie, sans rancune?

— Sans rancune, réplique Flavie avec le plus gracieux sourire qu'elle peut commander. Et pour te le prouver, je te permets même de révéler à toutes ces bonnes gens qui nous écoutent le fait qui concerne ton valeureux mari!

— Un fait qui concerne Louis? s'ébahit son interlocutrice, les sourcils froncés.

Flavie déclare d'un air mutin:

— Ce n'est pas un secret que M. Cibert, lui, t'a préférée à moi...

Dans un éclat de rire, le cercle d'auditeurs et d'auditrices se disperse lentement. Suzanne est bien obligée de participer à la bonne humeur générale et lance gaiement à la cantonade:

— Mais je meurs de soif! Qui m'accompagne à la table des rafraîchissements?

Elle s'y dirige, sa suite féminine sur les talons, tandis que Bastien et Flavie s'éloignent à l'écart. Il pose la main sur sa nuque pour l'obliger à lui faire face et il assène, d'un ton très sec:

— Veux-tu me dire ce qui t'a pris? C'est extrêmement vulgaire que de faire allusion à sa vie de couple en public!

Surprise, Flavie prend un moment avant de répondre:

— Mais c'est elle qui...

— Elle, elle badinait! Toi, tu l'as proprement insultée!

Indignée, Flavie riposte:

— Qui s'y frotte s'y pique!

Sans rire, il martèle encore:

— Si je te sors, ce n'est certes pas pour que tu insultes la maîtresse de maison! Ça ne se fait pas, c'est d'un manque total de goût, une gifle aux convenances!

Elle s'exclame furieusement :

— Parce que tu crois qu'elle ne m'insultait pas, elle, avec ses remarques condescendantes sur mon habillement et sur mon métier ? Peut-être que c'était très mignon à tes oreilles, mais c'était du persiflage ! Ces dames se gaussaient de moi !

Après un temps, avec une moue subitement contrite, il bafouille :

— Je n'ai pas pu intervenir plus vite, pardonne-moi. J'étais avec Isidore Dugué…

Devant le regard étonné de Flavie, il explique, la voix éteinte :

— C'est lui qui est venu vers moi. Il a pris de mes nouvelles… Il a dit aussi qu'il avait beaucoup réfléchi à ce qui nous est arrivé et qu'il tenait à me faire des excuses. J'ai répondu que ce n'était pas nécessaire, que j'étais passé à autre chose, mais il a insisté. C'est un bon bougre, dans le fond. Orgueilleux et bourru, mais généreux et fidèle en amitié.

Il hausse les épaules et demande faiblement à Flavie si elle souhaite partir. Elle acquiesce et tous deux reviennent vers la maison pour prendre congé de leurs hôtes. Ils croisent Delphine et Philippe Coallier à l'avant de la maison, en train d'admirer les fleurs du parterre. Avec une grimace comique, la jeune femme leur lance :

— Mon frère est incapable de rester assis plus de dix minutes ! L'accompagner à une réception, ce n'est pas une sinécure !

— Je te ferais remarquer que c'est moi qui t'accompagne, et non l'inverse. Vous nous quittez ? Attendez-moi, j'embarque avec vous !

Cinq minutes plus tard, tous quatre descendent l'allée et émergent sur le chemin où le bruit de l'animation urbaine les frappe de plein fouet. Bastien offre son bras à Flavie, mais elle l'ignore avec dignité, absorbée dans ses pensées. L'accueil des Cibert a été nettement chaleureux et la petite comédie jouée par Suzanne à ses dépens, malgré son caractère offensant, lui paraît maintenant bien inoffensive. Flavie y a pris une bonne leçon : si cela se reproduit, elle ne perdra pas l'usage de la parole aussi longtemps ! Soudain, elle s'arrête net :

— Victorine ! J'ai complètement oublié de saluer Victorine !

— La nourrice ? relève Delphine. C'est ma foi vrai : Victorine est toujours au service de Mme Cibert !

Les deux hommes réclament des explications, que Delphine fournit généreusement, puis ils reprennent leur marche et Bastien glisse à Flavie :

— Nous évoquions la possibilité de nous revoir tous les quatre, qu'en dirais-tu ? Philippe a plein d'idées originales de promenades.

En guise de réponse, Flavie leur adresse un large sourire un peu las. Elle se sent comme un soldat qui se tire bien vif d'une échauffourée au cours de laquelle il aurait cependant pu perdre quelques plumes ! Réussira-t-elle un jour à se fondre parmi toutes ces personnes chic, à se faire accepter comme l'une des leurs ? Pour l'instant, la tâche lui semble titanesque et une onde de détresse la traverse de part en part. Ce n'est pas uniquement pour sa propre carrière qu'elle se donne tout ce mal, mais aussi pour celle de Bastien ! Il paraît qu'une dame y fait pour beaucoup dans le succès de son mari, mais Flavie a bien davantage l'impression de lui nuire...

CHAPITRE XX

Debout à proximité de la grande table où sont assises ses élèves maintenant réduites à onze, Léonie discourt. Les battants de la fenêtre de la salle de classe sont complètement ouverts, mais en cette heure tranquille du milieu de l'après-dînée, le trafic est moins intense et elle n'a pas besoin d'élever la voix outre mesure.

– Généralement, le fœtus se présente avec la face vers l'arrière. Comment expliquer alors la prédilection que le front semble avoir pour la partie postérieure du bassin ? Est-ce que le fœtus courbé sur sa partie antérieure offre vers le dos sa plus grande pesanteur, et que la matrice, inclinée ordinairement en avant, reçoit cette partie plus pesante sur sa paroi antérieure qui est la plus basse ? Mais quand la femme se couche, l'enfant ne devrait-il pas se retourner sous son propre poids ? Par ailleurs, le diamètre transversal du bassin étant le plus grand, pourquoi les positions transversales sont-elles plus rares que les obliques ? Est-ce la direction des axes du bassin qui détermine ces différences ?

Devant les yeux ronds des jeunes femmes qui la regardent, elle esquisse un sourire.

– Beaucoup de spéculations théoriques, n'est-ce pas ? Les obstétriciens célèbres comme Baudelocque, Smellie et Levret affichent une préférence pour ces discussions oiseuses, fixées dans le vague des hypothèses. Pour notre part, suivons la direction indiquée par les plus célèbres accoucheuses : nous ne trouvons de véritable utilité que dans les choses que nos sens nous démontrent et dans les faits que l'expérience nous fait prévoir. Une fois le diagnostic bien établi, à quoi servent les causes présumées ?

Soudain, trois coups sonores retentissent à la porte et Léonie, avec une grimace d'exaspération, s'y dirige vivement. À sa grande surprise, c'est un jeune vicaire inconnu, rouge de chaleur à cause de sa soutane, qui s'avance. Il fait un bref signe de tête et s'enquiert gravement :

— Madame Montreuil ?

— Moi-même, monsieur. C'est que je suis en train de donner un cours. Ne pouvez-vous revenir plus tard ?

— Point du tout, à mon grand regret. Je suis ici à la demande expresse de Mgr Bourget. Puis-je entrer ?

Léonie recule à regret. Sans pouvoir dissimuler son embarras, l'homme se découvre et fait ses salutations aux jeunes femmes assises, puis il se tourne vers Léonie.

— Sa Grandeur me charge d'une mission bien délicate, madame, mais que je me dois d'accomplir avec célérité. Je suis venu pour les livres.

— Les livres ? Vous voulez dire, mes livres de comptes ?

— Les livres savants.

De plus en plus perplexe, Léonie désigne une étagère de la bibliothèque où s'alignent une quinzaine de bouquins reliés en cuir.

— Ils sont là, monsieur. Que leur voulez-vous ?

— Vous les emprunter, le temps que Sa Grandeur les examine.

Alarmée, Léonie le considère un moment avant de répliquer d'une voix qui tremble légèrement :

– Sous quel prétexte? Ce sont des livres précieux, dont je me sers fréquemment pour mon enseignement. De plus, plusieurs d'entre eux ne m'appartiennent pas...

– Vous êtes certainement au courant, madame, que Sa Grandeur a sonné l'alarme, par la bouche des curés, au sujet d'un ouvrage qui circule à Montréal. Son nom: *The Married Woman's Private Medical Companion*. Point n'est besoin d'en dire davantage, seulement que Sa Grandeur souhaite faire l'inventaire de ce que vous possédez comme ouvrages et en expurger les plus offensants, le cas échéant.

La nuque de Léonie se couvre de sueur. Elle ignore tout de cette « alarme » sonnée par monseigneur, mais ce livre, propriété de Flavie et de Bastien, se trouve précisément dans sa bibliothèque, bien serré entre deux autres! Léonie comprend sur-le-champ en quoi il soulève l'ire du prélat...

– Ce n'est qu'un emprunt de quelques semaines, ajoute l'homme de robe.

Léonie insiste:

– Plusieurs livres ne sont pas à moi. Il ne m'appartient pas de prendre une décision à leur sujet.

– Avant de leur faire subir quelque sort que ce soit, nous vous aviserons, soyez sans crainte. Les instructions de Sa Grandeur sont formelles: je dois repartir avec tous les livres, sans exception.

Léonie se mord les lèvres. Peut-elle s'y opposer? Ce serait attirer sur son école une bien mauvaise publicité... La mort dans l'âme, elle fait signe au vicaire de se servir. Se détournant, elle avise le livre ouvert devant sa place, sur la table, le premier tome de *Pratique des accouchemens*. Elle accroche le regard de Justine, la préférée de ses élèves, qui bat des cils en guise d'assentiment et qui, dès que l'homme de robe a le dos tourné, referme promptement l'ouvrage et le glisse sous la table, sur ses genoux.

Le vicaire déplie les deux cabas qu'il tenait sous le bras et lentement, dans un lourd silence, il y transfère les livres, les effleurant du regard comme s'il ne voulait pas se donner l'occasion de pécher. Il fait ensuite, lentement, le tour de la pièce du regard. Enfin, lourdement chargé, il s'éclipse sans même prendre le temps de les saluer. Après avoir refermé la porte derrière lui, Léonie se laisse tomber sur une chaise, à proximité de ses élèves qui la considèrent en silence.

Elle est rongée d'inquiétude sur le sort qui attend les précieux ouvrages. Marguerite lui avait prêté, jusqu'à la relâche estivale, plusieurs des livres rapportés d'Europe, dont ceux de Mmes Boivin et Lachapelle! Bien certainement, Bourget ne pourra y trouver quoi que ce soit d'offensant, au même titre que les nombreux traités d'obstétrique signés par des auteurs masculins! Mais Léonie n'a aucune illusion sur la largeur d'esprit de son évêque…

Une jeune femme, le visage buté, observe, sans oser regarder son professeur :

— Vous aviez ce livre, *Le compagnon médical de la femme mariée*? J'ai cru le distinguer… Vous n'y aviez pas encore fait allusion…

— Je viens tout juste d'en terminer la lecture, répond Léonie avec lassitude. Je voulais m'en servir pour vous expliquer certaines notions biologiques et médicales. Il est très explicite au sujet…

— C'est qu'il a été dénoncé en chaire!

Celle qui n'a pu retenir cette exclamation rougit aussitôt. Alertée, Léonie se redresse et s'étonne :

– Vraiment ? Je n'étais pas à l'église ce jour-là… Et que lui reproche-t-on ?

S'échangeant des regards à la fois embarrassés et excités, ses élèves se relaient pour lui raconter qu'un peu avant Pâques monseigneur a transmis une circulaire au clergé pour dénoncer cette « infâme brochure » dans laquelle on enseigne au libertin à se préserver des maladies vénériennes, à l'ébraillée à empêcher la conception et aux gens mariés à prévenir la famille, tout bonnement grâce à l'emploi de la baudruche française ! Une élève se creuse la tête pour tenter de se souvenir précisément de l'annonce faite au prône par tous les curés de paroisse :

– « Monseigneur l'Évêque de Montréal m'ordonne de vous défendre de recevoir, lire, garder… pour quelque raison que ce soit, ces livres que colportent en tous lieux, ou qu'envoient par la Poste, des gens sans aveu… »

– « …pour empoisonner le pays de leurs doctrines contraires à la foi ou aux mœurs », conclut Justine avec une grimace.

– Voilà. « Plusieurs de ces livres sont si dangereux, que l'on tombe en les lisant dans un cas réservé, dont l'évêque seul peut absoudre. Vous pouvez juger par là de la grandeur du mal que l'on commet en lisant ces livres corrompus. »

– Chez moi, le curé a même obtenu des paroissiens l'autorisation de se rendre jusque chez le maître de poste pour y confisquer les exemplaires reçus par correspondance.

Frappées par le fait qu'elles ont côtoyé un tel danger sans le savoir, les jeunes femmes s'assombrissent en jetant à Léonie des regards chargés de reproche. Pour sa part, cette dernière est surtout effrayée par l'interdiction de posséder ce livre «pour quelque raison que ce soit»! Elle ne peut donc se servir d'un livre condamné par la Hiérarchie, même s'il s'agit d'un ouvrage de science? Dans ce cas précis, cependant, elle doit bien s'avouer qu'elle a joué avec le feu. En prônant la contraception et même l'interruption de la grossesse si la santé de la mère est en danger, l'auteur contredit ouvertement l'exigence de la religion catholique de ne jamais empêcher la famille!

Trop troublée pour poursuivre son enseignement, Léonie donne congé à ses élèves. Elle frémit à l'idée que toute cette culture savante est maintenant entre les mains ignares et maladroites de l'évêque! Il faut qu'elle prévienne Marguerite et Flavie le plus tôt possible. Elle ne se fait pas d'illusion sur le destin de l'ouvrage prêté par sa fille, soit être réduit en cendres, mais au moins, que ce crime soit perpétré en présence des propriétaires...

D'un pas alerte, Flavie et Bastien se rendent chez une bourgeoise dans ses douleurs. Maintenant, les deux associés n'ont même plus besoin de se parler pour se comprendre. À chaque fois, Bastien fait sa visite de courtoisie, puis il quitte les lieux, laissant Flavie mener sa barque à sa guise. Depuis la délivrance d'Étiennette, la fille publique, plus d'une année auparavant, tout est allé comme sur des roulettes... Une seule fois, l'hiver dernier, Flavie a cru bon de faire venir Marguerite, dont les conseils ont été précieux.

Dès que les jeunes praticiens se retrouvent au chevet d'Hortense Pominville, très élégante et même charmante vêtue de son déshabillé de soie, Flavie l'interroge attentivement et elle répond avec complaisance en jetant de fréquents regards à Bastien, assis à l'écart. Ennuyée par cette manifestation de coquetterie à laquelle elle est cependant habituée, Flavie prend son mal en patience, sachant que son mari s'en ira très bientôt.

Rien ne laissant présager une éventuelle anomalie, Flavie jette un coup d'œil à Bastien, qui se lève alors et commence à faire ses hommages à la dame. Comme étonnée, cette dernière agrippe franchement la main du médecin et s'exclame :

— Bien certainement, cher docteur, vous ne songez pas à repartir aussi vite ?

Après un silence surpris, Bastien répond, bonasse :

— Madame, vous êtes prévenue depuis longtemps de notre façon de procéder, à mon épouse et à moi.

— Vraiment ? Vous me confondez, j'en suis sûre, avec une autre de vos clientes. J'ai une très bonne mémoire et j'ai beau me creuser la tête, je ne me souviens pas d'un tel propos...

Flavie reste impassible même si le ton suffisant de la dame lui tape sur les nerfs. Elle déteste cette manière hautaine dont certaines « duchesses » manipulent la vérité, s'obstinant à nier l'évidence comme s'il n'existait pas de pire humiliation que d'avouer son erreur !

— Eh bien, je suis désolé d'un tel quiproquo, mais vous comprenez certainement que ma présence continuelle à votre chevet serait parfaitement inutile et, surtout, qu'elle priverait de mes soins d'autres personnes qui en auraient urgemment besoin...

— À votre tour, cher docteur, comprenez qu'il s'agit de ma première maladie et que je suis plutôt inquiète de ce qui va se passer.

— Voilà pourquoi, chère madame, je me suis associé à l'une des meilleures sages-femmes de toute la ville et que je n'hésite pas une seconde à vous laisser à ses bons soins. En fait, pour être honnête…

Elle l'interrompt avec anxiété :

— Je sais que l'usage se répand, pour un médecin-accoucheur, d'engager une garde-malade. Mais la vôtre est si jeune… Est-elle entièrement formée par vos soins et d'une expérience certaine ?

Il faut un certain temps à Flavie pour réaliser que leur cliente parle d'elle. Son sang ne fait qu'un tour, mais le regard d'avertissement que Bastien lui lance l'empêche de proférer la protestation outrée qui lui brûle les lèvres. D'un ton toujours aussi poli, le jeune homme réplique :

— Flavie n'est pas une garde-malade, mais une accoucheuse, bien plus experte que moi dans l'art des délivrances naturelles.

Mme Pominville jette vers la jeune femme un regard totalement perplexe, comme si les deux fonctions correspondaient, à ses yeux, sensiblement à la même chose. Enfin, elle pousse un soupir résigné qui se transforme rapidement en un halètement sous l'effet d'une contraction. Bastien en profite pour se redresser et pour reculer d'un pas ou deux. Dès que la dame reprend ses esprits, il lui signifie fermement qu'il prend congé à l'instant. D'un ton impérieux, elle interroge encore :

— Vous m'assurez que madame est bien exactement au courant de vos volontés et qu'elle vous mandera aussitôt que nécessaire ?

Flavie interjette :

– Mon mari et moi, nous avons maintenant une longue pratique en équipe. Je suis une sage-femme diplômée, madame Pominville. N'est-ce pas pour cette raison que vous avez fait appel à nous ?

L'expression ennuyée, avec un geste à la limite du dédaigneux, elle fait signe à Flavie de se rasseoir. Mais cette dernière refuse d'obéir ; tandis que Bastien s'enfuit presque, elle va quérir sa valise avec des mouvements brusques et elle entreprend d'organiser ses effets pour la future naissance.

L'avant-midi se passe, pour Flavie, dans une atmosphère franchement désagréable. À tout bout de champ, Hortense Pominville lui rappelle sa situation de subalterne vis-à-vis de Bastien. Elle vérifie soigneusement que Flavie, à chacune de ses initiatives, ne fait que suivre les enseignements du jeune médecin ! Sous prétexte que sa meilleure amie a subi toutes ses douleurs couchée dans son lit, elle refuse de se lever pour marcher. Grasse et languissante, portée à l'indolence, elle semble d'une insupportable mollesse. Flavie est littéralement exaspérée par la fierté avec laquelle elle lui affirme qu'elle a passé les trois derniers mois presque constamment au lit !

Dans ces conditions, le ralentissement progressif des contractions ne l'étonne pas outre mesure. Sa patiente refuse obstinément d'envisager l'un ou l'autre des moyens de prédilection de Flavie, comme des pressions sur les organes génitaux et une marche vigoureuse, pour les faire reprendre. Elle accepte seulement, à contrecœur, de boire quelques tasses d'une tisane dans laquelle Flavie a versé des gouttes de substances bien connues pour leur action sur la matrice. Mais rien n'y fait : au soir, la délivrance est au point mort, laissant le col dilaté à deux doigts.

Puisque le bébé est encore protégé par la poche des eaux, Flavie n'est pas réellement préoccupée. Elle propose donc à la dame de prendre, chacune de son côté, une bonne nuit de repos. Romuald Pominville choisit ce moment pour faire irruption dans la pièce, après trois coups discrets frappés à la porte. C'est un homme de haute taille et grassouillet, la chair de son cou débordant de son col. Flavie a pu constater, à l'occasion de ses précédentes visites, qu'il entoure son épouse d'une affection débonnaire, s'amusant comme avec un enfant capricieux du plus banal mot d'esprit et prenant garde de ne la contrarier d'aucune manière.

Dès son entrée, Hortense se soulève sur ses bras tendus et d'une voix tremblante, elle l'interpelle :

— Mon ami, il m'arrive exactement la même chose qu'à Judith ! Votre fils refuse de pointer le bout de son nez !

— Calmez-vous, ma chérie… Ce n'est pas bon pour votre cœur.

Flavie fait le résumé de la situation pour le bénéfice du mari, ajoutant :

— Si vraiment le bébé tarde trop, j'irai voir ce qui se passe à l'intérieur. Souvent, il est possible d'exciter la matrice et même de stimuler la descente…

— Judith a été délivrée avec les fers ! s'écrie Hortense d'une voix aiguë. Elle n'a pas eu besoin de forcer, le docteur a tout fait pour elle ! D'accord, c'était légèrement inconfortable, mais…

— Ce serait un peu précipité, dit Flavie prudemment, cherchant à attirer l'attention du mari. Le forceps peut occasionner des blessures…

— Je veux faire venir le docteur !

– Comme vous voulez, ma chérie. J'envoie quelqu'un.

Il sort aussitôt de la chambre. Abasourdie, Flavie croise
le regard triomphant d'Hortense Pominville. Écœurée,
elle grommelle une vague excuse avant de s'enfuir hors
de la pièce, où elle inspire furieusement. La situation
est totalement absurde! Un peu moins d'une heure plus
tard, Bastien fait son entrée dans la chambre, suivi du
mari. Confortablement assise dans un fauteuil profond
à l'écart, Flavie ne prend même pas la peine de se lever.
Elle fait un geste vague vers la parturiente, qui somnolait
jusque-là. Le jeune médecin souffle à Flavie:

– Contractions?

Elle secoue la tête et marmonne:

– Interroge madame, c'est elle la patronne…

La discussion dure cinq minutes à peine et plonge
Hortense dans un tel état d'agitation que M. Pominville
tonne soudain, s'adressant à Bastien:

– Ça suffit! Je vous paie, monsieur, pour prendre
soin de ma chère femme et j'exige que vous procédiez
immédiatement à la délivrance! Elle en a bien assez enduré
pour ne pas prolonger inutilement son martyre!

– À votre guise, répond Bastien froidement. Veuillez
donc sortir, monsieur.

Après un moment d'indécision, il obéit et la porte
claque. Flavie abandonne enfin sa nonchalance étudiée.
C'est la première fois que Bastien va se servir du forceps
en sa présence et elle est prodigieusement intéressée par
ce qui va suivre. Depuis la délivrance d'Angélique, de
triste mémoire, où tous deux n'étaient respectivement
qu'apprentis de Marcel Provandier et de Léonie, elle a
pu assister à deux manipulations de forceps seulement,

de trop loin cependant à son goût, à la Société compatissante.

Bastien et Flavie ont soigneusement étudié ce qu'ont écrit à ce sujet non seulement les obstétriciens, mais les maîtresses accoucheuses d'Europe. Les phrases de Marie-Louise Lachapelle valsent dans la tête de la jeune femme pendant qu'elle regarde Bastien se préparer pour l'intervention. Par défi envers l'entêtement de leur cliente, il procède ouvertement et Hortense observe ses allées et venues avec alarme, sans cependant oser émettre la moindre protestation.

Ses mains et les deux branches du forceps bien graissées, le métal soigneusement échauffé, Bastien ordonne sèchement à Hortense Pominville de s'installer selon ses indications, les genoux relevés et largement écartés. Cramoisie, elle obéit néanmoins. Il l'avertit sans ménagement que l'introduction des mains et des fers cause des douleurs vives, surtout au col de la matrice obligé de se dilater, et la prie de souffrir sans bouger d'un pouce. Elle lutte pour dominer sa frayeur et Bastien s'immobilise pour bougonner plus gentiment :

– Un seul mot de vous, madame, et nous arrêtons tout. Tout à l'heure, il sera trop tard. Ma femme vous a expliqué très clairement qu'il était inutile de se presser et que…

– Je suis parée, souffle-t-elle dans un éclair d'orgueil.

La tête du fœtus étant encore dans la matrice, Bastien doit d'abord, avec ses mains, se frayer un chemin tout en assouplissant les parois du vagin, puis en dilatant le col. La manœuvre prend un certain temps ; le jeune médecin finit par murmurer à Flavie, avec une légère grimace :

– Quatre doigts. Il est souple.

Manifestement, il espérait encore qu'un col rigide, trop susceptible de se déchirer, oppose une barrière infranchissable au forceps... Mais bientôt, absorbé par son travail, il oublie totalement sa réticence initiale. Hortense Pominville gémit sourdement et Flavie, malgré son ressentiment, prend place à côté d'elle pour lui étreindre la main. Faisant dos à la parturiente, elle a une vue plongeante sur les gestes de Bastien et son visage concentré. Malheureusement, la peau et les organes ne sont pas transparents et elle se mord les lèvres de frustration d'être ainsi privée du spectacle de la progression des fers, dont Bastien vient tout juste d'introduire une branche.

Pour ne pas risquer une déchirure au vagin, il doit, avec sa main, guider l'instrument jusqu'à la tête du fœtus, selon un mouvement à la fois doux et précis, qui épouse la forme des parties internes. À l'évidence, il tente de reproduire la manœuvre décrite par Marie-Louise Lachapelle, une manœuvre différente de celle qu'il a apprise auprès de Provandier et à laquelle il s'est exercé souvent depuis, dans les airs ou sur un mannequin. Sauf que, sur une femme vivante, c'est une autre paire de manches...

Enfin, la tête selon lui solidement captive et les deux branches jointes, il procède en imprimant une légère traction vers le bas. Il s'agit alors d'aider le fœtus à franchir le col tout en respectant le mouvement de rotation qui se fait naturellement. L'extrémité de l'instrument que Bastien agrippe se redresse progressivement jusqu'à être presque perpendiculaire au pubis. Enfin, la tête apparaît à la sortie.

Aussitôt, assuré que le bébé, le crâne hors des parties osseuses, ne rétrogradera pas, Bastien s'empresse de détacher les deux branches de l'instrument et de les retirer de l'intérieur du vagin. Il explique alors à Hortense Pominville, qui le considère avec de grands yeux dilatés, la respiration précipitée :

– C'est presque fini. Votre enfant va sortir de lui-même. Les fers vous blesseraient.

Dans un souffle, elle balbutie :

– Merci. Mon amie Judith a été déchirée…

– N'hésitez pas à vous redresser si vous en sentez le besoin.

Il n'est alors presque jamais nécessaire d'exiger la poussée ; mécaniquement, les muscles abdominaux et la matrice se contractent, en même temps que la vulve se dilate, ainsi que l'explique avec clarté Marie-Louise Lachapelle dans son ouvrage. Bastien s'écarte pour laisser la place à Flavie, qui procède de sa manière habituelle pour soutenir le périnée, tandis qu'Hortense, emportée par l'intensité des sensations, grogne et geint tout à la fois.

Moins de dix minutes plus tard, Flavie reçoit entre ses mains un gros garçon, qui respire à fond avant de pousser un cri vigoureux. La parturiente n'a pu éviter une déchirure, heureusement si ténue qu'elle n'exigera pas de soins particuliers. Flavie jette un regard ému à Bastien en bredouillant :

– C'était magnifique.

Tout pâle, le médecin devient rouge comme une tomate, tandis que la jeune mère émet un rire étranglé. Le sourire de Bastien s'éteint aussitôt : l'une des oreilles du nouveau-né est déchirée et largement tuméfiée au niveau du lobe. Désolée, Flavie murmure :

– C'était le risque. Ce n'est pas grave...

Une heure plus tard, Bastien et Flavie cheminent en silence vers leur foyer dans la ville froide et obscure. Bastien a la démarche légère : M. Pominville, obséquieux à force d'être reconnaissant, a promis de le recommander à tous ses amis. Cependant, pas un mot au sujet de Flavie, qui se sent plutôt triste d'être ainsi reléguée aux oubliettes... Elle remarque, philosophe :

– Au moins, on nous a épargné des reproches sur la longueur de l'opération. Pour les gens du monde, l'expulsion devrait se faire à la première douleur !

Il rit avant de déclarer, allègrement :

– Tu sais, je me sentais parfaitement en contrôle. Comme si les plus adroites accoucheuses me soufflaient les gestes à faire !

Flavie lance, ravie :

– Tu serais le professeur tout indiqué pour m'enseigner les fers !

Elle s'empourpre aussitôt parce qu'il est bouche bée, le regard fixé sur elle. Elle marmonne avec défi :

– Ben oui, quoi... Pourquoi tu ne m'enseignerais pas la médecine ?

Il s'exclame enfin, d'un ton exagérément accablé :

– Mon apprentie. Elle veut devenir mon apprentie ! Seigneur, n'y a-t-il rien à son épreuve ? J'avais bien compris que la vie avec toi ne serait jamais triste !

Il l'envisage, plutôt réjoui, mais Flavie y réagit par une expression excessivement sérieuse. Croit-il réellement qu'il s'agit d'une fantaisie qui lui passera tôt ou tard ? Elle déteste cette attitude misogyne, que tous les hommes sans exception cultivent à des degrés divers, qui consiste à traiter les dames comme des capricieuses irréfléchies, des fillettes trop gâtées qui ne supportent pas qu'on leur refuse quelque chose !

Réalisant que Flavie n'entend pas à badiner, il se résout à expliquer posément :

— Je ne peux pas t'accepter comme apprentie. Premièrement, je suis un médecin bien quelconque. C'est parfaitement vrai, ne proteste pas. Je ne serais pas un bon maître. Mais c'est une raison bien minuscule comparée à la grande, la vraie raison : je ne peux pas parce que ça ne se fait pas. Si je m'embarquais dans cette aventure, les conséquences seraient désastreuses. Déjà que notre association en fait tiquer plusieurs…

— Désastreuses ? relève Flavie, la voix éteinte.

— Bien pires que tu ne pourrais jamais l'imaginer. Presque tous les médecins se ligueraient contre moi. Presque toutes les épouses de médecins se ligueraient contre toi. Nous aurions toute la belle société à dos. Les patients nous fuiraient. Mes parents, ma sœur, nos amis en souffriraient. Ta famille aussi. L'évêque ne se gênerait pas pour brandir la menace de l'excommunication ! Ce serait la ruine.

Révulsée par cette vision cataclysmique, Flavie laisse la distance grandir entre eux deux tandis qu'ils grimpent la montée de la rue Sainte-Monique. Elle grommelle entre ses dents :

— L'excommunication, la ruine… et quoi encore ? Le supplice du pilori, tant qu'à faire ?

Avec un entrain forcé, elle suggère :

— Tu pourrais m'enseigner en secret ?

Il lance un rire de dérision et Flavie se renfrogne, fâchée contre elle-même. Bien sûr, dans leur métier, le secret est impossible !

– J'y croyais pourtant, à notre association, de toute mon âme. C'était une solution géniale pour nous soutenir mutuellement. Deux savoirs qui se complètent…

Bastien se tourne vers Flavie, l'expression troublée, ajoutant avec une grimace d'excuse :

– Personne ne te critique ouvertement devant moi, mais il faudrait que je sois d'une stupidité sans bornes pour ne pas saisir les allusions répétées. C'est mettre sur un pied d'égalité deux occupations qui ne devraient pas l'être. Tout le monde sait bien que la science médicale est éminemment supérieure à l'art des sages-femmes…

Bouleversée soudain, elle balbutie :

– Tu veux dire que… À cause de moi, tu… tu te fais fièrement achaler ?

Il hausse les épaules.

– Ce n'est pas grave. Je m'y attendais, va. Mais je ne veux pas que ça empire, tu comprends ? Il ne faut pas que ça empire.

Elle lui jette un regard sceptique. Malgré tout ce qu'il peut en dire, elle ne le croit qu'à moitié. Elle est si insignifiante comparée à ces médecins en redingote qui, à l'image de la clientèle bourgeoise qu'ils convoitent, se déplacent en voiture à cheval ! Ces médecins qui la considèrent comme une garde-malade, tout juste bonne à exécuter leurs ordres !

Comme de coutume à cette époque de l'année, une vague de chaleur s'abat sur la ville. Malgré les inconvénients, Flavie n'en est pas réellement fâchée : les dernières bourgeoises qui restaient en profitent pour déguerpir à la campagne. De surcroît, la maison est désertée par

Archange, sa fille et la domestique Guillemette, que Julie a adoptée comme confidente et qu'elle accapare dorénavant en tant que servante personnelle. Pour sa part, Édouard est demeuré pour ses affaires et Lucie le servira jusqu'à son départ pour Terrebonne, au mitan du mois de juillet.

Flavie n'est pas sans remarquer que Bastien semble habité par un sentiment d'inquiétude croissant au sujet de la bonne marche de ses affaires. Elle ne le prend pas vraiment au sérieux jusqu'au soir où, en réponse à son habituelle question au sujet du déroulement de sa journée, il articule avec fatigue :

— Rien que de bien ordinaire. Je passe la moitié de mon temps à expliquer les vertus de ma thérapeutique et le reste à refuser de prescrire des médicaments ! Bien entendu, la plupart des patients font semblant de me comprendre, mais, dans le fond, ils me trouvent diablement original... pour tout dire, une espèce de fou !

Il avale sa salive avec difficulté et Flavie le sent envahi par le désarroi et le chagrin, qu'il tenait jusque-là en otage dans un recoin de son être. Pour se maîtriser, il respire profondément à plusieurs reprises.

— C'est vexant à dire, Flavie, mais la vertu, ça ne remplit pas un portefeuille. On ne peut pas rester encore dix ans comme ça, à vivre de la charité de mon père !

— Tu te fais du mauvais sang pour rien. Notre association se porte plutôt bien, n'est-ce pas ? Quant à l'hydrothérapie... il faut laisser le temps au public de s'y accoutumer. Ça viendra, tu verras...

Flavie attend leurs vacances à Cacouna avec impatience, persuadée que ce dépaysement procurera à son mari un magnifique répit et qu'ainsi tous deux retrouveront la splendide intimité de leur premier séjour, deux années auparavant. De nouveau, Archange a beaucoup insisté pour les entraîner dans son sillage, ne répugnant pas à évoquer leur séjour de l'année précédente dans la famille de Flavie, à Longueuil. Elle a si bien joué avec le sentiment de culpabilité de son fils que ce dernier a failli céder… Cependant, Flavie tenait tant à leur solitude à deux qu'elle a réussi à le faire fléchir et à repousser à l'été suivant leurs vacances à Terrebonne, qu'il était devenu impossible de différer davantage sans froisser définitivement sa belle-mère.

CHAPITRE XXI

D'abord abasourdie par la confiscation de ses livres et le sans-gêne de son évêque, Marguerite entre dans la plus vive colère à laquelle Flavie ait jamais assisté. Elle veut se précipiter sur-le-champ à l'évêché et Flavie consent à l'y accompagner, mais leur démarche est infructueuse : Ignace Bourget vient de quitter la ville pour une visite pastorale censée se prolonger pendant une semaine. Elles se donnent donc rendez-vous pour le 8 juillet suivant et, mise au courant de ce plan, Léonie leur propose de se joindre à elles pour affronter l'ennemi.

Le 7 juillet en après-midi, Flavie reçoit de Marguerite un mot où son amie lui explique que Mgr Bourget est de retour pour un bref quarante-huit heures de repos à l'évêché et qu'elles doivent sauter sur l'occasion pour le rencontrer. Aussitôt, Flavie s'assure du consentement de Léonie, puis elle signifie leur disponibilité à Marguerite.

Le lendemain matin, Flavie se rend rue Saint-Joseph, où elle trouve un mot, écrit de la main de son père, épinglé sur la porte : la présence de Léonie a été requise, la veille au soir, à la Société compatissante. Elle ne pourra donc pas les accompagner à l'évêché comme il était prévu. Profondément ennuyée, Flavie reste indécise, à lire et relire les phrases calligraphiées par Simon.

Enfin, elle s'empresse jusqu'au logis de Marguerite, dont les traits se décomposent à la nouvelle de l'absence de Léonie. Découragées, les deux jeunes femmes se regardent sans mot dire, puis Marguerite balbutie :

— Tu veux remettre la visite ?

— Et comment ! Mais ce serait très lâche.

Marguerite répète en écho :

— Oui, très lâche… On y va, alors.

Bientôt, elles marchent côte à côte avec l'entrain d'animaux que l'on traîne vers l'abattoir. Il ne leur faut qu'une dizaine de minutes pour parvenir devant le superbe et tout neuf palais épiscopal en pierre de taille, terminé quelques mois plus tôt. Elles franchissent la grille en fer forgé qui donne rue Sainte-Catherine et s'octroient une pause sous le portique pour en admirer les six colonnes de style ionique.

Elles n'ont pas annoncé leur visite et c'est un secrétaire qui les reçoit, après les avoir fait patienter dans l'antichambre pendant une longue demi-heure. D'une oreille compatissante, il écoute le plaidoyer de Marguerite et de Flavie, qui déclarent que l'évêché a pris cavalièrement possession de leurs biens et, font-elles valoir habilement, de ceux de leurs pères et beaux-pères. Elles exigent de retrouver leurs livres immédiatement et ne quitteront pas les lieux sans eux.

Après un temps, manifestement impressionné par la détermination des deux jeunes femmes, le secrétaire leur demande de l'excuser un instant. Peu après, il revient et leur fait signe de le suivre jusqu'au bureau de l'évêque de Montréal, qui se tient debout au milieu de la pièce. Toutes deux savent que l'on doit s'incliner devant un évêque et baiser sa bague, mais le geste est rendu périlleux par leur inexpérience. Enfin, Ignace Bourget prend place dans un large fauteuil et, obéissant à son ordre, elles posent le bout d'une fesse sur une chaise.

Frappée par le luxe du mobilier de cuir et de bois sombre et des œuvres d'art pieuses qui ornent les murs, Flavie les caresse du regard un bref moment. Marguerite se racle la gorge pour parler, mais le prélat la devance :

– Nous ne sommes pas fâché, mademoiselle, de votre présence ici. Nous avons ouï parler d'un projet d'une grande témérité qui vous concerne. Votre mère s'en est confiée à son confesseur qui, à son tour, a tenu à Nous consulter.

Interloquée, Marguerite reste sans voix. Bourget ajoute :

– Votre mère, une bonne âme, s'effraie qu'un acte tel que celui que vous contemplez soit contraire aux enseignements de l'Église. Elle craint pour le salut de votre âme. Nous sommes ravi d'avoir ainsi eu l'occasion de la réconforter et de l'encourager dans le chemin qu'elle se doit d'emprunter. Un chemin difficile, mademoiselle. Vos parents ont une telle estime pour vous qu'ils répugnent à vous causer du chagrin. Cependant, Nous avons bien fait comprendre à votre mère que cette magnanimité sera la cause de votre déshonneur ! Vous allez trop loin, mademoiselle, et Nous Nous devons de vous mettre en garde. Même si le Dr Lainier a une réputation sans tache, il est hors de question qu'il accepte une sage-femme en apprentissage ! Si vous aviez la moindre considération pour vos parents, vous comprendriez aussitôt que…

Marguerite ne peut s'empêcher de l'interrompre d'une voix tremblante :

– Je vous prie, monseigneur, de ne pas mettre en question la qualité du sentiment que j'ai pour mes parents. C'est pour moi extrêmement pénible.

La chose est connue : un évêque déteste se faire couper la parole. Cependant, Marguerite l'a fait avec un tel art qu'il réplique, après un temps :

– Fort bien. Nous Nous permettons cependant d'insister afin de vous faire entendre raison. Auparavant, Nous appréciions votre grande piété, mademoiselle, une piété qui semble vaciller depuis votre séjour outre-mer… Auparavant, jamais vous n'auriez osé vous moquer ainsi des enseignements de Notre-Seigneur.

– Notre-Seigneur a enseigné une vertu capitale, la charité. C'est cette vertu qui m'anime plus que jamais, Votre Grandeur. Mon désir de charité me pousse à me mettre au service des déshérités de notre ville et à le faire de la manière la plus efficace possible. Mon métier de sage-femme m'amène déjà…

– Cependant, Notre-Seigneur a confié aux dames une mission encore plus suprême, encore plus nécessaire : celle d'incarner la délicatesse.

– La délicatesse n'est plus de mise lorsqu'il s'agit de défendre des principes qui nous sont chers.

– C'est de même pour vous, interjette Flavie avec impétuosité. Lorsqu'il s'agit de nous persuader de l'importance de placer notre sort dans les mains de Dieu, vous ne vous enfargez pas dans les fleurs du tapis !

Marguerite ouvre de grands yeux et se cache la bouche derrière sa main. Estomaqué par l'audace de la jeune femme, le prélat reste figé, puis il tourne lentement la tête vers elle en grondant :

— Comment osez-vous, simple pécheresse, vous comparer à Nous, représentant de Dieu sur terre?

Flavie se tient coite, même si elle a bien envie de répliquer qu'elle apprécierait qu'on lui montre, un beau jour, l'acte officiel signé par le Créateur à cet effet! Marguerite se hâte d'intervenir:

— J'ai bien entendu vos recommandations, monseigneur, et je vais y réfléchir soigneusement. Notre but, en venant ce matin, était de récupérer les livres qui nous appartiennent. Ce sont des livres rares et précieux, qui nous servent tous les jours pour notre pratique. Il me fera plaisir, plus tard, de recevoir chez moi un vicaire qui pourra, à loisir, les examiner.

— Nous n'avons guère eu le temps de les feuilleter, mais Nous serons magnanime: Nous allons accéder à votre requête. À dire vrai, mademoiselle, jamais Nous n'aurions cru la récolte aussi abondante! Nous avons eu une extrême surprise en voyant les cabas débordants du messager…

Le prélat se tait soudain et semble tendre l'oreille. Flavie comprend aussitôt la cause de sa distraction: une cloche lointaine de pompe à feu vient de se mettre à sonner. Bourget ne peut retenir une moue d'inquiétude, puis il se ressaisit et tourne la tête vers Flavie, les yeux jetant des éclairs:

— Cependant, madame Renaud, votre livre est déjà promis aux flammes. C'est bien le vôtre, n'est-ce pas?

— C'est un livre de science médicale, propriété d'un médecin, que vous allez détruire, monseigneur!

Pendant une fraction de seconde, l'évêque perd contenance, puis il se reprend et débite d'un ton glacial:

– Nulle bonne foi ne saurait excuser les péchés qu'un tel livre est susceptible d'enseigner. Les âmes impures tombent dans cet enfer en aussi grand nombre que les flocons de neige! Les conseils de marguilliers de paroisse, de même que ceux de plusieurs associations pieuses du diocèse, Nous ont signifié leur consentement pour que Nous retirions cette... cette infamie de la circulation, y compris chez les particuliers.

Estomaquées, Marguerite et Flavie échangent un regard. Un coup impérieux est frappé à la porte, qui s'ouvre juste assez pour laisser s'insinuer le torse d'un vicaire. Sans prendre garde à la présence des deux femmes, il annonce :

– Votre Grandeur, un incendie localisé vers l'ouest, dans le faubourg Saint-Laurent, semble gagner en force.

Le visage préoccupé, le prélat garde un moment le silence, puis laisse tomber :

– Les pompiers sont déjà à pied d'œuvre?

– À ce qu'il paraît, les flammes ont pris naissance entre Main Street et sa parallèle, la rue Saint-Dominique. Le poste de pompiers de la rue des Allemands est tout près...

– Que les sacrés cœurs de Jésus et de Marie nous protègent, marmonne l'évêque en se signant avec ferveur. Nous avons eu si peu de pluie depuis un mois, tout est sec comme de l'amadou...

– Sans compter cette température tropicale qui nous est arrivée dès les premiers jours de juillet, renchérit Marguerite avec déférence.

Ainsi ramené à la réalité, Bourget fait un signe de tête à son vicaire, qui disparaît. Le visage soudain durci, il interroge :

— Nous savons que Dieu a caché, dans les secrets de la nature, des trésors que l'homme exploitera jusqu'à la fin des siècles, à l'avantage de ce monde matériel. *Mundum tradidit disputationi eorum.* Quand de nouvelles inventions humaines surgissent, Nous Nous contentons de les admirer et de bénir la divine Providence. Ainsi, sommes-Nous sans cesse dans l'admiration en contemplant la puissance de la vapeur qui traîne, sur terre ou sur mer, des masses énormes qui apparaissent comme des montagnes ambulantes ou flottantes. Plus encore, sommes-Nous ravi de la vitesse de l'électricité qui va porter Notre pensée à des milliers de lieues…

Emporté par son éloquence, Ignace Bourget continue sur sa lancée, affirmant que ces étonnantes découvertes sont un sujet de continuelles actions de grâces. Les prodigieuses inventions du dix-neuvième siècle révèlent la puissance du Créateur qui, par une sagesse admirable, a su tenir ces biens de la nature cachés, pour les découvrir à l'homme précisément dans le temps où il devait en avoir besoin. C'est la lumière divine qui éclaire le génie de l'homme, comme c'est la puissance divine qui a créé et fait de rien toutes choses !

Une soudaine expression d'hostilité couvre les traits de l'évêque lorsqu'il enchaîne, une dureté dans la voix, sur le sujet à la mode des tables tournantes, que tout un chacun veut faire parler pour savoir ce qui se passe dans le royaume des esprits. Des «hommes graves», selon Bourget, ont effectivement vu leur rotation. Mais peu importent les faits réels : ceux qui veulent rappeler le passé ou être informés de l'avenir, ceux qui veulent plonger l'œil dans l'abîme des secrets que Dieu seul peut connaître commettent un péché.

– Les œuvres de Dieu doivent donc uniquement être rapportées à sa gloire. La religion apprend à l'homme à s'élever vers son Créateur pour le louer et le bénir. Elle lui apprend également à user des biens qu'il reçoit chaque jour avec humilité, à ne pas franchir les bornes que le Souverain Maître a tracées aux opérations de l'esprit humain, aussi bien qu'aux flots de la mer. *Huc usque venies.*

Dardant son regard sur Flavie, le prélat tend un index vengeur :

– Autrement, l'on tombe dans de pitoyables et dangereuses erreurs. L'on dépasse imprudemment les barrières que Dieu lui-même a fixées pour mettre un frein à l'orgueil et à la vanité de l'homme. Madame Renaud, votre père n'est-il pas membre de l'Institut canadien ? De même que votre mari ? Votre mère a fondé son École de sages-femmes sans prendre les plus élémentaires précautions pour y éviter l'infiltration d'idées modernes et pernicieuses. Quant à vous-même, mademoiselle Bourbonnière, vous qui Nous semblez issue d'une bien meilleure souche... prenez garde à l'influence diabolique de votre compagne !

Pâle de colère, Marguerite se dresse et riposte :

– Monseigneur, malgré tout le respect que commande votre position élevée, je ne vous donne pas le droit d'insulter mon amie ni de remettre en cause la qualité de mon jugement !

Dérouté par cette hardiesse, le prélat reste sans voix, les yeux rétrécis. Flavie en profite pour assener à son tour :

– Cette autorité que vous vous arrogez sur nous tous, simples fidèles, et que vous tirez justement de votre position, nous la reconnaissons seulement à ceux qui prennent le temps de mettre leurs arguments sur la table et de les comparer aux nôtres. À ceux qui respectent nos idées et nos opinions autant que nous respectons les leurs!

Empourpré devant l'outrage, l'évêque est sur le point de laisser libre cours à sa colère, mais, comme par miracle, les cloches sonores de la cathédrale Saint-Jacques se mettent à sonner à toute volée, lui coupant le sifflet. Simultanément, la porte s'ouvre toute grande et le vicaire, hors d'haleine, jette:

— Une catastrophe, Votre Grandeur! Le réservoir du coteau Saint-Louis est vide pour cause de réparations: les pompes à incendie sont inefficaces! Des dizaines de maisons sont en feu!

Se levant d'un bond, l'évêque dévisage son subalterne avec incrédulité avant de s'écrier:

— Mais c'est une épouvantable négligence! Il y a quelques semaines à peine, toute la rue Saint-Paul a manqué y passer!

Un mois plus tôt, le 6 juin de funeste mémoire, la ville entière a retenu son souffle lorsque, dans la principale rue commerçante de la cité, les flammes ont dévoré une cinquantaine de bâtiments et d'entrepôts. L'incendie s'est propagé jusqu'à la rue des Commissaires et aux quais du port, menaçant plusieurs navires qui ont été sauvés de justesse! Seule l'intervention des soldats, au péril de leur vie, a permis d'éviter le pire, c'est-à-dire l'explosion de quelques barils de poudre à canon illégalement entreposés. Ce n'est pas pour rien que seule l'armée britannique a le droit d'en garder dans ses arsenaux! Ce jour-là, l'alerte a été chaude.

— À la suite de cet incendie, on avait entrepris d'en rénover les canalisations, explique le vicaire d'un ton lugubre. Votre Grandeur, une forte risée balaie la ville...

Ignace Bourget balbutie :

— Ô Marie, bonne et tendre Mère de ce diocèse, préservez-nous !

Aussitôt, les deux hommes quittent la pièce. Décontenancées, Marguerite et Flavie font des yeux ronds et la première murmure :

— Mes livres ?

L'arrivée du secrétaire de l'évêque les fait tressaillir. Malgré sa hâte, il dit courtoisement :

— Je vous reconduis, mesdames.

— Mais monseigneur nous a promis de nous rendre nos livres immédiatement ! Il n'est pas question que je parte sans eux !

D'autres cloches se sont ajoutées au concert. Manifestement exaspéré, l'homme de robe tergiverse un instant avant de se résigner. Il leur fait signe d'attendre et bientôt, il revient, les bras chargés des ouvrages. Marguerite prend le temps de les examiner un à un avant de les enfouir dans les cabas qu'elle a pris la précaution d'apporter. Le vicaire trépigne d'impatience. Enfin, les deux femmes filent, leur précieuse cargaison au bout du bras.

Sur le perron, un cri de désespoir s'échappe de leurs poitrines : un large nuage de fumée et de cendres rougeoyantes s'étale vers l'ouest, au-dessus du faubourg Saint-Laurent. Les deux femmes s'étreignent convulsivement la main avant de descendre la rue Saint-Denis jusqu'à la rue Dorchester, où elles bifurquent vers l'ouest. Les rues transversales à Sainte-Catherine sont déjà remplies de curieux, qui s'empressent de leur raconter que personne ne sait trop où l'incendie s'est déclaré : dans la boutique d'un menuisier selon certains, dans une boucanière de charcutier selon d'autres, ou encore dans l'immense bûcher d'un marchand de bois…

Dans ce quartier aux maisonnettes de bois, les étincelles et les débris projetés dans les airs ont rapidement enflammé le bâtiment voisin, puis le suivant, empruntant l'axe de la rue Sainte-Catherine. En une demi-heure, les flammes ont déjà dévoré une centaine de maisons! Profondément affligée, Flavie songe à toutes les familles qui habitent, souvent à deux ou trois par maison, dans le populaire faubourg Saint-Laurent : artisans, journaliers, petits commerçants, voituriers… Elle pense fugacement à cette sympathique boulangerie où elle va parfois se procurer des assortiments de biscuits et de délicieux *crackers* comme la dame seule sait les faire!

Il n'est point besoin de humer le vent pour savoir qu'elles approchent du secteur en proie aux flammes. La chaleur grimpe de façon manifeste! Flavie adresse ses plus compatissantes pensées aux pompiers volontaires et aux soldats qui doivent en supporter la plus vive intensité, jusqu'à cent cinquante degrés Fahrenheit, comme le lui a déjà expliqué Bastien. À cette température, deux heures d'effort épuisent même le plus robuste des hommes…

Autour des deux jeunes accoucheuses, c'est une indescriptible pagaille. D'innombrables voitures circulent en tous sens dans une cacophonie de grelots et d'imprécations des conducteurs, d'abord celles qui transportent les grosses pompes à incendie, mais surtout celles qui, chargées de femmes, d'enfants et de personnes infirmes ou âgées, les éloignent de ce lieu maudit. Des officiers à cheval caracolent de ci, de là, éperonnant leur monture lorsque leur présence est requise ailleurs.

Des scènes déchirantes se passent sous les yeux ébahis de Flavie et de Marguerite. Des adultes mettent vieillards et enfants en sûreté en plein milieu de la rue, puis se précipitent à l'intérieur dans l'espoir de sauver leur maigre butin. Ils ressortent bientôt avec des ballots de vêtements, puis quelques-uns de leurs biens, jusqu'à ce que pompiers, soldats ou citoyens bien informés leur fassent comprendre que le fléau approche et qu'il faut quitter la zone... De pauvres mères de famille désemparées rassemblent de jeunes enfants sous leurs jupes, avant de s'éloigner hâtivement, le visage marqué par le désespoir, vers un endroit plus sûr. Encore pire, des sans-logis éplorés errent comme des âmes en peine ou cherchent parmi la foule un visage connu...

Se ressaisissant, Marguerite prend la décision de courir jusque chez elle, à quelques pâtés de maisons vers le sud, pour y déposer ses livres qu'elle vient de sauver d'un grand danger. Elle se charge des deux cabas et s'éloigne en trottinant. De son côté, Flavie songe alors que Bastien va s'inquiéter et elle met en route. Il lui faut bientôt quitter la rue Dorchester, où les maisons s'embrasent, pour descendre vers le sud jusqu'à Lagauchetière. Des familles déplacées qui s'y croyaient en sécurité doivent aller se réfugier encore plus loin, abandonnant sur place ce qu'elles avaient réussi à emporter. Flavie s'empresse de leur offrir son aide et, ainsi occupée, elle oublie le temps qui passe.

Enfin, au mitan du jour, elle parvient rue Sainte-Monique. Seule à la maison, Lucie tourne en rond, incapable de se concentrer sur la moindre tâche. Après avoir bu deux longues rasades d'eau, Flavie réussit à bafouiller quelques phrases pour la mettre au courant des dernières nouvelles. Épouvantée, la jeune servante se signe à plusieurs reprises en marmonnant une courte prière.

Dès qu'elle a repris son souffle, Flavie s'informe de Bastien et de son père. Lucie lui confirme qu'ils sont passés à la maison une heure plus tôt, arrivant chacun de son côté à quelques minutes d'intervalle, et que Bastien s'est tout de suite inquiété de l'absence de sa femme. Il savait qu'elle se rendait à l'évêché ce matin… Père et fils sont aussitôt ressortis pour se lancer à sa recherche. Désolée par ce quiproquo, Flavie hésite sur la meilleure décision à prendre, puis elle se résigne à repartir à leur suite, ne pouvant supporter l'idée qu'ils courent le moindre risque pour elle.

Elle se remet en route vers l'enfer de ce 8 juillet 1852 et, parvenue rue Lagauchetière, elle suit le trajet du fléau qui, lui apprend-on, serait à un jet de pierre de la rue Saint-Denis. On raconte qu'à l'autre extrémité, l'Hôpital général est actuellement encerclé par les flammes, mais que les pompiers de la compagnie Union tirent une large quantité d'eau de la citerne située dans la cour intérieure du domaine. Des bâtiments et des clôtures ont été prestement démolis et, sans relâche, les religieuses aspergent les murs d'eau bénite.

Consternée, Flavie assiste aux excès que plusieurs hommes sans foi ni loi commettent, profitant de la déroute générale. Manifestement ivres, ils défoncent les portes ou les fenêtres des logis pour y rechercher le moindre objet précieux: fins couverts, bijoux, coffres-forts… Avec une parfaite immoralité, ils fouillent les amas de meubles et de biens déposés sur la chaussée. Ignorant le désespoir des vieilles personnes ou des adolescents qui en ont la garde, ils se servent comme dans un magasin où tout serait gratuit!

467

Les rumeurs les plus variées parviennent à Flavie par le biais des conversations qu'elle surprend en cheminant. On dit que le maire Wilson est parti tôt ce matin pour une promenade à la campagne et que les échevins, ainsi privés de leur organisateur en chef, accablent les compagnies de sapeurs d'ordres contradictoires. De même, les autorités militaires refusent d'obéir aux ordres incohérents des magistrats de se servir de poudre pour faire sauter des maisons et ainsi couper la route au feu!

Il paraît que les béliers brillent par leur absence et que les engins sont tous en mauvais ordre! Les pompiers ont réussi à brancher leurs tuyaux aux robinets de la Compagnie des eaux, mais la puissance du jet est infime si on la compare à celle que procurent les pompes à vapeur. À travers les murmures de la foule, Flavie décèle un ressentiment tenace contre l'incurie du chef des pompiers, un dénommé Perrigo, un incapable méprisé par ses subalternes et qui doit son poste uniquement à ses bonnes relations! Il paraît qu'il a négligé de transmettre l'ordre de faire sauter des maisons, ce qui aurait pu changer le cours des choses...

On raconte que le rideau de feu couvre une largeur de presque mille pieds, que les flammes dominent les plus hautes constructions d'au moins cinquante pieds et que les débris embrasés et les étincelles volent jusqu'à l'île Sainte-Hélène où la garnison est en alerte, surtout à proximité de l'arsenal! D'ailleurs, les appartements des officiers mariés, situés en ville rue Saint-Dominique, sont déjà une perte totale...

Une chaleur infernale règne sur les faubourgs sinistrés. La sueur jaillit par tous les pores de sa peau et, pour éviter qu'elle ne dégouline dans ses yeux, Flavie doit constamment s'essuyer le front. Rue Sainte-Élisabeth, à deux pâtés de maisons de Saint-Denis, elle ne peut plus avancer. Songeant que le domicile de Marie-Claire Garaut est tout proche, elle s'y porte vivement. La présidente du conseil d'administration de la Société compatissante se tient debout sur la chaussée, en compagnie de Richard, son grand et maigre époux.

Les deux femmes s'étreignent les mains et bavardent un court moment. Avant que Flavie ait pu l'interroger en ce sens, Marie-Claire s'exclame :

— Mais peut-être cherches-tu ton mari et ton beau-père ? Je les ai vus il y a dix minutes à peine. Ils avaient pris en charge le Dr Provandier et son épouse. Tu te souviens ? Le couple habitait sur Saint-Denis, tout juste au nord d'ici... Les pauvres ont été chassés de leur logis, comme tu peux l'imaginer, et ne savaient plus où aller. Je leur aurais bien offert le gîte, mais comme le vent peut encore tourner...

Émue par cette preuve de l'attachement de Bastien pour son ancien maître, Flavie échange un sombre regard avec Marie-Claire avant de s'élancer dans la direction qu'elle lui a indiquée, vers l'ouest rue Lagauchetière, le dos tourné au sinistre. Mais sa progression est désespérément lente et Flavie est sur le point d'abandonner lorsqu'elle croit distinguer une silhouette familière. Elle contourne les badauds et un immense soulagement l'inonde de la tête aux pieds : Édouard Renaud et son fils s'octroient un moment de répit, adossés contre le mur d'une maison, en compagnie du vieux médecin et de son épouse Pauline.

Elle lance un appel et le jeune homme se retourne, l'air interdit. Dès qu'il l'aperçoit, il tend les bras vers elle, qui doit lutter encore un bon moment avant de réussir à agripper ses mains. Il la tire d'une poigne vigoureuse et la presse contre lui avec un bref rire de soulagement. Il l'écarte ensuite promptement de lui, la mine sévère, le ton sourcilleux :

— Que fais-tu dans les parages ? Ne sais-tu pas que les flammes font rage à moins d'un quart de mille d'ici ?

Il exagère quelque peu le danger, mais Flavie passe outre et réplique :

— Lucie m'a dit que vous étiez à ma recherche !

— Et tu t'es précipitée à notre suite ? Espèce de tête de linotte ! Mais il fallait nous attendre à la maison, bien en sécurité ! Nous aurions pu nous chercher en vain l'un et l'autre pendant des heures entières !

Mortifiée par cette gronderie qu'elle trouve injustifiée, Flavie se détourne et reçoit avec soulagement les salutations empressées des trois autres membres du petit groupe. En réponse aux questions plus aimables de Bastien, elle relate brièvement ses allées et venues depuis le matin. Elle apprend ensuite que son beau-père a proposé au couple Provandier de l'abriter temporairement rue Sainte-Monique, ce qui a été accepté avec gratitude. Mais Pauline Provandier marche avec difficulté et leur progression est extrêmement lente.

L'arrivée d'un renfort semble redonner du courage à la dame âgée qui propose bravement de reprendre la route. Flavie s'emploie à la rassurer : à quelques encablures de là, il y aura nettement moins de monde et la chaleur aura diminué sensiblement. Sans hésiter, elle lui offre son bras et, de l'autre côté, Bastien fait de même. Tous trois se mettent à marcher à bonne vitesse, suivis par Édouard et son compagnon qui devisent à voix basse.

Flavie en profite pour s'informer auprès de Bastien du cours des choses et, d'une voix hachurée, il lui confirme que les flammes, qui avancent comme un régiment d'infanterie lancé au pas de charge, ont creusé un long corridor de désolation le long de la rue Sainte-Catherine. Il paraît que tout le secteur du palais épiscopal est envahi par les flammes, qui cernent également la cathédrale Saint-Jacques.

L'après-dînée est déjà très avancée lorsque le groupe parvient rue Sainte-Monique. Il était temps : les forces de Mme Provandier diminuaient sensiblement. Flavie la confie aux bons soins de Lucie, qui s'empresse de l'installer sur le sofa du salon et de lui offrir breuvages et débarbouillettes froides. L'atmosphère est lugubre : tous ceux qu'ils ont croisés sur les chemins leur ont confirmé que la cathédrale s'est effondrée en un quart d'heure.

Plus personne ne s'illusionne sur l'issue du désastre : seuls les domaines de Denis-Benjamin Viger et de la succession Guy, qui s'étendent du côté est de la rue Saint-Denis, sauront présenter au terrible élément une barrière infranchissable.

Bastien transporte deux seaux d'eau dans le jardin et chacun se rafraîchit et s'hydrate à la bonne franquette. Comme les autres, Édouard fait couler avec délice le contenu d'un broc d'eau sur son crâne et bientôt, tout le haut de sa chemise est complètement trempé. Il entraîne ensuite Provandier à l'intérieur et l'invite à s'asseoir dans son meilleur fauteuil. Bastien ne prend pas cette peine et s'allonge à même l'herbe fraîche. Flavie l'imite et il étreint sa main, avant de pousser un profond soupir et de fermer les yeux.

S'abandonnant à la somnolence qui la gagne, Flavie est réconfortée par l'idée que cette journée calamiteuse est sur le point de s'achever. Imaginant avec un frisson le toit du palais épiscopal qui s'effondre dans une pluie d'étincelles, elle se console du fait qu'au moins les livres de Marguerite ont été sauvés de justesse. Quant au sien, elle le rachètera, si nécessaire… Elle est frappée par la vision des pages dévorées par les flammes. Monseigneur n'aura plus besoin d'en approcher l'allumette, le sort l'a fait à sa place. Il en profitera sans doute pour accuser sans vergogne *The Married Woman's Private Medical Companion* d'avoir attiré sur l'édifice les foudres du Ciel!

CHAPITRE XXII

Sept heures du soir ont sonné depuis longtemps lorsque, à la fin de cette terrible journée d'incendie, Flavie, son mari et son beau-père s'attablent en compagnie de leurs infortunés invités, le Dr Marcel Provandier et son épouse, pour un souper hâtivement assemblé, mais copieux. Édouard a prêté une chemise propre et une redingote d'été au vieux médecin, mais Mme Provandier, trop corpulente, a dû garder sa robe déchirée et tachée. Elle a cependant redressé son chignon et c'est avec un maintien digne d'une réception mondaine qu'elle porte ses cuillerées de potage à sa bouche.

Le docteur s'informe auprès de Bastien de la marche de ses affaires et le jeune homme répond honnêtement : c'est l'association avec Flavie qui, pour l'instant, garde sa pratique à flot, puisque la clinique d'hydrothérapie ne réussit pas encore à faire ses frais. Après un coup d'œil entendu à Édouard, le vieil homme dit, avec un sourire magnanime :

— Vos difficultés, mon jeune ami, chacun des médecins de la colonie les a vécues. Seule une position dans l'armée ou dans un hôpital procure une certaine sécurité financière. Un bureau privé peut mettre jusqu'à dix ans pour être rentable. Voilà pourquoi vous êtes extrêmement fortuné d'être le fils d'un tel père.

Bastien incline courtoisement la tête en signe d'assentiment, mais son expression est très claire: cette dépendance ne l'enchante guère... Il bougonne:

– Mon père, en effet, est très généreux, et je lui en suis reconnaissant. Mais ses affaires viennent tout juste de reprendre et je m'en voudrais de peser indûment sur...

– Tu ne pèses en rien, le coupe Édouard sur un ton péremptoire. Je m'évertue à te faire comprendre que ta fierté est mal placée! C'est bien le moins que je puisse faire que de t'aider à prendre un bon départ dans la vie!

Flavie intervient avec légèreté pour détendre l'atmosphère:

– On s'en souviendra, cher beau-père, lorsque vous serez d'un âge avancé. On ne vous laissera pas croupir dans la misère, c'est promis!

Lorsque les rires s'éteignent, elle se tourne vers l'épouse du médecin:

– La catastrophe d'aujourd'hui doit vous sembler bien cruelle...

Pauline Provandier tente de cacher son désarroi derrière un apparent détachement:

– Je ne suis pas la plus à plaindre. Songez à toutes ces familles qui n'avaient pour toute richesse que leur échoppe et leurs outils de travail! Elles ont tout perdu, sans compter qu'elles n'avaient pas les moyens de souscrire à une assurance...

Après un profond soupir, elle ajoute:

– Pour la première fois cette année, nous avions décidé de rester en ville pendant l'été. Le voyagement et l'installation, ça nous fatiguait plus qu'autre chose... Quelle ironie!

– Nous venions tout juste de mettre notre maison en vente, ajoute son mari avec un pauvre sourire.

– Elle était devenue trop grande, bien trop exigeante à entretenir. Je comptais faire un grand ménage et me débarrasser de la moitié de mon ménage : la fatalité s'en est chargée à ma place !

Tandis qu'elle emporte quelques plats, Lucie marmonne d'une voix cependant intelligible :

– Ô Marie, bonne et tendre Mère de ce diocèse, préservez-nous des désordres qu'ont coutume d'entraîner les grandes catastrophes...

Les convives échangent des regards entendus. Les désordres ont commencé dès que le champ a été libre. Les pillages, les beuveries... Après un lourd silence, l'ancien maître de Bastien reprend d'un ton qu'il souhaite plus gai :

– Mon épouse et moi, nous envisageons d'aller nous installer dans l'un de ces nouveaux développements modernes, en haut sur le coteau.

Incapable de retenir son excitation, Mme Provandier renchérit :

– J'adore le concept de la *terrace*. Comment le traduire en français ? Ces maisons en rangée qui partagent la même façade monumentale... Dommage qu'elles soient d'un *standing* trop élevé pour nous !

Édouard dépose sa fourchette avec une moue indiquant qu'il ne peut plus avaler une seule bouchée, puis il commente avec entrain :

– Voilà, madame, un excellent choix que ce secteur ! Je m'intéresse moi-même de très près à cette fièvre résidentielle qui a pris possession de notre cité au cours de la dernière décennie.

Provandier s'exclame :

— Il ne faut pas souhaiter les ennuis, mais la destruction qui a frappé aujourd'hui ne pourra que la stimuler davantage !

Bastien grimace :

— Pour le sûr, les loyers grimperont et le prix des maisons atteindra un sommet inégalé…

Ignorant ce commentaire pessimiste, son père enchaîne avec enthousiasme :

— À votre place, je surveillerais les ventes sur Peel ou Metcalfe, au sud de Sherbrooke. Cette portion de notre ville a été tracée et bâtie il y a peu, selon un plan d'urbanisme avant-gardiste. Finies les portes cochères pour mener aux écuries à l'arrière : la mode est aux ruelles, tracées en parallèle des rues principales ! D'accord, ce ne sont pas à proprement parler des *terraces*, mais ces maisons en rangée ont très fière allure…

Flavie croise le regard chaleureux de Bastien, qui lui fait un léger clin d'œil accompagné d'un sourire affectueux. Devant cet hommage, elle s'amollit comme du beurre au soleil. Non seulement son mari est-il préoccupé par sa pratique, selon lui insuffisamment encouragée par la belle société, mais depuis qu'elle a évoqué la possibilité d'un apprentissage à ses côtés, il est devenu plus farouche, plus lointain… Elle ne peut s'empêcher de ruminer son discours, surtout sa déclaration que leur association « en fait tiquer plusieurs ». Peut-être s'en veut-il de s'être embarqué dans cette aventure ? Peut-être… lui en veut-il ?

Mais elle n'a pas le loisir de s'appesantir sur l'humeur sombre de son mari. Par les fenêtres grandes ouvertes, une étrange clameur, qui semble jaillir de milliers de

476

gorges, monte de la cité jusque-là, sur les premiers contreforts de la montagne. Elle est sur le point d'en faire la remarque à voix haute lorsqu'elle sursaute : un premier tocsin résonne, puis un autre, et encore un autre, jusqu'au gros bourdon de l'église Notre-Dame !

Aussitôt, tous se dressent d'un seul mouvement et Bastien mène le groupe à la porte d'entrée, qu'il ouvre à la volée. Flavie le suit au pas de course vers le milieu de la chaussée. Il est environ huit heures et la nuit commence à tomber, mais la clarté est encore suffisante pour que chacun distingue, se découpant contre le nuage noir qui recouvre la ville, des colonnes de fumée au-dessus du faubourg Sainte-Marie et surtout les étincelles qui, d'aussi loin, paraissent grandes et brillantes comme des étoiles. L'incendie renaît ! Terrorisée, Flavie entoure Bastien de ses bras et se cache les yeux contre son dos.

D'une voix étranglée par l'émotion, Mme Provandier bégaye :

– C'est une main invisible qui conduit l'élément destructeur. Aucune force humaine ne peut s'y opposer !

Édouard se tourne vers elle et, le visage contracté, réplique d'un ton terrible :

– Une main invisible ? Foutaises ! Le bois se vend à un prix ridicule ! Ce désastre, madame, est uniquement dû à la mesquinerie des hommes ! On se targue, à Montréal, d'habiter une métropole, mais nos faubourgs si vulnérables au feu nous ravalent au rang des contrées les plus barbares d'Europe, comme la Turquie ou la Russie ! Dans les pays civilisés, on installe des voûtes et des murs de refend en brique, et le feu meurt dans la pièce où il éclate !

Bastien rabroue son père d'une voix rauque :

— Cesse donc! Tu embarrasses madame... Papa, c'est épouvantable! Tu imagines l'état des pompes à incendie? Les tuyaux et les conduits brûlés...

Tout contrit, M. Renaud ajoute dans un murmure:

— Et que dire des hommes... Non seulement accablés de fatigue, mais malades d'avoir bu trop d'eau froide et ivres morts!

Les deux hommes s'étreignent convulsivement l'épaule. Flavie devine qu'à cet instant précis tous sont traversés par la même pensée: c'est trop, le courage manque, plutôt s'enfuir loin de ce lieu maudit! Après un long moment, Bastien articule faiblement:

— Je vais quérir la charrette de M. Bréard. Il faut donner un coup de main aux familles en train de vider leurs domiciles. Vous avez vu ce matin? C'était scandaleux: des charretiers exigeaient d'avance jusqu'à quatre dollars pour transporter des ménages à quelques arpents de là!

— Je t'accompagne. Je me sens vieux et usé, mais je peux au moins conduire...

— Moi aussi! annonce Flavie. Je pourrai sûrement être utile!

— Que dis-tu là? rétorque Bastien brusquement. Il n'en est pas question! C'est trop risqué!

— Pas plus pour moi que pour toi!

— Flavie, tu dis des bêtises! Je ne veux plus en entendre parler!

Sans faire attention à lui, elle lance, à l'adresse de son beau-père:

— Je vais me changer. Il serait sage, aussi, de charrier quelques barils d'eau. Il y en aura sûrement qui auront soif...

Elle s'élance, faisant fi de la protestation suivante de Bastien. Lorsqu'elle redescend, dix minutes plus tard, le cheval piaffe devant l'entrée et les deux hommes sont en train de charger la charrette. Flavie a noué un foulard sur ses tresses et elle a revêtu un vieux pantalon de Bastien, bien retenu par une ceinture. Pas question de porter une robe, non seulement malcommode, mais dangereuse. Plus d'une femme, faisant tournoyer sa jupe près d'un âtre, a vu le tissu prendre feu!

Bastien se dresse devant elle et gronde, les mains sur ses hanches:

— Ce que tu as la tête dure! Flavie, je t'en conjure, où nous allons, ce n'est pas un endroit pour les dames! Occupe-toi plutôt de nos invités, qui vont se morfondre d'inquiétude!

Elle riposte:

— Nos invités sont, ici, en parfaite sécurité, et Lucie en prendra soin! Je refuse de me ronger les sangs à vous attendre! J'aurais honte de ma couardise!

Ce dernier argument le réduit au silence et elle saute à l'arrière de la charrette. Par une telle soirée, comment pourrait-elle rester dans son salon à faire du petit point? S'il refuse de comprendre... L'air fâché, Bastien évite consciencieusement de la regarder, tandis qu'Édouard lui fait un clin d'œil encourageant.

Père et fils s'installent à l'avant et la charrette s'ébranle enfin. Bientôt, saisis par le spectacle qui s'étale sous leurs yeux dans la semi-obscurité, tous trois restent en silence. Tout le côté nord-est de Main Street, dans le faubourg Saint-Laurent, et tout le secteur de la rue Saint-Denis entre Mignonne et Craig ne sont que ruines fumantes. Il ne subsiste plus qu'une dense forêt de cheminées qui se dressent tels des troncs d'arbres calcinés… Çà et là, quelques bâtisses sont intactes, épargnées selon un impénétrable dessein! Lorsque leurs gouttières de bois ont pris feu, même les constructions de pierre ou de brique ont succombé.

Les sans-logis ont déposé les effets de leur ménage ou de leur atelier là où ils le pouvaient et c'est à grand-peine que la charrette réussit à se frayer un chemin. Déjà, plusieurs s'aventurent au milieu des cendres encore rougeoyantes en espérant y récupérer les débris de leurs petites fortunes… La superbe Cornwall Terrace, à l'architecture somptueuse, a été rasée, de même que les luxuriants domaines, maisons et vergers, qui bordaient le côté nord de la place Viger.

Cette dernière offre un aspect à briser le cœur. Chaque pouce carré de cet espace public est encombré de biens posés en tas hétéroclites, sur lesquels veillent les familles. Au cours de l'après-dînée, les troupes ont dégagé la place pour augmenter l'espace vacant. Le marché aux bestiaux a été démoli à titre préventif, mais tout à fait inutilement…

En arrière-plan, un immense nuage de boucane noire, çà et là vivement éclairé par de hautes langues de flammes qui montent vers le ciel, surplombe le faubourg Sainte-Marie, tandis qu'un sourd grondement ponctué de sinistres craquements se fait entendre. Avisant une forme humaine étendue sur le sol et recouverte d'un drap, Bastien fait arrêter la charrette et hèle un individu à proximité qui mâchouille un quignon de pain. Il leur raconte placidement que cet homme a rendu l'âme, horriblement brûlé, après s'être précipité dans une maison en flammes pour tenter d'y sauver un enfant qui en était prisonnier.

Après un moment d'un respectueux silence, Bastien l'interroge sur le déroulement des événements. Vers sept heures du soir, apprennent-ils, le feu semblait se mourir, faute de combustible. Un tison transporté par le vent avait embrasé un moulin à scie de la rue Sainte-Marie, dans le faubourg du même nom, mais les espaces vierges du carré Viger et de la place Lacroix comme, bien entendu, le fleuve, avaient arrêté la progression des flammes. Imitant les pompiers volontaires, les soldats s'étaient donc retirés dans leurs baraquements à proximité, mais la pause a été de courte durée. Le feu a repris au coin des rues Lagauchetière et Sainte-Élisabeth, rasant tout un pâté de maisons.

Il s'est ensuite transporté au prestigieux carré Dalhousie. En moins de temps qu'il n'en faut pour le dire, les *officer's quarters* s'envolaient en fumée. De là, les flammes ont sauté dans les écuries de l'hôtel Hays House, rue Notre-Dame, un édifice de quatre étages. De manière saisissante, leur narrateur tente de reproduire le bruit d'enfer que les murs en pierre à chaux ont fait en s'écroulant. Aussitôt, poursuit-il, les flammes se sont mises à lécher les belles demeures voisines, jusqu'à ce que, le danger écarté, les pillards se ruent dans les caves de l'honorable Denis-Benjamin Viger, célèbres pour leurs vins fins. La populace a suivi…

Des maisons de la place Dalhousie et de la rue Saint-Louis, tout juste derrière, les flammes ont avancé le long de la rue Sainte-Marie. Comme elles menaçaient les casernes et les arsenaux, les ingénieurs militaires ont fait sauter la maison de Mme de Montenach, en face de l'hôtel. Mais rien n'y fit : l'élément destructeur a maintenant pris une telle ampleur et une telle puissance que plus rien ne semble pouvoir l'arrêter.

L'incendie dévorant tout l'espace compris entre les rues Bord-de-l'Eau et Lagauchetière, Édouard fait remonter la charrette jusqu'à Sainte-Catherine, qu'il emprunte vers l'est, frôlant la frange nord du secteur grugé par les flammes. L'air saturé de fumée irrite la gorge et les poumons, et la chaleur ambiante s'approche de celle qui, prétend-on, règne en enfer. Après une hésitation, Édouard bifurque vers le sud par une rue transversale.

De nouveau, la scène coupe le souffle : dans un calme digne d'admiration, malgré le danger à proximité, tous les membres valides des familles sont en train de charrier les effets de leurs modestes logis. M. Renaud n'est pas le seul à offrir son concours pour cette tâche exigeante, puisque plusieurs attelages sont en train d'être remplis. Dès qu'il repère une famille dans le besoin, Édouard offre leurs services. Bientôt, debout dans la charrette, Flavie et une femme âgée reçoivent les biens que les hommes transportent.

Rempli à craquer, le véhicule est sur le point de se mettre en branle lorsque l'attention de Bastien, qui se tient à quelques pas en avant, est attirée par une certaine agitation. Il s'approche, aussitôt suivi par Flavie, et tous deux aperçoivent une femme au ventre proéminent qui halète, soutenue par deux grands enfants au visage affolé. Ne faisant ni une ni deux, Flavie écarte la populace en criant :

— Laissez-moi passer ! Je suis sage-femme !

Parvenue face à la parturiente, elle la saisit par les épaules et l'oblige à la regarder dans les yeux. La contraction diminue en intensité et la femme reprend ses esprits peu à peu. Sans mot dire, Bastien tend le bras et essuie avec son mouchoir son front ruisselant. L'adolescente s'écrie d'une voix aiguë :

– On attendait dans la maison mais père vient de nous dire qu'il faut sortir, qu'il y a un bien trop grand danger !

L'homme, qui se tenait derrière le trio, interpelle Flavie avec désespoir :

– Que faire, ma bonne dame, où aller ? Ma bourgeoise ne peut pas se délivrer ici, en plein milieu de la chaussée !

Du ton le plus calme qu'il peut commander, Bastien souffle à Flavie :

– La charrette est pleine à craquer. Si tu peux faire marcher madame un peu vers le nord, disons jusqu'à Sainte-Catherine, et l'installer dans un coin discret, on reviendra la chercher...

Tandis que la femme se recroqueville, grimaçant de douleur, Flavie interroge du regard son mari qui, derrière, la domine d'une tête. Il bat des cils en guise d'assentiment et Bastien part prestement. Dès que la contraction s'estompe, Flavie demande :

– Vos douleurs, madame... ?

– Lepain, bafouille-t-elle.

– Vos douleurs ont commencé depuis quand ?

– Aux alentours de six heures.

– C'est votre... ?

– Quatrième.

– Le troisième a trépassé, précise l'adolescent.

– Bon, on y va.

Obéissant à l'ordre de Flavie, qui remplace la jeune fille, le mari prend la place de son fils. La charge est lourde et la jeune accoucheuse chancelle un instant, puis elle se ressaisit et tous trois se mettent en branle. Le temps presse : selon toute vraisemblance, Mme Lepain est bien près d'accoucher. Ils parviennent à l'intersection de Dorchester et Flavie s'arrête un moment pour souffler. Elle a la gorge horriblement sèche, mais elle s'efforce de ne pas y penser.

Comme ils doivent s'immobiliser à chaque contraction, il leur faut encore quinze minutes pour parvenir en vue de Sainte-Catherine. C'est à ce moment que Mme Lepain pousse un gémissement particulièrement puissant. Sa plainte se transforme en cri de surprise : le liquide utérin est en train de s'écouler le long de sa jambe. Tout en encourageant la parturiente à avancer encore, Flavie envoie le garçon en éclaireur pour leur trouver un lieu à l'écart. Il revient presque aussitôt pour les conduire rue Sainte-Catherine, sous une porte cochère où gît un providentiel ballot de paille.

D'un geste, Flavie ordonne à l'adolescente d'éparpiller la paille pour former une couche grossière, puis elle envoie le garçon faire le guet dans la rue, afin d'avertir Bastien de leur présence ici. Avec un intense soulagement, M. Lepain et elle déposent la femme dans les douleurs sur la paille, adossée au mur. De sa propre initiative, il les quitte aussitôt pour quérir, si possible, un peu d'eau. Flavie lui signifie de revenir sans trop tarder, même bredouille, au cas où elle aurait besoin de lui.

La lueur de l'incendie est amplement suffisante et, de toute façon, Flavie ne craint pas de se fier à la sensibilité de ses doigts. Dans un cri étranglé, Mme Lepain s'arque sur ses bras appuyés au sol de chaque côté d'elle et Flavie comprend aussitôt que la poussée est irrésistiblement commencée. Dès qu'elle reprend son souffle, elle jette à Flavie un regard affolé et cette dernière s'empresse de lui dire, en saisissant ses mains :

— Dans les circonstances, madame Lepain, tout va pour le mieux. Laissez-vous aller, ne résistez pas, et votre enfant naîtra aussi facilement que dans votre cuisine.

Après une légère grimace ironique, elle ajoute, avec une vanité affectée :

— Vous avez une sacrée chance d'être tombée sur moi, la plus adroite sage-femme de toute la cité…

Vingt minutes plus tard, lorsque Bastien pénètre sous la porte cochère en même temps que M. Lepain, qui apporte un gros gobelet plein d'eau, Mme Lepain tient tout contre elle un bel et robuste enfant, encore lié à sa mère par le cordon, qui vagit avec vigueur. Accroupie devant elle, Flavie tourne la tête vers Bastien et lui sourit faiblement, puis elle tend le bras vers le père qui, malgré sa surprise émue, s'empresse de faire boire sa femme, puis de passer le gobelet à Flavie.

Pressée de savoir l'arrière-faix expulsé, la jeune accoucheuse tiraille le cordon et presse le ventre de la mère bien plus que de coutume. Le bébé respire bien, mais l'atmosphère emboucanée est mauvaise pour ses poumons tout neufs. Flavie l'emmaillote dans la chemise dont le grand garçon, rougissant, se dépouille avec générosité, puis le place dans les bras de son père qui en pâlit dangereusement d'émotion. Dès que Mme Lepain est capable de se mettre debout, on la soutient jusqu'à l'arrière de la charrette, où elle prend place.

Le refuge de la veuve Jetté, comme on persiste à la nommer malgré son nouvel état de religieuse, est à proximité, un peu vers l'est rue Sainte-Catherine, au coin de Saint-André. Mais l'incendie, qui fait rage tout près, pourrait changer brusquement de cap ou élargir sa course, mettant ainsi en péril les patientes et leurs protectrices qui sont actuellement, à coup sûr, en train de réciter moult prières! À un moment aussi critique, personne, pas même Flavie, ne songerait à s'en moquer...

M. Lepain hésite encore. Sa famille est disséminée dans le faubourg, un endroit qu'il vaut mieux fuir à l'heure présente. Flavie lui propose alors l'hébergement à la Société compatissante, ce qu'il accepte sur-le-champ. Édouard fait virer la charrette et, de nouveau, le cheval reprend la route, en direction ouest cette fois. Son allure est très lente et Bastien, qui marche devant, vient dire à son père que, malgré les pauses fréquentes, l'animal tire la patte et que, par cette chaleur, il serait risqué de le faire travailler davantage. Édouard acquiesce sans mot dire, préoccupé de trouver le meilleur chemin à suivre sans allonger indûment leur route...

L'aube approche lorsque, enfin, Mme Lepain et son nourrisson sont confortablement installés dans un lit à l'étage de la Société, rue Henry. Flavie n'a eu à réveiller personne: Marie-Zoé, la veuve Martinbeau et presque toutes les patientes étaient réunies dans le salon, rongées d'angoisse. Il a bien fallu prendre le temps de leur décrire l'état consternant des faubourgs, ce dont Édouard s'est chargé malgré la lassitude qui marquait ses traits.

Enfin, M. Renaud ordonne au cheval d'effectuer la dernière remontée, vers la rue Sainte-Monique. Pour soulager la bête, les jeunes époux cheminent derrière, plongés dans leurs pensées. Malgré sa fatigue, Flavie est bien trop énervée pour avoir envie de dormir. Elle propose donc à Bastien d'aller contempler la ville des hauteurs, ce qu'il accepte sans hésiter. À partir de la rue Sherbrooke, de nombreux sentiers s'élancent à travers champs, vergers et boisés, et dans l'étrange lueur que les flammes diffusent, ils prennent la direction d'un promontoire. Ils ne sont pas les seuls à y avoir songé et Flavie grommelle :

— Non seulement les bourgeois sont venus contempler l'incendie de près comme s'il s'agissait d'un feu d'artifice, mais les voilà maintenant à prendre place comme dans une salle de spectacle !

— Bien entendu, contrairement à toi, les dames, elles, restaient bien assises dans leur calèche… Pas la peine d'argumenter. Laisse-moi seulement te dire que… je t'ai trouvée croquable dans mon pantalon.

Démontée, Flavie finit par pouffer de rire :

— Tu me le donnes ? Pour jardiner, il sera drôlement confortable !

Avec un soupir de soulagement, ils s'installent sur un escarpement rocheux et contemplent la scène qui se déploie sous leurs yeux, plusieurs milles à la ronde. La gorge horriblement serrée par un mélange d'effroi et de ravissement, Flavie serre convulsivement la main de son compagnon. C'est la barre du jour et la lueur pâle à l'horizon souligne les silhouettes des jolis monts qui, à des dizaines de lieues de distance, se dressent çà et là à travers la plate étendue des plaines. Dans le faubourg Sainte-Marie, en avant-plan de ce superbe panorama, les flammes qui s'élancent vers le ciel sont d'une beauté d'autant plus poignante que le jeune couple sait la souffrance et la désolation qu'elles sèment.

Après un long moment, Bastien balbutie :

— Je dirais… un demi-mille au moins. L'incendie fait un demi-mille de largeur… Oh ! Flavie, ma blonde, ma mie…

Devinant l'intensité de son désarroi, elle se blottit dans ses bras et l'étreint avec vigueur. Aussitôt, du doigt, il relève son menton et se penche pour l'embrasser avec avidité, comme s'il puisait en elle toute la consolation dont il a besoin à l'instant même. Touchée au cœur, elle répond avec passion et leurs souffles s'accélèrent au même rythme. Enfin, il rompt le contact et se redresse tout en la gardant serrée contre lui. Il chuchote :

– S'il faisait encore noir et s'il n'y avait personne dans les environs... je te baiserais sur-le-champ.

À son tour, elle murmure :

– Je connais des coins si tranquilles... Tu sais, le ruisseau qui coule tout près ?

Il baisse les yeux vers elle. La lumière du jour est encore très faible et Flavie ne peut distinguer ses traits, mais sa main sur sa taille la pétrit avec une ardeur renouvelée. Son autre main, jusqu'alors posée sur sa hanche, glisse doucement vers son entrejambe. Flavie se presse contre sa poitrine tout en allant, de nouveau, poser sa bouche sur la sienne. Il souffle :

– Conduis-moi, Flavie.

Ils jettent un dernier coup d'œil au spectacle, maintenant magnifié par la bande de ciel rosé, puis ils se détournent et s'enfoncent dans les bois. Il fait assez clair pour ne pas trébucher et Bastien, les mains sur les hanches de Flavie, la suit de près. À tous les vingt pas, stimulée par ces effleurements aguichants, elle prend une pause pour s'appuyer contre lui et le laisser à sa guise lui pétrir les chairs. Elle s'émerveille du feu qui, en quelques minutes, s'est embrasé en elle. Elle se sentait pourtant fourbue, ses muscles et ses os protestant à chaque mouvement ! Son envie pressante de vivre et d'aimer se mesure à l'aune de la désolation semée par le sinistre brasier...

Enfin, ils parviennent à une haute paroi rocheuse sur laquelle cascade une petite chute qui se transforme ensuite en un paresseux ruisseau bien encaissé. La forêt est dense autour d'eux et les oiseaux gazouillent à perdre haleine. Bastien accule Flavie à la paroi et il s'empresse de détacher sa ceinture. Lorsque le pantalon choit à ses pieds, il pouffe de rire.

— C'est la première fois que je fais l'amour à une femme en vêture d'homme. Ce n'est pas désagréable pour deux sous...

Elle l'attire en l'empoignant par ses bretelles et tous deux se laissent emporter dans un accouplement frénétique. Plus qu'à l'accoutumée, son jeune mari est exigeant, presque brutal, mais Flavie ne s'en formalise pas, elle-même en proie à une passion si impérieuse que le moindre délai lui est insupportable. Malgré sa bouche emprisonnée, elle ne peut retenir un gémissement qui se transforme en un long cri étranglé; aussitôt, il s'abandonne à l'ultime jouissance en s'arquant vers l'arrière.

Haletante, comblée, Flavie le retient fermement en elle. Les secondes passent ainsi, tandis qu'elle réalise peu à peu qu'ils ont négligé toute prudence, qu'il ne s'est pas retiré pour éjaculer... Mais comment pourrait-elle lui en vouloir? Elle-même désirait être pénétrée sans fin par son membre, à la fois si doux et si viril! Comme si Bastien suivait le cours de ses pensées, il murmure :

— Je suis désolé. Je n'ai pas pu... J'étais pris par dans une fièvre intense. Oh! Flavie, c'est tout autre chose que d'être en toi nu comme un ver, sans cette foutue baudruche, puis de me laisser emporter sans contrainte...

Elle l'embrasse avec tendresse, laissant ses lèvres un long moment contre les siennes.

– À Dieu vat, mon ange… À l'avenir, il faudra éviter l'aube charmante après une nuit d'incendie.

Il s'écarte avec un soupir. Les jambes flageolantes, Flavie se laisser tomber assise et il prend place à côté d'elle. Ils restent ainsi longtemps, vêtus de leur seule chemise, terrassés par la fatigue. Quelques bêtes les approchent sans crainte : petits suisses, ratons laveurs et même un jeune chevreuil à l'échine frissonnante… Lorsque ce dernier s'éloigne, Bastien murmure :

– Que la nature regorge de beautés ! Parfois, c'est si merveilleux d'être en vie, d'être jeune…

La respiration du jeune homme change de rythme et devient plus lente, comme altérée par l'émotion. Alertée, Flavie demeure coite jusqu'à ce qu'il dise encore, avec difficulté :

– Tu sais… parfois, je pense à ces deux garçons dont je suis peut-être le père. Aujourd'hui, ils auraient… presque six ans. Pour eux, jusqu'à maintenant, l'existence n'a pas dû être un jardin de roses…

Troublée et fâchée, Flavie retient une grimace. C'est la deuxième fois qu'il évoque en sa présence cet épisode qui date d'avant même leurs fréquentations : encouragé par Alex Clarke, un ami aux tendances libertines, il folâtrait alors avec une servante prénommée Anne. Il n'avait pas pu le lui cacher : c'est Flavie qui, en tant que garde-malade à la Société compatissante, avait accompagné la jeune femme lors de la délivrance des jumeaux qui avaient résulté de ces ébats. À la décharge de son mari, elle doit bien convenir qu'Anne faisait montre d'un tempérament ardent qui devait être singulièrement attirant !

Non seulement il est impossible de savoir lequel, des deux compères, a engendré ces garçons, mais, selon toute probabilité, les jumeaux ne sont plus de ce monde depuis belle lurette, victimes impuissantes de la mise en nourrice. Le jeune médecin le sait parfaitement, mais il persiste à cultiver leur présence dans son souvenir, caressant le vain espoir de les retrouver un jour! Lorsqu'il a, auparavant, évoqué cette possibilité, Flavie s'est évertuée à lui faire voir la réalité en face. Aujourd'hui, elle ne prend même plus cette peine.

Il balbutie:

– Une couronne d'épines plutôt que cette existence d'enfants abandonnés… Si je pouvais, Flavie…

Il s'interrompt et détourne les yeux. S'il pouvait alléger leurs souffrances, il le ferait. Sans doute n'attend-il qu'un signal de sa femme pour se mettre à leur recherche? Mais à quoi bon? Il ne pourrait leur faire que de bien maigres cadeaux… Sans crier gare, elle se lève et fait passer sa chemise par-dessus sa tête. Alex Clarke ayant baisé Anne bien plus souvent que Bastien, les chances sont minimes pour que ce dernier en soit le père. C'est à Alex qu'échoit la responsabilité de voir à leur bien-être! D'accord, il a pris racine dans les vieux pays et les contacts épistolaires entre les deux anciens amis sont devenus rarissimes, mais quand même!

Sans mot dire, résolument, elle va se planter sous la chute. L'eau froide lui tire un cri sonore; elle se frictionne pendant quelques minutes, ravie de cette distraction qui la mobilise tout entière. Que son mari la laisse tranquille avec ses rejetons! Pourquoi s'en préoccupe-t-il encore? À chaque fois, elle croit deviner un reproche, qui lui retourne les émotions comme une crêpe.

La juge-t-il d'une trop grande dureté de cœur? En a-t-il contre son actuelle stérilité, dont pourtant il jouit autant qu'elle? Flavie l'ignore, puisqu'il n'en souffle mot, mais ce qu'elle pressent l'exaspère.

Lorsqu'elle émerge de la douche, elle fait à Bastien un signe impérieux avant de s'ébrouer et de tordre ses tresses. Avec une grimace résignée, le jeune homme finit par l'imiter, et son rugissement initial se transforme en une marche militaire poussée d'une voix de stentor. Qu'il arrête de se tourmenter ainsi, le plus grand bien ne pourra qu'en résulter, pour lui comme pour elle!

CHAPITRE XXIII

Près de quinze mille personnes dorment à la belle étoile, celles qui ont perdu leur maison comme celles qui ont préféré quitter les secteurs en danger, lors de cette épouvantable nuit du 8 au 9 juillet 1852. Le Champ-de-Mars et le coteau Saint-Louis offrent un spectacle digne d'une hallucination : des milliers de familles installées à l'air libre, enfants enroulés dans des couvertures, mères allongées sur des matelas, pères assis sur des chaises ou sur des monticules de meubles... Ceux qui ont pu sauver leurs biens recréent un semblant de confort, s'installant autour de leur table de cuisine pour casser la croûte!

Le conseil municipal se résout à leur faire acheminer du pain et de la viande. Généreusement, même les ménages les plus modestes offrent l'hébergement à leurs connaissances. Puisque le meilleur et le pire de l'âme humaine se révèlent en de telles circonstances, des propriétaires sans scrupule haussent les prix de leurs logements vacants, faisant passer le tarif au mois de trois jusqu'à trente dollars! De même, des spéculateurs profitent de la folle rumeur qui court au sujet du montant considérable des pertes que la compagnie d'assurances Mutuelle devra rembourser, qui fait craindre qu'elle ne soit obligée de déclarer faillite, pour tenter de troquer les polices d'assurance des particuliers contre des sommes ridicules!

Le faubourg Sainte-Marie se consume pendant toute la journée qui suit et la ville tressaille au rythme des alarmes de feu qui se succèdent pour de petits foyers d'incendie qui sont, heureusement, rapidement maîtrisés. Les *sheds* de la Pointe-Saint-Charles, qui avaient servi à loger les immigrants atteints du typhus, sont rouvertes, quelques locaux sont offerts par diverses associations et l'armée distribue deux centaines de tentes en toile grossière. Lorsqu'un orage particulièrement violent finit par chasser la lourde chaleur et par éteindre les derniers brasiers, chacun a trouvé un abri temporaire.

Le samedi 10 juillet, une réunion publique est convoquée par le maire, M. Charles Wilson. Son but, comme l'explique Édouard avec mépris : museler la grogne causée par le comportement minable des officiers municipaux lors de l'incendie en faisant voter une motion de félicitations adressée à la corporation municipale. Comme environ un millier d'autres citoyens, Bastien et son père tiennent néanmoins à s'y rendre. Bon nombre de notables ont perdu leurs maisons du faubourg Saint-Jacques ou des environs du carré Dalhousie !

Ce que le père et le fils racontent ensuite à Flavie et à Lucie, qui se tient à portée, donne des frissons dans le dos. Montant à la tribune affublé de son collier d'or, le maire commença son discours en exprimant ses regrets pour son absence, en affirmant que la corporation municipale avait fait son devoir même s'il avait entendu dire le contraire jusqu'à Québec, où il se trouvait, puis en invitant les membres du public à donner leur opinion. Ces propos furent accueillis par les sifflets et par les imprécations d'une partie de l'assemblée, tandis que ceux qui appuyaient le maire dans cette entreprise de justification des actes de la mairie s'avançaient dans le dessein de faire écho à ses paroles.

Mais les membres du public, eux, étaient venus bien plus pour organiser les secours que pour examiner la conduite des élus. Malgré cela, emportés par la force de leur indignation, plusieurs citoyens grimpèrent sur l'estrade pour dénoncer, au son des trépignements et des acclamations, l'imprévoyance et l'incurie des échevins. M. Delisle, un homme d'affaires bien connu, a alors affirmé que, pendant que l'on cherchait, en vain, des magistrats pour autoriser la destruction de quelques maisons, il a vu quelques-uns d'entre eux en train de ramasser des morceaux de couchettes épars dans la rue!

Édouard juge que la vindicte populaire a pris des proportions exagérées: il est à craindre que le conseil ne démissionne en bloc, ce qui ne réglerait rien! De son côté, Bastien ne regrette aucunement l'ire populaire, jugeant que M. le maire, décidément, a la lippe dédaigneuse et une physionomie de sotte et bête fatuité!

Si tout le monde s'est plaint de la conduite de la corporation municipale, le sort des victimes de l'incendie pressait bien davantage. Un comité d'une centaine de messieurs, mené par un conseil d'administration, a été formé pour soutenir la municipalité dans ses efforts pour amasser des fonds par souscriptions volontaires et distribuer les secours.

— Papa fait partie de ce comité, et nous l'aiderons de notre mieux, n'est-ce pas, Flavie?

— Pour le sûr! répond-elle avec ferveur. Mais vos vacances?

Son beau-père hausse les épaules avec résignation.

— Archange comprendra…

Il fixe impérativement son fils qui, subitement pâle, se résigne à pivoter vers Flavie et bégaye :

— Justement, question vacances… Je serais fort marri d'abandonner papa à un moment aussi crucial, pendant lequel il aura bien besoin de nous deux…

Édouard intervient, navré :

— Je vous assure, Flavie, que j'ai longuement tenté de convaincre Bastien que mon engagement ne l'obligeait à rien, et surtout que, si je m'étais porté volontaire pour ce comité, c'est que j'étais persuadé de pouvoir suffire seul à la tâche.

— Quand même, papa ! Tu ne réalises pas… Avant de distribuer les secours, il faudra dresser la liste des déplacés, puis écarter les profiteurs, ce qui ne sera pas une sinécure ! Puisqu'il n'est pas question de distribuer de l'argent, il faudra effectuer les achats, les acheminer, les répartir !

— Nous sommes plusieurs pour ce faire !

Heurté, Bastien bougonne :

— C'est donc dire que tu refuses… ?

— Ne me fais pas dire le contraire de ma pensée. Je suis désolé pour ta femme, point à la ligne.

Fort chagrinée, Flavie fixe Bastien, qui consent enfin à la regarder. Elle est incapable de protester : ce serait faire passer les besoins futiles de sa petite personne avant ceux de plus de mille familles jetées à la rue. Cependant, elle ne peut s'empêcher d'être amèrement déçue de ne pas revoir la mer à Cacouna, de ne pas habiter la charmante cabane au bord de la grève, de ne pas entendre le ressac… Mais surtout, elle aurait tant voulu retrouver un Bastien heureux de leur solitude à deux ! Elle s'ennuie de son visage apaisé et rieur, de son insouciance, de ses bras qui la ceinturaient au moindre prétexte…

Fâché de lui causer une telle peine, et souhaitant manifestement lui laisser le temps de reprendre la maîtrise de ses émotions, son mari se détourne pour s'absorber dans une sérieuse conversation avec son père au sujet des tensions qui, de nouveau, se manifestent entre catholiques et protestants. Édouard confirme avec emphase :

— Les protestants de cette ville, qui sont en bonne quantité, n'apprécient pas toujours le fait que les catholiques laissent une large place aux prêtres dès qu'il s'agit de charité. Le climat de méfiance qui règne dans la colonie entre ces deux religions n'aide en rien…

— Cependant, j'ai entendu plusieurs voix s'élever pour dire que, en pareille circonstance, il fallait faire fi de ces différences et créer un véritable climat de coopération entre les races.

— Le problème n'est pas là. Le problème, c'est que l'immense majorité des incendiés est catholique ; ce sont donc les prêtres catholiques qui vont gérer et distribuer les secours. Or les protestants trouvent que ce pouvoir va accroître leur influence, déjà trop grande à leurs yeux, de manière indue…

Plus tard, tandis qu'ils se préparent pour la nuit, Bastien raconte à Flavie qu'il y a près de dix mille personnes, soit un cinquième de la population de Montréal, sans logis et sans ressources. Locataires pour la plupart et n'ayant souscrit à aucune assurance, il faudra les aider à rebâtir de manière à éviter, dans l'avenir, un tel désastre. Le conseil de ville va donc solliciter la législature provinciale pour qu'elle lui garantisse un emprunt qui servira à cet effet.

De surcroît, à l'assemblée de cette après-dînée, une résolution a été adoptée afin de pousser le conseil de ville à mettre en vigueur la loi autorisant l'imposition d'une taxe sur toutes les maisons afin de leur faire acheminer l'eau courante par tuyaux. Enfin, des fontaines et des réservoirs devraient être construits dans les diverses parties de la cité. Des mesures vigoureuses et nécessaires ont été exigées concernant l'adoption de règlements de construction, la mise sur pied d'un service des incendies digne d'une métropole et la construction d'un aqueduc qui amènerait un grand cours d'eau continu de Lachine à Montréal. Bastien conclut sombrement :

– De bien belles intentions, mais qui coûteront les yeux de la tête...

Flavie fait mine de l'écouter, mais le cœur n'y est pas. À peine couché, son jeune époux s'endort aussitôt. Elle ne peut lui en vouloir, vu leur récente nuit blanche, mais elle aurait fièrement apprécié le havre de ses bras. Ce soir, elle se désole de tout son être du spectacle éprouvant de sa ville ravagée. Ce soir, ses vacances ratées la laissent complètement désemparée... Farouchement seule dans sa moitié de lit, elle sent son âme ballotter à la dérive, en eaux troubles.

Édouard Renaud délaisse momentanément ses affaires pour se consacrer à l'organisation des secours et il prend soin de solliciter abondamment le concours de Flavie, distraite de son chagrin par la tâche ardue de faire la quête dans tous les quartiers épargnés par le désastre. En outre, avec quelques jeunes accoucheuses formées par Léonie, elle se dévoue également au soin des femmes en couches et des jeunes enfants regroupés dans les abris temporaires. Elles font ainsi partie d'un bataillon de soignantes, religieuses, dames et demoiselles bénévoles, qui offrent leurs services.

Quelques jours plus tard, un soir, Édouard et Flavie se réunissent dans la bibliothèque pour entreprendre un travail moralement éreintant qui, à l'évidence, occupera plusieurs membres du comité pendant de longues semaines : dresser la liste des ménages qui auront droit à une aide matérielle. Les ressources qui affluent de partout, même en provenance de Londres, ne soulageront que les plus profondes misères. Bien des familles ne pourront compter que sur leur propre industrie pour s'en tirer...

Peu à peu, veillant cependant à ne pas les déranger, viennent prendre place dans la pièce les autres membres de la maisonnée, y compris le vieux docteur et son épouse. Enfin, au grand soulagement de Flavie dont les paupières s'alourdissent, son beau-père rassemble les papiers épars, puis bâille en s'étirant de tout son long. Soudain, il sort des feuillets de la poche intérieure de sa redingote, qu'il a déposée sur le dossier du fauteuil qu'il occupe, et il sollicite l'attention générale.

Avec un sourire, il fait lecture à voix haute de certains passages de la lettre qu'il vient de recevoir de son épouse en vacances à la campagne. D'une calligraphie caracolante comme un cheval affolé, Archange raconte que la rumeur, transportée à l'allure d'une barque à vapeur fonçant à plein régime, annonce la destruction de la Grande rue Saint-Jacques et de la plupart des banques !

Le maître de maison conclut :

— Je dois m'empresser de la rassurer...

— Par la même occasion, ajoute Bastien avec une certaine mauvaise humeur, je te prie de repousser fermement son offre de revenir au plus tôt pour participer aux secours. Ils s'étaleront sur de longs mois et elle nous fera donc un grand bien à tous en débarquant de la campagne fraîche et dispose pour prendre le relais!

Le jeune homme passe ses rares temps libres à proposer ses services aux manœuvres et charretiers qui ont entrepris le harassant déblaiement des décombres, tâchant d'ignorer l'odeur écœurante de chair animale en décomposition qui plane sur les ruines. Ses talents de médecin sont régulièrement sollicités puisque, à sa grande stupéfaction, les imprudents se brûlent aux braises rougeoyantes qui sont parfois exhumées de sous les monticules de débris.

Avec un clin d'œil à Flavie, M. Renaud riposte :

— Pour toi, c'est facile à dire, mais songe à ta femme, qui s'occupe toute seule du confort de cinq grandes personnes!

Refusant que ce branle-bas de combat désavantage Lucie, Flavie a repoussé sa proposition généreuse de sacrifier ses vacances à son tour, et même si les deux hommes de la maison abattent une certaine part d'ouvrage, elle se charge de l'essentiel de ses tâches. Flavie proteste en réprimant un bâillement :

— Oubliez-vous, cher Édouard, que Mme Provandier s'est placée d'autorité derrière les chaudrons?

— Mille excuses! lance-t-il galamment à l'adresse de la vieille dame. Comment ai-je pu? Votre souper d'hier soir était digne d'une réception donnée en l'honneur de la reine Victoria!

— Tandis que les miens, soupire Flavie exagérément, ressemblent à des pique-niques improvisés…

— Ce qui ne manque pas de charme, intervient Marcel Provandier, ce charme dont vous regorgez, madame

Renaud! Ces derniers jours, comme je le racontais à mon épouse, des souvenirs me remontaient en mémoire. Je vous revoyais en apprentissage auprès de votre mère. Vous étiez collée à ses semelles comme un jeune chien frétillant mais craintif…

Flavie se joint de bon cœur à l'éclat de rire qui emporte Bastien et son père. Provandier dit encore :

– Hélas, les tête-à-tête professionnels avec cette bonne Léonie se font rares ! Je ne la croise plus qu'entre deux portes, à l'occasion de mes exposés à son école…

Une ombre passe sur le visage du vieux médecin et il ne peut s'empêcher de jeter un bref regard de reproche à Bastien, qui baisse la tête, légèrement empourpré. C'est à cause de lui et de son camarade d'école Isidore Dugué que Provandier avait été obligé de mentir à Léonie… tout en sachant qu'une sage-femme de sa trempe ne serait pas dupe d'un mensonge aussi grossier. Épouvantés par l'issue tragique de la délivrance de Constance Leriche, les deux jeunes médecins avaient lancé un appel au secours à leur vieux maître. Pour protéger leur réputation, ce dernier avait hâtivement tricoté une explication maladroite. Depuis, Léonie lui en garde une légère mais tenace rancune.

Pour rompre l'embarrassant silence, Flavie enchaîne sur l'expansion que Léonie souhaite donner à ce métier qu'elle chérit tant. Elle évoque le projet avorté d'une association de sages-femmes, qui s'est transformé en un cercle d'études clandestin pour accoucheuses. Beaucoup trop de difficultés s'amoncellent devant les sages-femmes, non seulement au sujet de leur compétence, mais, encore pire, au sujet de leur dignité et de leur moralité ! La jeune femme ajoute, avec énergie :

– Un discours pervers circule à notre sujet. Maman est persuadée de pouvoir en identifier la source : certains médecins trop ambitieux, des prêtres jaloux de leur autorité sur les femmes... et même des religieuses aigries ! Et que dire de tous ces hommes suffisants, avocats, notaires ou commerçants, qui ne peuvent supporter la concurrence d'une femme de métier, et surtout d'une *professionnelle* !

La véhémence de Flavie contrarie Bastien, qui s'empresse, pour excuser sa lubie, de faire allusion à l'audacieux projet de Marguerite qui, prétend-il, contamine sa femme ! Flavie n'a pas le temps de s'insurger : Provandier émet un long sifflement admiratif avant de s'ébahir de la largeur d'esprit de Joseph Lainier. Bastien se moque :

– À moins que des motivations bassement intéressées l'animent ?

Flavie darde sur lui un regard de reproche. Faisant la moue d'un enfant qui refuse d'admettre ses excès, il lance :

– J'espère que ton amie sait qu'une bonne partie de la clientèle lui sera à jamais interdite !

– Interdite ? Qu'est-ce que tu me chantes ?

– Mais enfin, Flavie ! Aucun homme n'accepterait de s'offrir à l'examen d'une femme médecin ! Et qui plus est, aucune femme médecin n'oserait se laisser aller à explorer les clients comme tout médecin doit le faire ! C'est proprement inconcevable !

Dépitée, Flavie doit bien admettre en son for intérieur qu'en effet la décence bourgeoise interdit une telle familiarité. Provandier intervient :

– Cependant, mon bon ami, quand on y songe bien... Est-ce que ce ne sont pas les femmes qui requièrent le plus de soins, non seulement pendant leurs couches, mais concernant toutes les anomalies du système reproducteur et les conséquences que cela entraîne sur l'humeur sympathique ? Combien de fois n'ai-je pu soigner adéquatement une patiente parce qu'elle ne pouvait se résoudre à me révéler ce qui la tourmentait !

— Les sages-femmes sont précieuses à cet égard, interjette dame Provandier d'une voix sereine. Voilà pourquoi il est criminel de ne pas les encourager davantage.

Ses hôtes l'envisagent avec étonnement. Son mari reprend :

— Si vulnérables dans les premières années de leur vie, les enfants sont une clientèle de choix également ! Qui plus est, bien des maladies chez les hommes, et même les blessures, ne requièrent que des manipulations partielles ! Tout cela soustrait, il reste bien peu de clientèle interdite, cher Bastien…

Ennuyé de se faire rappeler à l'ordre comme un étudiant écervelé, le jeune homme contemple ses mains jointes avec mauvaise humeur. Flavie s'exclame :

— Je suis fièrement d'accord avec vous ! La clientèle, ce n'est pas un problème. C'est la formation qui l'est !

Mue par une inspiration soudaine, elle interpelle le vieux docteur :

— Mais dites donc, tandis que je vous ai là, devant moi… Joseph Lainier est célibataire et encore jeune, mais vous, votre réputation ne risque plus rien… Peut-être que vous accepteriez de nous donner quelques cours privés et, surtout, de nous montrer le maniement du forceps et des autres instruments obstétricaux ?

Provandier rit avec embarras tandis que Bastien, stupéfait, regarde Flavie en répétant :

– Nous ? Comment ça, nous ? Mais qu'est-ce que tu manigances derrière mon dos ? J'espère que tu ne vas pas m'annoncer que tout le monde est courant de quelque chose qui te concerne, sauf moi ?

– Pas du tout, je t'assure ! Mais je jongle à tout ça depuis quelque temps, tu le sais très bien... En vérité, c'est pour Marguerite la seule manière de réussir à convaincre ses parents. Si nous sommes deux apprenties...

Pour comprendre que Bastien est fort mécontent de l'entendre, Flavie n'a pas besoin de sa part d'un long discours ni même de trois mots. Elle affronte son regard désapprobateur jusqu'à ce qu'Édouard fasse remarquer :

– L'altruisme n'est pas une raison suffisante pour faire un geste si lourd de conséquences.

Dévisagée par les trois hommes, Flavie s'embarrasse, mais réussit à balbutier :

– Si les médecins...

Elle s'interrompt et jette un regard de défi à Bastien, qui l'observe avec attention, les yeux plissés. Avec obstination, elle reprend :

– Si les médecins ne s'évertuaient pas tant à prendre notre place auprès des accouchées... s'ils ne manipulaient pas les fers comme s'il s'agissait d'une amulette magique... et si j'avais le loisir de me perfectionner autant que nécessaire... alors, je me contenterais de mon si plaisant métier !

– Ce qui serait une très sage décision ! riposte Bastien, les sourcils exagérément froncés en signe d'avertissement.

– Peut-être, mais aussi une très sotte ! Qui pourrait reprocher aux artisans dépassés par le progrès d'abandonner leurs outils pour apprendre à manœuvrer les nouvelles machines? Il en va de leur survie! Alors, pourquoi je ne pourrais pas, moi-même, manipuler les instruments dont l'usage est parfois nécessaire?

Profitant du silence qui s'ensuit, Provandier déclare avec douceur :

— Ma jeune dame, je reconnais en vous la digne fille de Léonie! Pourquoi prendre un détour quand on peut se rendre droit au but? Hélas, mes mains tremblent beaucoup maintenant, je serais un bien piètre professeur...

— Mais vos mains, pour le sûr, sont parmi les plus expertes de la colonie! Peu importe le reste...

Toute fatigue envolée, Flavie tremble d'impatience. Elle voit bien que le vieil homme est fort tenté d'agréer à sa demande! Son orgueil professionnel est flatté et, de surcroît, a-t-elle l'impression, il aurait le sentiment de payer sa dette d'honneur envers Léonie... Le vieux médecin se résout à glisser un œil vers Bastien, qui paraît fort embêté. Le jeune homme esquisse un mouvement contraint, puis il se racle la gorge avant de grommeler :

— Quelques cours privés... Cela veut dire quoi, au juste?

— Ma foi, répond Provandier, si madame souhaite une formation digne de ce nom, vous savez comme moi qu'il faut y consacrer plusieurs années...

— Jamais de la vie! s'écrie Bastien, exaspéré. Jamais je ne laisserais Flavie devenir l'apprentie d'un médecin! Je serais la risée de la ville entière! Tout le monde m'imaginerait cocu, et cent fois plutôt qu'une!

Choquée et désemparée, Flavie lance :

— Mais veux-tu bien te taire! Mme Provandier pourrait être blessée par cette allusion extrêmement inconvenante!

– Pardonnez-moi, bredouille le jeune homme, confus. Je ne pensais pas à vous précisément, docteur. Je voulais dire…

– Inutile de t'expliquer, le coupe Édouard avec un regard sévère, nous avons compris.

Se tournant vers Provandier, il ajoute :

– Vous n'ignorez pas, cher docteur, qu'une telle initiative fera le tour de la ville en moins de deux et que vous deviendrez la cible de bien des railleries…

Fâchée que son beau-père en rajoute, Flavie se renfrogne. D'un ton singulièrement provocateur, Bastien interroge :

– Avez-vous absolument besoin de mon accord, cher collègue ?

Avec une légère grimace de regret, Provandier réplique aussitôt :

– Absolument besoin ? Non. À mon sens, certaines conventions sociales méritent d'être remises en question. Le docteur Flavie Renaud, à n'en pas douter, serait l'un des fleurons de notre corporation ! Cependant, je ne tiens pas à me faire un ennemi de vous…

– Si je vous entends bien, insiste suavement Bastien, vous passerez outre à mon opposition ?

Décontenancé, Provandier hésite, puis finit par affirmer :

– Je passerai outre.

Pauline Provandier replie son ouvrage de broderie et dit :

– Je suggère que cette discussion soit reprise à un autre moment. Il se fait tard… Vous a-t-on dit, monsieur Renaud, que des proches nous ont offert l'hospitalité à la campagne? Nous prendrons notre envol après-demain, au matin.

Tous deux se lancent dans un échange banal de civilités. Consciente du regard pénétrant de Bastien posé sur elle, Flavie se lève en même temps que le vieux docteur et, marchant jusqu'à lui, elle lui tend la main en suggérant :

— On en reparle cet automne?

Il acquiesce avec un clin d'œil complice qui réchauffe Flavie tout entière. Dès que Bastien et elle sont seuls dans leur chambre, elle l'observe un moment avant de laisser tomber :

— La risée de la ville entière... Tu n'exagères pas un tantinet?

Froidement, il répond avec réticence :

— À tout prendre, je préférerais nettement que tu fasses ton apprentissage auprès de moi. Au moins, personne ne se gausserait en disant que je ne contrôle pas ma femme...

Flavie ne peut retenir une grimace devant cette habitude outrageante, mais courante, de rabaisser les épouses au rang d'enfants dont il faut surveiller les allées et venues. Il s'empresse d'ajouter :

— Ne va pas t'imaginer que j'ai changé d'idée! Un apprentissage est hors de question, point à la ligne. Avec moi ou un autre, à deux ou à cinquante, ça revient exactement au même. Tu sais, Provandier a commis toute sa vie de grossières erreurs avec le forceps, des erreurs imprimées noir sur blanc dans les livres d'obstétrique. Le sujet est clos, ma belle blonde.

Les tentatives de Flavie pour reprendre la discussion tombent à plat. Pendant les jours qui suivent, la même situation se reproduit et Flavie en conclut qu'il est souverainement embêté que la lubie se soit transformée en projet concret, presque réalisable... Ne sachant plus sur quel pied danser, elle remet l'entretien jusqu'au retour de Marguerite de la campagne.

Avides de constater l'ampleur des dégâts et de se joindre aux secours, Archange, sa fille et Guillemette reviennent prématurément au milieu d'août. Flavie accueille leur retour avec empressement, laissant à sa belle-mère le rôle de maîtresse de maison et à Julie la place qui lui revient d'office pour seconder son père dans son travail charitable. La maison se met à résonner des bavardages de la sœur de Bastien avec les deux servantes et, dans une moindre mesure, avec sa mère au sujet des leçons qu'il faut tirer de cette épreuve voulue par le Créateur.

Jusque-là, ces discours édifiants n'avaient pas franchi le seuil, mais, grâce aux trois jeunes femmes, le tort est réparé ! Tout d'abord, Lucie décrit avec force détails la procession religieuse au cours de laquelle, le 25 juillet, les restes du précédent évêque de Montréal, Jean-Jacques Lartigue, ont été retirés de sous les décombres de la cathédrale pour être transportés chez les religieuses, au monastère de l'Hôtel-Dieu. Cette translation, dont le parcours traversait les faubourgs incendiés, fut suivie dans un silence impressionnant et tous les hommes au travail se découvraient à son passage.

Par la suite, elles commentent à profusion la lettre pastorale de l'évêque de Montréal, lue au prône de toutes les églises de la ville et, paraît-il, au chapitre de toutes les communautés religieuses. La main de Dieu s'est appesantie sur la ville qui, prétend monseigneur, en aurait mérité bien davantage : Dieu est donc le plus tendre, le meilleur de tous les pères. Dieu a répandu le souffle de sa colère, rendant le feu en quelque sorte intelligent, épargnant ou ruinant à dessein. S'il l'a voulu, chaque catholique doit le souhaiter de même, de tout son cœur.

L'implacable exigence de ce raisonnement révolte Flavie, qui s'y oppose d'abord avec énergie. Si Julie admet à contrecœur qu'une telle soumission à ce «décret rigoureux» est quasi surhumaine, elle affirme sans coup férir que c'est ce vers quoi chacun doit tendre, en son âme et conscience. Jetant un regard terrible à Lucie et surtout à Guillemette, elle déclare:

— Aucun murmure de protestation ne doit franchir nos lèvres, qui ne s'ouvriront que pour bénir le maître absolu de toutes choses!

Cette culture de la résignation, si caractéristique des enseignements du clergé, horripile Flavie. Dès qu'elle en a le loisir, ne pouvant se résoudre à laisser Julie impressionner ainsi les âmes tendres de leurs deux domestiques, elle ramène la conversation sur un terrain plus vaste, celui des rapports humains. Elle dénonce le joug qui pèse sur les classes industrieuses, joug voulu et amplifié par ce même discours qui prêche la soumission et le respect de l'autorité, même en cas d'injustices flagrantes!

— Ils sont nombreux à passer leurs journées entières à travailler comme des bêtes, dans des ateliers sombres et mal aérés, où les odeurs prennent à la gorge, et le seul réconfort auquel ils ont droit, c'est le secours du ciel, c'est la confiance en une vie meilleure après leur mort! Les serfs qui étaient attachés à un maître, à faire produire ses champs, se retrouvent maintenant enchaînés à leur ouvrage! Du matin au soir à coudre des habits ou des chaussures, ou à transporter des barils, ou à creuser le sol dans la boue...

La jeune femme déclare à ses interlocutrices ébahies qu'il est temps de se révolter devant la tyrannie du dieu travail. Elle conclut avec une sorte de rage :

— Il y a quelque chose de foncièrement malsain dans cette attitude héritée de l'époque du servage, qui fait correspondre la valeur des êtres humains uniquement à leur force de travail. La marche du monde est comme une immense roue de chariot qui roule continuellement, mais qui cahote à chaque tour... La terre est comme un corps humain déformé par un grave défaut, une tumeur dégoûtante qu'il faut absolument exciser !

Après un moment de silence, Julie s'exclame, les yeux ronds :

— Chère belle-sœur, vous dites des choses repoussantes ! Vous êtes sûre que les chaleurs de l'été ne vous ont pas dérangé le cerveau ? Mesdemoiselles, n'écoutez pas cet absurde verbiage. Comme le dit si bien notre évêque, il faut profiter du malheur pour devenir meilleures !

— Il nous faut devenir les anges gardiens de la ville pour préserver les cœurs innocents de la contagion du vice, ajoute Guillemette avec conviction. Chacun doit sacrifier à la charité ce qu'il donnerait à son plaisir. Il faut éviter les danses, qui sont toujours dangereuses mais qui, aujourd'hui, sont tout à fait déplacées...

Narquoise, Flavie observe :

— Une exigence à laquelle bien peu de demoiselles, qui raffolent des bals, sauront se plier...

Julie fait comme si elle n'avait rien entendu et elle poursuit :

— Il faut éviter de proférer des blasphèmes, ainsi que les excès de boisson, les fraudes et les injustices…

— Les injustices! relève Flavie avec sarcasme. Qui donc commet, sur cette terre, les pires injustices?

Exaspérée, Julie pose les bras sur les épaules des deux domestiques pour les entraîner plus loin. Cependant, Lucie résiste un moment, avant de se délivrer d'une torsion du corps. Interloquée, Julie lui jette un regard outré, puis elle s'éloigne en compagnie de Guillemette. Lucie demeure coite, les yeux baissés, mais Flavie est consciente qu'il s'agit d'une manifestation de loyauté à son égard. Pour lui exprimer sa reconnaissance, elle lui serre doucement le bras, un bref instant, avant de partir de son côté.

Chapitre XXIV

En une douce soirée, le souper à peine avalé, Léonie et Simon sortent dans la cour. Simon profite des dernières lueurs du jour pour effectuer des réparations au mur nord-est de la maison, le plus exposé aux vents hivernaux. De son côté, Léonie se promène sous les deux pommiers pour ramasser les fruits tombés, qui, à défaut d'être dévorés crus, feront une excellente compote. Elle est bientôt rejointe par Daniel et la petite Lizzie, qui jouaient à la cachette.

Léonie sourit à la fillette, dont les cheveux noirs et frisés sont rassemblés en deux jolies tresses, qui l'assiste avec diligence. Elle a beaucoup grandi depuis son arrivée, une année et demie auparavant, et s'est fortifiée à un tel point que la sage-femme ne craint plus pour sa santé. Elle est magnifique: Léonie se repaît à toute occasion de son nez légèrement épaté, de sa bouche charnue au sourire resplendissant et de ses grands yeux sombres. Elle a reçu de son père un front haut et large; pour le reste, son héritage celte est diffus, mais perceptible grâce à ses traits et la couleur de sa peau qui indiquent le mélange de deux races.

Si sa vitalité et sa joie de vivre éclatent en compagnie des Montreuil, des Sénéchal et des Hoyle de Griffintown, Lizzie devient cependant extrêmement réservée dès qu'elle se trouve en compagnie d'étrangers, fussent-ils des voisins proches. Déjà, elle a subi les contrecoups de son étrangeté : moqueries d'enfants, regards hautains d'adultes... Certains, persuadés que les nègres sont d'une intelligence inférieure, tout juste bons à être de dociles domestiques, ne peuvent s'empêcher de la traiter avec condescendance, s'adressant à elle comme à un animal stupide !

Heureusement, d'un naturel spontané, Lizzie extériorise rapidement chagrins et frustrations en présence des êtres qui lui sont chers. Léonie l'a prise fort au sérieux, l'écoutant avec une grande attention et tâchant de lui expliquer les comportements parfois troublants de ses contemporains à son égard ; suivant son exemple, Daniel et Simon ont rapidement emboîté le pas. Au cours de sa vie, Lizzie connaîtra plus que sa part d'embêtements et elle mérite d'être traitée avec une sincère considération !

Son père, cependant, ne peut s'empêcher d'être inquiet devant ces manifestations d'intolérance. Il commence à se demander si l'existence ne lui serait pas plus douce ailleurs, dans une région de colonisation peut-être, où l'entraide est nécessaire pour survivre. Il ne songe pas à un retour aux États-Unis, mais à un déménagement dans les Eastern Townships, où tout est à bâtir et où un homme entreprenant et instruit a de nombreuses opportunités. Toutefois, cette éventualité est encore lointaine puisqu'il tient à se constituer d'abord un petit pécule.

Léonie s'est énormément attachée à la fillette et l'idée d'un départ lui serre le cœur, mais elle tâche de ne pas y penser et de profiter plutôt des éclairs de douce folie de cette jeune vie. Les enfants sont si vite policés, enrégimentés et comme éteints par les responsabilités et les exigences qui leur échoient, souvent bien trop tôt! Déjà, Lizzie a eu son lot de souffrances: la trahison de sa mère, le déracinement, les dures journées chez sa gardienne parmi un groupe disparate d'enfants, la mort de son petit frère… C'est un miracle qu'elle ait encore envie de chanter, de danser et de s'émerveiller de la moindre joliesse que le monde recèle!

La première, Lizzie remarque la silhouette féminine immobile qui, sur le trottoir là-bas, de l'autre côté de la clôture de perches, semble regarder dans leur direction. À son tour, Léonie se redresse, puis enfin Daniel. La tête et les épaules couvertes d'un châle, la femme tient un enfant d'environ un an dans ses bras. Loin de se détourner pour reprendre sa route, elle reste figée comme une statue, sourde au babillage du petiot qui tente d'attirer son attention.

Puis, d'un geste lent et hésitant, elle découvre ses cheveux, rassemblés en une seule tresse qui retombe sur son épaule, et Léonie pousse un cri étranglé, reconnaissant instantanément cette masse sombre aux reflets roux. Traversée par un vent d'allégresse si puissant qu'il l'affole presque, elle s'exclame à l'adresse de Daniel:

– Pour l'amour de Dieu… C'est Cécile! Ma petite fille est revenue!

Craignant que ses jambes ne la trahissent, elle tend une main tremblante vers le jeune homme, qui s'empresse de la soutenir. Tous deux échangent un regard grave, puis Léonie inspire profondément avant de s'élancer vers la rue, envahie d'une joie si forte qu'elle lui fait mal. Sa cadette est de retour, saine et sauve!

Le visage brièvement éclairé d'un fugace mais vif sourire, Cécile enjambe la clôture tout en tentant de détacher l'enfant de son cou, lequel s'y refuse obstinément. Moitié riant, moitié pleurant, Léonie les étreint tous les deux et Cécile s'abandonne à l'assaut affectueux. Une plainte sourde s'échappe de sa gorge, celle d'un être blessé qui retrouve un havre après des années d'errance... Bouleversée, Léonie sanglote avec une intensité proche du désespoir tout en caressant son visage qui semble avoir vieilli de dix ans et où des larmes abondantes coulent avec lenteur sur ses joues.

Saisi, l'enfant joint ses pleurs aux leurs. Les yeux humides, Simon survient et étreint vigoureusement son épouse, sa fille et le petit contre lui pendant un si long moment qu'il semble durer une éternité. Enfin, il les délivre et, comme Léonie, il dévore sa fille du regard, en silence. D'une voix rauque et bourrue, il grommelle finalement:

– Où est ton bagage?

Cécile indique, sur le sol, une besace bien gonflée. Après un reniflement, Simon se détourne, s'en charge et se dirige vers le jardin, mécaniquement suivi par Léonie et sa fille, appuyées l'une contre l'autre et dont l'accès d'émotion s'apaise progressivement. Léonie murmure:

– Viens t'asseoir. Tu as sûrement soif et faim... Et ton petit, il a besoin de quelque chose? Il voudrait une pomme? Regarde, mon mignon, tout ce que nous venons de ramasser... J'imagine que tu as quelques dents pour y mordre?

Cécile balbutie:

– Attends, je vais enlever un peu de pelure, ce sera plus facile...

Avidement, le petiot suit les gestes de sa mère, puis il s'installe confortablement sur ses genoux, les mains refermées sur le fruit, pour y poser ses lèvres et en gruger la pulpe. Manifestement désemparé par la présence de cet enfant, Simon reste debout à l'écart, les contemplant fixement. Avec un sourire gourmand, Cécile tend la main vers le petit monticule de fruits et il s'empresse de choisir pour elle le plus dodu et le plus rouge. Elle pousse un soupir si profond qu'il la fait frissonner de la tête aux pieds, puis elle croque, les yeux fermés.

Attendris, ses parents la regardent manger, se repaissant de son plaisir. Léonie note sa jupe délavée à l'ourlet déchiré, son corsage taché, sa chemise grossière... Elle est cependant chaussée de mocassins d'été, usés mais encore solides, dont le cuir est joliment orné de perles. Sa tresse est liée par un cordon de cuir et elle porte, à sa taille fine, une large et somptueuse ceinture. Comme quelqu'un qui a vécu une existence rude au grand air, son visage tanné, qui a perdu toute la fraîcheur de l'enfance, est marqué de fines rides au coin des yeux et de la bouche, de même que sur le front. Pourtant, sa cadette n'a que vingt ans à peine!

Ce n'est qu'une fois la pomme à moitié dévorée que Cécile reprend contact avec la réalité qui l'entoure et qu'elle remarque Daniel et Lizzie qui jouent tranquillement près du poulailler, à l'autre bout du terrain. Les sourcils froncés, elle se tourne vers sa mère, qui crie alors en leur direction :

– Daniel! Viens saluer Cécile!

Toute pâle soudain, la jeune femme s'exclame d'une voix étranglée :

– Daniel? Notre Daniel?

Tandis que l'instituteur approche à pas lents, tenant Lizzie par la main, Léonie lui résume la situation en quelques phrases. Cécile dépose l'enfant sur le banc à côté d'elle et, comme éblouie, elle se lève, chancelante. Daniel était son meilleur ami d'enfance, son frère adoptif… Intimidé à la fois par son trouble et par les changements qui se sont opérés chez elle, il arrête à un pas et bégaye :

— Bien le bonjour, Cécile. Je suis très content que tu sois revenue.

Elle couvre sa bouche avec ses deux mains, les yeux démesurément grands. Rassemblant tout son courage, il se penche et lui donne un baiser sur chaque joue. Soudain, Cécile semble s'affaisser sur elle-même et se retient de justesse en s'agrippant à ses bras. Sans mot dire, elle appuie son front contre sa poitrine, un bref moment, avant de reculer et de se laisser retomber sur le banc du jardin. Le visage émerveillé, elle le couve du regard et murmure :

— Si je m'attendais…

Elle ferme les yeux et inspire à plusieurs reprises. Inquiet, son enfant émet un son guttural interrogatif et elle pose la main sur sa tête. Enfin, elle reprend la maîtrise de ses émotions et se redresse bravement, sa main serrant convulsivement celle de Léonie, qui réussit malgré son émoi à bafouiller à l'intention des deux hommes :

— Tirez-vous une bûche, le temps qu'on refasse connaissance…

Bientôt, Simon et Daniel sont assis sur des sièges improvisés. Léonie rompt le lourd silence :

— Ton enfant, ma Cécile… C'est un garçon ou une fille ?

— Une fille. Elle a été baptisée par le père de la mission du prénom d'Aurélie.

Léonie tressaille, de nouveau émue jusqu'aux tréfonds d'elle-même. C'était le prénom de sa propre mère, qui est morte en couches l'année de ses onze ans... La fille de Daniel se dresse de toute sa hauteur et déclare :

– Moi, je me nomme Lizzie Hoyle.

– Enchantée, répond Cécile avec un mince sourire. Tu es très jolie, Lizzie.

– Ton bébé est tout petit, s'extasie la fillette, et si bien habillé ! Vois, papa, sa robe est pleine de perles de toutes les couleurs...

Les regards convergent vers Aurélie qui, inconsciente d'être la cible de l'attention générale, mange sa pomme à toutes petites bouchées. Elle porte sur le front, par-dessus ses légers cheveux bruns, un bandeau de cuir attaché à l'arrière. Son visage, de la même teinte que celui de sa mère, a la rondeur et les pommettes hautes caractéristiques des peuplades amérindiennes. Par contre, Cécile lui a transmis son nez à l'arête longue et aiguë, sa bouche aux lèvres minces et, surtout, sa prunelle d'un brun clair tirant sur le vert. Le contraste est saisissant !

Avec brusquerie, Simon demande :

– Son père ?

Sans se formaliser, Cécile répond posément :

– En mars dernier, la tribu a été victime d'une nouvelle épidémie. Les maladies des Blancs font des ravages chez eux. Il a été emporté, lui aussi.

Le rouge monte aux joues de Simon, honteux d'avoir soulevé un sujet si douloureux. Le regard au loin, Cécile murmure :

– J'aurais préféré rester parmi eux. J'aimais cette vie... Mais il m'a fallu me rendre à l'évidence. Leur avenir, à l'image de leur liberté, est en train de rétrécir comme une peau de chagrin. Et puis, j'avais peur pour Aurélie…

Des yeux, elle fait lentement le tour de la cour arrière, effleurant les pignons des maisons voisines qui se devinent à travers les arbres, le potager luxuriant, le poulailler… Son visage est traversé par un éclair de frayeur et Léonie devine qu'elle regrette amèrement la vie sans contraintes qu'elle menait là-bas. Elle échange un regard avec Simon, puis avec Daniel, pour s'assurer qu'ils ont senti, eux aussi, que Cécile est aussi fragile et désorientée qu'une pouliche que l'on tente d'habituer à son enclos.

Lizzie s'approche avec précaution et s'agenouille devant le banc, pour être à la hauteur du bébé qui lui jette un coup d'œil à la fois circonspect et intéressé. Elle s'enquiert :

— Tu crois qu'elle voudrait jouer avec moi ?

Cécile hésite :

— Ma petite Aurélie est un peu sauvage, mais tu peux essayer de l'apprivoiser…

Doucement, Daniel suggère :

— Va chercher un de tes jouets, un de bonne taille qu'elle ne pourrait pas avaler.

Lizzie détale aussitôt. Le visage de Cécile se creuse à vue d'œil sous le coup de la fatigue qui est en train de lui tomber dessus, aussi rapidement que la brunante s'installe. Daniel propose :

— Tu veux que j'aille quérir Laurent ? Il sera ravi de t'embrasser…

Cécile acquiesce et il saute sur ses pieds. À son tour, Simon demande :

— Tu veux manger autre chose ?

Sans attendre sa réponse, il se redresse en ajoutant :

– Je peux aller te préparer une assiette…

Avant de la quitter, il ne peut s'empêcher de lui caresser la joue du revers de la main, que Cécile emprisonne un bref moment pour y poser ses lèvres. Lorsqu'il est hors de vue, Léonie murmure :

– Flavie sera si contente… Nous la ferons venir demain, n'est-ce pas ?

Après un sourire d'assentiment, Cécile observe le retour de Lizzie, qui tient précieusement une figurine de bois contre son corps. S'agenouillant de nouveau à proximité d'Aurélie, elle la fait tourner sous ses yeux. Cécile balbutie :

– Une métissée, une mulâtresse… Pauvre papa, quelle maisonnée !

– Ces deux-là feront une fameuse paire, se réjouit Léonie avec un entrain forcé. C'est inespéré !

Sans répondre, Cécile s'abandonne contre sa mère, la tête sur son épaule. Le soleil couchant teinte le paysage de rouge et d'or, et Léonie a l'impression que ses chauds rayons pénètrent jusqu'à son cœur. La gorge serrée par l'émotion, elle bredouille :

– Nous en aurons des choses à nous raconter… Mais rien ne presse. Donne-toi le temps de reprendre ton souffle… Ton retour, ma Cécile, me procure un tel bonheur…

Dès le lendemain, prévenue du retour de sa sœur cadette, Flavie se hâte vers le faubourg Sainte-Anne. Elle revient chez elle en début de soirée, lasse mais ravie. Dès qu'elle le peut, elle s'empresse de partager avec Bastien son bonheur de retrouver Cécile, épuisée certes, mais dans un état somme toute acceptable. Les détails de son absence restent encore un mystère et personne n'ose presser la jeune mère qui, manifestement, a besoin de temps pour retomber les deux pieds sur terre.

Flavie a mis un terme à son travail de soignante bénévole et, de son côté, Bastien a reporté toute son attention sur sa pratique. La vie a repris, pour eux, un semblant de normalité. Au cours des dernières semaines, assoiffée de nature, la jeune accoucheuse a grappillé quelques heures ici et là pour aller se promener, le plus souvent seule, au jardin Guilbault, un jardin botanique et zoologique récemment installé sur la Côte-à-Baron, rue Sherbrooke, entre Bleury et Saint-Urbain. Ouvert au printemps, ce magnifique domaine conserve encore un aspect sauvage qui ravit tous les sens de Flavie. Un ruisseau sinueux traverse la propriété où la nature, d'une étonnante exubérance, offre d'un bosquet à l'autre de charmants contrastes. D'un jardin à l'anglaise, on passe à un frais boisé, puis à une prairie verdoyante.

Son propriétaire, un réputé commerçant de fleurs et de plantes, avait déjà fondé, dans les années 1830, un semblable jardin d'agrément où il offrait aux citadins feux d'artifice, illuminations, concerts et événements extraordinaires de toutes sortes, comme des ascensions en montgolfière et des spectacles de cirque. Flavie, qui n'avait pourtant que six ans, se souvient avec précision de la performance d'un danseur sur corde, à quarante pieds du sol. Mais la métropole n'était pas encore mûre pour une telle entreprise et, pendant une quinzaine d'années, M. Guilbault a dû se contenter d'exploiter une pépinière.

Par un magnifique samedi après-dînée de la fin du mois de septembre, Flavie réussit à y entraîner Bastien pour l'exposition annuelle de la Société d'horticulture de Montréal. À pied, ils montent la rue Bleury, bordée de charmantes propriétés et de jolis cottages. Arrivés en haut de la côte, rue Sherbrooke, ils font une halte pour embrasser du regard le magnifique panorama : la ville à leurs pieds, dont les noires blessures causées par l'incendie serrent le cœur, et la montagne de l'autre côté, tachée çà et là d'éclats de rouge et d'or automnaux. Entre les deux, les vastes propriétés des hommes d'affaires les plus riches de la ville, tels Molson et Platt, offrent à l'admiration plates-bandes fleuries et immenses villas à l'architecture exubérante.

Au jardin Guilbault, il y a un grand concours de monde. Flavie n'en a cure, trop heureuse de faire découvrir à son homme tous les trésors de ce jardin botanique qui a acquis, en trois mois à peine, une grande renommée. Avec bonhomie, le jeune médecin se laisse conduire dans les moindres recoins du domaine, s'émerveillant du fait que l'allée principale, pourtant spacieuse et bordée de fleurs toutes plus jolies les unes que les autres, les mène sans crier gare au cœur d'une véritable « forêt vierge » que l'on croirait transplantée des régions chaudes du globe…

Des notes de musique leur parviennent alors et un vaste pavillon champêtre leur apparaît, près duquel se pressent des centaines de personnes en grande toilette. Se frayant un chemin parmi elles, ils pénètrent à l'intérieur et Flavie montre à son compagnon une petite scène de théâtre, située tout au fond, sur laquelle M. Guilbault promet spectacles et concerts.

Mais l'extérieur attire bien davantage le jeune couple, qui ressort aussitôt. Le bras passé sous celui de Bastien, Flavie lui raconte que les messieurs peuvent également profiter d'un gymnase, d'une école de tir, d'un champ de course et d'un jeu de palet. Avec une grimace narquoise, elle ajoute que les dames, elles, ont pour tout équipement sportif quelques mignonnes escarpolettes...

Ils ont à peine atteint le couvert des arbres qu'une exclamation appelle leur attention. Flavie retient une grimace de contrariété. Suzanne Cibert, l'ampleur de sa grossesse exagérée par une crinoline d'une largeur stupéfiante, froufroute vers eux, suivie à quelques pas par Louis, engoncé dans une superbe redingote, la tête surmontée d'un grandiose haut-de-forme dont l'équilibre semble précaire. La *nanny*, qui pousse un landau vide et qui tient un jeune enfant par la main, ferme le cortège.

— Mes amis, s'exclame Suzanne, je suis ravie de venir vous saluer! Depuis tout à l'heure, nous n'arrêtons pas de faire de gentilles rencontres, n'est-ce pas, Louis? On croirait que toute la belle société s'est donné rendez-vous ici à la relevée... Mais rassurez-moi, j'espère que vous n'avez pas trop souffert, cet été?

À peine Flavie a-t-elle le temps de répondre : pendant que les deux hommes, un peu froidement, échangent des banalités, Suzanne se remémore, avec une certaine grandiloquence, ces terribles journées qui l'ont remplie d'épouvante. Pour couper court à cet épanchement, Flavie détourne bientôt la conversation en la complimentant sur les belles joues rouges de son rejeton qui cherche à se libérer de l'emprise de la *nanny*, une grande femme maigre à la robe austère.

Attendri par le spectacle, Bastien le suit du regard, un sourire amusé aux lèvres. Plongé dans l'univers de ses pensées, il en oublie les convenances... Pendant le silence embarrassé qui s'ensuit, Suzanne l'observe, puis elle fronce le nez et laisse tomber négligemment, avec une moue dédaigneuse à l'intention de Flavie :

— Je parierais cent louis que celui-là se meurt d'être père...

Elle glisse son bras sous celui de Bastien, qui tressaille légèrement, et elle ajoute avec gaieté :

— Si vous le voulez, Bastien, je peux donner quelques conseils à votre gentille épouse !

Il saisit enfin ce à quoi elle fait allusion et, après un regard d'excuse à Flavie, il badine :

— À mon humble avis, ce ne sera pas nécessaire. Je parierais, moi, que Flavie en sait plus au sujet de la maternité que toutes les dames de Montréal réunies !

Louis Cibert grommelle distinctement :

— En savoir trop, c'est souvent pire que pas assez !

Agressive, Flavie l'apostrophe :

— Que voulez-vous dire, au juste ?

Déstabilisé par cette question franche, il reste coi un moment, le regard fuyant. Comme toute dame bien éduquée se doit de le faire, Suzanne est sur le point d'intervenir pour détourner la conversation de ce terrain glissant lorsqu'il répond enfin :

— En se farcissant la cervelle de données savantes qu'elles ne comprennent qu'à moitié, et qui sont dangereuses pour l'innocence, les dames oublient qu'elles ont une place bien précise dans la marche du monde, voulue par le Créateur lui-même.

Suzanne enchaîne, avec un clin d'œil complice à Flavie :

— Pour ça, nous, les femmes, on se fait rappeler souvent notre devoir ! Le père dans la famille, le chef civil dans l'État et le pape dans l'Église ont reçu leur droit de commander directement de Dieu ! Mais quand cette autorité est tempérée par l'affection, comme elle se doit, ce joug n'est pas trop difficile à supporter, n'est-ce pas, madame la sage-femme ?

Flavie dit sourdement, comme à elle-même :

— Un seul époux qui abuse sa femme, un seul roi qui tyrannise ses sujets, un seul prélat qui restreint la liberté de pensée, et c'est déjà trop.

Elle croise le regard interloqué de Bastien et, soudain confuse, elle baisse les yeux en se détournant. Après un lourd silence, Suzanne s'exclame :

— Que voilà de bien sombres pensées, alors que cette si belle journée s'acharne à nous convaincre de la douceur de l'existence ! Mais je vois que mon terrible fils s'éloigne de sa *nanny*... Cher docteur, nous devons voler à son secours !

Rieuse, elle entraîne Bastien, et Louis s'attache à leurs pas. À la fois fâchée contre elle-même et contre tous ces gens qui font mine de ne pas voir que la société est injuste envers les femmes, Flavie les suit à distance, son attention attirée par une feuille d'arbre d'une forme inusitée, puis par une corolle de fleur au pistil flamboyant. Elle s'approche du groupe à temps pour entendre Louis gronder son fils :

— Fiston, tu dois écouter ta mère et ta *nanny*, sinon tu mériteras une correction !

Aussitôt, Suzanne se raidit et ne peut retenir une sèche réplique :

— Tu veux bien respecter notre entente ? *Je* m'occupe de l'éducation de nos enfants et *tu* t'occupes de la bonne marche de nos affaires !

Vexé par cette rebuffade, Louis prend Bastien, mal à l'aise, à témoin :

— Ma chère épouse a le cœur si tendre ! Si je la laissais faire, mon fils deviendrait mou comme une chiffe !

Ce ne sont pas avec des cajoleries et des mignardises que l'on trempe le caractère. Quand j'étais jeune, j'ai toujours su qui était le maître : mon père ne se gênait pas pour nous le faire savoir, à la manière forte si nécessaire ! Ça ne m'a pas si mal réussi...

Personne n'abonde dans son sens et surtout pas Suzanne, qui serre fortement les lèvres avant de se tourner vers Flavie et de lui proposer, la voix mal assurée :

— Je disais tout juste à ton mari que j'organise un cercle de couture pour venir en aide aux incendiés et que je souhaitais solliciter ton concours. Qu'en dirais-tu ?

Égarée, Flavie la considère sans mot dire.

— Tu sais coudre, quand même ? L'hiver approche et plusieurs familles n'ont même pas de quoi se vêtir en conséquence. Je compte sur toi, n'est-ce pas ?

— C'est une excellente initiative, intervient Bastien avec fermeté, et si Flavie n'est pas retenue par notre pratique, elle ira avec grand plaisir.

Suzanne sourit avec satisfaction. Flavie jette un regard de détresse à son mari, qui fronce les sourcils et dit enfin :

— Je crois, chère Suzanne, qu'il nous faut prendre congé. Notre promenade s'est déjà allongée indûment...

Quelques minutes plus tard, le couple se dirige vers la sortie. Flavie marche en silence, soudain très lasse, et le jeune homme finit par lui demander avec une légère impatience :

— Quelque chose ne va pas ?

Elle répond avec honnêteté que la proximité de Louis Cibert et la prétention qui suinte par tous les pores de sa peau ne l'enchantent guère. Bastien ne peut qu'acquiescer... Mais le désarroi de Flavie est dû à quelque chose de beaucoup plus vaste. En écho à ses déclarations révélatrices d'un être borné et suffisant, elle a entendu la voix de milliers, de millions d'hommes… Dire qu'elle aurait pu marier un tel personnage! Dire qu'un prétendant habile aurait pu la leurrer jusqu'au mariage! Dans quel enfer se serait-elle alors retrouvée? Un enfer bien plus épouvantable, elle en est persuadée, que celui qui attend les âmes damnées…

Les trois femmes sont assises dans le petit jardin attenant au domicile de Françoise Archambault. La soirée est fraîche, mais si claire que, bien couvertes de leurs châles de laine, Marie-Claire Garaut, Léonie et leur hôtesse sont en train de prendre le dessert à l'air libre, autour d'une jolie petite table ronde en fer forgé, tout en discutant avec intensité d'un revers de situation étrange, même s'il était prévisible, dans leur relation avec l'École de médecine et de chirurgie de Montréal.

Quelques jours plus tôt, Marie-Claire a ouï dire que le conseil d'administration de l'École avait signé une entente avec les Sœurs de Miséricorde afin qu'elles accueillent leurs étudiants. Ébahie et catastrophée, la présidente de la Société compatissante n'en a pas moins encaissé un deuxième puissant choc lorsqu'elle a compris que l'entente datait d'octobre 1850, soit presque deux années auparavant!

— On a bien pris soin de nous tenir dans une ignorance crasse, souligne Françoise avec un rictus amer révélé par le reflet dansant de la chandelle. Le conseil de l'école nous jouait dans le dos tout ce temps-là! Si jamais ils nous délaissent au profit du refuge de la veuve Jetté, les conséquences financières seront désastreuses !

— Pas tant que ça, la contredit Marie-Claire. Nos sources de financement sont suffisamment diversifiées…

— Ma chérie, tu te berces d'illusions ! Nous sommes littéralement à leur merci !

En apprenant la nouvelle, Léonie a d'abord cru à un désastre, mais elle a fini par ressentir un tel soulagement à l'idée d'être incessamment débarrassée de la présence des hommes de l'art ! Elle intervient alors :

— Si je peux me déboutonner à mon tour… Je ne serais pas fâchée de voir les redingotes disparaître ! La place que les médecins prennent, ils nous l'enlèvent à nous, sages-femmes. Ils veulent nous dicter la marche à suivre. Ils veulent avoir le dernier mot sur les diagnostics et sur les interventions. Ils veulent faire de nous des subordonnées !

— N'en a-t-il pas toujours été ainsi ? demande Marie-Claire avec une moue sceptique.

— Parce qu'ils s'appuient sur une science théorique, sur la prétendue supériorité de leur savoir, avec laquelle nous ne savons pas comment rivaliser ! Parce qu'ils font la promotion active de leur profession et parce qu'ils se considèrent comme un corps organisé ! Seules les maîtresses sages-femmes d'Europe ont réussi, jusqu'à présent, à les tenir en échec. De ce côté-ci de l'océan, j'ai bien peur…

Ne souhaitant pas raviver ses craintes en creusant le sujet, Léonie s'interrompt. Avec un pauvre sourire, elle ajoute plutôt :

— J'espère que le cercle d'études que Marguerite mène d'une main de maître…

De nouveau, elle s'arrête et se mord les lèvres. Plaisant cercle d'études, en vérité, où les accoucheuses se disputent entre elles au sujet de la légitimité de leur savoir!

— Pour en revenir à l'école… Faire aux médecins suffisamment de concessions pour qu'ils nous conservent leur appui, j'en ai mon voyage! D'ailleurs, à quoi ça rime, leur requête de l'hiver dernier, si les étudiants vont déménager chez Rosalie?

Avec mauvaise humeur, Marie-Claire réplique:

— *Vont* déménager? Holà! Ce n'est pas encore fait! Ce n'est pas parce que le conseil de l'École de médecine court deux lièvres à la fois qu'il faut concéder la victoire! Je te ferais remarquer que l'entente avec les Sœurs de Miséricorde n'est encore qu'un bout de papier! Comme l'incendie a tout chambardé… nous avons encore du jeu. Malgré ce que tu peux en dire, Léonie, il *faut* nous conserver l'attachement de ces messieurs!

— Comme vous le savez, Léonie, intervient Françoise, nos discussions ont été ardues concernant la requête de l'École de médecine. À vrai dire, les forces étaient inégales: Marie-Claire et moi d'un côté, et le reste des conseillères de l'autre. Même Delphine Coallier, qui réagit fort vivement lorsqu'il s'agit d'un empiètement sur notre indépendance, se disait plutôt d'accord avec l'idée d'augmenter à cinq le nombre d'étudiants lors des délivrances et de permettre la présence de deux d'entre eux lors des visites du médecin résident. À la séance de la semaine dernière, le conseil a résolu de faire parvenir une réponse favorable.

Léonie s'enquiert, avec anxiété:

— Et le bureau médical consultatif?

– En théorie, aucun problème, répond Françoise. Ce qui a suscité davantage de réticences, c'est que l'un de ces médecins veuille siéger au conseil d'administration. Nous avons pris la décision de poser la question à l'assemblée générale des membres.

Marie-Claire s'exclame :

– Toutes, nous apprécions fort d'être uniquement entre femmes, et toutes, nous rechignons à nous priver de cette jouissance !

Avec un gloussement, Françoise plaisante :

– Avez-vous remarqué ? C'est étrange, mais, depuis l'incendie, on dirait que nos conseillères les plus dévotes ont le caquet rabattu, comme si c'était monseigneur qui, jusque-là, leur soufflait les plus cinglantes répliques !

Léonie reste de glace et ravale sa déception, dépitée comme chaque fois par la position tiède de ses compagnes sur les hommes de l'art. Elle réalise clairement que les conseillères n'ont aucune intention d'indiquer la porte à ces messieurs, mais qu'elles sont plutôt prêtes à faire plus de concessions ! Elle pousse un profond soupir avant de lever la tête vers le ciel étoilé, une féerie qui l'attendrit considérablement. Depuis le retour de Cécile, Léonie a l'impression de jouir du spectacle des beautés du monde avec une intensité accrue. Chaque sourire de sa cadette, de même que chaque gazouillement de sa petite-fille Aurélie, lui procure un ineffable bonheur…

Il faut à Léonie de longues secondes pour s'intéresser à la conversation qui s'enclenche sur les retombées positives pour la Société compatissante de l'incendie de plusieurs faubourgs de la ville. C'est épouvantable à dire, mais, pour leur organisme et aussi pour l'École de sages-femmes, la catastrophe signifie une trêve bienvenue dans la surveillance de la moralité des sages-femmes!

Tout d'abord, l'aide aux démunis étant le rôle premier du clergé et des communautés religieuses, l'évêque de Montréal a dû se consacrer à l'organisation des secours. De surcroît, il a perdu son église et son palais épiscopal. Personne ne souhaitait ce malheur, mais les trois femmes constatent avec satisfaction que la tâche de reconstruction l'absorbera tout entier pendant des années!

Un évêque sans résidence, sans une maison dont le faste s'accorde avec le prestige de sa fonction, c'est comme un roi sans château. Ravalé au rang du commun, son autorité en souffre! Il paraît que Mgr Bourget, conscient que les ressources des Montréalistes suffisent à peine à soulager les sans-logis, songe à un voyage à Rome pour quérir un soutien financier.

Pour l'instant, le prélat loge à l'Asile de la Providence dont la chapelle tient lieu de cathédrale, mais la rumeur court qu'il voudrait reconstruire plus à l'ouest, là où la ville s'étend. Le cimetière paroissial sera bientôt déplacé du faubourg Saint-Antoine jusqu'à un terrain récemment acquis par la fabrique sur la montagne et Sa Grandeur estime que l'emplacement déserté conviendrait parfaitement pour «son» palais et «son» église. Ce qui n'a pas l'heur de plaire à certains habitants du faubourg Saint-Jacques...

Marie-Claire soupire:

— Je retire de tout ce bredas un grand soulagement: les conférences publiques pourront se poursuivre sans danger. J'espère aussi que le zèle de notre conseiller spirituel faiblira!

Léonie renchérit en riant:

– À mon école de même! Sa présence me complique l'existence. J'ai de la misère à trouver de nouveaux prétextes pour m'absenter à chacune de ses visites de courtoisie!

Heureusement, le jeune vicaire nommé par Chicoisneau est plutôt timoré comme prédicateur. Fort intimidé par son auditoire féminin, il bégaye des prédications confuses et brèves!

Léonie ne peut se résoudre à partir sans aborder le sujet de l'avenir conjugal de Marie-Claire, et elle se passionne aussitôt pour les déboires de son amie qui, malgré l'intensité de son dédain pour son mari, hésite encore à poser le pied dans l'engrenage d'un procès au civil. Son frère avocat a soigneusement étudié la maigre jurisprudence et il est apparu que le cas de Marie-Claire n'était pas assez grave pour impressionner favorablement le juge. La coutume juridique autorise une épouse à demander une séparation pour sévices intenses et répétés, moraux comme physiques.

Une preuve d'adultère et de vol, de même qu'un refroidissement évident des sentiments mutuels, ne suffirait peut-être pas à assurer un verdict en faveur de la plaignante, d'autant plus que Richard n'a jamais levé la main sur sa femme. Mois après mois, Marie-Claire valse donc entre une farouche détermination et la crainte légitime de voir sa réputation traînée dans la boue.

Françoise ne cache pas son impatience face à ces atermoiements et Léonie devine que les deux amies ont dû discutailler à maintes reprises… Dès lors, la conversation retombe dans ses ornières coutumières, au dire de Marie-Claire qui s'empresse de la faire dévier sur le sort malheureux de la France et de tous ces socialistes qui ont cru de bonne foi en un avenir meilleur. À la toute fin de l'année 1851, Louis Napoléon Bonaparte a pris le contrôle de l'Assemblée législative par un coup d'État, qu'il a ensuite fait ratifier par un plébiscite national. C'en était fini de la République française !

Mais le plus effrayant, c'est la répression qui s'est ensuivie et qui a jeté en prison, sur simple dénonciation, tous ceux qui auraient pu, par leur allégeance politique, avoir participé à la résistance et qui n'avaient pas fui en Angleterre ou en Belgique ! Parmi eux figure une des héroïnes de Françoise : Pauline Roland, ex-saint-simonienne et républicaine convaincue des bienfaits du socialisme.

Dotée d'un superbe esprit évangélique, cette femme possédait une telle force d'âme qu'elle a tenu à vivre entièrement selon ses principes. Refusant l'enfermement du mariage, elle a élevé seule ses trois enfants nés de deux pères différents. Elle a consacré sa vie à la diffusion des idées qui lui étaient chères : la défense des droits des femmes, l'organisation de coopératives de travail, l'instruction du peuple... Et pour tout cela, elle se retrouve aujourd'hui déportée en Algérie ! Comme les hommes sont aveugles, déplore Françoise, les larmes aux yeux, et comme le pouvoir rend cruel !

Pendant tout le souper, Léonie n'a pu s'empêcher de glisser de fréquents mais discrets coups d'œil à Françoise, qui reste aussi près de Marie-Claire que possible et qui la considère avec un mélange d'anxiété et de tendresse. La maîtresse sage-femme s'étonne de la force des sentiments qui les englobent toutes les deux comme dans une bulle. Elle ignorait que l'amitié entre femmes pouvait atteindre une telle véhémence...

Chapitre XXV

Au début du mois de septembre, tous les sans-logis qui en avaient la possibilité ont emménagé chez des proches; il ne reste dans les abris que les véritables démunis, veuves âgées, vieillards infirmes et mères nécessiteuses. Les décombres et les ruines calcinées, parmi lesquels se fait entendre le bruit obsédant des coups de marteau et du va-et-vient des scies, sont devenus une vision familière.

Mortifiée d'être éloignée de l'action, Marguerite a tant harcelé ses parents qu'ils se sont résignés à rentrer en ville plus tôt que de coutume et la jeune femme fait partie des renforts de demoiselles rafraîchies par leur séjour à la campagne qui viennent se joindre à l'équipe des soignantes bénévoles. Si Flavie en profite pour mettre un terme à ce travail, Marguerite s'y dévoue de toute son âme, comme à son habitude.

Lorsque, par une magnifique après-dînée de l'été des Indiens, Flavie reçoit la visite espérée de Marguerite, toutes deux n'ont réussi à échanger, depuis son arrivée, que quelques mots à la dérobée... Ravie, Flavie propose une promenade à son amie, qui s'empresse d'accepter. Marguerite est anormalement silencieuse et Flavie considère du coin de l'œil son visage pâle dévoilé par ses cheveux strictement tirés sous son léger bonnet, les cernes sous ses yeux et le pli amer au coin de sa bouche.

Elle fait un geste vague vers un petit square sur lequel veillent deux grands arbres et Marguerite acquiesce d'un signe de tête. Elles époussettent un banc et y prennent place, contemplant un long moment, sans parler, le va-et-vient des charrettes de livraison et des berlines.

Flavie glisse son bras sous celui de son amie et lance :

– À ce que je vois, les attentions de M. Lainier te troublent le teint !

À sa grande surprise, les traits de Marguerite se décomposent et elle se mord les lèvres pour les empêcher de trembler. Flavie se redresse légèrement, fort curieuse d'en apprendre davantage et en même temps désolée d'avoir soulevé un sujet manifestement pénible. Comme son amie garde le silence, elle l'encourage :

– Ton père a refusé un apprentissage auprès de lui ?

– C'est sans appel, confirme-t-elle d'une voix blanche.

– Tu espérais vraiment le contraire ?

– Je m'étais illusionnée… J'avais cru que l'énergie de Joseph pouvait renverser les montagnes. Comme la mer a creusé le roc de Gaspé, disait-il.

Notant mentalement que Marguerite nomme familièrement leur allié par son prénom, Flavie commente :

– C'est fièrement demander à un seul homme.

– Je lui ai écrit la décision de mon père. J'espère qu'il a reçu ma lettre : je n'ai pas eu de réponse.

Un lourd silence s'ensuit, que Flavie rompt d'une voix qui tremble légèrement :

– Tu crois que… que ton père se serait attendri si j'avais étudié avec toi ?

Marguerite secoue fortement la tête.

— Il lui aurait fallu un bataillon de cent étudiantes, pour le moins...

Intensément soulagée, Flavie bredouille :

— Je comprends sans peine, ma mie, tout ce que tu peux ressentir... T'opposer à tes parents, au risque d'une guerre ? C'est trop cher payé... Parce que je voulais te dire... J'ai essayé...

— Quoi donc ?

— De convaincre Bastien de me laisser étudier.

S'animant, Flavie lui relate ses tentatives auprès de son mari concernant un éventuel apprentissage soit avec lui, soit avec Marcel Provandier, réfugié rue Sainte-Monique après l'incendie.

— Il est si vieux ! que je me disais, personne n'y trouvera à redire, y compris Bastien !

Toute pétulance envolée, elle conclut sur un ton sinistre :

— Eh bien, j'avais la berlue. Je ne peux quand même pas transformer notre chambre à coucher en un champ de bataille !

— Nous avions tort, dit sourdement Marguerite, de croire que l'apprentissage était le chemin tout désigné vers la science médicale.

Comme Flavie l'envisage avec alarme, elle ajoute dans un murmure, comme si elle dévoilait un recoin secret de son âme :

— J'avais conçu une grande espérance par rapport à Joseph et je t'assure que la chute a été douloureuse ! Oui, une très grande espérance...

Se ressaisissant, elle reprend d'un ton docte :

— Tu te souviens de ce que j'avais évoqué après la conférence de Françoise ? À défaut d'un apprentissage, faire une demande dans les écoles de médecine… J'y ai beaucoup songé cet été. Je crois que la voie de l'apprentissage était une erreur, compte tenu de… Tu vois, dans ce monde, les hommes se réservent toujours ce qu'il y a de meilleur. Pour être considérée comme leur pair, leur égale, il me faut ce meilleur, c'est-à-dire une formation supérieure sanctionnée par le diplôme d'une école. Comme eux, je dois pouvoir me promener en boghei, dans *mon* boghei, et non plus à pied comme une vulgaire accoucheuse…

Elles se regardent gravement. Le geste donnerait à sa cause une pénible notoriété ! Et que dire des obstacles sur sa route… Si Elizabeth Blackwell a réussi à se faire admettre dans une école de son pays, si elle a réussi à s'allier ses camarades de classe, c'est encore l'exception qui confirme la règle ! Elles ont su, grâce à Françoise Archambault et à ses multiples contacts dans le monde du féminisme américain, qu'une praticienne réputée de Boston, Harriot Hunt, avait tenté, en 1847, d'entrer à Harvard, mais que le conseil des gouverneurs avait jugé cette requête «inopportune».

Trois ans plus tard, elle revenait à la charge, demandant tout bonnement d'assister aux cours en tant qu'auditrice libre. Si le conseil des gouverneurs avait finalement accepté, les étudiants, eux, avaient émis des protestations outragées ! Pour le plus grand malheur de Mme Hunt, trois hommes noirs avaient également été admis comme étudiants, et leurs futurs confrères avaient affirmé que cela risquait de diminuer la valeur de leur diplôme. Dans ce climat d'indignation, le sort de la praticienne avait été réglé de même : on refusait la présence de Mme Hunt dans les salles de classe pour préserver non seulement la réputation de dignité de l'école, mais la sienne propre! Sa sacro-sainte délicatesse féminine et sa modestie naturelle allaient irrémédiablement souffrir de cette promiscuité avec des jeunes hommes, qui refusaient d'être responsables d'une horreur, soit une femme *unsexed*, déféminisée…

Avec un profond soupir, Marguerite conjecture :

— Tu imagines? Si ces jeunes hommes peuvent parler ainsi d'une dame dans la quarantaine, ronde comme une matrone, que vont-ils penser de moi?

Elles échangent un regard chargé d'angoisse. De laisser son amie affronter seule une horde de mâles aux crocs acérés, Flavie en a les entrailles toutes retournées! Elle chuchote, comme si une oreille ennemie pouvait les entendre :

— Mais, ma douce Marguerite… Jamais les protecteurs de l'École de médecine et de chirurgie ne s'abaisseront à accepter!

— Je ne le sais que trop bien. Cependant, je préfère, et de loin, me battre contre eux plutôt que contre mes vieux parents… Hardi donc! Encore une visite à notre bienveillant protecteur! Tu m'accompagnes, n'est-ce pas? J'ai besoin de toi comme chaperon…

Trois jours plus tard, bien sanglé dans sa redingote, Lainier les attend en faisant les cent pas sous le porche de l'École. La première, Flavie grimpe l'escalier en tendant le bras vers lui. Tous deux ont développé l'habitude de s'échanger ainsi une franche poignée de main, comme deux camarades, et Lainier prend manifestement un malin plaisir à lui serrer la pince fort vigoureusement.

Marguerite gravit les marches d'une démarche lente et hésitante, les joues empourprées, et Flavie voit à quel point il hésite à tendre sa main pour offrir son aide. Il se résigne enfin à enfouir ses poings dans ses poches et, d'une voix éteinte, il leur demande des nouvelles de leur été. Marguerite finit par répondre qu'elle déteste ces deux mois pendant lesquels elle est obligée de suivre sa mère à la campagne. Même si elle prend soin d'apporter une valise de livres, le temps s'écoule si lentement entre les promenades en voiture à cheval et les interminables visites de courtoisie!

Flavie se gausse:

— Marguerite tente de convaincre sa mère de la laisser en ville pour les vacances, mais madame est horrifiée à cette seule idée. Dieu seul sait tous les dangers qu'elle pourrait courir, seule à la maison!

Marguerite sourit sans relever la moquerie. Ses traits s'animent quand elle lance:

— Je ne t'ai pas encore raconté, Flavie... Cet été, je me suis intéressée au sort de gens bien humbles. Des domestiques, des aubergistes, des paysans... Quand c'était possible, je collaborais à leurs tâches et on finissait par converser. C'était... comment dire? C'était exaltant de les entendre parler de leur vie, de leurs joies et leurs peines. Le croirez-vous? J'ai même accompagné trois femmes dans leur délivrance! Pour la première, c'était une urgence, la matrone du coin ne savait plus quoi faire. Ensuite, la nouvelle a fait le tour de la paroisse...

Après un moment de silence, Marguerite ose demander à leur interlocuteur:

— Et vous-même, docteur? Vos vacances?

Il la gronde gentiment:

— La dernière fois, je vous ai priée de m'appeler par mon prénom...

Marguerite acquiesce d'un battement de cils et il répond avec un soupir :

— Trois semaines dans une petite maisonnette de campagne, avec ma mère et sa dame de compagnie. Ce séjour est un grand bonheur pour ma mère et une profonde détente pour moi aussi, même si nous n'avons pas beaucoup de visiteurs. Mais les oiseaux sont de charmants compagnons, n'est-ce pas ? Les ratons laveurs aussi, et les chiens errants...

Dans son bureau, tous trois s'installent en un cercle rapproché. À sa manière de se caler bien au fond de sa chaise et de croiser les bras contre sa poitrine, le médecin se cantonne derrière un déconcertant rideau de froideur. Marguerite semble incapable de rassembler ses idées et c'est Flavie qui articule lentement :

— Je crois, monsieur, que vous avez reçu de Marguerite une missive vous informant de l'échec de votre proposition d'apprentissage...

Il fait un bref hochement de tête. Elle ne peut s'empêcher d'ajouter :

— Nous avons été sottes, sans doute, de croire qu'une telle requête avait quelque chance de succès.

— Une fille ne peut s'opposer outre mesure à son père, jette Marguerite avec découragement. Une fille est prisonnière de la bonne volonté de son père ! Si j'avais le choix, j'irais m'installer seule dans un petit appartement et je mènerais ma vie comme je l'entends ! Mais on pousserait de hauts cris... Seules les femmes de mauvaise vie se permettent une telle liberté, n'est-ce pas ?

Le désarroi de Marguerite est si touchant que Flavie se retient tout juste d'aller lui étreindre la main. Lainier la considère avec de grands yeux de plus en plus étonnés, tandis qu'elle ajoute avec amertume :

— De toute façon, où je trouverais l'argent pour vivre ? Notre société prend bien soin de placer les femmes dans un état de dépendance économique...

Se raclant la gorge, Flavie intervient :

— Miss Blackwell a réussi à se faire accepter dans une école. Pourquoi pas ici ? Marguerite souhaite adresser une requête à l'École de chirurgie et de médecine pour se faire admettre comme étudiante.

— Mais ce serait sans doute trop vous demander que de...

N'osant poursuivre, Marguerite s'interrompt et fait une moue d'impuissance. Après un moment de silence, Flavie se résigne encore à parler à la place de son amie :

— Vous aviez indiqué, monsieur, que Marguerite pouvait compter sur votre aide... Est-ce encore vrai ?

La tête à moitié inclinée, le regard dans le vague, le professeur ne répond pas. Charmée malgré elle par ses traits harmonieux, Flavie l'observe cependant avec anxiété. Enfin, il se redresse brusquement et saute littéralement sur ses pieds. S'adressant à Marguerite, il jette plutôt cavalièrement :

— Je vous recevrai à mon bureau la semaine prochaine pour la lettre d'appui que vous désirez.

Sitôt que les deux jeunes femmes sont dehors, Marguerite déclare d'une voix blanche qu'elle ne peut se résoudre à garder le professeur ainsi prisonnier de sa promesse. Manifestement, il lui conserve son appui pour ne pas renier sa parole, mais s'il avait le choix, il ferait prestement marche arrière ! Elle se rendra à leur prochaine et dernière rencontre, mais pour lui signifier qu'elle le libère de son engagement. Flavie a beau s'acharner, aucun argument ne réussit à la faire changer d'idée, et c'est une Marguerite aux dents serrées qui lui fixe un rendez-vous pour le mercredi suivant.

Lorsque, par ce matin frisquet du début de novembre, les deux jeunes femmes font leur entrée à l'École de médecine et de chirurgie, les lieux sont étonnamment déserts et silencieux. Le concierge irlandais leur apprend, dans son français cassé, qu'étudiants et professeurs sont rassemblés dans l'amphithéâtre pour une dissection. Cette nuit, explique-t-il tout de go, un cadavre frais leur est arrivé comme un cadeau du ciel, une ébraillée bien dodue et d'allure fort aimable!

Si l'homme voulait s'amuser à scandaliser les deux jeunes femmes, son effet est raté: le remerciant courtoisement, elles quittent la petite pièce qui lui sert de loge et marchent jusqu'au bureau de Joseph Lainier. En effet, il a épinglé un mot sur sa porte close, les priant de remettre leur rendez-vous à une date ultérieure. Aussitôt, elles se perdent à mi-voix en conjectures sur la nature de cette dissection. S'agirait-il d'une patiente de la Société compatissante?

D'où elles se trouvent, elles aperçoivent la porte de l'amphithéâtre, situé au bout du corridor. Silencieuses et désemparées, elles la fixent longuement. Flavie se sent attirée par cet endroit comme par un aimant, comme s'il s'agissait d'un lieu magique, une caverne d'Ali Baba remplie de trésors...

Marguerite lâche soudain:

— Les dissections sont ouvertes au public, n'est-ce pas?

Flavie observe son sourire mutin et un frisson d'excitation lui parcourt l'échine. Par «public», les autorités de l'école entendent uniquement les hommes… Une constriction dans la gorge, elle réplique pourtant:

— C'est entendu. Tu as pu assister à des dissections à la Maternité de Paris, mais moi, j'en suis restée à cette pauvre Catherine…

Marguerite réprime un fou rire nerveux.

— Il est temps de poursuivre ton éducation, qu'en penses-tu? Je suis sûre que tu en meurs d'envie.

Gagnée par l'hilarité de son interlocutrice, Flavie articule avec difficulté:

— Tous les soirs en me couchant, ça me travaille. Si seulement je pouvais assister à une nouvelle dissection!

Leur accès de joie meurt aussi rapidement qu'il était venu et elles restent face à face, indécises. En un éclair, Flavie imagine les conséquences d'un acte aussi téméraire. Après une crise d'hystérie de la part des étudiants présents, elles se feront proprement bouter dehors! La nouvelle fera le tour de la cité entière et on les traitera ouvertement de singes savants… Quelques jours plus tard, le conseil de l'École émettra une protestation officielle concernant les «désordres» récents et elles seront toutes deux réprimandées comme des fillettes désobéissantes!

D'un autre côté, les interdits qui reposent sur l'arbitraire sont faits pour être défiés… Flavie murmure:

— Tu ne risques pas de compromettre les chances de succès de ta demande d'admission ici?

— Quelles chances de succès? Je n'en ai aucune, Flavie, ne te fais pas d'illusion. C'est pour l'exemple… Mais toi, tu es sûre que tu veux prendre le risque?

Le risque de froisser Bastien… Flavie ferme les yeux un court instant. Elle n'en peut plus de se sentir pieds et poings liés, retenue de s'élancer dans la direction de son choix! Comme si un œil omniscient jugeait le moindre de ses actes... Va-t-elle accepter que, tel ce Dieu de la religion catholique qu'elle rejette pourtant de toute la force de sa liberté de pensée, son mari la contraigne ainsi? En son âme et conscience, Bastien ne pourrait refuser à toute autre femme déterminée ce qu'il lui interdit pourtant, à elle, simplement parce qu'elle est *sa* femme et qu'il y perdrait une bonne part de son prestige personnel! Ce foutu prestige qui repose uniquement sur la capacité de se faire obéir sans discussion, même si les ordres sont stupides ou abusifs...

Se mordant les lèvres, Flavie pivote résolument et offre son bras à Marguerite, qui y glisse le sien. Sans prendre le temps de penser pour ne pas voir leur résolution vaciller, elles franchissent toute la longueur du corridor, ouvrent la porte toute grande... et entrent en catimini, comme des voleuses. Les spectateurs ne leur prêtent aucune attention, leurs yeux fixés sur la dissection. Les deux femmes ont le temps d'embrasser la petite pièce du regard, notant les gradins en forme de cercle qui s'élèvent sur trois rangées et la table de dissection au-dessus de laquelle sont penchés deux hommes en redingote. L'un d'entre eux est en train de donner une explication et Flavie reconnaît, avec un coup au cœur, la voix forte de Nicolas Rousselle.

À cet instant, un étudiant remarque leur présence, puis un autre, et bientôt un murmure excité court dans la salle. Flavie avise deux chaises vides au centre de la rangée du haut. Elle tire Marguerite par la jupe et elles entreprennent, la tête haute, de grimper avec dignité le court escalier qui y mène. Elles bafouillent des excuses polies aux hommes qui occupent l'entrée de la rangée et qui, médusés, se lèvent machinalement pour les laisser passer.

Les deux amies prennent place posément et font presque simultanément un léger signe de tête à Rousselle et à Joseph Lainier qui, tournés vers elles, sont bouche bée. Les murmures s'éteignent et un lourd silence s'installe. Enfin, Rousselle balbutie :

— Mais comment... Comment osez-vous... Comment osez-vous vous présenter ici ?

Flavie est paralysée par la gêne, mais Marguerite prend une profonde inspiration et, d'une voix mal assurée mais suffisamment claire, elle dit :

— Bon matin, messieurs les professeurs. Ma consœur sage-femme et moi, nous venons nous abreuver aux lumières de votre science. Sur quel organe la dissection porte-t-elle ?

Pétrifié, Rousselle reste muet sous l'outrage. De son côté, Joseph reprend peu à peu ses esprits et son visage s'illumine soudain d'un tel éclair d'admiration que Flavie en rougit encore davantage. Les yeux qui pétillent, il déclare avec civilité :

— Mademoiselle Bourbonnière, madame Renaud, votre présence nous honore.

S'adressant au public, il précise avec pétulance :

— Ces dames sont des accoucheuses accomplies, auxquelles j'ai eu moi-même le plaisir d'enseigner quelques notions d'anatomie.

Un rire étouffé se propage d'un gradin à l'autre, mais, s'empourprant à peine, Lainier continue à regarder posément l'assistance. Enfin, il croise le visage mi-interloqué, mi-furibond de Rousselle. Sans lui laisser le temps de retrouver son aplomb, il ajoute encore, en se tournant vers le cadavre :

— Pour le moment, nous en étions aux viscères. Nous expliquions à ces messieurs de quelle manière ces organes sont comprimés durant une grossesse. Cette pauvre femme a trépassé cette nuit, malgré toutes les tentatives du professeur Rousselle. Plus tard, nous ferons un exposé général sur les organes de la génération. C'est la coutume avec un tel spécimen…

Son embarras croissant fait prendre conscience à tous que la morte est nue sur la table. Cette fois, des protestations indignées jaillissent et quelques hommes se lèvent pour manifester publiquement leur opposition à la présence de dames en un tel lieu. Choquée, Flavie reconnaît parmi eux son ancien prétendant, Louis Cibert. Elle avait oublié que beaucoup de membres de la profession couraient les trop rares dissections ! Égarée, elle se dépêche de parcourir l'auditoire des yeux et constate avec un immense soulagement que Bastien est absent. Elle reconnaît cependant une autre figure familière : l'associé de Bastien, Étienne L'Heureux. Il attendait manifestement qu'elle l'aperçoive et lui fait un léger signe de connivence qui lui réchauffe le cœur.

La voix de stentor de Rousselle résonne dans la pièce :

— Mesdames, votre intérêt pour la science médicale est digne d'admiration, mais je vous prierais de quitter l'amphithéâtre à l'instant. Votre présence ici vous expose à de sérieux désagréments, tout en plongeant cette assemblée dans une confusion bien compréhensible.

Le visage brusquement cramoisi de colère, Marguerite se dresse et riposte d'une voix qui se répercute :

— De sérieux désagréments ? Une confusion ? Est-ce
que par hasard, monsieur, vous penseriez à mal ? Est-ce
que vous profitez des occasions offertes par la science
pour vous rincer l'œil ?

Ces accusations réduisent le public au silence. Rousselle s'empourpre tandis que, dans un silence total, Marguerite se rassoit lentement avant d'ajouter :

— Tous, ici, nous souhaitons nous instruire pour
mieux servir la population. C'est notre seul but : devenir
d'excellents praticiens, pour aider notre clientèle au lieu
de lui nuire. Nous sommes des confrères, des camarades
d'apprentissage.

Marguerite avale sa salive avec effort et poursuit :

— Et sous nos yeux, sur cette table, il y a tout bonnement un être humain dénudé.

Les spectateurs qui s'étaient levés échangent des
regards déconfits, puis tous les yeux se tournent vers
Rousselle en même temps que Lainier interroge d'une
voix rauque, en lançant un regard circulaire :

— Nous pouvons reprendre, messieurs ?

Il pose enfin son regard sur son collègue. La bouche grande ouverte, Nicolas Rousselle le fixe avec une
profonde incrédulité. Rouge, ses poings se serrant convulsivement, il lève ensuite les yeux vers les deux jeunes
femmes. Flavie ose à peine respirer, persuadée qu'il va se
laisser aller à une terrible colère. Mais il semble se raviser
et, en deux enjambées, il vient se planter à quelques pouces de Lainier, qu'il dépasse d'une bonne demi-tête. Se
penchant vers lui, il articule à voix basse, avec une fureur
à peine contenue :

– Cher collègue, vous me surprenez grandement. J'ignorais totalement votre sympathie pour les *femmes savantes*. Ces deux dames ont profité souvent de vos leçons privées d'anatomie ?

Faisant mine de ne pas entendre les quelques éclats de rire sonores qui accueillent l'insinuation de Rousselle, Lainier réplique dignement :

– Hélas, une seule fois, dans une circonstance que vous connaissez. Mais j'ai eu le temps d'admirer leur aplomb, cher Nicolas, un aplomb qui surpassait celui de plusieurs des hommes présents.

Prenant garde de relever cette allusion aux dissections offertes en secret aux élèves de l'École de sages-femmes, Rousselle demande encore, avec une suavité à faire frémir :

– En aucune façon, vous ne vous opposez à leur présence ici ?

Lainier glisse un regard vers Flavie et Marguerite, figées comme des statues. Il inspire profondément et un silence absolu tombe sur l'assemblée suspendue à ses lèvres. D'une voix claire et vibrante, sans quitter les deux femmes des yeux, il répond enfin :

– Depuis que le monde est monde, les femmes ont subi plus que leur part d'outrages. Pour leur imposer sa domination, l'homme s'est abaissé à répandre d'odieuses croyances sur leur compte. Dans les écrits de la Bible, il a affirmé qu'Adam avait été créé sans l'intervention d'aucun principe féminin, puis que l'histoire de la femme commençait par une côte de l'homme. D'une nature féminine orgueilleuse, Ève aurait perdu le respect et l'admiration d'Adam à cause de sa curiosité pour l'interdit. Sous prétexte de ce prétendu péché originel, tant d'excès ont été commis depuis!

Marguerite expire d'un seul coup et Flavie lui jette un rapide coup d'œil. Les yeux agrandis par la stupéfaction, elle est estomaquée, la bouche grande ouverte. En quelques phrases d'une franche hérésie, Lainier vient de jeter à terre le fragile échafaudage dressé par deux mille ans de chrétienté! Le ton du médecin devient littéralement exaspéré:

— Cette entreprise de destruction s'est poursuivie avec de nombreux penseurs, dont Aristote, notre cher Aristote, n'est pas le moindre. Selon lui, la naissance d'une femelle au lieu d'un mâle serait une erreur génétique! La femme serait un être inférieur, une sorte de sous-produit inachevé de l'homme! Depuis ce temps, les savants ont passé leur temps à chercher des preuves de l'infirmité féminine, au mépris de toute logique, au mépris d'un examen attentif et *sans préjugés* de la nature humaine!

Profondément touchée par l'empathie de Lainier et par la vigueur de son exposé, Flavie étreint la main de Marguerite, qui le lui rend avec encore plus d'ardeur.

— Cher collègue, interjette Rousselle, ne vous égarez pas…

— Je ne m'égare pas! On a longtemps cru que la seule fonction de génitrice de la femme était de porter l'œuf de l'homme, n'est-ce pas? On a longtemps cru qu'elle n'était qu'un réceptacle, malgré toutes les indications contraires, ne serait-ce que la ressemblante frappante d'un enfant avec sa mère! Il a fallu les lumières de la science moderne pour réparer cette erreur! Eh bien, je suis persuadé – vous m'entendez, Rousselle? –, je suis persuadé que quantité d'autres erreurs de ce genre seront ainsi réparées dans l'avenir, au sujet de la nature féminine et de sa prétendue faiblesse!

Lainier reprend son souffle et quelques applaudissements approbateurs font écho à sa tirade. Nullement ébranlé, une expression moqueuse sur le visage, Rousselle croise les bras sur sa poitrine et raille:

– Voyez-vous ça... Mon présomptueux collègue s'élève contre des siècles... Que dis-je? Contre un héritage millénaire! Lui tout seul, il croit qu'il possède la vérité, la science! Vous blasphémez, Joseph, et pas seulement contre les enseignements de Dieu, mais contre ceux de vos illustres prédécesseurs, ceux qui ont accumulé le savoir qui fait de la médecine la mère de toutes les sciences! Oui, la femme produit un œuf! Oui, la femme est apte à la maternité une fois par mois! Oui, la femme a une physiologie particulière *imposée* en vue de la maternité!

D'un ton triomphant, il ajoute:

– Cet appareillage particulier entretient des sympathies avec toute l'économie de la femme, agissant en cas de dérèglement sur son corps entier et même sur son esprit! Et c'est à un être tout entier soumis aux humeurs de sa matrice, ce réceptacle obscur qui émet périodiquement une décharge fétide, que vous voudriez confier la santé de notre population? C'est à un être ainsi gouverné par son appareil reproducteur, susceptible de phlegmasies chroniques, que vous voudriez confier la grande marche du monde?

Outrée, Flavie grommelle entre ses dents. Tous les poils de son corps se hérissent à l'entendre dépeindre avec tant d'exagération le pouvoir morbide de la matrice! De nouveau, Marguerite se lève et tous les regards convergent vers elle. La bouche ouverte pour continuer sur sa lancée, Rousselle reste cependant muet, et Marguerite en profite pour protester avec superbe :

— Il n'est pas nécessaire de décrire plus avant, monsieur, les réactions de la matrice et de ses annexes quand la menstruation, *une fonction naturelle*, s'établit de façon anormale. Il est bien connu que de tels troubles exposent toute l'économie du corps à l'intoxication. Il est notoire aussi que bien des médecins conseillent, comme traitement, une régularisation du fonctionnement... Souhaitez-vous, monsieur Rousselle, que je dresse à l'instant la liste des principes curatifs?

Un fou rire parcourt l'auditoire, partagé par Flavie qui connaît, elle aussi, la croyance scientifique concernant l'action stimulante de la *liqueur masculine*... De l'auditoire, une voix s'élève, celle d'Étienne L'Heureux, qui articule avec un ennui affecté :

— Monsieur Rousselle, veuillez nous épargner ces répétitions oiseuses. Nous connaissons tous l'opinion d'une partie de la profession qui estime que la femme n'est qu'une matrice autour de laquelle, accessoirement, fut greffé l'organisme féminin et qui estime également que cet organisme est sujet à des faiblesses nerveuses périodiques et à des déséquilibres biologiques. Selon ces hommes éminents, de réels accès de démence! Pour ma part, je crains beaucoup moins ces variations mensuelles que les variations quotidiennes d'une bonne partie de mes confrères imbibés d'alcool...

Tandis qu'un rugissement monte de l'auditoire, mélange de protestations et d'éclats de rire, Flavie et

Marguerite échangent un regard euphorique. Tout à coup, Louis Cibert se dresse pour tonner :

— Ce cirque a assez duré ! Je me contrefiche de l'avis de M. L'Heureux, qui n'a aucune leçon à nous faire concernant les lois de la biologie ! Si je m'écoutais, je foutrais hors de la profession les hommes de son espèce, chez qui, nécessairement, le courage et l'esprit de décision doivent briller par leur absence !

Un silence de mort accueille cette insulte. Posément, Étienne finit par répliquer :

— Ne gaspillez pas votre salive, monsieur Cibert. J'accorde autant de valeur à votre opinion sur moi qu'à votre opinion sur la gent féminine en général.

De l'autre côté de la salle, un membre de l'auditoire lance :

— Monsieur Lainier, nous sommes venus pour assister à une dissection, non pas à une discussion oiseuse sur la physiologie ! J'ai quitté mon cabinet pour cette seule raison ! Je vous prierais, au nom de tous mes confrères présents, de faire quérir le concierge, et même les constables s'il le faut, pour expulser ces dames de cette digne enceinte !

C'est Jacques Rousselle qui a parlé ainsi et Joseph Lainier lui jette un regard noir. Moqueur, Étienne intervient encore :

— Et pourquoi pas notre belle armée anglaise, tant qu'à faire ? Je refuse de me voir associé à une confrérie qui emploierait des moyens aussi discourtois, aussi disproportionnés ! Je demande le vote !

— Il n'en est pas question, tranche Lainier d'un ton sans appel. *Je* suis responsable de cette dissection. *Je* prierais tous ceux qui trouvent insupportable la présence de nos consœurs de quitter immédiatement l'amphithéâtre. Et sans discussion ! Votre grief, allez le porter au conseil d'administration si ça vous chante.

Un à un, les hommes se laissent retomber sur leurs sièges, sauf quelques-uns qui, en maugréant, dégringolent bruyamment les escaliers des gradins pour quitter la salle. En passant, Louis Cibert jette à Flavie un regard plein de rancune. Enfin, Nicolas Rousselle laisse bruyamment tomber sur le chariot d'instruments le scalpel qu'il tenait encore à la main, puis il se dirige vers la sortie en courant presque. La porte se referme et l'atmosphère s'allège notablement.

Dans le dessein de se trouver un assistant pour la dissection, Joseph Lainier fait le tour de la salle du regard. Il semble sur le point de désigner quelqu'un, mais il hésite et, finalement, se tourne vers les deux femmes. Avec une certaine brusquerie, il lance à l'adresse de Marguerite :

— Mademoiselle Bourbonnière, n'avez-vous pas assisté, à la Maternité de Paris, à de nombreuses dissections ?

L'interpellée hoche faiblement la tête.

— Daignerez-vous, alors, venir sur le plancher pour m'assister ? Mes collègues bénéficieront certainement de l'ampleur de votre savoir.

Les membres de ladite assistance sont, de nouveau, frappés de stupéfaction. Saisie, Marguerite reste vissée à son siège.

— Pour être franche, monsieur, j'ai eu bien peu l'occasion de manier le scalpel. Je me suis surtout beaucoup exercée dans ma tête !

Mais Lainier reste sourd à cet argument et Flavie fait une pression sur la main de Marguerite qui, mue par un ressort, se lève et descend vers le professeur avec

la démarche d'un automate. Un mince sourire sur les lèvres, Lainier remarque :

– Votre vêture n'est pas très adaptée au rôle que je
vous fais jouer… Un de ces messieurs pourrait-il prêter
sa redingote à notre consœur ?

Un rire nerveux court le long des rangées tandis que
les hommes font des mines à la fois confuses et réjouies.
Enfin, l'un d'entre eux, légèrement rougissant, tend son
vêtement à Marguerite. Lorsqu'elle prend place à côté
de Lainier au-dessus du cadavre, Flavie constate, comme
sans doute chacun des hommes présents, que bien peu
de chose les distingue : une jupe au lieu d'un pantalon,
une sobre coiffure féminine au lieu de cheveux courts d'un
brun grisonnant…

Marguerite se contente d'abord d'observer avec attention son voisin, qui a repris sa tâche qu'il accompagne d'une leçon publique. Peu à peu, elle s'enhardit et se
met à disséquer. Lainier lui adresse une remarque, elle
répond, et bientôt tous deux s'installent dans un rythme
tranquille, échangeant des commentaires et expliquant
leurs découvertes à l'assemblée suspendue à leurs lèvres
et à leurs gestes. Marguerite ne se gêne pas pour évoquer
les connaissances acquises à Paris et pour en faire largement profiter l'audience.

Le temps file à la vitesse de l'éclair. Lainier se redresse
enfin et jette un regard interrogateur vers l'un des hommes assis dans la première rangée. Ce dernier sort une
montre de la poche de sa redingote et fait une mine surprise. Lainier prononce d'une voix fatiguée :

– Onze heures ont sonné depuis longtemps, messieurs. Merci de votre attention. Merci également, mademoiselle Bourbonnière.

Aussitôt, les spectateurs se dispersent dans un brouhaha, tandis que Marguerite se dirige vers un seau d'eau posé à même le sol. Elle se savonne vigoureusement, puis elle se débarrasse de la redingote, qu'elle remet à son propriétaire avec un sourire de remerciement. Quelques étudiants se tiennent à la disposition de leur professeur pour l'assister dans la corvée de nettoyage. D'un air absent, Lainier indique la sortie aux deux jeunes femmes, leur demandant de l'attendre devant son bureau.

Chapitre XXVI

À l'issue de la dissection, il faut à Flavie et à Marguerite un bon quart d'heure pour franchir la courte distance entre l'amphithéâtre et le bureau de Joseph Lainier, retenues qu'elles sont dans le corridor par plusieurs groupes d'hommes qui les invitent à discuter. Au sein de l'un d'entre eux, Étienne L'Heureux fait à Flavie un charmant sourire. Un petit jeune homme rondelet mais vif aborde Marguerite avec excitation :

— Monsieur de Lamotte, chirurgien français, n'a-t-il pas écrit que l'Hôtel-Dieu de Paris était la meilleure école de l'Europe ? Il aurait ardemment souhaité y officier aux opérations obstétricales, mais un seul chirurgien, nommé par faveur, en était chargé…

Marguerite acquiesce gracieusement.

— Tous les auteurs s'entendent sur ce fait. Ils ajoutent de même que le chirurgien n'intervient que très rarement et que les accouchements contre nature se comptent, pendant des années, sur les doigts d'une seule main !

À son tour, Étienne intervient, après un léger salut :

— À vous entendre, mademoiselle — car j'étais présent à votre conférence publique, il y a quelque temps —, il faudrait se méfier comme de la peste de tous les ouvrages signés par ceux qui ont travaillé toute leur vie à perfectionner notre art…

Un de ses confrères s'exclame avec dérision :

— Les femmes prétendent entrer en lice avec les hommes dans la profession !

— Quelle présomption intolérable, n'est-ce pas ? réplique Marguerite en lui adressant un léger sourire. Comme d'autres sages-femmes, Mme Nihell écrit que les chirurgiens, en qualité d'accoucheurs, ont fait mourir plus d'enfants avec leur *speculum matricis*, leurs crochets, leurs forceps, qu'ils n'en ont conservé. Cette fatale méthode d'intervenir avec des instruments est absolument inutile dans notre profession, et on ne saurait assez sévir contre une aussi dangereuse maxime que celle qui en recommande l'usage.

— Les meilleurs auteurs peuvent se tromper, ajoute Flavie. Leur esprit n'est pas au-dessus des erreurs. Ils ont pu donner dans le faux, soit par ignorance, soit par préjugé, faute d'examen ou de bon raisonnement.

— Et je cite encore Mme Nihell : leur cœur, pareillement, a pu être corrompu par des vues d'intérêt ou d'ambition.

Sur ce, Marguerite tourne les talons, suivie par Flavie qui n'en revient pas de l'assurance que son amie a acquise à Paris. Elle le lui fait remarquer et Marguerite répond avec un faible sourire :

— Étrange, n'est-ce pas ? Je m'étonne moi-même… Mais j'ai développé là-bas une grande admiration pour le métier d'accoucheuse qui semble me donner toutes les audaces. J'ai voulu aider les femmes en souffrance par esprit de charité, par esprit chrétien. J'ai cru que c'était le meilleur moyen pour ramener les pécheresses dans le droit chemin… Comme j'étais naïve ! J'ai compris que le péché ne résidait pas là où je le croyais. Et j'ai compris, grâce à la Maternité de Paris, que les accoucheuses sont des professionnelles dont l'ambition doit être encouragée au même titre que celle des médecins.

S'arrêtant devant la porte close du bureau de Lainier, elle bafouille avec un regard de biais à sa consœur :

— Est-ce que c'était... un peu intéressant ?

Manifestement, en Marguerite, la prétendue modestie féminine et un orgueil professionnel fort légitime se livrent un féroce combat !

— Un peu ? s'insurge Flavie. Fièrement, tu veux dire ! Je serais restée encore des heures !

Apparaissant à côté d'elles, l'expression bourrue, Joseph Lainier laisse tomber, en glissant la clef dans la serrure :

— En effet, mademoiselle, comme chacun a pu le constater, vous êtes très douée.

La mine sévère, il leur fait signe de le suivre d'un geste de la tête, puis il suspend à une patère sa redingote qu'il tenait roulée sous son bras. Flavie s'empresse de dire :

— Si nous vous avons mis dans l'eau chaude, monsieur, nous en sommes désolées. Ce n'était pas notre intention, croyez-nous.

Moqueur, il répète avec un petit rire :

— Dans l'eau chaude ? L'expression est fort juste, madame !

Tout en desserrant son col, il s'assombrit aussi soudainement.

— Malheureusement, votre... action d'éclat ne servira pas votre cause. Au contraire, elle risque de lui nuire.

Marguerite s'emporte :

— Bien des messieurs sont scandalisés si une dame ose prendre la parole dans son propre cercle de couture. Alors devant un cadavre disséqué, vous imaginez? Ce seront les hauts cris et tout le tralala, cher docteur. Les discours de protestation en Chambre et du haut de la chaire. La syncope générale.

— Comme si c'était le sujet le plus important du monde, ajoute Flavie. C'est pourtant un détail d'une telle insignifiance!

— Ce qui mérite l'attention collective, monsieur, c'est que chacun, sur cette terre, puisse vivre dans les meilleures conditions possible. Nous sommes terriblement loin du compte.

Impressionné à son corps défendant par la vigueur de cet échange de vues, le professeur les considère un moment, les yeux ronds, avant de les inviter à prendre un siège. S'assoyant, il garde les yeux fixés sur le sol, puis il relève vers elles un visage apaisé et c'est d'une voix chaleureuse qu'il dit:

— Vous m'avez forcé à prendre publiquement position. C'est ça qui m'est resté en travers de la gorge.

— Personne ne vous obligeait à nous accepter dans l'amphithéâtre, réplique Marguerite avec justesse. Ni surtout à me faire descendre sur le plancher.

— Personne, sauf ma conscience, rétorque-t-il en se redressant. J'aurais été bien incapable de vous chasser, croyez-moi. Quant au reste…

Il envoie à Marguerite un clin d'œil complice:

— Je n'ai rien planifié, l'idée m'est venue d'un coup, comme une évidence. Vous étiez parfaitement qualifiée pour m'assister. J'en ai eu la confirmation en constatant la sûreté de vos gestes…

Il laisse ses yeux errer sur les deux petites mains de Marguerite, jointes sur ses genoux. Flavie ne peut s'empêcher d'évoquer les remarques condescendantes qu'elle a déjà entendues parmi la gente bourgeoise. Bien des hommes ne peuvent supporter même la seule idée que de si jolies et délicates choses agrippent un manche de pelle, un marteau ou un scalpel! Surtout un scalpel... De nombreuses dames frissonnent pareillement de dégoût à cette seule pensée. Mais le regard de Lainier luit d'une admiration manifeste qui fait rosir Marguerite. Après un temps, il laisse tomber:

— À partir de maintenant et jusqu'à la fin de mes jours, j'aurai une réputation de féministe à laquelle je me devrai d'être fidèle. Alors, on les signe, ces lettres?

Une énorme bouffée de chaleur monte à la tête de Flavie, qui bredouille:

— Moi aussi.

Abasourdis, les deux autres se tournent vers la jeune femme qui en rougit jusqu'à la racine des cheveux. Se penchant vers elle, Marguerite s'enquiert avec précaution:

— Tu veux dire... Tu veux, toi aussi, signer la requête pour te faire admettre dans une école?

Le cœur de Flavie fait une embardée et pourtant, résolument, elle hoche la tête en balbutiant:

— Ne me parlez pas d'autorisation de mon mari et tout ce tralala. *Je* veux signer.

Les sourcils froncés, Joseph semble sur le point de dire quelque chose, mais il est devancé par Marguerite qui, touchée, bégaye à l'adresse de Flavie:

— Je suis fièrement contente de t'avoir à mes côtés...

Réduit au silence, le professeur se résout à étaler ses papiers. Obnubilée par son trouble intérieur, Flavie laisse à Marguerite le soin de parlementer avec lui, se contentant de signer là où on le lui demande et de prendre congé au moment où Marguerite l'estime à propos. Sans rien ajouter, les jeunes femmes se séparent. Flavie chemine seule en silence jusqu'à ce qu'une voix doucereuse la fasse sursauter :

— Des leçons privées en dissection, de longues discussions dans son bureau... En effet, vous partagez une admirable intimité, Lainier et vous !

Comme piquée par une guêpe, elle se retourne et toise Louis Cibert qui, comprend-elle aussitôt, la suivait depuis un bon moment à distance.

— Pour tout dire, Flavie, je trouve ton mari bien méritant...

Son tutoiement condescendant la ramène des années en arrière, alors qu'il espérait l'allonger sur sa couche en échange de quelques riches cadeaux... Elle le rabroue vivement :

— Avant que je m'intéresse à ton opinion, Louis Cibert, tu as bien des croûtes à manger !

Se dressant de toute sa taille, il se penche vers elle et réplique avec hargne :

— Que tu le veuilles ou non, tu vas m'entendre ! Depuis que j'ai eu le malheur d'être ton cavalier, tu me dédaignes ouvertement, comme si je ne valais pas la crotte de chien qui se place en travers de ton chemin et que tu repousses d'un coup de pied !

Frappée par la virulence de son propos, Flavie prend un moment avant de répondre :

— Ce que tu exagères ! Nous ne sommes pas faits du même bois, c'est tout ! Tout ce que je te demande, c'est de faire comme si je n'existais pas.

Il lève les bras en l'air et la singe :

— Comme si elle n'existait pas ! Sauf que tu fais tout pour ne pas te laisser oublier ! Tu me poursuis jusque dans l'amphithéâtre de l'École de médecine et, si tu pouvais, jusque derrière les portes de mon bureau !

— Mon goût pour la médecine n'a rien à voir avec toi, riposte-t-elle, de plus en plus étonnée. Nous partageons les mêmes intérêts, voilà tout...

— Les mêmes intérêts ! se récrie-t-il méchamment. Comment oses-tu comparer ta lubie avec le haut degré de science que j'ai acquis dans l'exercice de ma profession ?

— Ce n'est pas une lubie, articule-t-elle froidement. J'estime que la médecine...

Il gronde encore, le visage déformé par un sentiment qui ressemble à de la haine :

— Si j'étais à la place de ton innocent de mari... Si j'étais à sa place, je t'éclaircirais les idées, et plus vite que ça ! Sa tolérance dépasse les bornes. Le premier qui est apparu sur terre, celui à qui Dieu a confié la mission de répandre ses lois, c'est Adam ! C'est lui le chef, le juge ! Sa compagne n'a été créée que pour assurer la multiplication du genre humain. L'autorité de l'homme est donc légitime, et la femme doit s'y soumettre !

— Ménage tes transports, fait Flavie dédaigneusement. Je connais aussi bien que toi les croyances traditionnelles : seule la Révélation conduit la raison, la Providence intervient constamment dans la marche des nations, la famille a une origine divine, et tout le bataclan. Qu'est-ce que ça peut bien te faire si je n'y crois pas ?

Comme s'il craignait la contagion, Louis a un mouvement de recul de tout le corps, ce qui amuse Flavie. Sa fureur en est instantanément décuplée :

— Madame avoue benoîtement son hérésie! Mais n'as-tu donc aucune fierté, aucune décence? Si tu savais comment mes pairs qualifient ton comportement! Oui, si j'étais à la place de ton mari... Tu sais ce que je m'empresserais de faire, Flavie, et dix fois plutôt qu'une? Je t'engrosserais proprement. Voilà qui t'enlèverait toutes tes idées de grandeur...

Sous l'outrage, Flavie laisse échapper un cri de protestation. Retenant de justesse une gifle, elle profère, avec une colère contenue:

— Espèce de grichou! Toujours à tripoter dans la boue! Tu n'as pas digéré mon refus, c'est ça? Selon toi, toute femme devrait se sentir honorée de tes attentions? Tu as l'orgueil bien mal placé, Louis Cibert! Tu le regrettes peut-être, mais tu n'as aucun droit sur moi!

Elle veut mettre fin à cette altercation, mais il la retient en serrant son bras à lui faire mal. Il grince entre ses dents:

— Tu fabules si tu crois que j'ai songé, un seul instant, à te passer la bague au doigt. Tu mérites seulement d'être une femme entretenue! Et encore, tu n'as aucune classe... À la vérité, tu fais honte à ton mari! Non seulement à ton mari, mais à toutes les dames de la haute! Oh! Elles te voient venir, avec tes gros sabots! Mais je t'avertis: elles sont ravies, elles, de la place bien confortable que Dieu leur a réservée et elles ne supporteront pas longtemps d'être ainsi ridiculisées!

Incapable de desserrer l'étau de sa main, Flavie se résout à le griffer sauvagement. Il jure et la délivre enfin. Une énorme boule dans la gorge, elle s'enfuit prestement. «Tu fais honte à ton mari!» Mais elle le sait mieux que quiconque à quel point ses idées avancées bouleversent

Bastien! D'ailleurs, lorsqu'il aura vent de son équipée de tantôt, et surtout de la requête qu'elle a paraphée... Au rythme de la phrase assassine de Louis Cibert qui se répercute dans sa pauvre cervelle, le sang bat avec affolement contre ses tempes.

Flavie passe le reste de la journée confinée dans son boudoir, dans une sorte d'état second qui l'empêche de penser à autre chose qu'à la réaction de Bastien. Les heures s'égrènent horriblement lentement... Enfin, le soir tombe et son mari fait son entrée. Tout d'abord, il feint de ne pas l'apercevoir, jetant avec mauvaise humeur sa redingote sur le dossier d'un fauteuil. Il défait ensuite son col, qu'il lance sur la redingote. Sans la regarder, il prononce enfin, sur un ton glacial :

— Plongée dans quelque lecture savante, bien entendu... C'est pour te renseigner sur ce que tu as vu ce matin sur la table de dissection ?

Il tripote ses boutons de manchette et Flavie craint un instant qu'il ne leur fasse subir le même sort que le col, mais il les glisse plutôt dans une des poches de son pantalon. Il se tourne vers Flavie, qui se recroqueville instinctivement sur son siège. Blême, les traits décomposés, Bastien semble garder la maîtrise de lui-même au prix d'un terrible effort. Il articule encore :

— Tu le savais pourtant à quel point on jaserait ! Tu le savais pourtant que je serais ensuite pointé du doigt, que mes parents seraient pointés du doigt ! Est-ce qu'un jour tu vas finir par te rentrer dans la caboche que la situation commence à être terriblement inconfortable, pour nous tous ? Les messieurs te considèrent comme une dévergondée et les dames, comme une pimbêche aux grands airs !

Elle réplique farouchement, d'une voix tremblante :

— Toi, tu le sais que c'est faux. Tes parents aussi le savent. Du moins, je l'espère… Un jour, je t'ai dit que la belle société me faisait peur et tu as répondu que je pouvais compter sur vous tous…

— Ce jour-là, j'étais à cent lieues de penser que tu l'offenserais ainsi, la belle société !

Une bouffée d'exaspération monte à la tête de Flavie, qui réplique :

— Ces bonnes gens ont l'épiderme fièrement sensible ! Ils me scient, à la fin !

D'une enjambée, il vient se planter devant elle :

— Et moi, quand je te dis que tu as la couenne dure, c'est dans tous les sens du terme ! Enfin, Flavie ! Les mœurs refusent d'accepter une telle promiscuité entre les sexes ! Cette promiscuité est peut-être inévitable dans les classes populaires, mais parmi les personnes de goût, elle est synonyme de grossièreté, de manque total de délicatesse et même de perversion ! Depuis le temps que je t'ai mariée, il me semble que tu aurais dû le comprendre ?

Son apostrophe méprisante heurte Flavie de plein fouet. Elle réplique, tandis que des larmes lui montent aux yeux :

— Et toi, depuis le temps que je t'ai marié, tu aurais dû comprendre à quel point ces préjugés sont insultants pour, comme tu dis, les classes populaires ! Tu aurais dû comprendre que la mauvaiseté, elle est bien davantage dans l'esprit des riches que dans les maisons des pauvres !

Incapable de se retenir, elle referme d'un coup sec le livre posé sur ses genoux, puis elle le lance par terre.

Aveuglée par un mélange de chagrin et de rage, elle saute sur ses pieds dans l'intention de s'enfuir dans sa chambre, mais Bastien la retient de justesse par le bras. Elle veut lutter, mais il laisse tomber sobrement :

– Calme-toi, Flavie. Pardonne-moi. J'avoue que je suis allé trop loin.

Flavie se dégage de l'étreinte de sa main et elle reste sans bouger, le regard fuyant et la respiration précipitée. Le fossé est encore si large entre eux deux ? Peut-être que, sans qu'elle le sache, Bastien ne peut s'empêcher de se gausser intérieurement de ses manières de fille des faubourgs. Peut-être qu'il se moque de ses corsages simples, de ses tournures de langage, de ses gestes frustes et même de ses comportements amoureux, si peu réservés, si peu dignes ?

D'un ton proche du désespoir, il lance :

– Je suis à bout d'arguments… Tu es tellement téméraire ! J'ai peur qu'il t'arrive malheur…

Radoucie, elle ose un rapide coup d'œil vers son visage aux traits soucieux.

– Moi, je n'ai pas peur d'eux… tant que je conserve ton estime à toi.

Il la scrute, l'expression indéchiffrable. Enfin, un léger sourire narquois se fraie un chemin sur son visage.

– J'ai diablement hâte, fieffée étourdie, de savoir en quels termes ces messieurs du conseil vont vous rabattre le caquet !

– Ça va faire mal, réplique-t-elle, pince-sans-rire. Dès demain, les murs seront couverts de placards où il sera écrit : « Interdit aux chiens, aux mouches et aux femmes. »

Interloqué, Bastien la considère un moment avant d'éclater, bien malgré lui, d'un grand rire.

— Aux mouches! Interdit aux mouches! Mon espèce d'écervelée!

Dans un sursaut d'indignation, il fait remarquer:

— J'aurais pu être dans l'amphithéâtre à la place d'Étienne. C'est un hasard si nous avons convenu que je resterais au bureau!

— Et alors? s'enquiert-elle faiblement. Tu en aurais été vexé?

Après tout, pendant qu'il était étudiant à l'École de médecine, il avait voté en faveur de la présence de Flavie et de Marguerite, alors apprenties sages-femmes, à cette fameuse dissection secrète!

Négligeant de répondre, il marmonne:

— Et on me reprochera ensuite de qualifier les femmes d'impulsives. Vous avez agi comme des fillettes tout excitées par le mauvais tour qu'elles allaient jouer!

— C'est faux! proteste Flavie énergiquement. Nous avons agi comme deux accoucheuses qui veulent se perfectionner! À ton sens, nous aurions dû envoyer au conseil d'administration une requête en bonne et due forme, puis espérer une réponse favorable?

Il grommelle avec une subite lassitude:

— Votre exploit a déjà fait le tour de la communauté. À mon retour, j'ai croisé un confrère qui m'a lancé un de ces coups d'œil ironiques!

Après un moment de lourd silence, Flavie dit doucement:

— Pour être franche, je n'ai vraiment pas envisagé que tu pouvais être présent. Et si ça avait été le cas... j'espère que... que tu m'aurais fait une place à côté de toi.

Saisi, il relève la tête pour la regarder franchement. En un éclair, Flavie imagine la scène: perché là-haut dans les estrades, un Bastien vers lequel tous les regards convergent à l'entrée des deux femmes dans l'amphithéâtre... Comment aurait-il réagi? Elle devine qu'il se pose exactement la même question. Soudain bouleversée à l'idée qu'il aurait fort bien pu, la honte aux joues, lui intimer l'ordre de quitter les lieux, Flavie détourne les yeux, la respiration presque bloquée.

Après un temps, il pousse un profond soupir. L'expression légèrement réjouie, il lui demande de lui décrire la réaction de Nicolas Rousselle, s'amusant ouvertement de la déconfiture du docteur.

— Ce que j'aurais aimé être présent! Voir le cher homme dépité, ce n'est pas donné à tout le monde! Je t'ai déjà dit que j'ai failli être son apprenti?

Flavie secoue la tête avec étonnement et il ajoute d'un ton railleur:

— C'est pour ça que mon nom, en tant que médecin, ne passera jamais à l'histoire. Je n'ai pas choisi le bon maître...

De plus en plus mystifiée, Flavie presse son mari de s'expliquer.

— Comment dirais-je? Les qualités... ou plutôt, les traits de caractère que je n'appréciais pas chez Rousselle sont justement ceux qui lui donnent, dans la société montréaliste, une excellente réputation. Par exemple, son besoin constant d'expérimenter, de repousser les frontières de notre science. De loin, cela semble magnifique, n'est-ce pas? Mais de proche...

Rousselle n'a aucune considération pour les sentiments de ceux qui composent son entourage. Les timorés, les faibles, les doux, même ceux qui, tout simplement, ne partagent pas son ambition, tous ceux-là se font proprement tasser dans un coin comme des moins que rien.

Le jeune homme fait une éloquente grimace de mépris avant d'ajouter :

— Et je ne te parle pas de son manque de considération pour sa clientèle ! Je l'ai senti tout de suite, il n'a aucune sympathie pour ses patients. Il les considère comme des sujets d'expérience, de vulgaires cobayes. C'est pour ça qu'il est capable de tenter, sur eux, des interventions qui me donnent des frissons dans le dos...

Avec un haussement d'épaules, Bastien conclut ironiquement :

— De toute façon, il chargeait beaucoup trop cher. Comme les finances de mon père périclitaient... Tu descends souper ?

Figée sur place, Flavie ne répond pas. Bastien l'interroge du regard et elle finit par balbutier :

— Pour en revenir à... à ce matin... il faut que je te dise... Marguerite et moi... nous avons fait une requête pour être admises à l'École de médecine.

Stupéfié, il la fixe, puis balbutie :

— Une requête... écrite ? Signée ?

Flavie hoche la tête. Il se laisse tomber assis sur l'accoudoir du fauteuil et détourne la tête pour lui cacher l'expression de son visage. Quand il la regarde enfin, les traits marqués par le désarroi, il souffle :

— Pourquoi tu fais ça ? Tu le sais pourtant à quel point ça me crée des ennuis ?

Chamboulée, elle proteste aussitôt :

— Les gens vont s'habituer bien vite, tu verras ! Peut-être qu'ils te narguent maintenant, mais dans quelques mois, ce sera oublié ! J'y tiens plus que tout, Bastien, est-ce que tu peux comprendre, toi aussi ? Je suis capable d'être un bon médecin, je le sais que je suis capable ! Pourquoi je ne pourrais pas ? C'est tellement dur, Bastien, de sentir en moi toute cette… cette force, cette faim, que je dois ignorer ! Marguerite, c'est par charité qu'elle veut le diplôme, pour le bien public. Mais moi… Moi, je le veux d'abord pour moi ! Je le veux pour… pour le plaisir de l'aventure ! Pour le plaisir, l'égoïste plaisir de devenir connaissante…

À bout d'arguments, elle se tait, essoufflée. Bastien cligne des yeux et murmure :

— Je t'ai bien entendu : tu y tiens plus que tout. Oui, plus que tout…

Flavie réalise, désarçonnée, qu'il n'a pas écouté l'essentiel de sa tirade… La voix de Guillemette leur parvient à travers la porte fermée, pour l'appel du souper. Il bafouille :

— Je n'ai pas faim du tout. Je préfère aller prendre un grand bol d'air. Tu m'excuseras auprès des parents…

— Je peux… te servir de chaperon ?

— Je ne serais pas de bonne compagnie. Je veux la sainte paix.

Combattant l'accès de frayeur qui l'envahit, Flavie s'avance pour poser un rapide mais fervent baiser sur ses lèvres, puis elle s'éloigne à regret. Un lourd silence l'accueille à son entrée dans la salle à manger, et bien vite, elle comprend que la rumeur a d'abord atteint Archange, qui a mis chacun des membres de la maisonnée au courant. Sa belle-mère est manifestement scandalisée, Julie pose sur elle un regard incrédule et Édouard s'amuse franchement de la situation, se gaussant de la réaction à la limite du grotesque des membres de l'amphithéâtre, qui agissaient comme si on leur faisait personnellement outrage !

— Vous n'êtes pas loin de la vérité, commente Flavie, songeuse. Personne ne voit la situation dans son ensemble. Chacun s'indigne uniquement de l'affront qui lui est fait !

Archange s'interpose avec un mélange de vigueur et de prudence :

— Ma chère Flavie, vous avez agi sur un coup de tête ! Votre jeune âge excuse votre geste, mais votre attitude sera qualifiée par certains de... de répréhensible, le mot n'est pas trop fort.

— Allez-vous me faire enfermer ? s'enquiert-elle avec un sourire mutin.

Sa belle-mère s'empourpre et Flavie réalise avec amusement que l'idée a dû déjà lui effleurer l'esprit, lorsque le caractère impulsif de sa bru l'irrite... Avec gravité, Édouard Renaud dit soudain :

— N'en riez pas, Flavie. Ça s'est vu souvent, des pères ou des maris qui se mettent à contrôler les allées et venues de leur fille ou de leur épouse. Certains hommes se transforment en tyrans lorsque leur honneur est en jeu.

Flavie grommelle :

— Et comme les hommes ont tendance à croire que toutes les femmes leur appartiennent... la tyrannie est générale, publique, organisée !

Julie interjette soudain, d'une voix sarcastique :

— Ce qu'elle est moderne, notre Flavie, n'est-ce pas, maman ? J'ignore comment elle fait pour attraper au vol toutes ces idées prétendument *féministes* qui planent dans le firmament... C'est réellement de la haute voltige.

Écœurée par le ton moqueur de sa belle-sœur, Flavie lui lance un regard suspicieux avant de répliquer avec dédain :

— Certaines préfèrent une vie bien domestique, sans grand défi. Ce n'est pas mon cas...

Elle plonge le nez dans son assiette, déterminée à quitter au plus vite cette déplaisante réunion de famille. Elle a le cœur horriblement serré en songeant à Bastien, errant seul dans les rues de la ville... Il est près de dix heures et la maison est calme et obscure lorsque, du boudoir, elle l'entend entrer. Aussitôt, elle descend l'escalier à pas de loup et le rejoint dans la cuisine où il est en train, debout devant le comptoir, d'avaler une tranche de pain beurré.

Le regard qu'il lui jette est indéchiffrable et un pénible silence s'installe. Incapable d'en supporter davantage, Flavie lance :

— Tu vas me faire grise mine longtemps comme ça ? Après tout, rien de tout ce bredas ne serait arrivé si tu m'avais considérée digne de ta science ! Moi, j'ai partagé tout mon savoir avec toi !

Avec une grimace, il lance brusquement sur le comptoir la dernière bouchée de pain qu'il s'apprêtait à avaler.

— Tu me coupes l'appétit, tiens !

Flavie a un mouvement de recul. Il la rabroue encore :

— Oui, tu m'as appris bien des choses, et alors ? Notre association, c'est un vulgaire marchandage ?

Désemparée, elle commence à balbutier une protestation, mais il la coupe :

— J'en ai plein mon casque que tu me bassines les oreilles avec ton envie d'être médecin ! Ce n'est pas une femme que j'ai mariée, c'est une bourrique, incapable d'entendre raison !

— Mes enfants, bonsoir.

Tous deux sursautent. Archange vient de faire irruption dans la pièce, un livre à la main, vêtue de son peignoir et les épaules couvertes d'un châle de laine. Égaré, Bastien fixe sa mère un moment, avant de quitter la cuisine à grandes enjambées. Dès qu'il a disparu, sa mère marmonne :

— Je lisais dans le salon et je crois que j'ai somnolé un peu…

Flavie reste pétrifiée, les jambes flageolantes, les émotions chamboulées. Les paroles injurieuses de son mari s'entrechoquent dans sa tête. Qu'a-t-elle fait pour mériter un tel emportement ?

— Ne vous effrayez pas trop, Flavie. Il faut que la charge sur les épaules de Bastien soit bien lourde pour qu'il se laisse aller ainsi…

Flavie bégaye :

— C'est si pire ?

— Il ne s'en plaint pas ouvertement, mais je crois qu'il est victime d'ostracisme. Plusieurs confrères ne lui pardonnent pas son association avec vous. Tous vos faits et gestes sont soulignés à gros traits, décriés, ridiculisés, jusqu'à en accabler Bastien. Alors vous imaginez bien que le coup de tonnerre d'aujourd'hui…

Transie, Flavie frissonne violemment. Son mouvement pour quitter la pièce est arrêté par Archange qui se place devant elle. D'un ton impérieux, elle sermonne :

— La leçon est dure, mais elle mérite d'être prise en considération. Je fais appel à votre intelligence, Flavie, et à la générosité de votre cœur. Votre métier de sage-femme vous procure déjà de vives satisfactions, n'est-ce pas ? Estimez-vous chanceuse de pouvoir encore l'exercer malgré votre union avec Bastien.

Pressée de se retrouver seule, Flavie se contente de hocher la tête. Archange dit encore :

– Édouard et moi, nous serons aux anges lorsque vous daignerez nous donner des petits-enfants...

Offusquée par la tournure de sa phrase, Flavie s'écarte brusquement et détale. Elle a terriblement envie d'attraper sa bougrine et de courir jusqu'à la rue Saint-Joseph pour y trouver refuge, mais il est si tard... À contrecœur, elle monte à l'étage et elle pénètre dans son boudoir. Bastien est dans la pièce attenante, se préparant pour la nuit. Incapable de l'approcher, elle prend place dans le fauteuil jusqu'à ce que tout soit silencieux de l'autre côté.

Plus tard, lorsqu'elle est parée à s'allonger, elle glisse un regard oblique vers la forme étendue dans le lit, faiblement éclairée par la lueur d'une chandelle, et qui semble sommeiller. Accoutumée aux subtiles variations de la respiration des dormeurs, Flavie sait cependant qu'il n'en est rien. Elle va quérir une couverture, puis elle saisit son oreiller et elle va s'installer par terre, dans le boudoir, étroitement enroulée comme dans un cocon rassurant.

Chapitre XXVII

Au cours des journées suivantes, Flavie doit bien se rendre à l'évidence : Bastien lui tient à ce point rigueur de sa requête à l'École de médecine et de chirurgie qu'il fait tout pour éviter sa proximité. Quand il n'a pas le choix de la côtoyer, il oppose à toutes ses tentatives de rapprochement une telle froideur ! Plongée dans un mélange confus de révolte et de doute, Flavie a l'impression qu'elle se meut comme au ralenti dans un monde envahi par un léger brouillard.

À quelques reprises, elle revient à la charge afin de lui faire comprendre combien elle tient à se perfectionner en médecine. Cependant, dès ses premières phrases, il lui décoche un regard furibond et, sans un mot, il prend cavalièrement congé d'elle.

Peut-elle passer outre à l'opposition de son mari, en espérant qu'il finisse par s'incliner ? Un homme raisonnablement avisé sait à quel moment lâcher prise… Mais peut-elle, ainsi, mettre en péril son bonheur conjugal ? Songeant à tous ces couples qui, paraît-il, sont dans la même maison des étrangers l'un pour l'autre, elle frissonne comme si elle était nue sous une rafale de janvier.

Songeant à la manière dont Bastien la rabroue à chacune de ses tentatives de discussion, Flavie sent un grand mépris s'installer en elle. Contrairement à Joseph

Lainier et à Marcel Provandier, son mari se révèle un homme timoré, qui n'hésite pas à sacrifier les aspirations de son épouse sur l'autel des convenances! Par le passé, Bastien ne s'est pas distingué par son courage, n'est-ce pas? Tout d'abord, il n'a pas osé lui avouer ses sentiments, préférant souffrir en silence durant six longs mois. De surcroît, lors de l'épidémie de typhus, en 1847, il a préféré suivre sa mère à la campagne comme un petit chien de poche, même s'il savait Flavie au milieu du mal! Et surtout, surtout, il a fui pendant un an à Boston, sans jamais lui donner signe de vie...

Du coup, oppressée et mal à l'aise, Flavie se sent rue Sainte-Monique comme un animal en cage, placé en observation. Le voisinage des Renaud commence à la tanner fièrement! Non pas celui d'Édouard, toujours aussi courtois et respectueux à son égard. Mais Archange lui a signifié trop souvent qu'elle aimerait bien avoir des petits-enfants et que, selon elle, les frivolités ont assez duré: il y a trois longues années que son fils l'a mariée! Manifestement, sa patience est à bout, et elle fait savoir à Flavie qu'il est temps qu'elle se range et qu'elle endosse la vêture de la parfaite épouse.

Quant à Julie... Chaque fois qu'elles sont en présence l'une de l'autre, la jeune sœur de Bastien la considère avec défi. Elle prend, quoique subtilement, un malin plaisir à la contredire et à la rabaisser. Quand elles sont seules, sous prétexte de vouloir l'aider, elle se moque de ses jupes courtes, de ses corsages qui ne sanglent pas assez son torse et même de ses sourcils qui se rejoignent en une ligne fine au-dessus de son nez, tout cela avec une condescendance de moins en moins retenue!

La jeune accoucheuse s'est mise à désirer ardemment le moment où Bastien et elle emménageront dans leur propre maison. Elle lui en a glissé un mot, mais il lui a bien fait comprendre que leurs finances ne le leur permettent pas encore. Selon lui, ses parents seraient terriblement vexés s'ils quittaient la rue Sainte-Monique sans avoir les principaux atouts en poche! Flavie ignore quand ce moment béni arrivera, mais, pour l'instant, elle sent que de nombreuses fourmis lui chatouillent les jambes...

Un jour, elle dévale la côte jusqu'à la maison de son enfance pour y passer l'après-dînée entière à bavarder avec Cécile et dès lors, Flavie est prodigue de visites inattendues, rue Saint-Joseph. En semaine, sachant que Bastien rentrera tard, elle reste à souper et de même, certains samedis où son mari chausse ses raquettes, elle vient s'y réfugier. Il ne faut pas longtemps à Léonie pour s'apercevoir d'un changement et pour poser sur sa fille aînée des regards perplexes, mais Flavie ne peut se résoudre à aborder le sujet avec elle.

Revenue au bercail depuis presque trois mois, Cécile a si bien repris ses aises qu'on croirait qu'elle n'est jamais partie. Daniel lui a confié la garde de sa fillette et la maison résonne maintenant des cavalcades et des jeux des deux jeunes demoiselles. Cécile est d'une tolérance remarquable envers leurs frasques et Flavie a rapidement compris que ce n'était ni par paresse ni par ennui. Les Amérindiens ont, paraît-il, la discipline et les punitions corporelles en horreur.

Regardant évoluer Cécile depuis son retour, Flavie a tenté de saisir en quoi elle est encore la même et en quoi elle a changé. Elle est partie jeune fille et elle est revenue femme; la jouissance des plaisirs terrestres lui a conféré une plénitude et une assurance nouvelles. Hélas, les aspérités les plus vives de son caractère ont disparu et, par le fait même, une partie d'elle-même semble s'être éteinte, la plus passionnée sans doute. Flavie aimerait tant savoir ce que sa sœur a vécu! Mais Cécile reste d'une grande pudeur sur les circonstances de son exil, comme elle tient à se tenir loin du désarroi ou des chagrins de ses proches. Personne, pas même Léonie, n'ose l'interroger, comme personne n'ose se confier à elle, de crainte que le poids des tourments d'autrui ne soit trop lourd pour son cœur meurtri.

De surcroît, Flavie est contente de côtoyer davantage Daniel, qui s'est remis avec résignation de la mort de Tom. S'il lui narre les péripéties de son séjour aux États-Unis, il reste très discret sur son affection pour Sarah et sur les détails de leur union. À l'instar de Cécile, tous ses actes sont marqués au sceau de la retenue, autant ses rires que ses bavardages, autant ses joies que ses peines. Tous trois, cependant, ont retrouvé à la vitesse de l'éclair une franche camaraderie, se laissant aller à l'envie de se taquiner l'un l'autre, de se provoquer comme pendant leur adolescence.

Un lundi matin, Flavie est interrompue dans son déjeuner, qu'elle prenait seule, par des coups impérieux de heurtoir. Elle entrebâille la porte et fait face à Marguerite. Alarmée par son visage pâle et préoccupé et par son allure un peu débraillée, elle s'enquiert aussitôt, ouvrant largement :

— Que se passe-t-il? Tu as reçu la réponse de l'École de médecine?

Marguerite hoche fébrilement la tête et jette :

– Oui, c'est non, mais Flavie, le professeur Lainier est dans le trouble à cause de nous! Il s'est fait semoncer par l'évêché!

Quelques minutes plus tard, pendant que Flavie avale les dernières bouchées de son repas, Marguerite lui apprend que les membres du conseil d'administration de l'École de médecine et de chirurgie se sont fait réprimander par Mgr Bourget, au moyen d'une lettre officielle, sur les désordres «inconvenants» qui y ont eu lieu et qu'ils ont donc décidé de suspendre Lainier de ses fonctions, le temps de statuer sur son cas.

Sur-le-champ, les deux jeunes femmes décident d'aller lui présenter leurs excuses. À l'École, elles réussissent à soutirer à Will, le concierge, l'adresse de la résidence personnelle du médecin. Il habite Grande rue Saint-Jacques, dans la partie ouest de la vieille ville, à l'étage d'un bâtiment qui abrite un commerce au rez-de-chaussée. Au-dessus de sa sonnette fort discrète, son nom est gravé sur une toute petite plaque. Marguerite et Flavie échangent un regard, puis, prenant une profonde inspiration, la première fait tinter la cloche.

C'est une dame entre deux âges, la robe noire boutonnée jusqu'au cou, qui descend lentement l'escalier intérieur pour venir leur ouvrir. Après s'être informée de leur identité et du but de leur visite, elle leur fait signe de la suivre et toutes trois montent. La dame les introduit dans un petit salon, puis elle sort et referme la porte derrière elle. L'instant d'après, la même porte s'ouvre toute grande et Joseph Lainier pénètre dans la pièce. Il n'a même pas pris le temps d'endosser une redingote: il est en chemise et en pantalon à bretelles. Il vient à elles en s'exclamant:

— Marguerite, Flavie ! Quelle belle visite !

Tour à tour, il leur étreint la main entre les deux siennes, le visage réjoui. Son accueil est tellement chaleureux que, décontenancée, Marguerite balbutie :

— Vous n'êtes pas fâché contre nous ? Vous auriez pourtant toutes les raisons du monde…

— Nous sommes venues vous présenter nos excuses, enchaîne aussitôt Flavie. Nous avons agi comme des écervelées.

— Hier seulement, j'ai ouï parler de votre… votre destitution. Je suis venue en faire part ce matin à Flavie. Si nous avions su que notre comportement aurait de telles conséquences ! Nous ne pensions pas mal faire, Joseph, en agissant de la sorte. Si vous le désirez, si cela peut en adoucir les conséquences, nous irons avec plaisir plaider votre cause à l'évêché !

Plutôt ennuyée par la perspective inattendue d'une telle visite, de surcroît étonnée par la véhémence de son amie, Flavie considère avec attention son expression anxieuse. Le médecin s'exclame, avec un sourire rassurant :

— Marguerite, votre souci vous honore ! Mais vous voyez du tragique là où il n'y a que du comique et même du grotesque. Mon avenir est loin d'être compromis, rassurez-vous.

Il a gardé la main de Marguerite entre les siennes et ils se regardent un moment sans mot dire avec une impressionnante gravité. Il ne la délivre pas tout de suite, mais porte brièvement sa main à ses lèvres. Dans les circonstances, son geste est touchant, comme s'il tenait à faire comprendre à la jeune femme qu'il se fout de toutes les énormités qui se disent au sujet de celles qui souhaitent aller au-delà des possibilités apparentes de leur nature, et qu'il apprécie la douceur de sa peau et la délicatesse de ses doigts même s'ils ont tenu un scalpel…

La jeune femme retire lentement sa main sans pouvoir cependant détourner ses yeux de ceux de Lainier. Flavie reste immobile, respirant à peine. Tous deux semblent avoir complètement oublié sa présence et s'abandonnent pendant quelques secondes à un dialogue muet qui fait s'empourprer les joues de Marguerite. Embarrassée mais ravie, Flavie toussote avant de s'enquérir :

— Que voulez-vous dire, Joseph, par du comique et du grotesque ?

À regret, il rompt l'enchantement et se tourne vers elle.

— Je crois que je vous dois quelques explications… Vous me permettez d'aller chercher ma vieille mère ? Elle adore les visites, mais en reçoit très peu, hélas… Prenez place, je reviens.

Bientôt, une petite femme aux cheveux blancs, déformée par l'obésité, clopine jusqu'à elles, suivie par son fils qui fait gaiement les présentations. Manifestement, l'âge lui a un peu étourdi l'esprit : c'est avec un intérêt enfantin et touchant qu'elle interroge les deux sages-femmes sur leur vie et leur métier. Elle s'émerveille du moindre détail et un rien l'amuse. Après une quinzaine de minutes d'une causerie à bâtons rompus, pendant laquelle Lainier ne peut s'empêcher de contempler Marguerite à la dérobée, il reprend la direction de la conversation.

Bien droit dans son fauteuil, il leur explique rapidement que, dans les jours qui ont suivi la dissection, le conseil d'administration de l'École a été saisi d'une requête de Nicolas Rousselle afin d'interdire aux femmes l'accès aux locaux d'apprentissage. Lainier a dû justifier son comportement devant le conseil, ce qu'il a fait en arguant qu'un nombre croissant de sages-femmes souhaitaient, en toute légitimité, se perfectionner dans leur art. Mais pour tous les membres du conseil, sauf un, il est d'une extrême indécence de laisser les sexes se mêler ainsi et la requête de Rousselle a été acceptée.

S'adressant plus particulièrement à Flavie, il poursuit en ouvrant les mains en signe d'impuissance :

– Alors, j'ai été face à un choix difficile. Comment pouvais-je encore honorer l'accord secret conclu avec la Société compatissante ? Seuls quelques-uns d'entre eux étaient au courant. Je n'ai pas eu le choix que de le leur révéler à tous. Pour tout vous dire, cela a eu l'effet d'une bombe.

Son sourire victorieux en dit long sur le plaisir que tout ce branle-bas lui a causé. Flavie constate que Marguerite le considère avec une tendresse à peine voilée qui le fait s'épanouir comme une fleur sous un chaud soleil matinal…

– Cependant, ces messieurs ont bien dû convenir avec moi que l'approvisionnement en cadavres d'une aussi parfaite qualité était un avantage dont l'École ne pouvait se passer. Tous, sans exception, ont accepté que l'entente se poursuive selon les mêmes conditions. Tous, même Nicolas Rousselle, malgré la force de ses principes.

Lainier s'adosse de nouveau et ajoute philosophiquement :

– Les choses auraient pu en rester là, mais comme votre intrusion a indigné nombre de bonnes âmes… Notre évêque a cru bon de s'en mêler et le conseil n'a pas eu le choix que de réagir en m'imposant un congé temporaire. Néanmoins, les conseillers sont plutôt irrités par ce qu'ils considèrent comme un abus de pouvoir. N'ayez crainte, après une déclaration de principes flattant notre évêque dans le sens du poil, je serai de retour à l'École.

Coulant son regard dans celui de Marguerite, il ajoute encore :

— Je vous prie de ne plus vous faire de mauvais sang pour moi et surtout de ne pas regretter votre coup d'éclat. J'en ai tiré l'un des plus grands bonheurs de mon existence...

La chose paraît maintenant comme un nez d'ivrogne au milieu de la figure : Joseph Lainier a un tendre sentiment pour Marguerite qui, à l'évidence, n'est pas insensible à son charme ! Enchantée, Flavie ne peut s'empêcher de sourire largement et Mme Lainier, gagnée par sa bonne humeur, glousse sans arrêt. La dame de compagnie choisit ce moment pour faire son entrée et pour demander si monsieur souhaite offrir un rafraîchissement à ses visiteuses.

Flavie en profite pour se lever :

— Vous comprendrez, Joseph, qu'il nous est impossible de rester davantage. On jaserait...

— Mais attendez, ne vous sauvez pas avant de me renseigner sur la prochaine étape de votre quête ! Rassoyez-vous... Vous avez sans doute reçu la lettre officielle de l'École de médecine et de chirurgie de Montréal vous opposant un refus catégorique...

Après avoir balbutié des regrets pour le précieux temps qu'elles lui volent, Marguerite lui demande une nouvelle lettre d'appui pour leur prochaine requête, celle-là au McGill College. Saisi, Lainier fait une grimace et s'absorbe un court moment dans ses pensées, puis il relève la tête :

— Vous avez suffisamment d'appuis là-bas pour anticiper une réponse favorable ?

Piteusement, Marguerite secoue la tête. Flavie intervient :

— Pour être honnête, monsieur… euh, Joseph, nous sommes persuadées de recevoir un refus. Les Anglais sont notoirement moins bornés que les Canadiens, mais ils n'iront pas jusque-là…

— C'est pour l'exemple, ajoute Marguerite. Un geste inutile, mais qui en fera bien réfléchir quelques-uns…

— Vous risquez de heurter bien des sensibilités qui, jusqu'à maintenant, ont réagi à vos actes avec… bonhomie. Vous savez pourquoi ?

— McGill est protestant, laisse tomber Marguerite avec amertume.

— Neutre, corrige Lainier. Mais pour notre évêque, c'est du pareil au même. Extrêmement dangereux, surtout pour des âmes féminines que l'on sait si impressionnables.

Soudain guilleret, il leur envoie un clin d'œil, puis il redevient sérieux :

— Comme au Bas-Canada papisme rime avec fierté nationale, les esprits sont d'une extrême susceptibilité. Nous, descendants des colons français, nous sommes un bien petit peuple perdu dans une mer d'Anglo-Saxons. À Montréal seulement, depuis l'arrivée en masse des Irlandais… Bref, il semble que, sans le secours de la religion, nous sommes perdus.

— Mon père dit souvent, observe Flavie, que le clergé profite justement de notre faiblesse pour nous effrayer avec ce discours racoleur. Il veut nous faire croire que seule la foi catholique peut nous sauver de l'anéantissement! Comme si un Canadien français protestant, c'était inconcevable!

Joseph Lainier lui jette un vif regard avant de reprendre:

— Nous ne referons pas le monde aujourd'hui, même si ce serait bien tentant. Mais, selon moi, une requête au conseil de McGill serait un geste dangereux. Déjà, vous venez d'attirer sur vous l'attention de la hiérarchie...

Les deux jeunes femmes échangent un regard inquiet. Leur détermination, si assurée jusqu'à ce matin, est en train de vaciller. Marguerite bredouille enfin:

— Mais alors, que nous reste-t-il? Rien du tout?

Se penchant vers elles, il ouvre les mains en répliquant:

— J'en ai bien peur...

— Miss Blackwell l'a bien réussi! Alors pourquoi pas moi?

Comme Marguerite sans doute, Flavie note la soudaine pâleur que prend le visage du professeur. Sa réserve fondant comme neige au soleil, il bafouille:

— Vous songez à... à adresser une demande à cette école américaine?

— Oui, fait-elle sans oser croiser ses yeux. La voie n'est-elle pas ouverte?

— Si je peux vous donner mon avis de vieux routier... Aux États-Unis, les diplômes en médecine n'ont pas grande valeur. Les écoles poussent comme des champignons et leur enseignement n'est encadré d'aucune manière. À Toronto..., c'est déjà mieux. Comme à McGill ici même, leurs promoteurs s'inscrivent dans la tradition sérieuse de l'École de médecine d'Édimbourg. Quant à l'Europe…, chaque nation a d'excellentes écoles, si vous réussissez par miracle à vous faire accepter. Vous auriez l'intention… de vous expatrier à l'autre bout du monde ?

Avec une grimace d'impuissance, Marguerite répond :

— Et comment le pourrais-je ? Je n'ai pas l'argent et mon père n'acceptera jamais de m'avancer la somme…

Elle marque une pause, puis reprend, son regard déviant à peine de celui de Joseph Lainier :

— À la Maternité, Elizabeth me racontait ses années d'études dans ce collège américain. Les ragots, les préjugés, mais surtout la solitude… Une solitude totale. Seule femme dans une classe de jeunes hommes, personne à qui se confier, et cette nécessaire dignité, ce maintien parfait qu'il lui fallait conserver pour ne pas prêter flanc à la moindre allusion déplacée ! Il faut une force de caractère peu commune…

Il bat des cils, manifestement touché, et tous deux restent silencieux, les yeux dans les yeux. Marguerite a parlé avec un tel abandon, comme si le professeur était l'un de ses intimes !

— Elizabeth est mue par une volonté qui la dépasse, en quelque sorte. Elle est très croyante, d'une austère foi protestante, mais qui l'entraîne à vouloir se consacrer au bien d'autrui, au bien de toutes les femmes tombées dans le vice. J'étais comme elle, avant. Mais depuis… j'ai compris que le vice n'est généralement pas un trait de personnalité, mais la conséquence d'iniquités révoltantes. Nos mœurs, Joseph, sont synonymes d'injustice.

Elle raconte ensuite d'une voix sereine, comme victime d'un envoûtement, comment l'Américaine l'a initiée à une doctrine qui la passionne, le fouriérisme, qui vise à faire disparaître les inégalités sociales. Économie, éducation, politique et même les rapports entre les sexes ont été redéfinis par le Français Charles Fourier et ses disciples. Le penseur est allé jusqu'à imaginer une communauté utopique dans laquelle il incarnait son système théorique si vaste qu'il est très ardu, pour une seule personne, de le comprendre dans son entièreté !

Joseph Lainier interrompt la jeune femme, maintenant animée et les joues en feu :

— J'en ai entendu parler, en effet... Votre homme en a séduit beaucoup avec sa théorie révolutionnaire sur le travail. Vous la connaissez ? Selon lui, le travail devrait s'accomplir dans le plaisir. Dans sa communauté idéale, chacun choisirait la tâche qui lui chante et pour le temps qui lui chante.

— Il a dit ça ? s'exclame Flavie, saisie. Alors que Dieu lui-même aurait conçu le travail comme une obligation, comme une nécessaire croix à porter pendant le séjour sur terre !

— Il a dit ça, confirme Lainier, et bien d'autres choses encore. Il paraît même – mais c'est un secret bien gardé – qu'il propose une nouvelle éthique amoureuse, si osée que ses disciples ne souhaitent pas la faire publier...

De toute évidence au courant, Marguerite détourne les yeux pour cacher son embarras. Pour sa part, Flavie aimerait bien questionner leur interlocuteur, qui semble réellement intéressé par le sujet... Il s'empresse d'ajouter :

— Fourier n'est pas le seul socialiste à vouloir changer le monde. Saint-Simon avant lui, et l'Anglais Owen... Ce dernier m'a semblé fort intéressant. Si vous voulez, je vous en parlerai...

Leur entretien s'est étiré indûment et Marguerite imite à contrecœur Flavie qui se relève et se dirige résolument vers la porte. Elles saluent Mme Lainier, que la dame de compagnie guide ensuite vers la sortie. Après un regard pensif vers la porte refermée, Joseph Lainier leur adresse un charmant sourire :

— Vous êtes très aimables d'avoir accepté si gracieusement la compagnie de ma mère. Elle ne sort presque plus et toutes ses anciennes amies ne sont plus de ce monde…

Flavie lui tend la main et il la serre vigoureusement. Avec une hésitation, Marguerite fait de même, puis elle tourne brusquement les talons et dévale l'escalier à une telle vitesse que Flavie peine à la suivre. Dans la rue, elle court presque jusqu'à ce que Flavie la rattrape et glisse son bras sous le sien, l'obligeant à adopter une allure plus tranquille. Elle s'écrie :

— Il en connaît des choses, ce bon docteur ! Même le socialisme !

Plongée dans ses pensées, Marguerite ne répond pas. Ce n'est que de longues minutes plus tard qu'elle s'exclame avec soulagement :

— Je me souviens de Robert Owen ! Il est propriétaire d'une manufacture pour laquelle il applique des réformes révolutionnaires : une journée de travail plus courte, de bons salaires… Il parraine une école…

— Notre cher Joseph nous instruira davantage, l'interrompt Flavie gaiement. Il est bel homme, tu ne trouves pas ? Je suis surprise qu'il soit vieux garçon.

Marguerite la dévisage, toute pâle soudain, murmurant :

— Je crois qu'il a sacrifié quelques joies pour s'avancer dans sa profession. Je comprends ça…

Son amie contient difficilement son exaltation et Flavie s'attendrit. Tous les sentiments contradictoires qui se combattent en elle se succèdent sur son visage. Lainier est si intelligent, si sage et si bel homme! Justement: trop tout ça pour s'intéresser à une terne demoiselle comme elle... Flavie aimerait chuchoter à son amie à quel point la passion amoureuse ravive les traits de son visage et confère une grâce charmante à tous ses gestes, mais elle craint qu'une telle confidence ne l'affole!

Cependant, Flavie se risque à glisser:

— Tu as remarqué? Je crois que l'intérêt qu'il te porte n'est pas strictement amical...

Elle tressaille comme si Flavie l'avait pincée et elle la regarde franchement, partagée entre la joie et l'incrédulité.

— Tu crois? Mais un homme comme lui, doué de si belles qualités et choyé à sa naissance par une si agréable apparence! Comment pourrait-il prêter attention à moi?

Elle ajoute avec désespoir:

— C'est impossible, Flavie. Il est content d'avoir une amie avec qui il peut parler profession, et c'est tout. J'en suis persuadée.

— Si je comprends bien, il ne t'est pas indifférent?

Marguerite s'arrête net et lui fait face, les yeux écarquillés.

— Depuis la dissection... Oh, Flavie, je n'ai pas le tour de faire des confidences, mais j'ai tellement envie de te dire à quel point mon sentiment a grandi, à quel point ce n'est plus le médecin que j'ai hâte de rencontrer, le collègue, mais... mais...

— Mais l'homme, laisse tomber Flavie avec une secrète exaspération.

Saisissant l'occasion de la déniaiser, elle poursuit en souriant, de manière suggestive :

— Tu as envie de côtoyer celui qu'il y a sous la redingote, n'est-ce pas ? Si tu as déjà cru toutes les rumeurs colportées sur la nécessaire froideur des femmes, empresse-toi de les oublier tout de bon. La nature a installé chez les femmes une grande faim pour… pour l'autre sexe. Bien du monde, à commencer par les prêtres et les religieuses, tentent de nous persuader du contraire, mais c'est seulement parce que ça les arrange en maudit.

Sentant que Marguerite, bien qu'elle ait détourné les yeux, l'écoute avec une grande attention, Flavie poursuit :

— Crois-moi, quand la magie opère dans un couple, quand la chimie réussit, on peut se croire au paradis…

Après un temps, Marguerite murmure, un tremblement dans la voix :

— À Paris… à Paris, j'ai rencontré un étudiant… Un soir, avant le souper, il est venu me reconduire à la maison et… je ne sais même plus comment c'est arrivé, mais nous nous sommes retrouvés dans un coin sombre et il a osé… il a osé des gestes que je n'ai même pas songé à lui interdire. J'ai eu l'impression de m'éveiller d'un long sommeil. Comment a-t-on pu, Flavie, me faire croire pendant si longtemps que… que je devais m'habiller les yeux fermés ? Que la religion commandait une pudeur extrême et que même la plus légère pensée impure pouvait me précipiter en enfer ?

— Je ne sais pas, mais je suis bien contente que tu en sois sortie. Pendant un moment, j'ai vraiment douté que tu sois faite, comme moi, de chair et de sang ! Je te trouvais plutôt ahurissante…

Marguerite éclate d'un grand rire et, se tournant vers Flavie, elle la prend dans ses bras et la serre dans une étreinte qui lui coupe presque le souffle. Elle reprend ensuite sa marche avec un entrain renouvelé.

— Je t'avouerai, Flavie, que j'ai pris soin de fouiller quelques livres à ce sujet. Tu me connais, il faut toujours que je m'informe... Savais-tu à quel point les médecins ont des opinions divergentes?

— Ça ne m'étonne pas : ils veulent avoir l'air savants mais ils ne connaissent rien aux femmes.

— Enfin, j'ai trouvé le médecin Debay, un Français, particulièrement éclairant. J'ai rapporté son livre dans mes bagages. Je te le prête sur-le-champ, si tu me reconduis jusque chez moi. Mais n'en souffle mot à personne, et surtout pas à mes parents : ils me le confisqueraient!

— Tu as beaucoup de livres, comme ça, dissimulés dans les tiroirs de ta commode?

Elles pouffent gaiement, puis Marguerite redevient excessivement sérieuse. Elle dit avec un soupir :

— Je n'ai qu'à attendre, n'est-ce pas? Attendre et espérer qu'il daigne me visiter. Après tout, il connaît le chemin...

Le regard qu'elle jette à Flavie contient tout l'espoir et tout le scepticisme du monde.

Chapitre XXVIII

Ce soir-là, tandis que Bastien est en train de changer de vêture et de se débarbouiller, Flavie lui relate d'une voix égale les péripéties de leur visite à Lainier, s'empressant de lui affirmer, devant son air alarmé, que Marguerite et elle ont convenu d'abandonner l'idée d'une requête au McGill College. Comme elle s'y attendait, il réagit avec colère, mais dans un sens inattendu :

— C'est absurde ! Comment avez-vous pu seulement y songer ? C'est comme pactiser avec l'ennemi !

Devant l'air stupide de sa femme, il lui explique sans pouvoir cacher son agacement que les Anglais ont, dans la colonie, des avantages considérables par rapport aux Canadiens, dont celui de compter dans leurs rangs les médecins et les chirurgiens occupant les charges les plus prestigieuses, où leur influence rayonne.

— Ce n'est pas étonnant, commente Flavie, ils sont les mieux formés ! Ils ont étudié à Londres ou à Édimbourg !

— Là n'est pas la question. Les médecins anglais entendent contrôler l'exercice de la médecine au Bas-Canada, au détriment des Canadiens qu'ils considèrent comme des médecins de second ordre.

Flavie reste muette, mais elle n'en pense pas moins : personne ne peut contester le fait que la formation médicale des Canadiens est de bien piètre qualité si on la compare à celle qui est donnée dans les grandes universités d'Europe!

— Au lieu d'encourager une saine rivalité entre les deux écoles de médecine, ceux de McGill font tout pour nous mettre des bâtons dans les roues. À cause de leur charte royale, la seule du Bas-Canada, ils regardent les pauvres petites écoles de médecine de haut! Ils s'arrogent des privilèges indus, qu'ils veulent être les seuls à posséder! Tu devrais entendre le Dʳ Painchaud, l'un des fondateurs de l'École de médecine de Québec, lorsqu'il aborde ces questions… Alors jamais, au grand jamais, je n'accepterais que tu y fasses une demande d'admission!

— J'ai compris, marmonne Flavie. Je ne suis pas sourde. De toute façon, l'idée est bel et bien abandonnée, rassure-toi.

Plus calmement, il reprend:

— J'apprécierais que tu me mettes au courant de tes projets *avant* d'aller en discuter avec d'autres. Est-ce trop te demander? Je n'en ai pas entendu miette!

— Tu as déjà tellement de soucis… Je ne veux pas t'embêter.

Bastien lui jette un regard rempli de scepticisme et Flavie est bien obligée d'avouer:

— C'est que j'en ai discuté avec Marguerite tout récemment seulement… Et toi et moi, on ne fait que se croiser, sauf pour les délivrances, pendant lesquelles on a bien d'autres chats à fouetter!

Avec une douceur inattendue, il laisse tomber en la regardant:

— Ce qui te concerne, Flavie, ne m'embête jamais.

– Au contraire, réplique-t-elle avec obstination. Depuis quelque temps, je t'embête fièrement et tu me le fais savoir…

Il pousse un profond soupir. Avec espoir, Flavie constate qu'il semble notablement radouci et elle décide de tirer parti de son avantage. Câline, elle s'approche lentement de lui et elle glisse un bras autour de sa taille. Avec un grognement d'aise, elle enfouit son visage dans le creux de son cou. Loin de la repousser, il ne peut s'empêcher de l'enlacer à son tour. D'une voix grave et feutrée, il marmonne de vagues excuses au sujet des mots durs qu'il a eus à son égard et de sa froideur subséquente. Sans le laisser poursuivre, Flavie balbutie:

– La dernière chose que je souhaite, Bastien, c'est de te nuire d'une quelconque manière.

Il baise doucement ses doigts, qu'il emmêle ensuite aux siens.

– Je le sais bien, ma toute belle. Tu ne peux pas te douter… Mais je t'en prie, si tu as le moindrement de considération pour moi, ne soulève plus cette question. Elle ne peut que nous mener…

Il laisse sa phrase en suspens. Flavie l'encourage:

– Nous mener où?

Il ne répond pas et, après un temps, elle insiste encore:

– Mais de quoi as-tu tant peur? Bon, j'avoue qu'une candidature dans une école, c'est fièrement osé. De même, un apprentissage avec un médecin étranger… Mais avec toi? C'est si effrayant pour tes collègues?

– C'est un concours de circonstances, répond-il enfin d'une voix très mesurée. Comme le sort de ma clinique est encore incertain, la moindre risée peut lui être fatale. J'ai besoin de tout l'appui que je peux trouver.

Elle lève la tête vers lui et se hausse pour effleurer sa bouche de ses lèvres. Il bougonne :

– Je m'ennuyais de toi, mon petit chat sauvage…

– Moi aussi, mon ange… Je ne peux pas supporter que tu te tiennes si loin de moi, bête et fâché !

– Bête ? Je ne suis pas bête ! C'est toi qui…

S'agrippant à lui, elle se dépêche de l'embrasser pour le faire taire et, ainsi enlacés, tous deux finissent par trébucher sur les chaussures qu'il a abandonnées sur le plancher, quelques minutes plus tôt, en plein milieu de la chambre, et par s'écrouler sur le lit dans un grand éclat de rire. Il se met à causer avec elle d'un cas loufoque qu'il a rencontré le jour même dans sa pratique et, à en juger par son attitude, c'est comme si leur désaccord n'avait jamais existé.

Il se révèle, au cours des jours qui suivent, d'humeur enjouée et caressante. Il lui propose une soirée au théâtre et elle se laisse prendre au charme de son empressement, tout en réalisant avec un serrement de cœur que même si les rapports entre eux retrouvent toutes les apparences de la normalité, un lien s'est rompu, celui de la confiance absolue qu'elle avait placée en lui.

La mode est aux panoramas itinérants et déjà, au printemps, ils ont assisté, dans la salle de concert du marché Bonsecours, en compagnie de Delphine Coallier et de son frère Philippe, à l'une des soixante-quatre représentations du *Monster panorama of the Crystal Palace*.

La main bien au chaud dans celle de Bastien, Flavie assiste donc, émerveillée, au *Grand panorama de la Californie*, agrémenté de chansons et ballades de la charmante Rosa-May. Ces invitations au voyage au moyen d'une longue toile peinte, lentement déroulée et mise en valeur par un accompagnement au piano, un texte déclamé avec emphase et des jeux de lumière, ont fait la conquête de tous les citoyens, même les plus éminents.

En cette pluvieuse journée d'automne, la vaste demeure de Suzanne Cibert semble à Flavie beaucoup moins enchanteresse que dans son souvenir. S'attachant aux pas d'un domestique au costume empesé, elle observe la profusion de meubles à l'ornementation exubérante, de tentures et de papier peint aux couleurs sombres, et elle a l'impression qu'une triste humidité suinte de partout...

Cependant, gaieté et chaleur règnent dans la pièce brillamment illuminée où elles sont une douzaine de dames, partagées en deux groupes, à manier prestement l'aiguille. Secondée par quelques amies, Suzanne a taillé, dans du drap de laine, plusieurs petites bougrines très simplement coupées. D'ici la fin de la journée, chaque dame devrait en avoir assemblé deux, qui seront ensuite distribuées parmi les victimes de l'incendie qui logent encore dans les *sheds*.

Même si elle prévoyait faire de telles rencontres, Flavie retrouve avec ennui quelques-unes des dames avec lesquelles elle a bavardé lors de la *garden-party*. Il lui a fallu un bon moment pour reconnaître Marie-Caroline Fleurant, qui a remplacé son chapeau extravagant par une toute petite coiffe élégamment inclinée sur le côté de sa tête. À un certain moment, Flavie ne peut s'empêcher de se pencher vers elle et de lui lancer à mi-voix, l'expression narquoise :

— Pour un cerveau masculin, je ne me débrouille pas trop mal avec du fil à coudre, n'est-ce pas ?

Légèrement empourprée, la longue et mince jeune dame fait, sans la regarder, une mine contrite. Sa voisine, après un gloussement, commente :

— Pour ça, jamais un homme ne s'abaisserait ainsi ! Madame Renaud, vous nous prouvez de manière éclatante qu'il ne faut pas se fier aux qu'en-dira-t-on !

Flavie pose sur elle un œil scrutateur, finissant par reconnaître une autre des invitées de Suzanne du printemps précédent, une dame bien en chair au visage plutôt placide, Odille Vincelet, dont elle ignorait jusqu'alors l'identité. Une autre figure familière, Mme Robichaud, déclare avec un rire de gorge :

— Votre requête auprès de l'École de médecine et de chirurgie a fait le tour de la ville ! Il faut une singulière audace pour oser un tel coup d'éclat !

— Tout ce que nous voulons, ma consœur Marguerite et moi, c'est acquérir un savoir important. Nous voulons qu'on nous donne cette chance. Tout le reste est secondaire.

— N'empêche… Mon mari frissonnerait d'horreur à l'idée de me voir mêlée à des étudiants en médecine. Une telle promiscuité est inconcevable ! Réalisez-vous à quel point l'honneur de votre mari risque d'être irrévocablement compromis ?

— En tout cas, murmure Flavie avec lassitude, tout le monde s'empresse de me l'expliquer en long et en large, ne vous en faites pas pour moi.

Après un court moment de malaise, Odille Vincelet se penche vers elle et dit à mi-voix, avec un sourire goguenard :

— Vous seriez surprise, ma jeune amie, de savoir le nombre de dames qui sont venues, aujourd'hui, uniquement pour vous voir en chair et en os…

L'arrivée de Suzanne, qui se laisse bruyamment tomber sur le siège qu'elle s'est réservé, dispense Flavie, estomaquée, de répondre.

– Ouf! Chacune est organisée... Quel travail, tout de même! Vous dire à quel point je cours depuis une grosse semaine... Mais pour une bonne cause, il ne faut pas ménager ses efforts!

Peu à peu, la conversation devient générale. Chacune y va de son commentaire sur les conséquences de la catastrophe de juillet, sur la crise du logement qui sévit à Montréal et sur la nécessité, pour les bien nantis, de quitter les faubourgs du centre, plus susceptibles d'être la proie des flammes et des pillards, pour habiter les contreforts de la montagne. C'est là, paraît-il, que sont prévus de nouveaux quartiers prestigieux aux avenues larges et aux maisons en rangées dotées de tous les conforts, y compris l'eau courante!

Lorsque ce sujet est épuisé, quelqu'une lance à la cantonade, avec émotion :

– Lorsque le curé, du haut de la chaire, a fait lecture de la lettre pastorale de Sa Grandeur, j'étais suspendue à ses lèvres! Monseigneur a dépeint, pour le bénéfice de tous ceux qui étaient absents de la ville, des scènes si horrifiantes!

– J'étais à Pointe-Claire le 8 juillet, intervient une dame d'une voix aiguë, et j'en ai aperçu la lueur!

– Des hommes s'abandonnaient à la plus brutale des passions, l'ivrognerie, pour ensuite commettre d'affreux excès! Notre évêque a bien raison de les comparer à des bêtes féroces! Vous les avez vus, madame Renaud?

Stupéfaite d'être ainsi interpellée, Flavie fait, après un moment :

— J'étais donc la seule, parmi nous toutes, à être demeurée en ville ?

— La chaleur de juillet est infernale, bougonne une bourgeoise. Je ne vois pas pourquoi il faudrait l'endurer inutilement…

Marie-Caroline Fleurant glisse, comme gênée :

— Moi aussi, vous le savez, j'ai passé l'été à Montréal. J'étais indisposée…

À en juger par l'expression légèrement narquoise de certaines des dames penchées sur leur ouvrage, c'est un pieux mensonge. Flavie se dit que son mari médecin a sans doute de sérieux problèmes d'argent… Revenant à la question qui lui a été posée, elle répond enfin :

— En effet, dans notre belle cité, il y a bien des hommes sans scrupules qui n'hésitent pas à profiter de la misère d'autrui pour s'enrichir.

— Ce jour-là, ces hors-la-loi avaient le champ complètement libre !

— Monseigneur a évoqué des femmes tremblantes qui étaient tout à coup saisies des douleurs de l'enfantement… En avez-vous été témoin, madame Renaud ?

Toutes les dames suspendues à ses lèvres, Flavie fait sobrement le récit de l'accouchement de Mme Lepain sous une porte cochère. Après un concert d'exclamations sur l'indignité d'une telle position, elle remarque avec un sourire :

— Le manque d'intimité m'inquiétait fièrement moins qu'une éventuelle complication ou qu'un tison transporté par le vent…

Une dame répète lugubrement les paroles de l'évêque :

— La foi de Montréal était trop vive pour ne pas être éprouvée. Elle le fut, et d'une manière bien sensible.

– C'est ce que Sa Grandeur nous a rappelé d'une manière si éloquente! Montréal était surnommé la ville des aumônes, il était comblé des bénédictions spirituelles et temporelles, recevant en même temps la rosée du ciel et la graisse de la terre! Pourtant, le Très-Haut l'a traité avec tant de sévérité, le jour de sa vengeance!

– Une si rude épreuve ébranlerait même la foi la plus ardente...

– Mais ne comprenez-vous pas, Bérénice, que la Providence doit être vue comme toujours juste et toujours adorable?

Quelques dames protestent entre leurs dents, ce qui n'empêche pas l'apprentie prédicatrice de poursuivre sur sa lancée :

– Le Seigneur est juste et il ne frappe que sous la provocation! Nos iniquités en sont la cause!

D'un ton ennuyé, Suzanne intervient avec fermeté :

– Monseigneur exige de nous un esprit de charité à la mesure de l'ampleur de nos maux. Il demande de consacrer aux secours ce qui aurait été dépensé pour les plaisirs. Voilà pourquoi, mesdames, nous sommes réunies ici aujourd'hui. Pour tout le reste, madame Boiverd, c'est une question de conscience personnelle.

Séduite par ce discours raisonnable qu'elle n'attendait plus de la part de Suzanne, Flavie enchaîne avec légèreté :

– Pour le sûr, monseigneur use d'images très frappantes dans le but d'impressionner les âmes. À la vérité, il enjolive quelque peu la réalité... Croyez-vous vraiment que, pendant le pire de l'incendie, des paroles «pleines d'une soumission humble et sublime» s'élevaient vers le ciel?

Tout en prenant soin de conserver une certaine mesure, elle imite le ton plein d'emphase des prêcheurs :

— «Nous l'avons bien mérité... Dieu nous l'avait donné, Dieu nous l'a ôté, que son saint nom soit béni!» Je vous assure que c'étaient plutôt des cris de désespoir qui jaillissaient des poitrines, et aussi des cris de colère, parce que ce terrible gâchis aurait pu et aurait dû être évité!

— Même notre belle cathédrale a été ruinée! se désole Odille Vincelet. Il paraît qu'en tombant sur le sol sa cloche a fait entendre un son d'une poignante tristesse!

Flavie ne peut s'empêcher de marmonner narquoisement :

— «Depuis qu'elle ne sonne plus, les rues de Sion pleurent...»

Une dame se réjouit à voix haute du fait que, la deuxième moitié de la saison estivale ayant contredit toutes les prévisions pessimistes, les récoltes ont été magnifiques et abondantes, ce qui permettra aux habitants de répondre avec largesse aux besoins des Montréalistes encore sans ressources. Soudain, une petite voix au ton rancunier résonne de manière inattendue :

— Certes, madame Renaud, ce n'est pas dans la prière que vous trouvez votre bonheur...

Dans le silence malaisé qui suit, Flavie jette un coup d'œil à la petite dame au corps en forme de poire, poitrine étroite et hanches larges, qui est assise au sein de l'autre cercle, cousant furieusement. Avec un sourire magnanime, elle répond :

— Je ne peux pas vous contredire. Vous avez raison, je ne suis pas portée à ces épanchements publics.

Marie-Caroline Fleurant plaide gentiment :

– Ce n'est quand même pas un péché, avoir le courage de ses convictions !

– Mais il faut aussi savoir louvoyer, intervient Suzanne. Ne sommes-nous pas, nous les dames de la belle société, expertes en cet art ? Feindre une image, peu importe nos sentiments intérieurs…

Flavie n'est pas dupe de son ton badin. Leur hôtesse dégage soudain une aura touchante de fragilité et d'incertitude… Après un temps, Flavie laisse tomber :

– J'ignore si je serai jamais une dame de la belle société. On me reprochera encore longtemps, je le crains, mes manières frustes…

– Vos ambitions nous interpellent bien davantage, réplique Marie-Caroline. Elles provoquent en nous un dérangeant mélange d'émotions – colère et envie, dédain et curiosité – qui nous fait jurer comme des charretiers…

Un rire embarrassé général couvre le murmure de froissements de robes.

– Votre honnêteté, madame Fleurant, me plaît fièrement. J'aimerais qu'il en soit toujours ainsi ! J'ai beaucoup de misère avec les allusions et les sous-entendus.

– Allusions et sous-entendus, comme vous dites, qui sont l'apanage d'esprits cultivés qui détestent la grossièreté !

Avec un triste sourire à Odille Vincelet, Flavie bredouille :

– Ce qui est grossièreté pour vous n'est que franchise pour moi.

La prénommée Bérénice, une jeune dame dont le joli visage est encadré par deux lourdes tresses brunes, interjette, avec une expression d'intense curiosité :

– Vous devez être très connaissante au sujet des affaires de femmes…

Constatant la réaction légèrement outrée de ses voisines, elle s'empourpre. Flavie répond avec gentillesse :

– Je crois que je me débrouille…

La réponse est accueillie par des éclats de rire moqueurs, auxquels Flavie se joint de bon cœur. Dès qu'un relatif silence revient, elle s'enquiert gaiement :

– Y a-t-il un sujet particulier qui vous intéresse ?

Bérénice rougit encore davantage et se cache derrière le manteau qu'elle est en train d'assembler. Flavie enchaîne, d'une voix claire :

– Pour le sûr, j'en ai appris fièrement au moyen de mes lectures. Des notions qui ont rapport à l'anatomie, à la physiologie et aux phénomènes naturels… Des enseignements dont, malheureusement, nous sommes privées sous le prétexte fallacieux de décourager le vice. Les préjugés concernant la sexualité humaine ont la couenne dure…

La jeune accoucheuse se doutait bien qu'à entendre ces propos osés les dames se troubleraient : plusieurs inspirent bruyamment tandis que d'autres s'éventent de manière ostentatoire. Penchées l'une vers l'autre, Mme Boiverd et une de ses compagnes murmurent ensemble avec une sorte de fureur, coulant vers Flavie des regards acérés. Suzanne intervient sur un ton de reproche :

– Chère amie, nous abordons des questions délicates, qui exigent la plus stricte mesure verbale. Cette vertu que, jeunes filles, nous cultivons est un apparat fort prisé de ces messieurs…

– C'est comme tu disais tout à l'heure. Une image… Correspond-elle à la réalité ?

Accueillie par un éloquent silence, la question flotte dans l'air pendant un bon moment. Poussant un brusque soupir d'exaspération, Suzanne se lève et annonce qu'il est temps de s'offrir quelques rafraîchissements. Un sympathique brouhaha s'installe, mais, peu à peu, chacune constate que Mme Boiverd reste immobile, debout, les yeux fixés sur Flavie, qui finit par soutenir son regard. La dame lance, la mine mauvaise:

— Vous devriez avoir honte d'aborder en public le sujet de vos lectures. Peut-être l'ignorez-vous, mais nous sommes toutes, ici, au courant des excès auxquels vous vous adonnez et qui font courir aux âmes vertueuses de terribles dangers! J'ai entendu dire, madame Renaud, de bien terribles choses sur votre compte. Je croyais naïvement que la rumeur avait enflé les faits à outrance, mais je constate plutôt qu'elle est en deçà de la réalité!

L'attaque est sérieuse et chacune suspend sa respiration. Flavie dépose son ouvrage sur le siège qu'elle vient de quitter, avant de faire deux pas vers son interlocutrice. Posément, elle lui demande de bien vouloir préciser la nature de ces terribles choses. Faussement confuse, Mme Boiverd bégaye:

— C'est qu'en public je n'oserais pas…

Flavie est sur le point de se détourner avec une moue de dédain lorsque Mme Boiverd jette, comme on s'élance d'un tremplin:

— On sait bien que les sages-femmes sont aussi des faiseuses d'anges…

Flavie gronde:

— Quel est le rapport?

— Elles encouragent des comportements horribles dont les âmes innocentes n'ont même pas le soupçon, comme empêcher la famille par de funestes moyens! Y compris même le *fœtum destruere*, comme dit mon mari… Monseigneur n'a-t-il pas trouvé, à l'École de sages-femmes de Montréal, un livre infernal, engendré par un monstre?

Flavie se détend légèrement:

– Enfin, le chat sort du sac! Vous faites certainement allusion à *The Married Woman's Private Medical Companion*. En effet, madame Boiverd, ce livre nous appartenait, à mon mari et à moi. C'est un ouvrage extrêmement intéressant écrit par un médecin, un grand humaniste qui s'indigne du fait que les maladies vénériennes sont propagées sans frein et que les créatures engrossées sont obligées de donner leurs enfants en adoption, ce qui n'est pas, vous en conviendrez, un sort enviable! Il propose une solution simple à ce problème…

– Qu'il ne serait pas séant de nommer ici, interrompt fermement Suzanne, qui vient d'entrer.

– Mais que devrait connaître toute femme qui tient à ne pas engendrer trop d'enfants, à la fois pour protéger sa santé et pour assurer le meilleur avenir possible à sa progéniture! Je suis épouvantée lorsque j'assiste des femmes qu'on encourage à procréer, même si elles ont déjà manqué y perdre la vie et même si on sait parfaitement qu'elles sont mal conformées pour accoucher! C'est un crime, madame, bien plus horrible que l'infanticide devant lequel, pourtant, toute âme sensible se voile la face!

Un lourd silence fait suite aux paroles enflammées de Flavie, qui envisage successivement avec défi chacune des femmes présentes. L'une d'entre elles finit par commenter prudemment:

– L'engin que vous mentionnez est bien connu. Pour ma part, madame, je me range aisément derrière vos arguments. Cependant, cet engin est utilisé à d'autres fins, moralement condamnables...

– À mon sens, notre société est fort curieusement organisée au sujet de la moralité. Sous prétexte de ne pas encourager le vice, on laisse la syphilis et les autres maladies vénériennes se propager sans frein, comme on laisse les jeunes filles courir le risque de devenir grosses! C'est de l'hypocrisie, madame, un aveuglement qui fait des milliers de victimes innocentes!

– Innocentes! s'insurge M\ up{me} Boiverd, rouge comme une tomate. Comment pouvez-vous qualifier les filles publiques d'innocentes? Ne dit-on pas que ce sont des vicieuses-nées, dont l'âme est noire comme du charbon et dont même les parties privées sont... sont anormalement constituées? Elles sollicitent la compagnie des hommes avec tant d'adresse et de malice qu'ils ne peuvent que succomber à leurs invites! C'est le démon qui parle à travers elles...

Flavie maîtrise avec peine l'onde de colère qui monte jusqu'à la racine de ses cheveux. Froidement, elle réplique:

– En effet, d'odieuses plaisanteries circulent concernant l'altération des parties *professionnelles* des prostituées. J'ai assisté à des centaines de délivrances, parmi lesquelles de nombreuses créatures, et jamais je n'ai remarqué de telles différences morphologiques. Vous seriez bien avisée de relever le nez de votre missel pour le plonger dans le célèbre ouvrage de Parent-Duchâtelet, *De la prostitution dans la ville de Paris*. C'est une étude sociologique admirable qui détruit nombre de préjugés...

Soudain, Marie-Caroline se glisse devant Mme Boiverd et lui dit avec intensité:

— Convenez avec moi, Dorimène, que la dernière chose que l'on peut reprocher à notre amie, c'est de chercher à faire le mal autour d'elle. Si, si, ne protestez pas! Ce n'est pas le vice qu'elle encourage, c'est la liberté de mener sa vie les yeux grands ouverts. Comme vous-même, elle souhaite propager le bien et le bon. Ce qui vous distingue toutes les deux, mesdames, ce sont vos convictions...

Choquée de se faire jeter dans le même panier que cette bigote, Flavie se récrie:

— Les catholiques de la trempe de notre évêque sont des despotes qui exercent une tyrannie sur les âmes. Moi, je ne force personne à me croire!

Un silence chargé s'installe, que Dorimène Boiverd rompt en articulant, les yeux fixés sur leur hôtesse:

— Je me résous à une trêve, chère Suzanne, mais je n'en pense pas moins. C'est une hérésie que de s'opposer à la volonté de Dieu telle qu'elle a été transmise par la bouche des Pères de l'Église catholique. Il fut dit que la femme devait engendrer dans la douleur, parfois au péril de sa vie: c'est sa sainte mission sur terre, celle que lui commande la Providence et pour laquelle gloire lui sera rendue dans le monde céleste.

D'un mouvement très lent, elle se tourne vers Flavie.

— J'ai une dernière chose à vous dire, madame Renaud, que me commandent mon amitié et mon sentiment de loyauté à l'égard de votre belle-mère, qui se trouve être l'une de mes bonnes amies. Persuadée qu'il en allait du bonheur de son fils, Archange vous a accueillie dans sa famille et dans son monde avec une extrême générosité. N'avez-vous donc aucune pitié pour elle, à qui vos indécences causent mille tourments?

— Dorimène! s'exclame Marie-Caroline avec reproche. Vous ajoutez à l'outrage!

— Quant au jeune M. Renaud... on croirait que vous le haïssez, vu ce que vous lui faites subir!

Se sentant chavirer, Flavie reste clouée sur place, puis elle essuie les larmes qui lui montent aux yeux d'un geste rageur du bras. Sur le point de tourner les talons pour s'enfuir loin de cette harpie, elle se ravise subitement. Ne leur reprochait-elle pas, quelques minutes auparavant, de ne jamais dire les vraies choses, de toujours prétendre? Dans un mouvement d'abandon, elle plonge son regard dans celui de son interlocutrice, puis elle murmure, la voix rauque:

— Mon mari, je l'estime et je l'aime de tout mon cœur. Si mes actes vous paraissent prouver le contraire... je n'y peux rien, madame. Vous n'êtes pas la seule, allez. Bien des gens me jugent...

Complètement désemparée, elle revient à son siège et saisit fébrilement la petite bougrine inachevée qu'elle presse contre son cœur. Relevant la tête, elle est touchée par l'expression empreinte de commisération de Marie-Caroline et, s'y agrippant comme à une bouée, elle balbutie à son intention:

— Tous deux seuls sur une île déserte, nous serions les plus heureux du monde. J'ai tellement hâte de me retrouver ainsi avec lui, sans personne autour! Oh! oui, j'ai tellement hâte...

Des images de la cabane sur la grève de Cacouna lui envahissent l'esprit, sur lesquelles se superposent le visage aux traits heureux et détendus de Bastien, son regard caressant, son sourire gourmand… Brusquement, Flavie quitte la pièce en courant presque. À son grand étonnement, plusieurs dames la suivent: Suzanne, bien entendu, mais également Marie-Caroline, Bérénice, ainsi qu'une autre qui ne lui a jamais adressé la parole. La petite troupe silencieuse parvient au hall d'entrée. Le visage soucieux, Bérénice aide Flavie à endosser son manteau, puis elle lui adresse un sourire à la fois hésitant et chaleureux avant de bégayer:

— Pourriez-vous, madame Renaud, me conseiller un livre?

Étonnée et amusée tout à la fois, Flavie rassemble ses idées pour répondre gentiment:

— Cherchez l'un de ceux du médecin français Auguste Debay. Ils sont très instructifs, mais surtout moins offensants pour la conscience de notre évêque.

À son tour, Marie-Caroline bredouille:

— J'ai beaucoup réfléchi, madame Renaud, depuis notre première rencontre, ici même dans le jardin… J'espère avoir l'occasion de vous revoir très bientôt.

Flavie lui offre un faible sourire en guise de réponse. La moue impatiente, Suzanne intervient:

— Nous laisseriez-vous, chères amies? J'aimerais dire à Flavie deux mots en privé.

La jeune accoucheuse se prépare à recevoir d'amers reproches sur l'inconvenance de sa conduite, mais Suzanne la prend au dépourvu:

— Je voulais te demander conseil… Récemment, une très bonne amie m'a fait part d'un… problème qu'elle vit avec son mari et qui la trouble fort.

— Je t'écoute.

— Eh bien… Je vais tâcher d'être claire, même si ce sont des sujets délicats à aborder… Son mari est ardent

et elle aussi, mais…, chaque fois, elle se retrouve insatis-
faite et aigrie. Leurs étreintes…

Suzanne se mord les lèvres. Son ton exagérément
détaché et l'impassibilité des traits de son visage mettent
la puce à l'oreille de Flavie, qui l'observe attentivement.

— Je veux dire… les autres hommes, est-ce qu'ils obtiennent leur plaisir toujours aussi rapidement, en quelques minutes?

Après un temps, Flavie répond posément:

— Généralement, non. Cependant, certains hommes
souffrent d'une sensibilité exagérée de l'organe mâle. Ils
sont incapables de se contrôler et le moindre toucher suscite une décharge de semence.

— Est-ce que… ça se soigne?

— Il paraît que oui. Mais j'ai cru comprendre que
le préalable essentiel, c'est que le mari doit reconnaître
qu'il a un problème…

Pendant une fraction de seconde, Suzanne semble
en proie à un immense découragement, puis elle se ressaisit et rétorque vivement, presque avec méchanceté:

— Eh bien! C'est proprement ahurissant avec quelle
déconcertante facilité tu jases de ces choses intimes!

— C'est de même ahurissant, rétorque Flavie, comment certaines personnes nous interrogent avec avidité,
pour ensuite nous reprocher *secquement* nos honnêtes
réponses!

Sur ce, sans même un adieu, elle s'empresse de prendre la poudre d'escampette. Le ciel est toujours encombré
de lourds nuages gris, mais, à son grand soulagement, la
pluie a cessé. Sur le perron, elle ne peut retenir un sourire
ironique. Elle aurait été prête à parier que le trop fringant
Louis Cibert avait un sérieux vice de construction! Pauvre

Suzanne... Il n'y a vraiment pas de quoi rire. Manifestement, le rouquin docteur ne se préoccupe guère de transporter par d'autres moyens son épouse au septième ciel ! Sans doute que son orgueil mâle mal placé ne peut même pas supporter la moindre allusion à ce sujet...

Une calèche quitte la rue pour s'engager sur le chemin privé et Flavie fronce les sourcils. Lequel des Cibert va en sortir ? Sûrement la belle-mère, il n'est même pas cinq heures du soir... Flavie descend dignement les marches du perron pour s'éloigner dans la direction opposée, mais, à son grand désarroi, la voiture dépasse le perron pour venir jusqu'à sa hauteur. Un ordre sec, et le cocher immobilise le cheval. Nonchalant, Louis Cibert en descend, donnant ensuite l'ordre à son domestique de se garer dans l'écurie.

Avec un frisson à l'échine, songeant aux phrases brutales que Louis lui a lancées après la dissection, Flavie se force à attaquer la première.

— Vous êtes encore très fâché de ma visite dans la salle de dissection ?

Momentanément déstabilisé, il prend un temps avant de répondre suavement :

— Pas le moins du monde. Vous me connaissez : j'ai un tempérament qui s'enflamme rapidement. Mais lorsque j'ai l'occasion de revenir sur les événements, je me modère plutôt...

Se penchant, il lui dit sur le ton de la confidence :

— Je suis bien obligé de croire à la pureté de vos intentions concernant l'étude de la médecine. Votre obstination à ce sujet dépasse l'entendement... Une requête pour être admise à l'École de médecine ! J'ai cru à une mauvaise plaisanterie... Dans le fond, j'aimerais que le conseil accepte, même si la chose est hors de question.

J'aimerais qu'il accepte pour que vous soyez prises à votre propre jeu…

– Parce que, selon vous, nous allons au-devant des embêtements seulement pour la forme? Nous aurions signé une telle requête sans avoir la ferme intention d'honorer une réponse positive?

Avec un rire moqueur, son interlocuteur lance en s'éloignant:

– À ce que je vois, le mariage n'a pas adouci le tempérament de madame! Si ton mari a besoin de quelques trucs, tu lui diras de venir me voir!

Même s'il a le dos tourné, Flavie lui envoie une éloquente grimace avant de s'écrier:

– Il pourrait t'en remontrer fièrement, Louis Cibert, concernant le plaisir qu'on donne à une femme!

Il tombe en arrêt, puis se retourne lentement, le visage subitement contracté par la colère. Il revient vers elle en trois enjambées et gronde:

– Que veux-tu insinuer? Est-ce que Suzanne…

Il s'interrompt et Flavie le laisse se dépêtrer dans son silence avant de lâcher, avec une nonchalance étudiée:

– Suzanne? Pourquoi me parles-tu de Suzanne? Aurait-elle quelque raison de se plaindre?

Ce disant, elle tourne les talons et s'éloigne prestement, sans pouvoir retenir un gloussement sonore. Dès qu'elle débouche sur le chemin, cependant, son humeur s'assombrit considérablement. Cette rencontre couronnait une bien étrange journée… Comme elle est fatiguée d'être ainsi ballottée entre dames outragées et bienveillantes, entre semonces et compliments! Son espoir puéril d'être un jour considérée comme l'une des leurs s'est rétréci telle une peau de chagrin. Aujourd'hui, la

chose lui apparaît aussi nette qu'un furoncle sur le nez :
parmi ces belles dames, elle est comme un chardon au
milieu de roses...

Chapitre XXIX

Malgré la neige abondante qui tombe sur la ville, recouvrant enfin les feuilles mortes, toutes les habituées du cercle sont présentes ce matin-là chez Marguerite, sauf Sally, retenue par une délivrance. Comme c'est leur première réunion depuis, chacune raconte d'abord aux autres les conséquences du grand incendie. L'histoire la plus touchante est celle de Marie-Julienne Jolicœur, qui habitait le faubourg Sainte-Marie et dont le domicile a été détruit par les flammes. De surcroît, son père, palefrenier à l'hôtel Hays, a perdu son emploi! Heureusement, le propriétaire, un homme généreux, a réembauché les membres de son personnel dès qu'il a pu leur offrir un poste à son hôtel en reconstruction ou ailleurs.

Ensuite, c'est avec enthousiasme que chacune commente la lecture du *Mémorial de l'art des accouchements*, aussi instructif que l'ouvrage de Mme Lachapelle, mais d'une manière différente. L'exposé théorique que fait l'accoucheuse Boivin dans la première moitié de son livre est, de l'avis général, extrêmement bien construit. La description des parties de la femme qui servent essentiellement à la génération et à l'accouchement, du bassin aux parties molles, puis les considérations générales sur la menstruation et la grossesse, et enfin sur le fœtus et ses annexes, sont tout à fait dignes d'éloge.

Chacune y va de ses commentaires, soulignant ce qui lui a paru davantage frappant ou inusité. Léonie finit par s'écrier :

— Avez-vous remarqué ses observations au sujet de la douleur de l'enfantement? Elle en parle à deux reprises, d'abord dans l'avertissement en début d'ouvrage et ensuite dans la deuxième partie.

Depuis des siècles, les médecins se demandent où se trouve le siège de la douleur lors des contractions. Toutes les femmes présentes se rangent à l'opinion éclairée de la célèbre accoucheuse française, qui croit qu'il réside dans le col de la matrice lorsqu'il se dilate. Léonie enchaîne :

— C'est un sujet délicat, parce que, comme Mme Boivin l'écrit, «une terrible sentence condamne les femmes à n'enfanter qu'avec douleurs».

— Une *sentence*? relève Marguerite avec une amère ironie. Dans le sens de «jugement rendu par le tribunal céleste »?

— Et duquel beaucoup se gargarisent, ajoute lugubrement Magdeleine.

— Ce que j'ai particulièrement apprécié, c'est à quel point Mme Boivin espère que la science, un jour, trouvera les moyens d'adoucir le sort des parturientes. La douleur n'est pas la même pour toutes, mais, pour certaines, elle devient une affreuse agonie, qui augmente le danger dans des circonstances bien précises. Elle écrit : «Nous avons cherché à fixer l'attention des physiologistes sur la cause et le siège des douleurs de l'enfantement; de même que sur la cause et le siège des douleurs de reins, qui accompagnent souvent le travail, et qui en retardent toujours la marche. »

— En clair, intervient Flavie, dans quelques cas, Mme Boivin est d'accord avec l'emploi d'anesthésiques, ce qui tombe sous le sens.

Marie-Barbe Castagnette s'exclame :

— N'empêche qu'il y a encore des bonnes âmes pour s'offusquer d'une telle idée !

— Pourtant, certaines interventions que les médecins doivent effectuer sur les parturientes sont aussi douloureuses, et même davantage, que des chirurgies !

— Pour ma part, fait Marguerite, ainsi que le prouve l'extrait cité par Léonie, j'ai cru comprendre qu'elle évoquait les accouchements naturels qui parfois semblent causer des douleurs extraordinaires.

Les sourcils froncés, Léonie interroge :

— N'est-ce pas l'emploi du forceps qu'elle remet ainsi en cause ? Vous savez comme moi à quel point cet instrument est importun, à quel point il peut soumettre la femme en couches à de réelles tortures…

— C'est pourtant grâce à leurs instruments, remarque Flavie sans se démonter, que les médecins sont populaires, et c'est un avantage marqué. Mme Lachapelle écrit elle-même que l'emploi du forceps dans les accouchements difficiles tranquillise souvent les femmes. Beaucoup d'entre elles, à la délivrance suivante, en sollicitent même l'application tant elles ont été soulagées d'être enfin *débarrassées* de leur bébé !

— Débarrassées ? Flavie ! Te rends-tu compte ? Une femme ne se débarrasse pas de son bébé, elle s'en délivre ! Va-t-on utiliser les fers pour faire plaisir aux dames, au risque de les mutiler et de blesser le fœtus ?

Nullement impressionnée, Flavie relate la délivrance d'Hortense Pominville, quelques mois plus tôt.

— Nous avons eu beau la prévenir des dangers, rien à faire ! Elle ne voulait pas mettre bas comme un animal, elle voulait garder toute sa dignité de bourgeoise ! Comment aurions-nous pu refuser d'accéder à sa demande sans risquer de la mettre entre les mains d'un praticien inexpérimenté ? Nos patients ont le droit d'accepter ou de refuser les traitements que nous proposons.

Léonie s'insurge :

— Il y a tout de même une limite ! Un médecin devrait-il céder aux supplications d'un patient qui exige une opération quand il sait que ce serait inutile et même dangereux ? Devrait-il prescrire un médicament inadéquat que le patient exige depuis qu'il l'a vu annoncé dans une gazette ?

— La question se pose en effet, commente Marguerite en souriant avec bienveillance. Chère Flavie, ton mari lui-même ne s'élève-t-il pas contre l'emploi de la plupart des médicaments ?

— Ce n'est pas du tout la même chose. Bastien estime que les médicaments sont nocifs. Mais un forceps utilisé avec grand soin, lors d'une délivrance qui traîne en longueur, ne peut pas faire de tort.

— Voire ! s'écrie Léonie, butée.

Sally s'interpose en rappelant que le cas décrit par Flavie relève de circonstances exceptionnelles. Généralement raisonnables et sensées, les parturientes comprennent que les fers ne sont pas une panacée. Aussitôt, Marguerite objecte :

— Comme le révèle ce cas rapporté par Flavie, ce n'est plus tout à fait vrai chez les bourgeoises. Pour ces dames, une délivrance est franchement vulgaire, indigne de leur position sociale élevée. La modernité des médecins leur semble infiniment séduisante...

Flavie affirme encore:

— J'en déduis donc que nous, les sages-femmes, nous avons tout avantage à savoir manipuler les fers, qui nous sauveront de la ruine!

— Balivernes! proteste Léonie d'une voix forte. Croyez-moi, mesdames, nous avons une seule solution à notre disposition pour rivaliser avec les médecins: c'est de nous rassembler en un corps organisé aussi puissant que le leur!

— L'un n'empêche pas l'autre, objecte timidement la jeune Marie-Julienne.

Une expression légèrement dédaigneuse sur le visage, Magdeleine se gausse soudain:

— La rumeur au sujet de médecins en jupons alimente bien des conversations... Pour tout vous dire, mesdames, je n'arrive pas à l'entendre sans être prise de fou rire!

Marguerite et Flavie échangent un regard interloqué tandis qu'un lourd silence tombe dans la pièce. Sally se racle la gorge:

— Vous êtes une accoucheuse d'une grande ouverture d'esprit, Magdeleine. Entre toutes, vous devriez comprendre ce qui motive nos deux consœurs!

— Les médecins sont fort jaloux de conserver le savoir des instruments pour eux seuls, bougonne-t-elle.

Flavie s'emporte:

— Il faut arrêter d'attacher de l'importance aux humeurs des médecins. Il faut créer notre propre science, indépendante de la leur!

Fâchée, Magdeleine riposte :

— Pour les voir ensuite rappliquer en poussant les hauts cris ? À votre âge, ma jeune dame, et dans votre position, vous vous fichez peut-être de votre gagne-pain, mais pas moi ! La guerre, non merci !

Toute rouge d'indignation, Flavie veut se défendre, mais Marguerite, levant une main, intervient d'un ton outré :

— Du calme ! Si nous nous entre-déchirons, autant mettre un terme à ce cercle d'études tout de suite !

La menace fait son effet. C'est Léonie qui, enfin, rompt le silence :

— Les échanges de vues contraires sont appréciés pour autant qu'ils permettent à notre profession de progresser, n'est-ce pas ?

Flavie dit, plus gentiment :

— Je vous entends clairement, Magdeleine. Les médecins ont une position bien plus avantageuse que la nôtre. Ils pourraient monter une cabale contre nous.

— Cette cabale est entreprise depuis longtemps, soupire Marguerite. Est-ce une raison pour courber l'échine ?

— Je suggère, lance Léonie, que nous méditions là-dessus jusqu'à la prochaine réunion, au printemps. La question est d'importance, vous le constatez sûrement autant que moi. Ce que nous apprenons dans ce modeste cercle d'études pourrait nous servir à… comment dire ? à donner une impulsion décisive à notre profession. Allons-nous nous contenter d'être à la solde des médecins, à la merci de leur savoir ? Sinon, vers quel genre de pratique faudrait-il nous orienter ? Je crois que vous réalisez notre état de faiblesse et la nécessité d'y remédier. Ce cercle d'études pourrait être l'embryon d'une organisation plus solide, qui nous permettrait de défendre nos droits sur la place publique.

Léonie n'en dit pas davantage. Flavie croise le regard intense de Marguerite fixé sur elle : toutes deux éprouvent la même émotion. Se pourrait-il que le développement envisagé au moment de la fondation de ce regroupement d'accoucheuses se produise plus tôt que prévu ? Il reste énormément de chemin à faire vers une véritable association professionnelle, mais tous les espoirs sont permis !

Les sages-femmes prennent congé, sauf Flavie que Marguerite invite à venir s'asseoir dans son boudoir, une pièce à l'atmosphère studieuse. Pendant quelques minutes, elles sirotent une limonade tout en grignotant de ces *crackers* furieusement à la mode, puis Flavie laisse tomber, avec un désespoir exagéré :

— Même Magdeleine est contre nous. Notre cause est sans issue !

— Elle n'est pas contre nous. Elle nous trouve originales, c'est tout...

Flavie fait une moue sceptique fort éloquente, puis elle observe son amie. Elle se décide enfin à demander :

— Est-ce que quelque chose de particulier te chicote, Marguerite ? Tu es plutôt pâle...

Elle bégaye d'une voix à peine audible :

— Aucune nouvelle de Joseph. Je me languis, je tourne en rond. Je m'ennuie terriblement de lui et de son esprit si pétillant !

Flavie se mord les lèvres. Elle-même ne qualifierait pas Joseph Lainier de « pétillant », mais l'amour, semble-t-il, sublime toutes les qualités ! Elle s'étonne :

— Pourtant, j'avais bien cru que... Oh ! Marguerite, je ne veux pas te donner de faux espoirs, mais il te regardait comme un homme amoureux… Mais dis-moi : tu as fait quelque chose pour encourager son inclination ? Crois-tu qu'il se doute, lui, qu'il te plaît ?

— Je n'en ai aucune idée ! répond-elle avec détresse. Tout ce qu'on m'a appris, ce sont les bonnes manières : ne pas soutenir le regard d'un homme trop longuement, ne donner que sa main à baiser, ne pas contredire, ne pas s'asseoir sur le même canapé…

— Marguerite ! s'exclame Flavie, désolée. Est-ce ainsi qu'on retient un homme ? Jamais de la vie ! Il faut qu'il sente que sous le vernis couve un volcan !

Son amie la considère avec affolement et Flavie éclate de rire. Elle se penche et susurre :

— Le soir, seule dans ta chambre… Comment penses-tu à lui ? Quelles sont les images qui te viennent ?

Marguerite rosit, mais Flavie, qui refuse qu'elle se dérobe, insiste jusqu'à ce qu'elle finisse par lâcher :

— Eh bien… J'aimerais qu'il soit assis tout près, dans mon fauteuil. Qu'il me regarde. Qu'il me sourie. Que je puisse…

— Quoi donc ?

— Aller poser ma main sur la sienne. Effleurer ses cheveux.

— Alors, tu t'assoirais sur le bras du fauteuil. Il entourerait ta taille de son bras. Peut-être même qu'il lèverait la tête vers toi et…

Marguerite bondit et s'éloigne de quelques pas. Posément, Flavie se lève à son tour. Brusquement, la jeune demoiselle pivote sur ses talons et vient se placer nez à nez avec sa compagne, les traits de son visage déformés par une vive exaspération. Elle s'exclame d'une voix qu'elle a peine à contenir :

– Pour toi, c'est facile de t'abandonner à toutes tes envies... tes envies lascives! Tu as toujours été libre comme l'air! Mais crois-tu qu'il soit agréable de laisser son imagination courir ainsi, sachant que... que le bois qui s'enflamme si facilement, il faut l'éteindre aussitôt? La vie est facile, dans les faubourgs: on peut fréquenter à sa guise, loin de la présence des parents. Mais je ne fais pas exprès de me mettre dans la tête des idées de liberté et de plaisir, parce que la réalité est brutale pour les jeunes filles de mon genre! Tant qu'une attirance n'est pas sanctionnée par le sacrement du mariage, il est interdit de s'y abandonner!

– Et pourquoi donc? réplique Flavie, imperturbable. Selon toi, toutes les jeunes bourgeoises suivent les règlements au pied de la lettre?

Démontée, son amie reste sans voix avant de reculer de deux pas. Les yeux ronds, elle considère Flavie, qui poursuit avec un haussement d'épaules:

– D'ailleurs, ces damnés règlements, je me demande bien dans quelle sombre grotte on les a découverts! Je ne sais pas quel esprit tordu a pu les inventer... Il paraît que c'est Dieu lui-même, mais je soupçonne plutôt un cerveau humain, et pour tout dire, très masculin! Une jeune fille est censée être prude et réservée jusqu'à son mariage. Réservée pas seulement dans son corps, mais dans le secret même de son âme! Mais au nom de quel impératif, selon toi?

Flavie se laisse emporter par l'impatience qui s'accumule depuis que, très jeune, elle a pris conscience de cette tyrannie impitoyable des mœurs qui refuse de se plier à l'examen de la raison. La pudibonderie de Marguerite la met soudain de fort mauvaise humeur et, sans prendre de gants, elle répond elle-même à sa question :

– Disons-le crûment : pour se garder intacte pour son mari. Crois-tu que les plaisirs des sens se réduisent seulement à cet acte, l'accouplement ? Mais je suis tannée, à la fin ! En agissant ainsi, le seul mari que tu réussiras à accrocher, c'est un homme insensible, qui se détournera de toi !

Soufflée par son audace, Marguerite plisse les yeux et serre fortement les lèvres. Pendant un court moment, Flavie s'arc-boute sur ses jambes, craignant une gifle intempestive, mais son amie la contourne d'un mouvement brusque et s'éloigne de quelques pas, avant de se retourner et de laisser tomber, glaciale :

– Adieu, Flavie.

Épouvantée par cet ordre abrupt qui signifie une rupture, Flavie presse ses deux mains l'une contre l'autre tout en la suppliant du regard. Cependant, son amie reste de glace et Flavie se résigne à traverser seule la maison jusqu'au hall d'entrée. Marguerite ne lui pardonnera jamais… Flavie s'invective mentalement, se reprochant son franc-parler qui sonne aux oreilles des bourgeois comme une insulte. Elle devrait pourtant en être prévenue, depuis le temps !

Une lourde déception alourdit son chagrin. Elle avait cru Marguerite bien moins collet monté… Serait-elle la seule, dans tout l'univers, à laisser ses idées et ses passions courir ainsi dans toutes les directions, sans leur mettre la bride ? La seule à oser les exprimer ? Soudain, Flavie se sent déracinée comme une Sauvagesse dans un monde civilisé, l'âme secouée comme une voile de navire dans la tempête…

Tout en combattant farouchement ce tourbillon d'émotions, Flavie laisse ses pas la mener jusqu'à la rue Henry. Elle réalise soudain qu'il y a bien longtemps qu'elle n'est venue à la Société compatissante, et subitement, l'envie la démange de retrouver cette atmosphère familière réchauffée par des élans de fraternité... Elle pénètre dans les lieux et arrive nez à nez avec Léonie, qui lui jette un regard surpris. Avec une moue gênée, Flavie se débougrine avant de marmonner :

— Je m'ennuyais... Je peux donner un coup de main ?

— Ce n'est pas de refus ! s'exclame Léonie avec bonheur. Beaucoup de caquetages de commères aujourd'hui, j'en suis tout étourdie... La nouvelle garde-malade n'a pas encore ton tour de main.

Un sourire ravi sur les lèvres, Flavie s'empresse de partir à l'aventure dans le bâtiment, suivie du regard par une Léonie pensive. Quelle fragilité sur le visage de sa fille quand elle est entrée ! Que se passe-t-il dans le secret de son cœur ? Et là-haut, dans l'univers des demeures bourgeoises, à quels grains Flavie doit-elle résister ? C'est alors que Nicolas Rousselle redescend de l'étage, où il a ausculté une patiente fort mal en point. Il aperçoit Flavie et, en proie à une vive surprise, il la regarde disparaître avant de tourner vers Léonie un visage aux traits pâlis sous l'outrage.

— Qu'est-ce qu'elle fait ici, ta fille ?

— En quoi ça te regarde ? riposte Léonie, de surcroît énervée par le continuel va-et-vient entre le vouvoiement et le tutoiement.

Offusqué par cette réplique brutale, il rougit et articule à voix basse :

– J'escomptais bien, pourtant, que ses projets grandioses nous débarrasseraient de sa présence...

– Nicolas, je te prie de garder pour toi tout commentaire désobligeant...

– Ce n'est pas désobligeant, c'est la stricte vérité! Pendant un temps, je l'avoue, j'ai été plutôt séduit par son initiative de former une équipe avec son mari, au point que j'en ai formé une avec Vénérande, comme tu le sais. Pour le suivi des femmes en couches, c'est idéal! J'arrive vers la fin, je procède à la délivrance, puis je laisse Vénérande s'occuper des suites. Je ne sais pas comment j'ai pu me passer d'elle si longtemps! Je presse actuellement mon épouse trop occupée d'abandonner ses activités de charité pour s'y consacrer entièrement...

– J'étais au courant. Mme Rousselle nous en cause abondamment... Mais le dévouement, c'est important dans la vie d'une dame!

Sans relever son ton goguenard, il grommelle:

– Elle se dévouera autrement, voilà tout! Où en étais-je?

Léonie prend bien garde de le renseigner, mais il retrouve le fil:

– Ah oui, cette chère Mme Renaud... Ma belle Léonie, ce n'est surtout pas de toi que ta fille aurait pu apprendre à se tenir à sa place, celle que Dieu a désignée pour le sexe faible! Toi qui prétends défier les médecins dans le champ de l'enseignement aux sages-femmes! Tu réalises à quel point cette concurrence nous fait du tort? Nous sommes plusieurs à avoir perdu des élèves à nos cours...

– Lesquelles, mon *beau* Nicolas, vous permettaient d'arrondir notablement vos fins de mois...

– Exact, et personne ne s'en cache! Tu sais comme moi que la profession médicale procure un revenu fort aléatoire, surtout à nous, praticiens canadiens-français!

– Je n'en ai cure. Tout ce qui m'importe, c'est d'offrir aux accoucheuses...

– Parlons-en, des accoucheuses, et de la plus tristement célèbre d'entre elles, Flavie Renaud! Elle fait montre d'un tel manque de savoir-vivre! À la rigueur, une sage-femme peut souhaiter se perfectionner pour mieux servir les patientes, mais personne n'admet un comportement... aussi indélicat! Surgir dans une salle de dissection remplie d'hommes! Vouloir devenir médecin! Pas étonnant que ses entrailles soient encore stériles... Tiens, son pauvre mari a dû être choqué de ce qu'il a trouvé sous sa jupe! Je serais bien curieux de...

Léonie lui lance un tel regard furibond qu'il s'interrompt brusquement. Se dressant de toute sa taille, elle se récrie avec force:

– Nicolas Rousselle, ça suffit! Je t'interdis de faire devant moi une seule autre allusion déplacée au sujet de Flavie!

– Bien entendu, Léonie, dit-il avec une évidente satisfaction. Tu sais comme je me laisse parfois emporter... Permets-moi de terminer, je serai... courtois. As-tu seulement une vague idée de toutes les railleries qui circulent à son sujet? Et crois-moi, les plus virulents, ce ne sont pas les médecins, mais toutes les dames dont la sensibilité est vivement heurtée! Si ta fille continue à se démener comme un diable, elle va se mettre à dos toute la communauté médicale, sans compter le clergé au grand complet! Écoute mes sages conseils, Léonie, et raisonne ta fille, ça vaudra mieux pour elle… et pour son mari.

Sur ce, le médecin prend cavalièrement congé et Léonie ne peut faire autrement que de ruminer les paroles blessantes de son ancien cavalier. Elle se méfie de sa grandiloquence, mais elle est persuadée qu'il dit vrai, que les commères en grande toilette médisent à outrance au sujet de la petite accoucheuse du faubourg Sainte-Anne qui, non contente d'avoir marié un jeune homme d'une excellente famille, vient bouleverser leurs confortables habitudes! Chez ces dames, le sens de l'honneur est fort chatouilleux… Et que dire de tous les hommes de leur entourage?

Léonie a l'impression que sa fille a été lâchée, sans protection, parmi une meute de louves dont la langue, aussi acérée que des crocs, peut causer de douloureuses blessures. Il faudra qu'elle en jase avec Bastien, en privé, le plus tôt possible. Fait-il tout en son possible pour l'en prévenir et, ultimement, la protéger? Le temps des fêtes arrive à grands pas: Léonie trouvera bien quelques minutes pour un tête-à-tête avec son gendre… Rassérénée par cette décision, elle retourne à ses occupations.

Chapitre xxx

Attirée par les deux voix masculines qui résonnent dans l'entrée, Flavie abandonne ses livres de comptabilité grands ouverts sur la table de la salle à manger. Tout en devisant avec Étienne L'Heureux, qu'il vient d'inviter à prendre un rafraîchissement, Bastien compulse les quelques lettres qu'il a ramassées à la poste. Il s'immobilise et Flavie, curieuse, jette un coup d'œil par-dessus son épaule. Son cœur s'emballe : une missive du docteur Marcel Provandier !

L'enveloppe est adressée à eux deux, mais, sans dire un mot, Bastien la lui tend. Avec un sourire d'excuse à Étienne, Flavie s'empresse de la décacheter. Elle en résume aussitôt le contenu à voix haute. Le vieil homme explique que, les maisons vacantes étant rares, son épouse et lui ont prolongé leur séjour à la campagne jusqu'au début du mois et qu'ils sont à présent installés dans un logis tout neuf. Enfin, il annonce sa visite imminente pour discuter de leur projet.

Comme une vanne soudain ouverte, les idées affluent dans le cerveau de Flavie. Elle n'espérait plus ! Elle était persuadée que Provandier avait changé d'idée… D'accord, Provandier n'est pas le maître idéal, mais c'est leur seul espoir ! Bien certainement, Bastien ne pourra pas s'opposer longtemps à un apprentissage privé en compagnie de Marguerite! Tout comme ses confrères et leurs charmantes épouses, il réalisera le caractère inoffensif de la chose!

L'enthousiasme de Flavie s'éteint dès qu'elle glisse un regard vers Bastien, qui retourne le feuillet entre ses doigts, l'expression fort peu amène. C'est vrai, elle a un mari qui, comme de coutume, a son mot à dire sur le destin de sa tendre épouse… Avec une gaieté forcée, Flavie raconte à Étienne, nonchalamment assis sur une marche de l'escalier qui mène à l'étage, que, l'été précédent, Provandier a accepté Flavie en tant qu'apprentie. Elle fait courageusement face à son mari en déclarant:

— Je suis très tentée. Si nous sommes deux apprenties, tu serais moins inquiet, n'est-ce pas?

— Deux apprenties?

Catastrophé, il s'écrie en prenant Étienne à témoin:

— De là à ouvrir une classe réservée aux futures doctoresses, il n'y a qu'un pas!

Il a employé intentionnellement ce mot méprisant, ce qui lui vaut un regard outré. Ôtant le cigare éteint de sa bouche, Étienne s'étonne:

— C'est de Marguerite que vous causez? Ce que ses parents ont refusé avec Lainier, ils accepteraient avec Provandier?

— Mais Provandier est si âgé! Personne ne pourrait penser à mal!

— Il n'y a pas que lui. En apprentissage, on fréquente plein de monde. Plein d'hommes. Que veux-tu que je te dise, Flavie? Que je t'approuve? Je ne peux pas. Pour toutes sortes de raisons que je t'ai déjà expliquées cent fois, je ne peux pas.

Flavie laisse tomber avec amertume :

– Tu devrais plutôt être soulagé, j'avais même pensé m'adresser à quelques-uns de tes collègues, comme Paul-Émile ou Isidore !

Il bondit et gronde :

– Je t'interdis bien de faire la moindre démarche en ce sens ! Ce serait d'un ridicule consommé !

Tous deux s'affrontent du regard un long moment. Il a le visage contracté par la colère et soudain, pour la première fois, Flavie le trouve désagréable à regarder, presque laid... La voix calme d'Étienne s'élève alors :

– Je suis vexé, chère Flavie, que vous n'ayez pas mentionné mon nom.

Il fait une grimace d'excuse à Bastien avant d'ajouter, posément :

– Depuis que notre ami m'a mis au courant de vos intentions... eh bien, je ne peux m'empêcher de caresser l'idée que plus tard, dans quelques années, quand j'aurai acquis davantage d'expérience...

Ignorant le hoquet de surprise de son associé, il se penche vers Flavie pour lui confier à voix basse, comme un secret :

– J'adore tout ce qui dérange, tout ce qui remet en question l'ordre établi. Vous pouvez deviner pourquoi... Je trouve que le sort qui est fait aux femmes est un véritable scandale. En plus, c'est d'une hypocrisie ! Chacun sait que tant que les biens étaient produits à la maison, les femmes contribuaient grandement à la réussite économique du ménage. Elles étaient artisanes au même titre que leur mari ! Combien de veuves ont pris la relève de leur mari, dirigeant un moulin à farine, une scierie ou une forge ? Mais dès qu'il s'agit de reconnaître leur compétence et de leur permettre de pratiquer leur métier hors de la maison…, on pousse des hauts cris!

— Je conviens de tout cela avec toi, intervient Bastien, un pli de reproche entre les yeux. Mais il y a un aspect de la situation qu'il ne faut pas négliger: c'est le fait que, dans leur maison, les femmes sont bien davantage à l'abri des abus. Cet instinct de protection, je le sens très fort en moi, non seulement envers Flavie, mais envers ma sœur et ma mère! J'aurais bien de la misère à dormir, sachant l'une ou l'autre quasiment seule dans un monde d'hommes.

— Les dangers sont exagérés, objecte Étienne. Les abuseurs sont beaucoup plus rares qu'on imagine.

Flavie dit calmement:

— Et ils ne sont pas là où on les imagine. Généralement, ils sont déjà *dans* la maison, jusque dans la chambre à coucher. Le mariage leur permet d'exploiter leur victime en toute légalité…

S'adressant à Étienne, elle poursuit, avec son franc-parler:

— Beaucoup estiment, à tort, que la fréquence de ces abus est nettement exagérée. Mais les sages-femmes en ont souvent connaissance… Si la pruderie n'était pas tant à la mode, bien des histoires tristes feraient surface.

À ce sujet, Bastien est incapable de la contredire et, les yeux brillants, Flavie demande à leur invité:

— Réellement, vous m'accepteriez comme apprentie?

— Je crois que les mœurs ne sont pas si réticentes aux femmes médecins qu'on veut bien le croire. Il suffit d'habituer progressivement l'opinion publique…

Bastien proteste avec vigueur:

– Voulez-vous bien arrêter de manigancer dans mon dos? J'ai mon mot à dire, vous saurez!

Étienne rétorque, avec une expression taquine:

– Mais tu n'aurais rien à craindre de moi!

– Ça, la belle société l'ignore!

– Tu crois vraiment? Mon cher, tu t'illusionnes. Les cloisons sont si peu étanches... Je connais personnellement quelques maris qui ne détestent pas fréquenter des gens de mon espèce. J'en connais d'autres qui...

Il s'interrompt devant le regard sévère de son interlocuteur et Flavie se gausse intérieurement de la naïveté de Bastien, qui s'obstine à vouloir préserver ses chastes oreilles de tout ce qu'elle sait déjà pourtant... Avec brusquerie, Bastien demande à Étienne de le suivre dans le salon et, pendant l'heure qui suit, tous trois devisent tranquillement, évitant soigneusement le sujet litigieux.

Après que la porte d'entrée s'est refermée sur Étienne, Bastien saisit le poignet de Flavie et l'entraîne jusqu'à leur boudoir, dont il referme soigneusement la porte. Venant placer son visage à un pouce du sien, il articule avec violence:

– À cause de tes frasques, je suis en train de devenir un paria au sein de ma propre profession. Non seulement mes confrères ne m'envoient plus de patients, mais ils me traitent comme un animal curieux! Je veux que cela cesse immédiatement! Il n'est pas question, tu entends? pas question que tu deviennes l'apprentie de Provandier, ce... ce macaque, ce...

– Bastien! Ces insultes sont indignes de toi!

Il prend une profonde respiration pour se dominer et, moins férocement, il reprend:

– De toute façon, il est littéralement impossible que tu obtiennes ton diplôme, ne vois-tu pas? D'abord, dans quel hôpital feras-tu ton stage clinique? Ensuite, comment réussiras-tu à convaincre ceux qui délivrent les diplômes? Jamais ils n'y condescendront...

– Je sais, murmure-t-elle. Mais il est sûr que pour réussir un deuxième pas, il faut avoir franchi le premier... Une chose à la fois. Entreprendre ma formation d'abord. Qui sait comment les choses évolueront?

Il fait une grimace d'impuissance avant de se détourner. Les phrases qu'il vient de prononcer se sont gravées dans la chair de Flavie, qui s'enquiert d'une voix éteinte:

– Un paria? Un animal curieux? Tu as exagéré, n'est-ce pas, Bastien?

Il lui jette un regard indéchiffrable avant de laisser tomber:

– Oui, j'ai exagéré. C'est l'œuvre de quelques collègues seulement, mais j'ai tendance à amplifier. Une chance qu'Étienne est là pour me ramener à la raison...

Posant une main apaisante sur son bras, Flavie dit doucement:

– La résistance *ne peut pas* durer, Bastien. C'est trop irrationnel! Il suffit d'une femme, de quelques femmes médecins pour faire tomber les barrières.

– Il ne me plaît pas que ce soit toi. La route sera dure, Flavie, beaucoup trop dure. Je ne veux pas que tu souffres ainsi.

– Mais si moi, je veux?

– Toi, tu ne connais pas. Tu es naïve. J'aimerais tant que tu te fies à moi! Que tu comprennes que tu y perdras trop de plumes...

– Tu oublies que j'ai grandi dans les faubourgs. Je sais me battre.

– Voyez-vous ça! À coups de poing, peut-être. À coups de gouaillerie. Mais pas à coups de langue de vipère, de persiflage et de flèche qui visent au cœur!

En proie à une vive contrariété, Flavie lui donne une tape légère sur la poitrine.

– Vas-tu cesser d'avoir le dernier mot? Tu me tannes, à la fin…

– Si tu as encore une seule goutte d'honneur dans les veines, tu réaliseras qu'il t'est impossible d'approcher aucun membre de la profession sans perdre la face… et sans me la faire perdre aussi…

La jeune femme est anéantie par cet appel où le désespoir affleure. Il pose sur elle un regard suppliant.

– Pourrais-tu me faire confiance, une seule fois? Pourrais-tu me croire lorsque je te dis que tes agissements suscitent une vive réprobation? Dès que tu lances un caillou dans l'eau, l'onde de choc se répercute à des lieues à la ronde! Pourquoi crois-tu que ma clientèle, que *notre* clientèle diminue?

Accablée, Flavie baisse la tête. Ses faits et gestes ont donc une si grande portée? Parce qu'une petite accoucheuse souhaite se perfectionner, toute la belle société se dresse sur ses ergots? C'est bête à en pleurer… Froidement, il ajoute:

– Je ne voulais pas t'en parler, mais… même mes parents sont l'objet d'ostracisme. Mon père, il s'en fiche royalement, mais ma mère… Ma mère en est toute chamboulée. Il y a aussi Julie… Il suffit de si peu, un choc léger, un geste jugé offensant, pour rompre une promesse de mariage.

N'osant plus soutenir l'intensité farouche de son regard, Flavie fixe ses deux mains serrées l'une contre l'autre sur son giron. Elle souffle :

— Tu as gagné. Inutile de gaspiller ta salive.

Comment pourrait-elle faire autrement? Elle a les pieds et les poings liés. Entre ses mains repose le bonheur de toute une famille... Elle l'entend encore dire :

— Je croyais que ce que j'avais à t'offrir te rendrait heureuse. Mon affection, ma maison, ma famille et une association professionnelle audacieuse... Une association que tu es en train de détruire, Flavie, de détruire sciemment.

Elle crie, bouleversée :

— Mais cesse donc! Tu es mauvais et tu me blesses!

Après un temps, elle souffle encore :

— Tu as changé, Bastien. Tu n'es plus le même.

— Peut-être que tu me connaissais mal...

Ouvrant de grands yeux devant ce qui lui semble une terrible rebuffade, Flavie reste muette. Puis, la gorge serrée, elle réplique enfin, d'une voix blanche :

— Peut-être bien. Dans ce cas, tu m'as leurrée à dessein?

— Ne dis pas de bêtises. Pourquoi je me serais donné tout ce mal? Pourquoi je serais allé, sciemment, au-devant des ennuis?

Sa pomme d'Adam monte et descend à plusieurs reprises, mais sur son visage, rien d'autre qu'un apparent détachement qui fait courir le long de l'échine de Flavie un lent frisson.

— Le mal, Bastien, c'est moi qui me le suis donné pour te conquérir.

— Je voulais dire : le mal pour te faire croire que je suis différent de ce que je suis.

Soudain, Flavie hait de toute son âme cet échange de vues stérile et embrouillé. Tout ce qu'elle en a retenu, et qui la terrorise, c'est que, selon son dire, leur union lui a surtout apporté un tas d'embêtements! Elle se détourne et s'enfuit vers la cuisine pour donner un coup de main à Lucie et à Guillemette dans la préparation du souper. Tout en heurtant la vaisselle, elle fulmine. La colonie peut dormir tranquille. Les médecins en jupon, ce n'est pas demain la veille! Le sujet restera clos jusqu'à ce que Provandier se manifeste!

Comme Bastien l'étourdit avec ses fâcheries et ses frayeurs! Manifestement, il compte sur elle pour abandonner ses folies... Ce serait la plus sage décision, mais Flavie est littéralement déchirée entre son devoir et son souverain désir. Elle décide d'en jaser avec Marguerite aussitôt que possible... pour se souvenir que c'est impossible, que Marguerite est en chicane avec elle! Se pourrait-il qu'elle soit dans un cul-de-sac? Se pourrait-il qu'elle se retrouve au point de départ, devant le destin d'une accoucheuse reléguée au rang de garde-malade par les bourgeoises?

À partir de ce moment, elle se met à éviter Bastien soigneusement, soit qu'elle s'allonge bien avant lui le soir, soit qu'elle repousse tant l'heure du coucher qu'elle s'endort dans le fauteuil du boudoir, un livre sur les genoux. Tout ce qui l'enchantait naguère, la grâce de ses traits, la sensualité des lignes de son corps, tout cela la laisse maintenant totalement froide. Pire même: intérieurement, elle monte ses défauts physiques en épingle... Il ne peut faire autrement que de se rendre compte de son évidente réticence, mais il reste muet sur le sujet.

Vaille que vaille, le jeune couple de praticiens répond aux demandes d'accompagnement, cependant de moins en moins fréquentes. Bastien ne s'attarde pas chez les clientes et Flavie effectue sa tâche à contrecœur. Elle ne peut plus supporter ces bourgeoises outrageusement maniérées, d'autant plus qu'on lui fait proprement sentir qu'elle n'est qu'une employée à la solde d'un brillant médecin. Au terme de la délivrance, l'accouchée et son mari s'émerveillent bien davantage de la science du Dr Renaud, si bien transmise à son épouse, que de son savoir à elle !

Flavie est terriblement lasse d'avoir à vanter son diplôme et ses années de pratique... Les dames qui apprécient réellement ses compétences de sage-femme sont maintenant l'exception plutôt que la règle. Lorsque Bastien seul est engagé, ce qui arrive fréquemment maintenant, elle n'a même plus l'énergie de s'insurger. Si, les premières fois, le jeune homme a répondu que c'était tous les deux ou rien du tout, il a rapidement changé son fusil d'épaule, par besoin pressant d'argent, a-t-il prétendu.

Pour Flavie comme pour sa mère, les festivités de la nouvelle année se passent dans la cité enneigée. Ayant accouché trois mois plus tôt, Agathe reste sagement à la maison et Léonie préfère ne pas s'éloigner. Laurent est fier comme un paon, non seulement de la splendeur de son fils Sylvain, mais du prestige que lui confère son tout récent poste de secrétaire personnel du président de la Commission géologique du Canada ! Le jeune couple considère sérieusement la possibilité de se faire construire une petite maison, sur l'un de ces terrains qui, vers l'ouest, sont promis au développement.

Flavie convainc aisément Bastien de célébrer l'arrivée de 1853 dans le faubourg Sainte-Anne, parmi toute sa petite famille réunie. Pour garder Daniel et Lizzie auprès d'eux, Léonie a également invité son frère Jeremy et sa famille, ce qui fait une joyeuse troupe, animée par l'entrain d'une belle bande d'enfants.

Pendant la veillée, Flavie est frappée par l'intensité des fréquents regards que Cécile glisse en direction de Daniel. Sa sœur cadette n'a jamais fait mystère de l'affection profonde qu'elle ressentait pour leur ami d'enfance. Flavie avait toujours cru qu'il s'agissait d'un sentiment uniquement fraternel, mais aujourd'hui, à la voir agir, elle en conçoit un sérieux doute. Observant Daniel le plus discrètement possible, Flavie remarque qu'il est conscient de l'attention de Cécile, mais qu'il fait mine de ne pas s'en apercevoir.

Détendu et agréablement réchauffé par la bière forte dont Simon est prodigue, Daniel s'intéresse beaucoup, ce soir-là, à la profession de Bastien et à ses choix thérapeutiques. À ses questions au sujet de l'antipathie du jeune médecin pour les préparations médicamenteuses, ce dernier répond :

— Quand j'étais à Paris, il y a plusieurs années, avant de rencontrer Flavie… Vous savez que Paris est considéré comme la capitale mondiale du savoir médical ? Eh bien, j'étais soufflé par les traitements radicaux prônés par nos professeurs de médecine, dans leurs cours pratiques à l'hôpital. Ils étaient possédés par une frénésie de l'intervention, aux antipodes de ce qu'avait commencé à m'enseigner mon maître, le Dr Provandier ! Amputations, cautérisations, opérations, tout était prétexte à couper et extirper !

— Ma parole ! On vous croirait en train de décrire l'échoppe d'un boucher !

— Il y avait des médecins plus prudents que d'autres, admet Bastien avec un rire bref, mais le climat général nous plongeait dans la nécessité d'agir, de prendre une décision, quelle qu'elle soit. Bien entendu, l'arsenal thérapeutique faisait la part belle aux médicaments... même si la façon dont les substances agissent nous est généralement inconnue. L'or, le mercure et l'argent, par exemple. Sous de multiples formes – oxyde, chlorure, iodure, cyanure ou nitrate –, on les prescrit à tout propos. On les considère comme souverains dans le cas des affections syphilitiques notamment, mais on ne s'en prive pas non plus pour les manifestations hystériques et les maladies nerveuses en général. Or, je le répète : l'action intime de ces médicaments ne peut être expliquée que par des hypothèses. De surcroît, ils entraînent souvent des conséquences néfastes, comme les coliques et les diarrhées. Le mercure, pour sa part, provoque une salivation exagérée et, dit pudiquement, une certaine malpropreté...

Daniel tend les deux bras vers Bastien en signe de protestation.

— Holà, docteur ! Votre science est étourdissante ! Je vous crois sur parole...

Son interlocuteur fait une grimace contrite et Daniel fait dévier la conversation sur le sujet de la passion du jeune médecin pour les raquettes à neige.

— L'autre samedi, rue Sherbrooke près du McGill College, j'ai vu un groupe d'hommes chaussés de raquettes en train de faire des exercices de gymnastique. C'était plutôt loufoque !

— C'est la séance d'échauffement, explique Bastien, ravi d'avoir un auditeur aussi intéressé. Après, nous allons faire un petit tour dans la montagne jusqu'à ce que la noirceur tombe.

– Vous avez déjà participé à une course ?

– Les fameuses courses contre les Sauvages ? Je n'aurais pas une chance sur un million. Pour rivaliser avec ces diables d'hommes, il faut être un véritable athlète !

Flavie intervient d'un ton goguenard :

– Ce qui contredit les prophètes de malheur qui prétendent que les Sauvages sont des dégénérés !

– Et toi, être veuve de raquettes, ça ne te dérange pas trop ?

Elle réplique, après un éclat de rire :

– C'est mieux qu'être veuve de boisson, non ? J'en profite pour venir prendre des nouvelles des habitants de la rue Saint-Joseph…

Agathe lance, malicieuse :

– J'ai ouï dire que les exploits des raquetteurs se terminent souvent dans une charmante auberge de la Côte-des-Neiges…

– Aucun danger avec mes *British friends*, riposte Bastien, hilare. Ils ne dépassent jamais la mesure. Pas comme ces poivrots d'Irlandais !

Daniel se dresse en tricotant sur ses jambes comme quelqu'un qui a trop bu, puis il rugit :

– *Jeremy, brother !* Un Jean-Baptiste qui nous insulte !

Simon s'exclame aussitôt :

– Parbleu, un duel ! Qu'on aille quérir un chirurgien sur-le-champ !

Un éclat de rire général couvre les répliques qui fusent ensuite, ce qui met les enfants dans une si grande joie qu'ils se mettent à danser la farandole à travers la pièce. Attendrie, Flavie admire le trio inusité : Lizzie qui mène la danse, Aurélie qui trotte derrière elle, cramoisie jusqu'à la racine des cheveux, et la nièce de Daniel, la minuscule et rondelette Mary Ann, que l'on croirait parée à s'envoler !

Flavie croise, posé sur elle, le regard de Bastien dans lequel se devine une sorte de supplication. Troublée et inexplicablement fâchée, elle se lève pour aller prêter main-forte aux femmes qui s'activent à proximité du poêle. Ce n'est vraiment pas le moment de tenter de solliciter sa fibre maternelle ! Si elle a déjà senti ses entrailles se ramollir à l'idée de cajoler un bébé qui soit le sien, si elle s'est déjà émue en imaginant un enfant qui leur ressemble, ce n'est plus le cas aujourd'hui. Se remémorant le ventre bien tendu d'Agathe, qui passait son temps à se bercer, elle ne ressent qu'un refus viscéral qui la fait se rebiffer de tout son être devant une éventuelle grossesse.

Lorsque Bastien quitte le bruit de la cuisine pour aller se réfugier dans la salle de classe déserte, Léonie saisit le premier prétexte pour aller le rejoindre. Chaque fois qu'elle le côtoie, elle est profondément soulagée d'être débarrassée de sa déconcertante lubie et d'être redevenue aussi simplement à l'aise qu'une belle-mère doit l'être en compagnie d'un gendre dépareillé ! À la suite du choc que lui a causé la beauté du couple formé par Flavie et lui, l'hiver précédent, à la veillée du Mardi gras, Léonie a fini par se débarrasser de cette obsession comme on se nettoie avec délectation d'une couche de crasse...

Lançant à Bastien un sourire engageant auquel il répond de même, elle laisse tomber :

— Un peu de calme fait du bien, n'est-ce pas ? À force de croiser du nouveau monde, on s'étourdit...

— J'avais envie de regarder les devantures. C'est joli, tous ces fanaux allumés et tous ces groupes qui caracolent.

— Plus jeune, j'aimais bien ces balades nocturnes. Mais je trotte déjà assez comme ça dans la neige. Je vieillis, j'apprécie mon confort…

Il réplique, comme Léonie l'espérait coquettement :

— Vous êtes encore d'une prime jeunesse, allez! J'espère bien, plus tard, avoir votre énergie…

Léonie poursuivrait encore longtemps ce badinage, mais, comme ce moment de calme peut être interrompu à tout instant, elle reprend avec sérieux :

— Bastien, je voulais causer avec vous de certaines choses… Il y a déjà quelques fois que j'entends parler de la manière dont la belle société… se gausse de Flavie. Il paraît qu'on s'indigne de son indécence et de son manque de savoir-vivre. Il paraît qu'ils sont nombreux et surtout nombreuses à la railler quand elle a le dos tourné… Est-ce bien vrai?

Le jeune médecin s'est assombri progressivement et, le regard vers la fenêtre, il laisse un silence chargé s'installer entre eux. Léonie respire à peine jusqu'à ce qu'il tourne enfin la tête vers elle, les traits marqués par une grande incertitude. Il s'enquiert faiblement, la voix enrouée :

— Qui vous a dit tout ça?

— Nicolas Rousselle.

Il tressaille et réplique avec indignation :

— Et vous le croyez?

— Je ne devrais pas?

Sa colère le quitte aussi vite qu'elle était venue, remplacée par un intense désarroi. Léonie ne sait plus que dire, ni même quoi penser. Pendant un temps, elle est attentive au son de la respiration légèrement sifflante de Bastien, qui appuie son front sur le carreau et murmure avec lassitude :

— On peut accuser Rousselle d'exagérer de bien des façons, mais dans ce cas-là…, on peut lui faire confiance. Je crains même… que la situation ne soit encore pire que tout ce que je peux imaginer. Je voudrais croire que Flavie s'est prémunie contre tout ce branle-bas. Elle est trop intelligente pour ne pas l'avoir prévu. Mais je crains fort…

Il s'interrompt, au grand dam de Léonie qui aimerait bien connaître le fond de sa pensée, pour reprendre, d'un ton badin :

— Nous savons tous à quel point, pour la plupart, la question de la place des femmes est résolue : Dieu les a mises sous la dépendance des hommes, comme il leur a intimé l'ordre de peupler la terre.

Léonie enchaîne :

— Une jeune mariée ne devrait donc avoir qu'une seule ambition, s'occuper du bien-être de son époux et de ses enfants.

— Ce qui ne m'aurait pas déplu, avoue-t-il en esquissant un sourire piteux.

— Ça viendra, pour le sûr…

— Je le souhaite. À vrai dire, Léonie… Pour plusieurs, Flavie est comme un singe savant dont les niaiseries amusent.

Outrée par cette association, Léonie fait une grimace d'indignation.

— C'est dit crûment, mais c'est ainsi, je vous assure !

— Je serai franche avec vous, Bastien. L'ambition de Flavie me choque beaucoup. Je la crois tout à fait capable d'acquérir la science médicale, mais je trouve que c'est un mauvais choix, compte tenu de la situation des sages-femmes! Néanmoins, si le geste pouvait l'aider, je l'appuierais! Je l'appuierais parce que je suis solidaire de sa quête! Solidaire non seulement en tant que sa mère, mais en tant que praticienne et en tant que femme... Mais vous, Bastien? Sans votre appui, elle est perdue.

Tripotant un livre posé sur une table, il finit par dire:

— Une femme, en prenant époux, abandonne une partie de sa personnalité. Un sacrifice qu'il faut savoir... apprécier à sa juste valeur. Je l'admire beaucoup, vous savez. J'en suis moi-même le premier étonné. Je croyais qu'on aimait une femme, mais pas qu'on l'admirait... C'est un sentiment plutôt satisfaisant.

Léonie ose insister:

— Et jusqu'où êtes-vous paré à la soutenir?

Bastien tique et quitte l'appui de la fenêtre pour faire quelques pas dans la pièce. Il répond ensuite, avec impatience:

— Je vois ma femme s'engager au-dessus d'un précipice et vous voudriez que je la pousse vers l'avant au lieu de la retenir?

Estimant qu'elle a été suffisamment indiscrète, Léonie est sur le point de s'éloigner lorsque son gendre vient vers elle, bafouillant d'une voix quasiment inaudible:

— Oh! Parfois, belle-maman, je me sens déchiré... Je ne veux pas la mettre en cage, mais... mais comme ça me soulagerait! J'aimerais tant lui éviter d'avoir mal. Si elle continue ainsi... Et puis je suis bien fatigué qu'on se moque de moi... Vous savez, de cette manière bourgeoise tant civilisée qui fait qu'il est impossible de se fâcher...

Surmontant sa réticence, il lâche dans un chuchotement :

— On me traite de mou, de faible…

Il est si fragile tout à coup, les émotions à fleur de peau ! Léonie lui étreint la main un court moment, à défaut de pouvoir décemment faire davantage. Il se détourne ensuite pour reprendre contenance et elle laisse tomber :

— Je crois que je vais aller rejoindre les autres…

De nouveau, le jeune homme se tourne hâtivement vers elle :

— Vous auriez voulu que je vous détrompe, que je prétende que Flavie vaincra aisément les résistances ? Si vous saviez… Même notre association, notre si belle association n'est pas encore acceptée. Je ne crois pas me tromper en disant que la clientèle commence à baisser. C'est encore subtil, mais j'en mettrais ma main au feu ! Je ne sais plus trop de quel bord me revirer…

— Du bord du cœur. C'est tout ce que Flavie souhaite.

Il ne peut retenir un sourire plein d'amertume, avant de s'assombrir et de balbutier :

— Mais avec tous les autres ? Comment faire, avec tous les autres ? Je me sens comme si des chevaux me tiraient dans deux directions opposées. Il y a l'homme heureux que je suis avec Flavie. Et il y a l'autre, le médecin, le bourgeois… Pour celui-là, c'est sacrément plus compliqué. On ne doit pas loyauté qu'à sa femme, n'est-ce pas ? On la doit aussi à ses amis, à sa famille, à ses collègues…

L'arrivée intempestive des invités dans la pièce met abruptement fin à la discussion. Emplie de compassion pour son gendre, touchée de la confiance qu'il vient de lui manifester, Léonie s'octroie un moment pour se ressaisir. Le pauvre, à l'évidence si tourmenté! Flavie en a-t-elle conscience? Mais nul doute qu'en sa présence il garde un visage lisse, une prudente réserve...

Un peu avant l'aube, de retour dans leur chambre rue Sainte-Monique, Bastien culbute Flavie sur le lit et l'embrasse fiévreusement. Elle résiste un peu, riant et protestant tout à la fois qu'elle est crevée et qu'elle a le ventre trop plein pour avoir envie de batifoler. Il murmure :

– Je veux un enfant. Flavie, fais-moi un enfant.

Ahurie, elle le dévisage sans mot dire, avant de le repousser et de s'asseoir. À la simple idée de porter un enfant, elle a l'impression de couler dans l'eau comme à travers un trou dans la glace. Conscient de son trouble, Bastien s'écarte aussitôt et lui cache l'expression de son visage en se détournant pour se déshabiller. Pendant un moment, Flavie cherche une explication à lui donner, mais elle abandonne rapidement la partie. Sa propre réaction la dépasse et elle craint de le froisser irrémédiablement...

Il se tourne vers elle et laisse tomber avec détachement :

– Je pourrais. Si je le voulais, je pourrais. Tu le sais, Flavie?

Outragée, Flavie se lève d'un bond et se plante devant lui, jusqu'à le frôler. Elle articule furieusement :

– Je vais faire comme si je n'avais pas entendu cette... cette grossièreté, Bastien Renaud!

Sans lui laisser le temps de réagir, elle s'éloigne et s'absorbe dans ses propres préparatifs, et un lourd silence s'installe entre eux jusqu'à ce qu'il vienne lui souhaiter une bonne nuit avec la mine renfrognée d'un petit garçon qui refuse de s'excuser.

Par une belle fin de matinée de janvier, Flavie revient vers son logis, portant quelques achats effectués rue Notre-Dame, lorsqu'elle fige : une silhouette féminine familière est assise sur le perron de la maison. Partagée entre la nervosité et l'allégresse, Flavie marche lentement vers Marguerite, qui se lève à son approche. Manifestement gênée, elle ose à peine soutenir son regard et c'est Flavie qui rompt le silence :

— On ne t'a pas fait entrer ? Pourtant, Lucie…

— J'ai préféré rester dehors, l'interrompt Marguerite, à me faire chauffer par le soleil.

Flavie n'avait pu se résoudre à aller présenter ses excuses à Marguerite. Qu'avait-elle à se reprocher, sinon d'avoir exprimé le fond de sa pensée, sans censure ? Elle était chagrinée par cette querelle, mais dans le fin fond d'elle-même, elle préférait rompre plutôt que d'être obligée, en sa compagnie, de surveiller constamment ses paroles et ses actes.

Sur ses lèvres se dessine un mince sourire, auquel Flavie répond largement. Marguerite la regarde d'un air à la fois moqueur et buté et, reprenant leur conversation là où elle l'avait abruptement interrompue, elle bougonne avec une indignation si exagérée qu'elle en est comique :

— Un homme insensible ! Allez donc vous coucher, madame la savante, avec votre homme insensible !

Inondée de soulagement, Flavie lui tire la langue, son interlocutrice répond par une grimace expressive et toutes deux éclatent d'un grand rire complice. Marguerite ronchonne encore :

— Ce qu'elle m'en fait voir de toutes les couleurs, la Flavie ! Aucune considération pour la délicatesse de mes sentiments !

Flavie accentue l'accent de faubourgs pour répliquer :

— Dans mon coin, belle dame, la délicatesse ne se porte qu'une fois par année, dans le confessionnal !

— Comme ça... tu pourrais me faire une longue dissertation sur les plaisirs des sens ?

Lui adressant un clin d'œil, Flavie répond :

— À ce sujet, rien ne vaut les cours pratiques, à deux !

Marguerite rosit, mais ne riposte pas. Frappée par une réjouissante éventualité, Flavie lance :

— Mais j'y pense... Au cours des prochaines semaines, Bastien et moi, on a le projet d'aller patiner avec des amis... Je sais que la glace est à peine prise, mais Philippe connaît des criques qui gèlent en une nuit. Tu sais, Delphine Coallier, qui s'occupe du placement à la Société compatissante ? Depuis l'été dernier, on les fréquente parfois, son frère et elle... Ils sont très gentils, pas guindés pour deux sous. Que dirais-tu de nous accompagner ? Et comme il te faudrait un partenaire...

— Un partenaire ? fait en écho Marguerite, effarée.

— Mais pour le sûr ! Rien de plus agréable que de patiner à deux, bras dessus, bras dessous ! On y va de ce pas ?

— Où donc ?

— Inviter ton Joseph !

— Mes parents... Ma mère ne me laissera jamais y aller sans s'imposer comme chaperon !

Flavie lève les yeux au ciel :

— Cré Marguerite ! Naïve comme une jouvencelle ! Tu meurs d'envie de voir de près la couleur des yeux du beau Joseph, oui ou non ? C'est moi, ton chaperon ! Joseph, il sera là par hasard !

S'empourprant de colère, Marguerite proteste :

— Moi, une jouvencelle? Mais veux-tu bien cesser tes allusions déplacées? Tu ignores tout de ma vie intérieure et pourtant tu te moques tout le temps!

La leçon est sévère, mais Flavie, contrite, l'accepte sans rouspéter. Après un temps, le souffle précipité, Marguerite dit encore:

— Je sais que les enfants ne poussent pas dans les choux, Flavie Renaud, et je sais aussi que l'acte fondateur occupe l'essentiel des pensées de la majeure partie de mes contemporains!

Flavie ne peut se retenir:

— Et les tiennes?

La superbe de Marguerite fond à vue d'œil. Glissant vers Flavie un regard en coin, elle s'enquiert:

— Tu estimes que... je devrais aller solliciter Joseph sur-le-champ?

— Je dépose mes paquets, fait Flavie en souriant, et je suis à toi.

Quelques minutes plus tard, elle entraîne résolument Marguerite en direction de la rue Saint-Urbain tout en déclarant avec précaution:

— À ton âge plus que vénérable, tu peux cesser de demander la permission à tes parents! Répète après moi: «Chère maman, cher papa, ce dimanche, *je* vais patiner au fleuve avec quelques amis...» Pour ma part, quand Bastien m'est tombé dans l'œil, je n'ai pas pu attendre plus de dix jours avant de lui sauter dans les bras! Cela dit sans vouloir te froisser le moins du monde...

— Ça va, grommelle Marguerite, tu peux enlever tes gants blancs. Ils ne te vont pas au teint, de toute façon!

Après quelques minutes à se laisser conduire en silence par Flavie, Marguerite demande abruptement:

— Tu crois qu'ils vont lâcher les chiens si on met le pied dans l'École?

Flavie éclate de rire et son amie se laisse gagner par son accès contagieux d'hilarité. Ainsi réjouies, elles se retrouvent enfin devant le bâtiment. Sans tergiverser, elles gravissent l'escalier du porche et tirent la lourde porte. Il n'y a personne à l'horizon, même pas le concierge. Avec des mines de conspiratrices, rasant le mur du corridor, elles progressent sur la pointe des pieds jusqu'au bureau de Joseph Lainier, dont la porte est grande ouverte. Flavie pose un doigt sur ses lèvres et, se penchant, elle jette un coup d'œil à l'intérieur.

Les augures leur sont favorables : debout, leur faisant dos, le professeur est plongé dans la lecture d'un livre qu'il tient dans les mains. Sans plus attendre, Flavie fait irruption dans la pièce en tirant Marguerite par la manche. Elle referme soigneusement la porte tandis que Lainier, après avoir pivoté, les considère avec stupeur par-dessus ses fines lunettes. Flavie lui adresse une grimace de soulagement :

— Ouf! Savez-vous que nous avons bravé un terrible interdit pour venir jusqu'à vous? Du porche de l'École jusqu'à votre bureau, quel territoire hostile pour deux personnes du sexe faible!

Le médecin ne peut retenir un large sourire. Il se débarrasse prestement de ses lunettes et de son gros bouquin avant de venir à elles, leur tendant chacune une main.

— Quelle charmante surprise! Vous avez le don, toutes les deux, de surgir au moment le plus inattendu…

Flavie lui serre la main, l'examinant subrepticement tandis qu'il coule vers Marguerite un regard circonspect.

Tous deux fort réservés, ils tiennent manifestement leurs sentiments en laisse. Joseph ajoute, à l'intention de Flavie:

— Malheureusement, j'ai quitté ma classe pour une minute ou deux et je dois y retourner prestement...

— Décidément, le ciel est avec nous! Je vous explique...

Marguerite ne sait plus où se mettre pendant que Flavie formule sa proposition. La mine interloquée, Joseph tente de badiner, la voix mal assurée:

— C'est que je ne suis pas très versé dans l'art du patinage... Je crains fort, Marguerite, de vous faire honte.

Cette dernière se trouble sous l'intensité du regard bleu soudain fixé sur elle. Après un moment d'égarement, elle le lui retourne avec courage, l'expression à la fois vulnérable et suppliante. Après un temps qui semble durer une éternité, elle répond faiblement:

— Bien au contraire... J'ai un grand besoin de votre appui.

Flavie ajoute, frondeuse:

— Il n'y a rien de plus disgracieux, pour une dame, que de tomber sur la glace les quatre fers en l'air!

Il fait une grimace avant de bafouiller:

— À vrai dire, Marguerite, je n'imaginais pas... que vous souhaitiez la compagnie d'un vieux tel que moi. Comparé à tous les jeunes hommes de votre entourage..., je fais bien piètre figure.

— Mais vous vous méprenez! s'exclame Marguerite, perdant toute réserve. Je serais... croyez-moi, j'apprécie beaucoup votre... enfin, votre conversation!

Flavie intervient avec un sourire mutin:

— Un vieux, dites-vous? Si je vous compare à mon pépère, vous sortez à peine de l'enfance!

Puis, craignant de voir un groupe d'étudiants frustrés faire irruption, elle ajoute péremptoirement :

— Je vous tiens au courant du dimanche choisi. Dans une ou deux semaines… Et s'il fait trop doux, eh bien, on canotera !

Il acquiesce sans protester et les reconduit à la porte. Flavie susurre encore, avec un clin d'œil :

— C'est très aimable de vous offrir comme protecteur pour notre retour risqué vers l'extérieur…

Il pouffe de rire et riposte gaiement :

— À ce que je constate, vous êtes armées pour résister à un feu nourri ! À la revoyure, mes belles amies !

Toutes deux émergent sous le porche. Si Flavie est exaltée par cette réussite, Marguerite ne semble plus toucher terre et c'est dans cet état bienheureux qu'elles cheminent en gambadant presque, comme des fillettes délurées. Peu à peu, cependant, Flavie s'assombrit. Elle hésite à ternir le bonheur de son amie, mais elle a trop besoin de se confier à elle. Elle lui annonce que Provandier s'est manifesté mais que Bastien est intraitable.

— Le pauvre, il est placé entre l'enclume et le marteau…

— C'était pourtant un compromis fort acceptable ! Un vieux médecin dont plus personne ne se préoccupe… J'ai sincèrement cru qu'il céderait. Je croyais qu'il avait cette…

À court de mots, la gorge subitement nouée, Flavie se tait en baissant la tête. C'est dans cette position qu'elle balbutie :

— J'aurais dû m'en douter. Quand il est parti pour Boston, tu sais, avant notre mariage… C'était un peu lâche, n'est-ce pas ? Je lui ai pardonné parce que… parce que je l'ai dans la peau, mais quand j'y repense… Il aurait dû se confier à moi. Il aurait dû prendre le risque!

Avec véhémence, Marguerite réplique:

– Ne sois pas trop sévère. Je trouve que son geste était d'un singulier courage. D'autres se seraient jetés à tes genoux pour implorer ton pardon…

– C'est ce que j'aurais voulu! En tout cas, c'est ce que j'aurais fait à sa place.

– … mais ils auraient tout oublié après quelques semaines. L'ampleur de son désarroi est tout à son honneur. Elle l'a poussé à un geste extrême, mais elle prouve à quel point il est un homme sensible et responsable de ses actes.

Flavie pousse un profond soupir. Léonie est du même avis, et elle a confié à sa fille que Bastien s'est ainsi racheté à ses yeux de la terrible faute commise et dont elle avait eu l'intuition dès le début malgré les dénégations de Provandier. Pour sa mère, seul un puissant remords rachète une telle erreur et fait grandir en sagesse… Marguerite ajoute, mélancolique:

– Il t'a laissée libre, Flavie. Pour une femme, c'est tout un cadeau.

– Pour me laisser vraiment libre, il aurait dû tout me dire avant de partir! Me dire l'entière vérité! En me laissant ignorante, il m'a enchaînée à son sort!

Frappée par cette affirmation, Marguerite la dévisage:

– Tu regrettes tant?

Flavie s'empresse de faire un signe de dénégation. Par bien des aspects, Bastien est un homme digne d'amour et d'admiration. Cependant… Ces jours-ci, les épisodes les plus sombres de leurs fréquentations la hantent. Presque à son corps défendant, elle décortique et elle analyse, ne pouvant s'empêcher de juger ses comportements passés à la lumière du présent. Les conclusions qu'elle en tire sont dures et elle les repousse de toutes ses forces, mais elles reviennent sans cesse la hanter… Comment a-t-il pu l'abandonner si vite et si longtemps? Comment peut-il, aujourd'hui, exiger de cette manière brutale un tel sacrifice de sa part?

Elle sait pertinemment ce que Marguerite rétorquerait si elle se confiait à elle. Bastien ne peut l'appuyer sans se compromettre auprès de ses confrères et son avenir professionnel en souffrirait. À cette idée, Flavie ne peut retenir une flambée d'exaspération. Ce n'est quand même pas si épouvantable! Si quelques bougres forts en gueule sont d'une susceptibilité extrême, les autres seraient bien plus conciliants, ne refusant pas le progrès quand il se manifeste puissamment! Bastien est mou, songe Flavie avec détresse, et poltron, incapable d'affronter l'adversité. Comme il s'est enfui devant la fière accoucheuse qu'elle était, des années plus tôt, il recule devant l'ironie de ses collègues comme un chien peureux, la queue entre les pattes…

Se secouant, Flavie balbutie:

– Je ne sais plus quoi faire. Il faudrait que je décourage le Dr Provandier, mais je ne peux pas m'y résigner! Je sors du papier pour lui écrire, mais ma main est incapable de tracer une seule lettre! Et puis, je suis tellement désolée pour toi! J'ai peur que si je t'abandonne, tu n'oses plus rien…

– Ma pauvre amie! Ne t'en fais pas ainsi pour moi. J'ai l'humeur par trop frivole! Je t'avoue que, pour le temps présent, il y a un seul homme qui occupe mes pensées et ce n'est pas ce bon vieux docteur!

Flavie ne peut s'empêcher de sourire et Marguerite poursuit, consolante:

— Soyons bonnes filles et mettons temporairement nos idées de grandeur sur la glace.

Elle pouffe:

— Sur la glace! Oh! Flavie, je ne pourrai jamais attendre jusque-là!

Pendant la semaine qui suit, Marguerite passe par toute la gamme des émotions, d'autant plus que la demi-journée de patinage manque de... tomber à l'eau! Depuis le début de l'hiver, la température est anormalement douce et la glace tarde à prendre. C'est un mal pour un bien, puisque près d'un millier de victimes parmi les plus démunies de l'incendie de l'été dernier, encore hébergées dans les *sheds* de la Pointe-Saint-Charles, ne souffrent pas trop du froid. Cependant, comme on le craignait fort, une chute subite de la température, au milieu de janvier, provoque une crue du fleuve qui inonde les basses terres. C'est une période de dévouement intense pour Édouard Renaud qui, avec un bon nombre de ses concitoyens, aide à transporter ces indigents chez les religieuses de l'Hôpital général.

Néanmoins, dès le 20 du même mois, le pont de glace prend un «caractère déterminé», comme l'explique scientifiquement Philippe Coallier. Sur toute la surface du fleuve se comblent les tourniquets, ces trous dans la glace dans le fond desquels se devinent des tournoiements d'eau libre. Au large, où le courant est plus vif et où des forces contraires s'affrontent, de hauts bourguignons, ces monticules de glaces brisées, semblent saillir des entrailles du fleuve comme des volcans éteints dans un pays de plaines.

Encouragés par le refroidissement, les manœuvres affectés à l'entretien du pont ont travaillé d'arrache-pied pour perforer la croûte afin de faire jaillir l'eau et ainsi, accroître l'épaisseur de la surface gelée. La traversée a d'abord été permise à un homme accompagné d'un cheval, puis aux attelages de plus en plus pesants, jusqu'aux plus lourds équipages.

En l'espace d'une nuit, à la hauteur du port, le fleuve gelé a commencé à prendre son aspect coutumier. La dénivellation entre la batture et le niveau de la glace a été comblée de traverses de bois et les balises rassurantes ont été posées à intervalles réguliers entre la cité montréalaise et la paroisse de Longueuil. Déjà, le trafic est intense d'une rive à l'autre, ce qui réjouit tous les citadins, ainsi assurés de voir les marchés publics regorger de produits maraîchers en abondance.

Tout autour du pont, une animation familière s'installe peu à peu et le fleuve gelé devient un immense terrain de jeu. Les enfants profitent des monticules de neige entassés de part et d'autre de la voie pour y faire glisser leurs traîneaux. Sur cet immense espace qui échappe aux lois, les amateurs de pêche creusent leurs trous, étageant les blocs de glace ainsi taillés de manière à s'en faire un abri contre le vent qui étincelle au soleil. Les cabanes de bois abritant cantines et tavernes poussent comme des champignons, pour accommoder non seulement les promeneurs, mais aussi les voyageurs et tous les travailleurs du fleuve, tels les conducteurs d'attelage et les *scieux* de glace. Même les courageux canotiers, qui manœuvrent de lourds canots creusés dans un tronc d'arbre pour assurer la liaison en amont ou en aval, là où le fleuve n'est qu'à moitié gelé, viennent parfois s'y réchauffer.

À l'écart de la cité, le long de la rive, les fanatiques de courses en carriole sont déjà en train de préparer la surface. C'est l'un des sports les plus prisés des Canadiens, ouvriers et agriculteurs, qui se font une immense fierté d'y battre les Anglais au milieu d'insultes et d'altercations de toute nature ! Aux abords de cette magnifique allée de glace longue de plusieurs milles, de nombreux spectateurs s'agglutinent à la moindre occasion de réjouissances. Entre deux courses « officielles », les jeunes envahissent la piste avec leurs traîneaux tirés par des chiens.

À une autre extrémité, une patinoire a été rapidement dégagée. C'est ainsi que, par un plaisant samedi de la toute fin du mois de janvier, Delphine et son frère, Marguerite et son discret prétendant, et enfin Flavie et Bastien attachent à leurs bottes les populaires patins fabriqués par les forgerons locaux, constitués d'une semelle de bois à laquelle a été fixée une lame façonnée à partir d'instruments agricoles désuets. Ils s'élancent avec bonheur sur la glace, craquelée et bosselée malgré tous les soins : un cours d'eau gelé est quasiment un être vivant dont l'épine dorsale se meut avec tantôt de sourds gémissements, tantôt de sinistres craquements.

Si Joseph fait montre d'une certaine prudence, il est beaucoup plus agile qu'il ne l'a laissé entendre, ce qu'il justifie en expliquant que s'il n'était pas mauvais patineur dans son jeune temps, il se rouillait tant qu'il craignait de faire un fou de lui ! Rompue à ce sport, Flavie se permet des pointes de vitesse qui lui procurent une enivrante sensation de puissance. Des cinq autres, seul Philippe ose alors la défier et s'il ne réussit pas à la battre, Flavie soupçonne qu'il le fait exprès…

Pour Marguerite et son partenaire, l'après-dînée est l'occasion d'un apprivoisement spectaculaire. De compagnons timorés, ils passent en quelques heures par les divers stades d'une amitié de plus en plus profonde avant de se retrouver, en début de soirée, littéralement incapables de se quitter... Sur-le-champ, Joseph s'agenouille devant Marguerite et, prenant les autres membres de la petite troupe à témoin, lui demande la permission de la fréquenter. Marguerite reste si longtemps muette de ravissement que Flavie s'écrie : « Elle dit oui, Joseph, elle dit oui ! » Delphine Coallier se joint à elle en poussant à son tour un « Oui ! » extatique qui fait crouler les deux autres hommes de rire.

CHAPITRE XXXI

Sous le choc, Flavie lit et relit, incrédule, les quelques phrases tracées d'une écriture fantasque par Marcel Provandier. L'homme de l'art lui annonce qu'à son grand regret il est obligé de retirer son offre d'apprentissage, principalement pour des raisons de santé, non seulement la sienne, mais également celle de son épouse. D'abord envahie par un soulagement incongru, Flavie reste plantée au pied de l'escalier, les yeux dans le vague, froissant machinalement le feuillet. Un accablement intense la submerge ensuite, au point que des larmes amères lui montent aux yeux.

Elle sursaute : son beau-père vient de surgir de la salle à manger, une pile de dossiers sous le bras. Apercevant Flavie, il dit gaiement :

– Chère belle-fille, tout va pour le mieux ! Tous les déplacés ont bel et bien regagné les abris de la Pointe-Saint-Charles et je crois que les ennuis sont terminés jusqu'au printemps. Comme plus de deux mille livres ont été dépensés pour *improuver* les bâtisses, ces gens sont plutôt bien logés !

Il ajoute, avec un contentement évident :

– Même les commérages me réjouissent plutôt ! Vous avez ouï, Flavie ? On reproche au comité de trop bien traiter les incendiés. On jase sur le « bien-être inaccoutumé » de la classe la plus pauvre, sur le bon ordre qui règne sur la place publique! Ce n'est certes pas dans le maigre secours que nous avons pu offrir, soit les abris et l'assistance médicale, qu'il faut en chercher les causes, mais plutôt dans l'état florissant de toutes les branches du commerce! Ma chère bru, nous entrons dans une ère de prospérité! Notre ville se reconstruit dans un style moderne, un vaste système de chemins de fer est sur le point d'être mis en activité, les capitaux affluent...

Constatant enfin que Flavie reste insensible à sa liesse, il avise la lettre qu'elle tient entre les mains et s'enquiert:

– Une mauvaise nouvelle?

Elle lui tend le feuillet, qu'il parcourt rapidement, puis il la considère avec sollicitude.

– Je trouve, Flavie, que votre appétit pour la science est admirable. S'il n'en tenait qu'à moi... Mais le monde est ainsi fait qu'il s'accroche aveuglément à ses principes, comme si sa survie en dépendait. Peut-être est-ce le cas... Puis-je vous donner un conseil? Vous n'êtes pas de taille pour le combat corps à corps. Rusez, Flavie. Jouez-vous de lui. Je suis persuadé que si vous y mettez du temps et de la persévérance, vous atteindrez votre but. Vous êtes très jeune encore, et peut-être que, pour l'instant, une autre mission vous incombe...

Édouard fait allusion, bien entendu, à la maternité. La gorge nouée, Flavie se ressaisit avant de rompre le silence qui s'est installé:

– Vous devez me juger bien égoïste, n'est-ce pas? Refuser à Bastien la joie d'être père...

– Jamais de la vie! Je sais tout ce que les enfants exigent d'une mère.

– Quand ils seront grands... est-ce que je pourrai faire comme ma mère, reprendre mon métier d'accou-

660

cheuse? Est-ce que les mœurs de la belle société me le permettront?

Son beau-père hésite, ce qui est, pour Flavie, la plus éloquente des réponses. La porte d'entrée s'ouvre à la volée et la tête encapuchonnée d'Archange apparaît. Fébrile, elle s'écrie:

— Vous êtes là? Une bonne nouvelle, mes amis! Le jeune Lacloche s'est invité pour demain, dans le but de demander la main de notre Julie!

— Vraiment? s'étonne Édouard. Je ne serai pas contre, si Julie est du même avis!

— Julie l'est! s'exclame la voix extatique de la principale intéressée, occupée à se débougriner dans le hall. Je l'espérais tant! Il a une belle situation et…

— La chose est entendue, mais ta mère et moi, nous t'avons amplement répété qu'il y a des sentiments qui, eux, ne se commandent pas, et les conséquences peuvent être désastreuses s'ils sont absents d'une union. Tu t'en souviens?

— L'estime et le respect, récite Julie d'une voix d'écolière, en accourant près de son père. Je ressens tout cela pour mon cher Casimir, et plus encore. Tu me crois, papa?

— Je te crois, répond-il en l'étreignant aux épaules. Je suis ravi de ton choix. Je connais cette famille depuis longtemps et je n'ai pour elle que des éloges. Le père de ton prétendant a parfois le nez un peu rouge…, mais point trop!

Julie et ses parents s'éloignent en bavardant avec animation. D'un pas fatigué, Flavie grimpe l'escalier et se laisse tomber assise sur la dernière marche. Les carillons des églises viennent de sonner l'heure des vêpres, ce qui annonce le retour imminent de Bastien. En effet, la porte claque quelques minutes plus tard et, bientôt, sa jeune voix mâle résonne au rez-de-chaussée, félicitant sa sœur de ses proches fiançailles. Il monte ensuite l'escalier quatre à quatre, pour tomber en arrêt, en haut du tournant, en face de Flavie, qui lui adresse un sourire contraint avant de lui tendre la lettre de Provandier.

Il la parcourt et un vif soulagement se peint sur son visage. Il bredouille :

— Tu dois être fâchée, mais... pardonne-moi, je ne peux pas me retenir d'être content !

Flavie fait une moue chagrinée et il sourit plaisamment avant de lui offrir sa main pour l'aider à se relever. Tout en l'entraînant dans leur chambre, il se déclare heureux de la tournure des événements, heureux d'être libéré de cette question qui empoisonnait leur relation. Serrant Flavie dans ses bras, il dit :

— Tu as compris, maintenant ? Tu as compris que tu es trop... trop d'avant-garde pour les mœurs convenues du Bas-Canada ? Je suis sûr que tu auras ta revanche. Un jour, tu leur montreras à tous de quoi tu es capable ! La vie est longue, Flavie, et pleine de promesses !

Il la cajole un long moment, puis, constatant à quel point elle est distraite, il la délivre et la laisse à ses pensées moroses. La médecine et ses instruments sont hors de sa portée ! Elle devra se perfectionner seule, par essais et erreurs, avec l'appui des plus savantes accoucheuses...

Flavie erre dans ses appartements comme une âme en peine et, deux soirs de suite, avide de solitude, elle couche par terre dans le boudoir, enroulée dans sa couverture.

Enfin, Bastien entreprend sa reconquête et elle se laisse amadouer. Son ardeur réussirait à faire fondre le plus tenace des glaçons et, ce soir-là, Flavie cède à ses avances comme un esquif se laisse ravir et emporter par la plus haute crête d'une grande marée. Comment pourrait-elle résister à l'attrait de ses clins d'œil complices et de ses sourires chaleureux ? Comment pourrait-elle supporter longtemps de se tenir à une si grande distance de lui…

Quelques semaines plus tard, deux jeunes sages-femmes se rendent, bras dessus, bras dessous, à une causerie littéraire donnée sous les auspices de l'Institut canadien de Montréal. Bastien a été retenu par une urgence, mais le Dr Lainier les attend en faisant les cent pas devant le bâtiment. Joseph Doutre, un jeune libre penseur influent, offre à l'auditoire une conférence intitulée *Les Sauvages du Canada en 1852*.

Qu'est-ce que les Canadiens connaissent, interroge-t-il en substance, de ces peuplades aujourd'hui dispersées au lac des Deux Montagnes, à Caughnawaga, à Lorette ou ailleurs, sur une étendue de deux à trois cents lieues ? Le conférencier décrit brièvement leurs mœurs nomades et la valeur guerrière des Iroquois grâce à laquelle ils « exerçaient sur le continent quelque chose de l'influence dominatrice des Romains ».

L'anticlérical avocat évoque ensuite une de ces journées où il n'avait au cœur « ni piété ni amour », où il n'avait « ni patenôtre ni madrigal à bredouiller », et où il s'est donc dirigé vers la réserve indienne de Sault-Saint-Louis, récemment renommée Caughnawaga, en face de Montréal, du côté sud du fleuve. Après s'être étendu sur les différends entre les Sauvages et les seigneurs environnants concernant la propriété du sol, Joseph Doutre annonce avec pessimisme des querelles futures encore plus âpres à cause du chemin de fer qui traverse la seigneurie et du développement économique qui s'ensuivra.

Le conférencier suscite les rires lorsqu'il aborde le sujet de l'importance de la lignée maternelle dans l'élection des grands chefs : le signe symbolique de l'autorité du chef, à sa mort, est remis à sa mère ou, à défaut, aux frères et sœurs de cette dernière.

– Les mœurs ont permis à une reine de France de dire à son royal époux qu'elle pouvait faire des princes sans lui, mais qu'il ne pouvait pas en faire sans elle. Les Sauvages sont, depuis longtemps, persuadés de la vérité de ces paroles, et le commerce des Blancs a jeté dans les tribus tant de *bois-brûlés*, tant d'épidermes disparates, qu'ils ne mettent plus en doute la suprématie des femmes sous ce rapport. Ils tiennent pour maxime que l'enfant appartient à la mère, et que le père n'est, comme disait Balzac, que l'éditeur responsable des poupons qui lui arrivent avec une abondance prodigieuse !

La bouche fendue jusqu'aux oreilles, Doutre doit attendre que l'auditoire s'apaise avant d'ajouter, plus sérieusement :

– Chose étonnante et qui paraîtra presque monstrueuse, les femmes n'ont aucunement perdu pour cela le respect et la considération des hommes. Toutes les cérémonies qui ont lieu, pour célébrer la naissance d'un enfant, le mariage ou la mort d'un Sauvage, reposent sur l'axiome que l'enfant n'appartient qu'à sa mère.

Si la chasse est abandonnée par les Sauvages du Sault-Saint-Louis, explique Joseph Doutre, comme « les courses aventureuses des bois », le caractère primitif qui a le mieux résisté au frottement de la civilisation est leur « superstition obstinée », leur disposition à croire aux choses surnaturelles, puisque tout s'explique par l'intervention directe du Grand Esprit et de la sorcellerie.

– Les caractères distinctifs des Indiens qui sont dispersés parmi les Blancs s'effacent insensiblement tous les jours. Les femmes seules, et le costume qu'elles s'obstinent à conserver, ont contribué à leur conserver une partie de leur physionomie primitive en élevant les enfants selon leurs coutumes nationales. On peut être convaincu que du moment que les Sauvagesses échangeront leurs mitasses et leurs couvertes contre les bas à jarretières, le corset, la robe et la mantille, il ne restera plus rien du caractère de ces races. Quelques personnes s'éprendront d'un religieux regret en voyant s'opérer cette transmutation des races indigènes, mais quand on envisage ce fait au point de vue humanitaire, on est plutôt porté à y applaudir. La civilisation européenne n'a pour ainsi dire rien emprunté d'eux, et ils ont tout à gagner à se confondre au milieu de nous. Il est dans la destinée inévitable et prochaine des Sauvages de disparaître, et cette fusion ne viendra jamais trop tôt.

Pourvu que l'humanité, songe Flavie en écho, conseille aux gouvernements la tolérance et les égards que ces pauvres Sauvages méritent… La conclusion la plonge dans un drôle d'état : une espèce de nostalgie diffuse, un sentiment de regret devant le temps qui passe et qui, inexorablement, chasse l'être humain de ce qui semblait bien un ancien paradis terrestre… Ce que Cécile lui a confié du destin de la tribu amérindienne au sein de laquelle elle a passé plus d'une année confirme l'opinion du conférencier. Les rares naissances ne réussissent pas à repeupler les groupements affaiblis par diverses maladies et par un attachement excessif à l'alcool.

Dès que le trio se retrouve à l'extérieur, Flavie se tourne vers les deux autres et s'exclame :

– Quel dommage que Doutre soit avocat plutôt que médecin ! Il aurait pu donner plus de détails sur ces maladies qui sont l'effet du sortilège et sur la profession de charlatan qui est «celle qui doit être le plus en honneur».

– Moi, enchaîne Marguerite d'un ton rêveur, c'est sa description du tonnerre qui m'a fascinée. Le tonnerre, «bruit du char d'un maître sauvage, être surnaturel, presque l'égal de Dieu et existant depuis l'éternité»!

Joseph emprisonne sa main dans la sienne et la jeune femme laisse leurs flancs se frôler tandis qu'ils prennent le chemin du retour. Avec un regain d'excitation, elle lance :

– Vous avez remarqué ? M. Doutre a fait un rapprochement fort juste entre le gouvernement traditionnel des Indiens d'Amérique et le communisme européen! C'est prodigieux, n'est-ce pas ? À l'entendre, on pourrait croire que nos penseurs n'ont rien inventé!

Lainier répond, avec un sourire ému :

– Douce Margot, rafraîchissez-moi la mémoire. Je vous avoue que j'étais souvent distrait par votre joli chignon et la nuque qu'il y a dessous…

Sa dulcinée réplique, avec une exaspération feinte :

– Monsieur le professeur, vous avez bien tort de ne pas saisir la moindre occasion pour vous instruire!

Flavie renchérit :

– Ce n'est pas à l'école, ni surtout au couvent, qu'on nous entretient avec tant de liberté des mœurs fascinantes des Sauvages!

– Pour résumer, reprend Marguerite, le conférencier a évoqué la communauté fondée par le fouriériste
Cabet aux États-Unis, aussi nommée phalanstère.

– Ceux qui considèrent le communisme et le socialisme comme des rêveries irréalisables, cite Flavie à son
tour, seraient bien étonnés en voyant fonctionner parfaitement ici un système dont la structure politique diffère
très peu de celui des Indiens d'Amérique ! Ma parole, Marguerite, voici un nouveau et passionnant sujet d'étude !

Tout en marchant, les deux jeunes femmes engagent
une chaude discussion sur les communautés utopiques.
Pour faire la preuve que l'établissement d'une société
juste et égalitaire est possible, plusieurs penseurs, soutenus par leurs disciples, se sont lancés dans cette aventure risquée mais exaltante, dont le Britannique Robert
Owen et le Français Charles Fourier figurent parmi les
plus célèbres. Leurs écoles de pensée ayant franchi l'Atlantique, plusieurs communautés ont tenté de s'implan-
ter aux États-Unis. Malheureusement, la plupart, faute
d'une organisation solide, n'ont survécu que quelques
années.

Lainier s'étonne à voix haute, mais d'un ton tranquille, de l'enthousiasme de Marguerite, compte tenu de
l'athéisme de la plupart de ces penseurs. La jeune femme
lui jette un coup d'œil pénétrant avant de répondre :

– J'admire bien plus un penseur athée qui dénonce
l'injustice qu'un catholique qui ferme les yeux.

– Bien dit ! approuve Flavie. Le problème avec le
clergé – je veux dire, un des nombreux problèmes –,
c'est qu'il déteste toute remise en question d'une autorité qu'il considère comme légitime, celle de l'élite sur la
masse du peuple. Cela, bien entendu, pour justifier sa

propre autorité. Or les inégalités ne pourront être combattues sans révolution, sans une révolte qui, j'en ai bien peur, détrônera les évêques en passant...

— Comme pendant la Révolution française, conclut Marguerite.

— Quel raisonnement lumineux! s'exclame Joseph, sérieux comme un pape. Maintenant, je comprends parfaitement pourquoi l'éducation des femmes est un sujet si litigieux. Des femmes savantes deviennent ingouvernables!

— Quand on s'intéresse à la science, reprend Marguerite avec candeur, comment peut-on continuer à croire que c'est Dieu qui a créé l'homme et le monde en six jours? Si la Bible se trompe sur ce sujet, peut-être qu'elle s'est trompée sur d'autres...

Après un moment de silence, elle ajoute:

— C'est le pire, je trouve. Le pire, c'est d'être forcée d'abandonner, une à une, bien des croyances de la religion catholique. Comme si j'étais un épi de maïs qu'on épluche, feuille par feuille... J'étais au chaud, alors, sous une couche de certitudes aussi épaisse qu'un lit de plumes.

Flavie songe à ses toutes dernières lectures sur le socialisme. Pour la majorité des habitants de la planète, a-t-elle fini par comprendre, la misère se transmet de génération en génération. Mais contrairement aux idées reçues, chacun n'est pas maître de son destin; les pauvres ne sont pas dans cet état à cause d'une tare individuelle, stupidité à la naissance ou manque d'ambition. Ils le sont parce qu'ils n'ont pas les moyens de s'en sortir, parce qu'ils sont obligés d'assurer leur survie, perpétuant ainsi des conditions de vie précaires. Si personne ne les soutient vers l'instruction et vers une occupation mieux considérée et rémunérée, comment pourront-ils y arriver ?

Marguerite évoque l'une de ces communautés utopiques, située de l'autre côté de la « ligne », dont le sort l'intéresse particulièrement. Il s'agit de l'une de ces nouvelles sectes dérivées du protestantisme, dont les croyances s'appuient sur une relecture de la Bible, mais qui s'inspire également des principes de base du communautarisme, selon les idées popularisées par Saint-Simon, Owen et Fourier. Elle a été fondée une dizaine d'années auparavant par un certain John Humphrey Noyes, pasteur et visionnaire, qui a élaboré un dogme novateur qui semble à Marguerite, pour le peu qu'elle en connaisse, tourné vers la lumière et le bonheur de vivre.

— Un genre de retour à l'innocence et à la perfection des êtres humains d'avant le péché originel…

Dans la communauté maintenant installée à Oneida, explique-t-elle, la manière d'interpréter et de vivre concrètement ce dogme inventé par Mr. Noyes est librement discutée le soir, en salle commune. L'enrichissement personnel est proscrit et chacun travaille selon ses aspirations. Mais le plus surprenant, confie-t-elle à voix basse, c'est que le mariage n'y existe pas : selon le principe que la communauté n'est qu'une seule et grande famille, et donc que le sentiment de possession y est proscrit, chaque femme a la possibilité de choisir son partenaire, et vice versa, pour la durée qu'il lui plaira. C'est en premier lieu la communauté qui prend charge du bien-être et de l'éducation des enfants qui pourraient naître de ces unions.

Marguerite s'énerve :

— Expliqué si succinctement, c'est extrêmement réducteur, mais je vous assure que ce système de pensée et l'organisation sociale qui en découle me séduisent fort !

— Mais comment morale chrétienne et libertinage, s'exclame Joseph, peuvent-ils se côtoyer de même ?

— J'ai pour mon dire, dit placidement Flavie, qu'il serait temps qu'on revoie la signification du concept de morale... Vous saisissez, Joseph ?

Il grogne et Marguerite reprend la parole :

— Mon bel ami, j'ai pris le parti d'être toujours franche avec vous, sur quelque sujet que ce soit. Eh bien, j'abonde dans le sens de Flavie. N'est-ce pas cette même morale qui nous empêche, toutes les deux, de convoiter le titre de médecin, alors que vous êtes le mieux placé pour savoir que nous y réussirions très bien ?

— Les mœurs relatives à l'institution du mariage sont sacrées ! D'ailleurs, à votre avis, combien de temps dois-je attendre encore pour demander votre main à monsieur votre père ?

— Au moins quelques semaines, réplique Marguerite en riant de bon cœur, ce serait plus sage...

— S'il le faut... Flavie, j'espère que ce rôle de chaperon ne vous pèse pas trop ? Parce que j'ai l'intention de vous solliciter amplement dans l'intervalle !

Lorsque Marguerite et Joseph la quittent, Flavie n'a que quelques rues à parcourir avant de se retrouver chez elle. Amusée, elle tente de se remémorer les mots indiens cités par Doutre. L'alphabet a de dix à douze lettres, a-t-il expliqué, et chaque mot exprime une idée. Selon lui, *Hochelaga* serait une corruption française de *Hoséraké*,

mot signifiant «chaussée des castors»; *Caughnawaga* déri-
verait de *Kahna-Saké*, «au Sault»; et *Toronto*, de *Théroto*,
signifiant «il a jeté un arbre sur l'eau là-bas», comme la
bande de terre qui s'avance dans le lac Ontario.

Ainsi plongée dans ses pensées, il lui faut une seconde
ou deux avant que s'enregistrent dans son cerveau des
mots lancés par un homme qui arrive à sa hauteur.

– Seule dans la nuit noire... Ce n'est vraiment pas
prudent, madame l'accoucheuse. Laissez-moi vous offrir
protection.

Son ton suggestif annule toute la politesse de son
propos et Flavie, se raidissant, jette:

– Qui êtes-vous, monsieur, pour être si familier avec
moi?

Tout en accélérant l'allure, elle scrute la haute silhouette à ses côtés, plongée dans l'ombre, mais c'est le
souvenir d'un timbre de voix qui l'envahit, celui de Jacques Rousselle, dans l'amphithéâtre de l'École de médecine. Il était à la conférence de Doutre et il l'a suivie jusqu'ici?

– Mon identité n'a aucune importance. Sachez seulement que je suis l'un de vos admirateurs les plus fervents...

Flavie ouvre de grands yeux dans l'obscurité. Le
cœur battant la chamade, elle bredouille:

– Votre pseudo-admiration est déplacée, monsieur
Rousselle, de même que la manière dont vous m'avez
abordée.

Et sans plus attendre, elle prend ses jambes à son
cou. Elle a le temps de l'entendre jeter:

– À la revoyure, jolie prétentieuse!

Soufflant à perdre haleine, elle se retrouve dans le
hall d'entrée de sa maison. Elle met un long moment à

retrouver son aplomb. Nul membre de la maisonnée ne doit voir son désarroi, et surtout pas Bastien, qui sauterait sur l'occasion pour lui faire la leçon... Elle réalise que Rousselle n'était pas vraiment menaçant, mais tremblante d'une frayeur rétrospective, elle se glisse jusqu'à son boudoir, où Bastien a laissé une bougie allumée avant d'aller se coucher, et elle passe un long moment pelotonnée dans un fauteuil, à retrouver son calme.

Les deux premiers mois de l'année se sont passés dans un tourbillon de délivrances, mais les apparences sont trompeuses et Flavie, en compulsant ses livres de comptes, n'est pas sans remarquer que le nombre de patientes décline lentement, selon une courbe tout à fait insensible aux habituelles fluctuations saisonnières. Une question lancinante lui encombre l'esprit : la notoriété qu'elle s'est attirée en serait-elle responsable?

L'état de bonheur auquel Bastien s'est abandonné à la suite de l'ultime lettre de Marcel Provandier n'a réussi que momentanément à le distraire de ses soucis professionnels. L'économie tourne à plein et pourtant, la clientèle de la clinique d'hydrothérapie se fait désespérément rare. Il ne consent à discuter que brièvement de ses problèmes avec Flavie, affirmant qu'il n'y a rien de neuf sous le soleil : la mode est aux découvertes scientifiques et sa méthode s'appuie plutôt sur un savoir archaïque, aux antipodes du spectaculaire!

C'est ainsi qu'à la fin de février, il faut au jeune médecin extrêmement embarrassé de longues minutes d'hésitation avant de réussir à demander à Flavie s'il serait possible qu'elle lui avance un peu d'argent. Elle s'enquiert de la somme et le chiffre, plus du quart de ses épargnes, la fait tiquer. Cependant, elle n'hésite qu'une seconde ou deux avant d'acquiescer. Il promet de la rembourser dès que possible, mais elle lui coupe la parole en soulignant qu'il ne lui refuse jamais l'argent de poche qu'elle lui réclame pour leurs dépenses. Préoccupée soudain, elle fronce les sourcils :

— Je ne t'en demande pas trop, j'espère ? Si c'est le cas, il faut me le dire ! Il y aurait encore moyen de se priver de quelques luxes…

Il balbutie :

— Justement… Il faudrait cesser d'acheter des livres et des douceurs.

Stupéfaite de le voir littéralement sauter sur l'occasion, Flavie reste sans voix, puis elle agrée d'un bref signe de tête. L'expression du visage de Bastien trahit un puissant remords et Flavie est sur le point de vouloir le rassurer quand il prend congé brusquement. Pourtant, songe-t-elle avec amertume, c'était une magnifique entreprise que cette clinique d'hydrothérapie et il serait dommage que Bastien soit obligé de la sacrifier sur l'autel du commerce ! Car la médecine telle qu'elle se pratique à Montréal commence à ressembler honteusement à un vulgaire marchandage…

Rue Sainte-Monique, l'excitation suscitée par l'annonce du mariage de Julie, fixé à l'automne suivant, est à son comble. Si Flavie a périodiquement souhaité un adoucissement des relations entre elles deux, elle n'en espérait pas tant : comme si sa future condition d'épouse créait une nécessaire intimité, Julie se met à bavarder avec elle comme avec une amie proche, jasant de toutes sortes de détails futiles au sujet des préparatifs de la cérémonie.

Elle semble attendre que sa belle-sœur lui confie des secrets concernant les relations entre époux, ce à quoi Flavie préfère ne pas se risquer, sachant son humeur extrêmement changeante. Cependant, elle ne refuse pas de lui prêter tous les livres qui l'intéressent.

Pour fuir à la fois cette atmosphère fébrile et le visage préoccupé de son mari, Flavie passe ses moments libres rue Saint-Joseph, en compagnie tantôt de Cécile et des enfants, tantôt d'Agathe et de son bébé. La jeune femme a les traits tirés d'une mère esclave des besoins d'un nourrisson, mais elle porte constamment une expression sereine sur le visage, comme si sa tâche était la plus importante et la plus gratifiante au monde.

Quant à Cécile… Plus Flavie côtoie la jeune femme, plus elle s'énerve d'être incapable de forcer sa réserve. Son flegme naturel, qui était contrebalancé auparavant par son appétit pour l'existence et par un puissant besoin de découvertes, semble avoir pris toute la place. Cécile pose sur les gens et les choses un regard neutre et elle refuse la proximité affective, même de la part de celles et ceux qui l'aiment. Elle rit rarement et s'émeut encore moins…

La seule personne qui réussit à traverser sa carapace, à part sa fille, c'est Daniel, mais le jeune homme est, à l'évidence, mal à l'aise devant ce traitement spécial. Dès que Cécile manifeste un quelconque désir de se reposer près de lui ou de s'abandonner à une conversation plus intime, il trouve le premier prétexte pour fuir. À observer cet éprouvant manège, Flavie en souffre dans sa chair pour sa sœur, qui se retrouve, ainsi, constamment repoussée. Peut-être est-ce seulement une chaleur fraternelle qu'elle recherche et que Daniel est celui qu'elle a choisi comme confident ? Mais non : le sentiment de Cécile a une profondeur et une maturité nouvelles. Manifestement, ce que sa sœur souhaite, c'est une relation amoureuse.

Dans ce contexte, c'est avec un trouble grandissant que Flavie constate avec quel plaisir Daniel accueille ses visites. Il tourne vers elle des yeux brillants et un visage joyeux, trop heureux de s'absorber dans quelque tâche ou dans une discussion animée en sa compagnie. Il est avide de tout savoir d'elle, autant son métier que son existence là-haut, rue Sainte-Monique. Malgré sa confusion, Flavie ne peut s'empêcher de l'apprécier chaque fois davantage, d'être déçue par son absence ou enchantée du contraire. Elle se délecte de retrouver ce naïf bonheur que tous deux, encore adolescents, éprouvaient l'un avec l'autre, bonheur qui, de surcroît, se chargeait de promesses d'ivresses...

Au milieu du mois de mars, la température étant propice à l'entaillage, le réjouissant temps des sucres commence. Tous ceux qui le peuvent chaussent leurs mocassins, puis fourbissent leurs raquettes et leur attirail pour s'enfoncer dans les érablières, et bientôt, après la première corvée de récolte de l'eau d'érable, les cabanes à sucre laissent échapper une épaisse boucane, répandant dans le voisinage la délicieuse odeur d'eau d'érable bouillie.

Un samedi matin, Bastien et ses compères raquetteurs se mettent en route pour la traditionnelle traversée du mont Royal, tandis que les dames prennent place dans des carrioles qui les emportent pour une charmante promenade par le chemin qui suit le flanc de la montagne, bordé de fermes prospères et de vastes domaines appartenant à des industriels. Les carrioles traversent l'intersection du chemin de la côte Saint-Luc, où plusieurs hôtels accueillent les voyageurs et les randonneurs, mais sans s'y arrêter, puisque leur destination finale est une cabane à sucre de la Côte-des-Neiges.

En attendant l'arrivée des hommes, Flavie et Delphine empruntent des raquettes et s'offrent une longue et paresseuse randonnée à travers l'érablière, avalant au passage quelques gorgées de cette suave eau d'érable. En milieu d'après-dînée, c'est une troupe de raquetteurs épuisés par la neige pesante mais ravis de la splendeur du paysage qui les rejoignent pour la veillée, copieusement arrosée, pour ces messieurs, d'un mélange de rhum bouillant, d'œufs et de lait battu, et, pour les dames, de vin chaud ou de bière.

Après le souper, les musiciens jouent cotillons et valses, quadrilles et *sets* carrés, et Flavie s'en donne à cœur joie, passant d'un groupe à l'autre et d'un partenaire à l'autre. Elle n'est pas sans remarquer que Bastien n'est pas particulièrement empressé auprès d'elle. Le jeune homme semble s'être donné pour mission d'empêcher Delphine de s'ennuyer! La chose, pourtant, serait bien improbable: les hommes rivalisent de galanterie pour ne laisser aucune âme solitaire. Mais elle n'est pas vraiment fâchée de cet abandon. Elle a une féroce envie de s'amuser et Bastien n'est pas un gai compagnon par les temps qui courent…

Quelques jours plus tard, le visage préoccupé, Bastien annonce à Flavie qu'il revient de chez Marguerite.

– *Ma* Marguerite? Pourquoi donc?

– Elle est alitée.

Alarmée, Flavie murmure, la voix altérée:

– Ton diagnostic?

– Je ne sais pas encore. Fièvre, lassitude extrême… Heureusement, les poumons ne semblent pas atteints…

— Elle t'a fait mander?

Il hoche la tête, un mince sourire navré se frayant un chemin sur ses lèvres.

— Pauvre Joseph, il en est resté pantois… Il se croyait le mieux placé, et avec raison, pour prendre soin de remettre sa dulcinée sur pied! Mais Marguerite a été très claire : mon traitement est le meilleur et elle veut l'essayer.

Flavie en reste tout attendrie. Elle ignore si sa belle amie est réellement convaincue des bienfaits de l'hydro-thérapie, mais une chose est sûre, elle tient à exercer ainsi un gentil patronage… Agitée soudain, Flavie hésite :

— Je devrais aller la voir. Tu crois qu'elle m'accepte-rait à son chevet?

— Je te conseille d'attendre à demain matin. J'y retournerai. Pour l'instant, Joseph est avec elle et je crois qu'il a bien besoin de se remettre de ce dur coup à son orgueil…

Le lendemain, leur déjeuner rapidement avalé, les deux jeunes gens marchent à grandes enjambées jusqu'à la maison de Marguerite, où sa mère les accueille en leur disant que Joseph a passé la nuit sur place et qu'il est en train de prendre une bouchée dans la salle à manger. Inspirant longuement pour se donner du courage, Bastien échange un regard avec Flavie. Il pressent qu'il aura, encore une fois, à défendre son choix de pratique… Conduits par la maîtresse de maison, ils font irruption à proximité de Joseph qui, automatiquement, se lève à demi à leur entrée. Bastien proteste aussitôt d'un geste de la main :

— Ne bougez surtout pas… Bien le bonjour, Joseph.

Flavie déclare, avec chaleur :

677

– Je suis contente de vous revoir. Comment se porte Marguerite?

– Guère mieux, je le crains. La fièvre la tourmente.

– Serait-elle disposée à un examen? Je monterais alors. Il faudrait entreprendre le traitement au plus tôt...

– Elle vous attend.

Bastien ne se le fait pas dire deux fois. Demeurée seule avec le cavalier de son amie, qui avale une brioche en buvant du café fort, Flavie esquisse un sourire. Joseph est en manches de chemise, il a les cheveux ébouriffés et le bas du visage ombré par une barbe poivre et sel de deux jours. D'un ton bourru, il marmonne:

– Vous savez quoi, Flavie? J'ai eu amplement le temps de réfléchir cette nuit, puisque le sommeil me fuyait, et j'en suis venu à la conclusion que Margot a été contaminée pendant l'une de ses visites aux victimes de l'incendie.

Flavie fait une moue sceptique et il ajoute aussitôt:

– Vous ne me croyez pas? C'est que vous niez l'évidence. Ces *sheds* et autres abris temporaires sont des foyers de contagion. Jusque-là, Margot était d'une santé éclatante, jamais l'ombre d'une indisposition...

– C'est que l'amour décuple les forces vitales, réplique Flavie avec un sourire mutin.

Son visage s'éclaire fugacement, pour se renfrogner de nouveau. Repoussant son assiette, il se laisse aller contre le dossier de sa chaise, puis il jette à Flavie un regard égaré:

– Margot est si forte, non seulement de corps, mais d'esprit... Si elle souffre ainsi, c'est que l'ennemi est puissant!

Flavie laisse passer un moment de silence respectueux avant de lui demander :

— Êtes-vous encore... fâché de son choix thérapeutique ?

— Fâché ? Que non ! Comment pourrais-je ? Les médecins eux-mêmes sont en guerre les uns contre les autres. Chaque spécialité fait la nique à l'autre, et de surcroît, chaque médecin a sa propre petite méthode infaillible !

Il hésite un moment avant d'ajouter à voix basse :

— Tout de même, j'aurais été content qu'elle me fasse entièrement confiance. Qu'elle remette son sort entre mes mains...

— Vous savez bien que ce n'est pas son genre. En plus, elle est bien trop savante pour ça. Mettez-vous à sa place. Compte tenu de votre longue expérience, je suis sûre que vous discuteriez âprement des traitements prescrits...

— Sans doute, convient-il. Cependant...

Il ravale la suite en lui jetant un regard en coin, mais Flavie a déjà deviné le cheminement de sa pensée. Cependant, Marguerite n'est qu'une femme... Même lui, un homme renseigné, un homme qui ose discuter les idées toutes faites et les croyances séculaires que les membres du clergé répètent jusqu'à la nausée..., même lui ne peut s'empêcher de souhaiter que Marguerite s'abandonne à son autorité naturelle. Même lui, en ce moment de crise, ne peut s'empêcher de la traiter en enfant, de lui retirer sa capacité de jugement et sa liberté de choix ! Il veut le bien de Marguerite, mais il le veut à sa manière.

Avec une certaine froideur, Flavie dit encore :

– Toutes les deux, et parfois avec Bastien, nous avons amplement discuté de l'hydrothérapie. Nous avons surtout discuté du danger que représentent les médicaments... N'a-t-elle pas abordé le sujet avec vous? Les médecins ne se contentent plus des recettes éprouvées depuis la nuit des temps, à base de substances végétales et minérales simples. Ils fabriquent une pléthore de composés chimiques dont ils refusent de dévoiler les ingrédients... sous prétexte de garder le secret, mais moi, je suis persuadée qu'ils savent que les patients s'enfuiraient en courant s'ils en étaient informés!

– Je conviens de tout cela, répond Joseph avec lassitude. Ma méthode n'est pas celle-là. En fait, elle s'approche bien davantage de celle de votre mari, qui préconise le repos, les aliments fortifiants... et la patience! Je ne suis pas un fervent adepte de la saignée. Il est clair, par ailleurs, que l'état de Margot ne nécessite pas une intervention chirurgicale. De toute façon, jamais, au grand jamais, je ne l'opérerais moi-même. J'aurais trop peur que ma main tremble...

Une quinzaine de minutes plus tard, laissant les deux hommes conférer ensemble, Flavie entre dans la chambre de son amie. La vaste pièce meublée et décorée sobrement, à l'image de son occupante, est plongée dans la pénombre. Allongée dans son lit, le dos soutenu par des oreillers, Marguerite tend la main à Flavie, qui vient s'asseoir près d'elle en souriant avec courage. Blême, des cernes sombres sous les yeux, les tempes perlées de sueur, Marguerite respire très rapidement. Après avoir étreint convulsivement la main de sa consœur, elle articule:

– La douleur monte rapidement... Jusqu'à ce matin, elle était ici surtout, au niveau du sternum, mais il me semble qu'elle se diffuse dans tout l'abdomen...

— Une sérieuse inflammation, bredouille Flavie. Bastien est devenu expert à les curer. Tu verras comme tu seras vite soulagée.

— Je l'espère. J'aimerais mieux éviter le laudanum et le vin… Le cognac, je ne serais pas contre… Mon père a une bouteille fameuse…

Flavie rit sans retenue.

— Je lui ferai le message !

Leur entretien est aussitôt interrompu : Marguerite doit se préparer à être transportée à la clinique de Bastien. Sachant à quel inconfort ce voyage l'expose, Flavie tarde à s'éloigner, tout attendrie pour son amie souffrante. Bastien la saisit par le coude d'une poigne autoritaire qui l'indispose passablement, mais elle obtempère, résistant avec peine à l'envie de se dégager.

Pendant les jours qui suivent, Bastien et Étienne, secondés par Joseph Lainier, se relaient au chevet de Marguerite. Son état s'aggrave à un point tel que Flavie, qui ne se contient plus d'inquiétude, court fréquemment jusqu'à la rue Saint-Antoine pour prêter son concours ou, tout bonnement, tenir la main de la jeune femme qui alterne entre période d'inconscience et période d'agitation.

À l'aube du cinquième jour, lorsque Flavie fait irruption dans l'antichambre de la clinique, elle s'immobilise en poussant un cri de surprise. Les trois médecins sont réunis en conciliabule, plantés debout en plein milieu de la pièce. Leur ton grave et leurs voix feutrées lui font craindre le pire et elle pâlit en joignant les deux mains devant son cœur. Aussitôt, Étienne vient vers elle en s'écriant :

— Belle Flavie, ne vous alarmez pas ainsi ! Nous disions justement que notre patiente se porte mieux !

D'une démarche allègre, Joseph s'approche à son tour. Sur son visage, jusque-là marqué par un extrême souci, l'espoir et la joie se devinent. Incrédule, Flavie scrute Bastien, figé à sa place comme une statue. Pour ne pas être trop déçu si le vent venait à tourner, il tente de rester impassible devant ce regain de confiance, mais ses yeux brillent d'un éclat inusité. Avec un grand rire de soulagement, Flavie se précipite vers lui et se jette dans ses bras avec un tel élan qu'il vacille dangereusement. Le contemplant, elle s'exclame :

— Mon ange, tu es un as, le meilleur médecin de la terre entière !

Il ne peut retenir une grimace moqueuse, bientôt remplacée par un franc sourire. Le délivrant, Flavie se tourne ensuite vers ses deux collègues et va poser sur leurs joues piquantes des baisers sonores. Riant, Joseph s'exclame, à l'adresse de Bastien :

— Rien de tel pour remonter le moral d'un homme !

— Je peux la voir, Bastien ?

Il acquiesce et Flavie vole littéralement jusqu'à la petite pièce dans laquelle Marguerite est couchée. Amaigrie, pâle comme la mort, elle repose cependant calmement, les bras allongés le long de son corps. Lorsque Flavie lui touche la main, elle ouvre les yeux et ses lèvres gercées s'étirent en un mince sourire. Elle chuchote d'une voix rauque :

— Ma chère amie… Tu rayonnes comme la vie même.

— Tu dis des bêtises. D'après moi, on t'a fait boire amplement de potions confortatives !

D'un geste de défi touchant, la jeune malade secoue la tête.

— Quand on a passé si près de la mort, on voit les choses autrement... Je ne souhaite cette épreuve à personne, Flavie, mais je m'aperçois que...

Marguerite passe sa langue sur ses lèvres et Flavie pose sur son épaule une main rassurante.

— Veux-tu cesser de jacasser! Tu es encore trop faible. On aura toute la vie pour le faire...

— Toute la vie? Un milliard de minutes ou bien une seule...

Flavie se penche et l'embrasse sur le front.

— Je te quitte, j'ai une patiente qui est dans ses douleurs depuis quelques heures et qui requiert ma présence. Je reviens bientôt...

— Je t'attendrai.

Son ton est si plein d'une magnifique certitude que Flavie, soudain émue jusqu'aux larmes, sort précipitamment de la pièce pour laisser libre cours à son accès d'émotion. C'est ainsi que la découvre Joseph, qui revenait auprès de sa promise. Il hésite un instant, puis, sans mot dire, il la prend contre lui pour la bercer doucement. Flavie devine que cette chaleur partagée lui fait, comme à elle, le plus grand bien. Cependant, elle ne peut décemment rester trop longtemps dans cette position; aussi se dégage-t-elle enfin. Après lui avoir adressé un sourire de remerciement, elle tire son mouchoir de sa poche pour essuyer son visage et se moucher, puis elle le quitte pour aller mettre Bastien au courant de l'arrivée imminente d'un bébé.

C'est la brunante lorsque Flavie, fort lasse, rentre chez elle. La délivrance malaisée a été encore davantage compliquée par un mari exagérément angoissé. S'il est tout à fait normal qu'un mari s'inquiète pour son épouse en proie aux douleurs, il n'est pas nécessaire de se tourmenter de la sorte, comme si la dame se dirigeait vers la table d'opération! On croirait qu'ils ont oublié que l'accouchement est un acte naturel, dont le déroulement n'est que rarement entravé. On croirait même qu'ils associent la délivrance à une torture!

Mais ce n'était pas le pire. L'attitude hautaine de la parturiente, qui s'imaginait tout savoir mieux que la jeune accoucheuse, était horripilante. À un moment, elle a négligemment laissé tomber, avec un léger sourire à la fois condescendant et ironique:

— J'étais curieuse de rencontrer celle par qui le scandale arrive…

Flavie s'est retenue à grand-peine de se lever et de quitter la chambre pour ne jamais y revenir. Lorsque le brouillard de sa colère s'est estompé, elle a articulé:

— Le scandale… N'exagérez-vous pas un tantinet? Je souhaite seulement me perfectionner dans mon art. On a vu bien pire atteinte à la moralité!

— Vous croyez? Bien des gens ne sont pas de cet avis…

— Exact! Bien des gens tolèrent une épouse adultère, une épouse dépensière, même une épouse ivrogne, mais ils détestent celles qui remettent en question l'espace fort étroit qui leur est accordé! Sur ce, madame, si vous le souhaitez, je peux vous laisser entre les mains de mon mari. Il est suffisamment familier avec les délivrances pour que je n'en sois pas inquiète. Cependant, sachez que ses honoraires sont trois fois plus élevés que les miens et qu'il ne pourra faire autrement que de répondre à une demande urgente de l'un de ses patients si elle se présente. Que choisissez-vous?

Bien entendu, la dame a consenti à se placer entre les mains de Flavie, mais à son corps défendant, avec un soupçon de répugnance...

La jeune accoucheuse croyait son mari retenu par Marguerite à sa clinique au moins jusqu'à la nuit, aussi s'étonne-t-elle à son retour de le trouver tranquillement attablé en compagnie de ses parents et de sa sœur pour le souper. Flavie s'installe à sa place, mais elle prévient à la cantonade qu'on l'a amplement nourrie, une fois la délivrance conclue. Elle appuie sa tête sur sa main, ce qui fait sourire Édouard. Il dit affectueusement :

— Je crois, chère belle-fille, que vous entendez déjà l'appel de votre lit...

Elle soupire profondément :

— C'est que cette éprouvante journée vient mettre un terme à une longue semaine, pendant laquelle je me suis fait bien du mauvais sang.

— À ta place, je monterais tout de suite, intervient Bastien. Le soutien de ton bras me semble bien près de céder... Je te rejoins bientôt. Je suis, moi aussi, en manque de sommeil...

Lorsque son mari entre dans la chambre, Flavie s'est perchée sur le rebord de la fenêtre entrouverte, les épaules couvertes d'un long châle. L'obscurité est tombée sur la ville, une belle nuit claire de début de printemps, et elle ne se lasse pas, ce soir, de contempler la noirceur trouée de petites étoiles tremblotantes, sur terre comme au ciel. Elle lui demande des nouvelles de Marguerite et il lui confirme, tout en se dévêtant, qu'elle est en voie de guérison. En chemise, il vient vers Flavie, le sourire aux lèvres :

— Je la laisse reprendre des forces, mais après, je lui prescris un régime sévère. Elle est plutôt insouciante de

ce qu'elle mange et je t'assure que sa mère aime les viandes rôties et les crèmes pâtissières!

Il se glisse entre le chambranle de la fenêtre et son
dos, puis il attire Flavie à lui et l'entoure de ses bras,
se collant à son corps de tout son long. D'abord contrariée, elle reste immobile. Néanmoins, le contact du
haut de son corps contre son torse à elle, la manière
dont il frôle son oreille de ses lèvres et dont son souffle
chaud réchauffe sa nuque... Il est d'humeur joueuse
et caressante ce soir et Flavie ferme les yeux, se laissant envahir par un tel bien-être que sa gorge se serre.
Elle s'ennuie tant de sa tendresse et de sa légèreté! Elle
a l'impression que, un à un, les muscles de son corps
se dénouent, se relâchent, s'appesantissent. À peine
stimulée, sa poitrine s'arque afin qu'il la couvre, tout
entière, de ses mains...

Il murmure:

– Mais peut-être que tu préfères dormir...

Elle se tourne vers lui et fait glisser son châle d'un
mouvement d'épaules. Dénouant les cordons de sa chemise, elle s'en délivre prestement et se retrouve nue sous
ses yeux, frissonnante sous la brise fraîche qui entre par le
carreau ouvert. L'agrippant par les épaules, elle le regarde
droit dans les yeux et plaide dans un murmure, la voix
rauque d'une tristesse jusque-là refoulée:

– Mon ange, je t'en supplie, ne me fuis pas... Je
sens comme si... comme si tu me reprochais tant de
choses... Je croyais pourtant... que ton goût de moi...

Elle ne peut poursuivre et se cache le visage contre
son épaule. La voix altérée, il répond:

– Te reprocher? Mais non... Je suis tracassé, ce n'est
pas la même chose. C'est toi qui m'en veux... Flavie,

écoute-moi : au Bas-Canada, une femme médecin sera méprisée, ridiculisée.

Se redressant de toute sa taille, elle réplique farouchement :

– C'est uniquement ainsi que les mœurs évoluent. En les défiant !

Comme pour étouffer ses protestations, il l'étreint de toutes ses forces, caressant son dos nu avec une sorte de fureur. Il se penche pour l'embrasser, mais presque aussitôt, il se détache pour la regarder. Une telle vulnérabilité est imprimée sur ses traits que la jeune femme en est troublée au plus profond de son être. Il chuchote :

– Mon adorable chat sauvage… Je t'aime, ma Flavie, j'aime ton cœur fier, j'aime ton corps si généreux… Quoi qu'il arrive, je t'en conjure, souviens-toi : je t'aime et je te veux, comme un fou.

Éblouie par cette profession de foi si ardente, effrayée par ces phrases si graves, Flavie est submergée par une puissante vague d'émotion. Étourdie, l'âme frémissante, elle s'offre à lui dans un mouvement de total abandon. Tout en l'embrassant, il la dirige vers leur lit et, avec ferveur, il la saoule de caresses comme si elle était, à ses yeux, la créature la plus splendide et la plus désirable qui ait jamais été tirée du limon de la terre.

Chapitre xxxii

Flavie passe les jours suivants dans un état de douce euphorie. Elle saisit la moindre occasion pour poser un baiser sur la joue de Bastien, pour le taquiner tendrement... Mais bientôt, de nouveau, Bastien paraît contrarié par cette agréable proximité. Il est tant absorbé dans ses pensées que même les tentatives de conversation de Flavie paraissent l'indisposer... Plutôt que de l'enchanter, la spontanéité amoureuse de sa femme semble quelques fois de suite le déranger, à tel point que Flavie se résout à surveiller ses gestes en sa présence.

Complètement déboussolée, le cœur fatigué d'être ainsi ballotté par les humeurs houleuses du jeune médecin, Flavie combat un tenace vague à l'âme en se précipitant, dès qu'elle en a l'occasion, à la Société compatissante, où elle se dévoue au soutien des patientes. Rue Sainte-Monique, elle piaffe littéralement d'impatience, comme un cheval sauvage dans un pâturage enclos possédé par une furieuse envie de liberté!

Au début du mois d'avril, pour la première fois, l'équipe de sages-femmes de la Société est face à un cas rare d'hémorragie de fin de grossesse. La patiente, une jeune et pauvre veuve du faubourg Sainte-Marie nommée Victoire Réhaume, a demandé l'hébergement au milieu de son huitième mois de gestation à cause de saignements occasionnels. Mise au repos complet dans l'un des lits de l'étage, saignée à l'occasion par l'un ou l'autre des médecins pour éviter la pléthore, Victoire a mené sa grossesse à terme en conservant l'essentiel de ses forces.

Au cours des dernières semaines, les trois accoucheuses se sont renseignées soigneusement, partageant ensuite ce savoir avec les dames patronnesses, les élèves de l'École de sages-femmes et les étudiants de l'École de médecine et de chirurgie. L'étude scientifique de Marie-Anne Boivin, son *Mémoire sur l'hémorragie*, a circulé entre une bonne douzaine de mains! Par un hasard de la nature, l'arrière-faix peut se fixer soit à proximité de l'ouverture du col, soit carrément dessus. Cette ouverture s'élargissant et s'effaçant à partir du sixième mois de gestation, le «gâteau vasculaire» doit nécessairement s'en détacher, ce qui provoque les saignements.

Léonie a donc pris soin, mais avec la plus grande prudence, d'évaluer la position de l'arrière-faix dans la matrice de Victoire. Elle a senti sa surface fongueuse et épaisse qui bloquait la moitié de l'orifice du col, du côté droit de la matrice. La situation aurait pu être pire: un col entièrement bloqué empêche la grossesse de se rendre à terme, puisque les pertes de sang sont alors considérables et menacent la santé de la mère. Mais le cas de Victoire est quand même préoccupant et les accoucheuses ont surveillé son état avec un soin particulier. Lors d'un écoulement de sang plus abondant que les autres, la présence de Bastien a même été requise puisque le froid est l'astringent le plus puissant, à la fois sur le système circulatoire et sur la fibre musculaire. De judicieuses fomentations ont, en effet, fait cesser complètement l'hémorragie.

Le refuge est en effervescence lorsque Victoire ressent ses premières douleurs. Une hémorragie plus abondante que toutes celles que la jeune femme a connues se déclenche aussitôt, mais la situation est loin d'être alarmante. Léonie s'installe à son chevet et Michael est envoyé pour quérir non seulement Sally Easton, mais également Magdeleine de même que Marguerite, qui a assisté, à la Maternité de Paris, à une semblable délivrance.

Ravie de n'être requise par aucune patiente en pratique privée, Flavie se met au service de sa mère, qui l'a préférée comme garde-malade à sa remplaçante moins expérimentée. C'est Vénérande Rousselle, muette et affairée, qui joue le rôle de l'accompagnante. Tout est prêt pour parer aux pires éventualités, mais le pronostic est plutôt favorable puisque, généralement, les contractions ralentissent l'hémorragie en fronçant les ouvertures béantes des « sinus utérins ».

Marie-Anne Boivin ayant clairement indiqué qu'on ne peut imputer un déclenchement des saignements aux mouvements de la mère et que seul un changement du rapport entre la surface interne de la matrice et celle du gâteau vasculaire en est la cause, Léonie et Sally décident de faire marcher Victoire pour stimuler les douleurs et pour faire descendre le fœtus le plus bas possible, ce qui comprimera encore davantage les vaisseaux ouverts. Les signes vitaux de la jeune femme sont régulièrement évalués, afin de prévenir un éventuel affaiblissement et, encore pire, une syncope.

La tension monte au fil des heures, alors que les élèves et les étudiants présents vont et viennent en silence. L'écoulement sanguin a ralenti, mais il demeure néanmoins préoccupant; les douleurs stagnent au lieu de gagner en puissance. Par mesure de précaution, Léonie envoie Michael chercher le docteur Peter Wittymore, puis, après une courte délibération avec ses trois consœurs, elle décide de procéder, de nouveau, à un examen interne.

Avec une grimace, elle constate que le col est à peine dilaté à deux doigts et qu'il résiste à ses pressions. Impossible, donc, de tenter quoi que ce soit : il faut encore attendre. L'effusion de sang n'est pas si abondante qu'elle nécessite la mise en place d'un tampon, et comme il est souhaitable de laisser descendre le fœtus, Victoire est encouragée à se remettre sur ses pieds et à reprendre sa marche lente. À son arrivée, Wittymore approuve entièrement ses consœurs. Seule une hémorragie violente exige de risquer un accouchement artificiel. Pour l'instant, il convient de laisser agir la nature tout en stimulant les contractions.

Néanmoins, au fil de l'après-dînée, l'état de Victoire devient inquiétant. Le teint cireux, la respiration courte, elle est maintenant incapable de tenir debout et une éventuelle perte de connaissance est à craindre. Laissant la patiente sous les soins de Flavie et de Wittymore, les accoucheuses descendent au rez-de-chaussée pour délibérer. Énervée, Magdeleine affirme péremptoirement qu'il faut remettre la délivrance entre les mains du docteur et de ses instruments. Aussitôt, Léonie s'écrie, à voix basse :

— Ne vous emballez pas ainsi ! Premièrement, je ne crois pas que le recours aux instruments soit nécessaire.

Marguerite abonde dans le même sens :

— Dans sa pratique, Mme Lachapelle a rencontré vingt-trois cas d'hémorragie. Un seul a nécessité l'usage du forceps.

Fixant Magdeleine, Léonie ajoute encore :

– Elle préfère la version manuelle pour amener les pieds à l'orifice. Ainsi, les fesses aident la dilatation et compriment les sources de l'hémorragie. Vous le savez, Magdeleine, nous en avons discuté amplement ces dernières semaines.

– Compte tenu de l'ensemble des symptômes, c'est un geste audacieux que je rechigne à tenter par crainte des risques.

Léonie échange un regard avec Sally, puis elle inspire profondément pour se donner le courage d'affirmer :

– Pour le sûr, il faut agir rondement, mais... je suis parée à l'essayer.

– J'appuie cette décision, interjette encore Marguerite. Les fers ne conviennent que lorsque la tête est déjà assez basse pour s'opposer à l'écoulement du sang, ce qui permet de toute manière d'attendre une expulsion spontanée.

Les yeux des trois praticiennes convergent vers Sally, qui affronte leurs regards tour à tour, avant de s'arrêter enfin à Léonie en disant, avec affection :

– Chère amie, je tiens à souligner votre courage et je n'hésite pas une seconde à vous céder ma place. Vous êtes maintenant assez expérimentée avec la version... Et moi, comme vous avez dû le constater, je vieillis... Mes gestes sont moins précis, hélas !

Ses interlocutrices se récrient aussitôt. À soixante-sept ans, Sally est encore très agile ! Elles sursautent alors : la porte du refuge s'est ouverte à la volée et, en même temps que lui, Nicolas Rousselle fait pénétrer à l'intérieur quelques éclaboussures de cette giboulée abondante qui tombe sur la ville. Repliant son immense parapluie, il grommelle à leur adresse :

– Bondance, il mouille à siaux ! Votre cliente ne pouvait pas accoucher hier, ou demain ?

Magdeleine, qui n'apprécie guère plus le médecin que Léonie, s'empresse de riposter :

– À ce que je sache, personne n'a requis votre présence !

Il la toise :

– Vous faites erreur. Vénérande s'est crue en droit de me faire appeler. De tels cas sont trop rares pour être dédaignés.

Léonie se promet bien, cette fois-ci, de dénoncer cette seconde initiative de la dame patronnesse aux membres du conseil d'administration. Elle jette entre ses dents :

– C'est votre collègue qui s'occupe de notre patiente.

– Ce cher Peter ne refusera pas, j'en suis persuadé, l'avis d'un confrère.

Sans plus faire attention à lui, Léonie lui tourne le dos et s'absorbe dans un conciliabule avec ses consœurs. Bientôt, toutes quatre remontent l'escalier en bavardant à voix basse et croisent Nicolas Rousselle qui erre entre les lits. Au chevet de Victoire, Léonie ignore superbement Mᵐᵉ Rousselle. Elle informe Wittymore de leur décision commune et le médecin se contente d'incliner la tête en signe d'assentiment. Magdeleine s'éloigne pour se livrer à quelques préparations et Léonie est sur le point de l'imiter lorsque Flavie l'interpelle à voix basse, les sourcils froncés.

– Une version ? Tu es sûre, maman, qu'il s'agit de la meilleure décision ? J'ai pourtant l'impression que la tête du bébé serait assez basse pour la saisir avec les fers. Et de toute façon, il faut agir avec célérité…

Estomaquée, Léonie la considère un moment avant de répondre :

— Le temps n'est plus à la discussion. Si tu veux, après, on jasera de tout ça à tête reposée.

Flavie insiste en s'adressant à Marguerite, qui se tient en retrait :

— Toi aussi, tu penches pour la version ?

— Dans ce cas-ci, tout à fait. Tant que la vie de la mère n'est pas en danger imminent, la vitesse est plus dangereuse que bénéfique.

— Justement…, comment se porte Victoire, docteur ?

— Perte subite de conscience. Pouls faible et irrégulier. J'avoue que c'est préoccupant…

Flavie pose un œil inquisiteur sur sa mère qui jette un regard empli de doute à Sally, laquelle répond pour l'encourager par un sourire rassurant et un léger signe de tête. Le désarroi de Léonie se mue en un sentiment croissant d'irritation. Sa fille ne sent-elle pas à quel point ce questionnement est inopportun ? Ne sent-elle pas à quel point la résolution commune est fragile, susceptible de flancher au moindre coup de vent ? Avec fatigue, elle articule :

— Je m'installe sur-le-champ pour la version et j'ai bon espoir de faire ralentir ainsi l'hémorragie et d'assurer à Victoire et à son bébé une délivrance réussie.

— Décision qui me semble discutable, émet à quelque distance une voix masculine reconnaissable entre mille.

Flavie fait une moue de surprise. Elle ignorait la présence de Nicolas Rousselle à l'étage ! Ennuyée de constater que ce médecin arrogant partage son scepticisme, elle se mord les lèvres, n'osant plus regarder Léonie qu'elle est désolée de voir subir un tel assaut. Rousselle dit encore :

— Grâce à l'exemple de son mari, qui a acquis une superbe aisance à manipuler le forceps, votre fille a compris que la science moderne nous offrait des outils extrêmement bien conçus et que les meilleurs praticiens…

Subitement, Peter Wittymore se lève pour faire face à son collègue. Son exaspération est d'autant plus frappante qu'il est, ordinairement, d'une patience d'ange.

— Nicolas, vous savez parfaitement que les décisions thérapeutiques sont généralement fort ardues à prendre, compte tenu de tous les facteurs de risque. Vous savez aussi qu'il est mesquin de discuter à outrance d'une décision prise entre *praticiens expérimentés*.

Ce disant, il jette un œil sévère à Flavie, qui se le tient pour dit, mais qui n'en pense pas moins. À son avis, l'emploi des fers aurait été éminemment préférable. Wittymore, qu'elle a vu intervenir à deux reprises avec une grande sensibilité, en aurait été parfaitement capable! Rousselle, par contre… Flavie ne peut retenir une légère grimace et son estomac se contracte fortement. Si le forceps est aujourd'hui fabriqué avec une sophistication et une précision superbes, on ne peut pas en dire autant de ceux qui le manipulent. Elle ne peut se défaire de l'impression naïve qu'entre ses propres mains un tel outil accomplirait quasiment des miracles…

Après un regard de défi en direction des trois étudiants de l'École de médecine et de chirurgie qui se tiennent à quelque distance, Nicolas Rousselle grommelle avec ostentation :

— Fort bien. Je m'assois ici et je me tiens coi…

Chacun s'installe enfin, en plusieurs demi-cercles, pour l'opération qui va suivre. Sally Easton et Peter Wittymore surveillent l'état physique de la patiente, qui est tombée dans un évanouissement agité, tandis que Marguerite observe de près les faits et gestes de Léonie. Flavie et Magdeleine vont tenir compagnie aux deux élèves de l'École de sages-femmes, qui tentent d'en saisir le plus possible malgré le brouhaha.

Ses cheveux retenus par un foulard, les manches roulées jusqu'aux coudes, les mains soigneusement lavées et graissées sur leur côté extérieur, Léonie introduit rapidement sa main gauche dans le vagin de la parturiente et pose l'autre sur le ventre dénudé. Après une minute d'un silence absolu, elle pousse un audible soupir de soulagement et Flavie murmure aux deux jeunes femmes :

— Le col est suffisamment amolli et dilaté pour procéder. Ma mère va donc tenter d'y faire passer sa main et de la glisser entre les membranes et la paroi postérieure de la matrice... Elle semble avoir choisi le côté droit, c'est donc que les hanches sont de ce côté.

— Les membranes ?

— Elle va les crever bientôt. Mais comme il faut procéder avec douceur pour ne causer aucune blessure, cela peut prendre un certain temps.

— L'hémorragie augmente sensiblement, déclare sereinement Wittymore.

Léonie bredouille :

— J'ai dû décoller une partie de l'arrière-faix pour pénétrer.

Rousselle gronde :

— Accélérez, madame Montreuil, vous voyez bien que la vie de la parturiente est en train de nous filer entre les doigts !

Marguerite jette un regard ulcéré au médecin, qui fait mine de ne pas s'en apercevoir. Léonie ferme les yeux pour ne pas se laisser atteindre par la tension palpable et surtout pour se concentrer uniquement sur cet univers tiède et moite, sur les textures et les masses étranges qu'elle sent au bout de ses doigts. Parvenue à proximité de ce qu'elle croit être la hanche gauche du fœtus, elle égratigne résolument la poche des eaux, qui cède aussitôt. Le liquide se met à lui chatouiller la peau du poignet et elle tâtonne pour se persuader qu'elle a bien identifié cette partie du bébé.

De là, Léonie glisse sa main le long de la jambe, qu'elle saisit. Sans ouvrir les yeux, elle introduit son autre main dans le vagin, pour soutenir l'ouverture du col et, si nécessaire, repousser légèrement la tête. Mais si elle est habile, le mouvement de rotation se fera naturellement... Sans attendre davantage, Léonie déploie la jambe gauche et fait aussitôt descendre le pied dans le vagin jusqu'à la vulve. Ainsi, les fesses devraient s'appuyer sur les veines ouvertes et ralentir l'écoulement...

Prestement, Léonie retire sa main droite et la tend à Marguerite, qui y dépose un lacs de soie. Elle glisse ce ruban autour du pied du fœtus, de manière à y former un nœud coulant mollement serré. Cela fait, elle s'empresse de remonter sa main gauche le long de la jambe déployée, puis le long de la fesse jusqu'à la cuisse droite, qu'elle ramène, de la même manière, le long de l'autre jambe. Le lacs est aussitôt reformé autour des deux jambes. Se redressant, Léonie murmure :

— Les talons sont à droite et vers l'arrière. Le pied gauche appuie sur le périnée et le droit, sur les pubis. Flavie, viens m'essuyer le front, s'il te plaît...

Du même ton tranquille, Wittymore déclare :

– L'hémorragie ralentit sensiblement, mais le pouls est quasiment imperceptible.

Léonie fait une grimace désespérée tout en jetant un coup d'œil à Sally, qui dit aussitôt :

– Si possible, faire porter les hanches du côté de l'arrière-faix décollé...

Léonie hoche résolument la tête, puis elle tire doucement sur le lacs pour imprimer au tronc du fœtus, en même temps que les pieds émergent de la vulve, un mouvement de rotation. De la main gauche, elle vérifie si les fesses sont bien installées à l'orifice. À son immense soulagement, le sang cesse à vue d'œil de couler. Elle jette un regard plein d'espoir à Wittymore, qui murmure :

– Une once de plus, et je crains fort...

– À mon avis, déclare soudain Nicolas Rousselle, il faut tirer cet enfant hors de la matrice au plus vite pour appliquer ensuite le tampon et, ainsi, faire cesser pour de bon l'hémorragie.

Trop occupée à recouvrer ses esprits, Léonie néglige de répondre, et c'est Marguerite qui le fait, se tournant vers son oncle à contrecœur :

– Ce geste me paraît plutôt risqué. Les maîtresses sages-femmes sont unanimes à dire qu'il faut, au contraire, solliciter la matrice à se contracter vigoureusement. De cette façon, non seulement les vaisseaux béants se referment, mais le passage est assuré pour la tête.

– Qu'en pensez-vous, Peter ?

Mais l'interpellé, le poignet de Victoire entre ses doigts, ne lui prête aucune attention. Alarmée, Léonie fixe le visage de la parturiente. Elle est toute blanche, les lèvres décolorées, la peau comme du papier de soie... Frénétiquement, Léonie cherche le mouvement de sa poitrine. Est-il si ténu qu'il est imperceptible? Finalement, Wittymore lui jette un regard grave, en bégayant :

— Que Dieu ait son âme.

Atterrée, Léonie baisse la tête, considérant avec égarement les deux minuscules pieds qui émergent du corps de la pauvre Victoire. Un lourd silence règne dans l'alcôve, rompu seulement par les prières murmurées par Vénérande et par l'une des élèves sages-femmes. Puis, comme un coup de tonnerre, Rousselle se lève d'un bond et déclare avec fureur :

— Une funeste conséquence, mesdames, dont je vous tiens pour responsables !

Wittymore s'écrie :

— Nicolas, reprenez-vous ! Ce n'est pas le moment d'accabler nos consœurs...

— Il était prouvable que la patiente était au bout de son sang et qu'il fallait agir avec une grande célérité pour...

— Rien n'était évident ! Je crois plutôt, d'après la rapidité avec laquelle Victoire a trépassé, que son chemin était déjà tracé bien avant...

Accrochant le regard de Léonie, Sally lui glisse sur le ton de la confidence, avec une grande chaleur :

— Je n'aurais pas fait mieux. Vos gestes étaient admirables de précision.

Marguerite renchérit :

— Comme vous, j'estime que le fœtus était encore placé trop haut pour l'emploi des fers.

Tentant d'ignorer le tumulte de ses émotions et l'orage qui gronde à quelques pas d'elle, Léonie hoche la tête en murmurant :

– Pour la version, j'ai pris, quoi? Une dizaine de minutes? Il en aurait fallu davantage même à l'opérateur de forceps le plus habile...

Néanmoins, a-t-elle trop tardé pour effectuer le dernier examen interne, celui qui lui a permis de constater que le col avait enfin cédé? N'aurait-elle pas dû le faire *avant* de descendre conférer avec ses consœurs? Ces minutes ont sans doute été cruciales... Repoussant farouchement cette affligeante pensée, Léonie s'absorbe entièrement dans sa dernière tâche: extraire avec précaution le fœtus du cercueil qu'est devenue sa mère. Cependant, comme elle le craignait, c'est une fillette moribonde qui voit le jour.

Léonie prend soin de réciter les formules sacramentelles, y ajoutant, comme à l'accoutumée, ses propres souhaits pour le long voyage vers l'au-delà. Selon le dogme catholique, mère et fille seront réunies au paradis, puisque, à sa propre demande, Victoire a reçu les derniers sacrements. En cet instant précis, Léonie a désespérément besoin d'y croire. Elle souhaite de tout son cœur que ces deux âmes souffrantes rejoignent une contrée toute de béatitude... Quelques instants plus tard, l'enfant décède, incapable de respirer malgré tous leurs efforts.

Comme de très loin, Léonie entend Rousselle l'apostropher, sourd aux admonestations de son collègue et de Marguerite. Après avoir coupé le cordon, elle dépose le fœtus dans le morceau de guenille tenu par Sally, qui s'éloigne, puis elle se tourne vers lui. De son point d'observation, Flavie ouvre de grands yeux. Les bras maculés jusqu'aux coudes par du sang et diverses substances, le tablier dans le même état, une grosse tache pourpre sur la joue, les tempes mouillées de sueur, sa mère offre un spectacle saisissant.

Aussitôt, Rousselle assène :

— Je vais porter plainte, Léonie. Je vais porter plainte pour obstruction au travail d'un médecin ! Non seulement vous avez refusé de considérer l'emploi du forceps, mais vous avez mis un temps fou à effectuer votre version, même si vous saviez pertinemment que la parturiente était à l'article de la mort ! Tout cela pour prouver la supériorité de votre savoir ! C'est un comportement indigne même du plus médiocre des charlatans !

Sans aucun ménagement, Peter Wittymore pousse son collègue pour tenter de l'éloigner. En même temps, Magdeleine s'avance vers lui, les poings sur les hanches, et le rabroue d'un air furibond :

— Charlatan vous-même ! Vous devriez avoir honte, accabler ainsi une… une *professionnelle* !

Comme si l'essentiel était dit, elle s'éloigne à grands pas, majestueuse. Rouge comme une tomate, Rousselle s'arc-boute pour résister à la pression de Wittymore. Il gueule :

— Mais j'ai mon baptême de voyage de vous entendre vous qualifier de professionnelles avec tant d'insolence ! Seuls les médecins sont des professionnels, entendez-vous ? Et croyez-moi, dès que le Collège des médecins sera suffisamment puissant, il s'empressera de rabattre le caquet à des prétentieuses telles que vous !

Aussitôt, Peter Wittymore persifle :

— Le Collège des médecins ! Un ramassis de médecins mal formés, oui, qui n'ont trouvé que ce moyen pour rehausser leur maigre prestige : accabler les plus faibles qu'eux !

Rousselle mord à l'hameçon et se met à pester contre les médecins anglais qui, eux, considèrent de très haut tous ceux qui ne sont pas diplômés d'une université de Grande-Bretagne. L'objet de sa colère ainsi détourné, il cède enfin à l'énergie de son collègue et tous deux disparaissent dans l'escalier. Peu à peu, les vociférations de Rousselle diminuent en intensité, puis s'éteignent entièrement et un bienheureux silence s'installe. Après un moment, Léonie envisage, un à un, les étudiants en médecine et les élèves sages-femmes médusés, puis les deux jeunes accoucheuses, avant de murmurer d'une voix rauque :

– Accordons une dernière pensée à Victoire et à son enfant et souhaitons que les circonstances de leur trépas contribuent à faire de chacun et chacune d'entre nous de meilleurs praticiens.

En plus d'éprouver une lourde peine devant une telle perte en vies humaines, Flavie est plongée dans une immense perplexité. Se pourrait-il que Rousselle ait raison ? L'emploi des fers aurait-il permis de changer le cours des choses ? Si Rousselle a fièrement tort de noircir ainsi la situation, si Léonie lui semble avoir agi avec énormément d'aplomb, elle ne peut s'empêcher de croire que cette dernière ne devrait pas considérer avec tant de méfiance un instrument qui peut rendre de si grands services.

L'une des dernières à relever la tête, Léonie croise le regard de sa fille qui, prise au dépourvu, n'a pu masquer à temps une éloquente expression de doute. Les yeux dilatés, Léonie la considère un instant, puis elle se détourne brusquement, envahie par une vive amertume. L'aveuglement de Flavie concernant le forceps lui donne envie de tout casser! Se dominant, elle s'éloigne avec lenteur, concentrée sur toutes les décisions qui restent à prendre avant de pouvoir quitter les lieux.

Déterminée à ne pas laisser sa mère rentrer seule, Flavie vaque à diverses occupations en l'attendant. Enfin, lorsque Léonie prend congé, elle lui emboîte le pas et toutes deux cheminent dans la fraîcheur du soir vers le soleil couchant. Toutes les choses que Flavie voudrait dire à sa mère, et qui tournoient dans son cerveau, meurent avant même de sortir de sa bouche. Léonie s'est murée dans un tel silence qu'il décourage la plus gentille phrase de réconfort!

Flavie aurait voulu partager avec elle tous les sentiments contradictoires qui l'agitent et aussi, peut-être, justifier son apologie des fers. Mais les yeux fixés droit devant elle, le pas rapide et militaire, Léonie semble vouloir se débarrasser de sa présence comme si elle était un achalant maringouin! Découragée et confuse, Flavie voit approcher avec soulagement le moment où elle doit bifurquer vers le nord-ouest. Les deux femmes échangent un regard froid, puis se séparent.

Sensiblement allégée, Léonie poursuit obstinément son chemin. Flavie est bien la dernière avec qui elle avait envie de bavarder! Flavie qui la condamne presque autant que ce mâle arrogant, ce fieffé malotru de Nicolas Rousselle! Léonie sait qu'elle exagère, mais elle ne peut s'empêcher de les considérer tous les deux avec la même méfiance, la même révolte, le même chagrin... Elle a fait tout en son pouvoir pour sauver Victoire. Jamais elle n'a effectué une version avec des gestes aussi précis, aussi rapides. De cela, elle est persuadée! Personne ne peut l'accuser de négligence!

Debout au bord de la rue devant la maison des Sénéchal, Simon et Laurent, le col de leurs vestes relevé, bavardent dans la semi-obscurité. Attirée par l'extrémité rou-
geoyante de la pipe de Simon, Léonie se dirige aussitôt
vers eux. Il lui faut un certain temps pour réaliser que son
grand fils tient, dans ses bras croisés contre son ventre, un
petit paquet enveloppé dans une couverture, qu'il berce
en se dandinant... Profondément émue par cette scène,
Léonie adresse au jeune homme un vif sourire.

— Tu l'as endormi... Vous êtes si plaisants, tous les
deux...

En même temps, une intense émotion la saisit tout
entière et elle ne peut retenir un sanglot tandis que des
larmes abondantes jaillissent de ses yeux. Soutenue par
Simon, il lui faut de longues minutes avant de pouvoir
raconter aux deux hommes inquiets l'essentiel des péripéties de la journée. Lorsqu'elle évoque les imprécations
de Nicolas Rousselle, son mari s'exclame, le ton har-
gneux :

— Par la crosse de l'évêque ! Cet énergumène commence à me tomber sur les rognons ! Toujours à tirailler
dans tes jupes... Tu es sûre, ma femme, qu'il n'a pas un
but intéressé ?

Malgré son chagrin, Léonie ne peut retenir un éclat
de rire incrédule. Laurent avance :

— À ce que je comprends, version ou fers, tous deux
se défendent amplement.

— L'utilisation des fers aurait été inutilement violente ! proteste aussitôt Léonie. Dangereuse pour la
mère !

— Mais quand la vie ne tient plus qu'à un fil, observe
Simon, qu'importent quelques blessures ?

Léonie le regarde longuement, hagarde. Navré, son mari veut se reprendre, mais elle bégaye :

— Je n'avais pas… Je n'avais pas vu la situation sous cet angle…

— Je parle à travers mon chapeau, s'empresse-t-il de se corriger. Oublie ça. L'heure n'est pas à la polémique. Ton rejeton dort comme une souche, Laurent, tu devrais aller le coucher…

— Bonne nuit, maman, lance affectueusement le jeune homme, avant de s'éloigner.

— Rentrons, Léonie. Tu as besoin d'un sérieux repos…

— Je dois aller voir Bastien.

— Saquerdié ! Es-tu en train de perdre la boule ?

Léonie n'en démord pas : seul Bastien peut lui enseigner l'utilisation du forceps, qu'elle doit apprendre de toute urgence. Comment peut-elle juger de l'opportunité de son usage si elle n'en possède pas le maniement ? Il lui est vital d'obtenir son accord sur-le-champ et toutes les objections de Simon, pourtant fort raisonnables, sont inutiles. À contrecœur, en grommelant, Simon se résout à accompagner sa femme jusqu'au domicile des Renaud.

C'est Édouard Renaud qui vient leur ouvrir la porte et qui les fait passer dans le salon. À la demande de Léonie, il répond d'un air navré :

— Mon fils n'est pas encore rentré. Ces temps-ci, il passe à son cabinet plusieurs soirées par semaine. La survie de sa clinique est en péril…

— En péril ? relève Simon avec inquiétude. Il ne nous en a dit miette…

— Enfin… Disons qu'elle requiert son attention de tous les instants.

Édouard s'empresse ensuite d'aller quérir Flavie, qui entre dans la pièce avec un air effaré. Froidement, Léonie la met au courant de sa requête. Abasourdie, Flavie reste si longtemps sans réagir que sa mère ajoute, avec de grands gestes qui trahissent sa fatigue et son énervement :

– Ne t'y trompe pas : je n'ai pas plus confiance en cet instrument qu'auparavant. Seulement, j'ai compris qu'il me faut en posséder tous les secrets si je veux pouvoir décider à quel moment et pour quelles raisons il est préférable de l'employer.

– Mais pourquoi Bastien ? demande Flavie, encore décontenancée.

– Ne m'as-tu pas dit toi-même que son aisance était digne de tous les éloges ?

La logique de la démarche de sa mère frappe enfin Flavie et, pendant un court moment, elle est remplie d'admiration pour celle qui, malgré l'heure tardive, se soumet à son impulsion avec un tel abandon. Elle songe ensuite qu'elle-même a fait une telle requête au jeune médecin, qui lui a opposé une fin de non-recevoir... Comment pourrait-il, dans ces circonstances, agir différemment avec Léonie ? Envahie par une sourde colère contre son mari, Flavie laisse tomber, avec un mélange de dédain et de ressentiment :

– Il ne devrait pas tarder, si vous voulez l'attendre. Quoique...

– Il rentre parfois très tard, ajoute Édouard, hésitant. Vous êtes les bienvenus, mais vous risquez de mettre votre patience à l'épreuve. Ce soir, si je me souviens bien, il s'attendait à une longue réunion en compagnie d'Étienne. Tôt ou tard, tous deux devront prendre de difficiles décisions.

Flavie lui jette un regard surpris. C'est à ce point ? Mais elle se rassure aussitôt devant son air gêné, persuadée qu'il exagère pour justifier les absences répétées de son fils.

– À son cabinet ? marmonne Léonie. Nous y allons de ce pas.

– Léonie ! Il est presque neuf heures du soir !

Sourde à tout ce qui n'est pas sa terrible exigence, Léonie pivote et sort de la pièce à grands pas. Après un geste d'excuse en direction de M. Renaud, Simon la suit et la porte d'entrée claque. Édouard hausse les sourcils en regardant Flavie, qui tente de lui répondre par une moue narquoise, mais sans grand succès. Elle a un goût de rancœur dans la bouche, un goût à la fois détestable et savoureux... Sans oser envisager franchement son beau-père, elle s'enquiert dans un murmure, avec un apparent détachement :

– Bastien m'en dit si peu... Est-il sur le point de perdre sa clinique ?

Après un moment de silence, il répond avec légèreté :

– Je ne crois pas, chère Flavie. Pour tout vous dire, avec moi aussi, il est extrêmement discret. Je crois qu'il a honte de ses problèmes... Il est d'une intégrité morale admirable, mais il doit encore apprendre qu'en affaires la probité n'est pas une vertu ! Enfin, ce que je veux dire, c'est qu'il faut être un peu ratoureux et surtout pas susceptible...

Elle s'apprête à s'éloigner lorsque M. Renaud ajoute, le regard soucieux :

– Bastien prend les choses trop à cœur. Tâchez, chère Flavie, de considérer certains comportements excessifs avec indulgence… Ne vous en faites pas outre mesure. Nous n'aimons pas inquiéter inutilement nos épouses pour ne pas voir leur joli teint se brouiller…

Cette remarque condescendante laisse Flavie de marbre. Après un léger signe de tête, elle sort à grands pas et se dirige vers l'escalier. Son beau-père, trop gentil, n'abordera jamais la question de ses comportements excessifs à elle, comportements qui, paraît-il, ont bien manqué d'empoisonner la vie de toute la famille Renaud! Dégoûtée d'elle-même, de son mari et de sa morne existence, Flavie court se cacher dans l'obscurité de sa chambre.

Elle ne comprend pas pourquoi Bastien refuse de lui confier ses tourments. Ou plutôt, elle a peur d'être l'une des causes de son échec professionnel. Peut-être même en est-elle la cause principale? Peut-être que, comme il l'a insinué, l'indécence de son comportement a fait diminuer outrageusement sa clientèle? Peut-être que c'est de sa faute à elle s'il est quasiment en faillite? Sinon, pourquoi agit-il comme il le fait? Pourquoi oscille-t-il de la sorte entre amour et dédain, entre emportement et froideur?

Pour s'empêcher de chavirer, Flavie se remémore certaines de ses réactions. Ce n'était pas seulement pour la bonne marche de sa pratique qu'il s'est indigné de ses «frasques», c'était aussi pour préserver son honneur, sa réputation de bourgeois! Dire qu'elle a cru son âme libre de tous ces préjugés qui encombrent l'esprit et le cœur des hommes! Dire qu'elle a cru qu'il aurait assez de force morale pour faire fi des commérages et pour l'encourager dans cette voie ardue, certes, mais si exaltante! Dire qu'elle a cru qu'il l'aimait suffisamment…

Simon à ses côtés, Léonie marche comme un automate, insensible à son épuisement, tous ses sens tendus vers le but à atteindre. Le fanal allumé accroché à l'extérieur de la clinique d'hydrothérapie, près de la porte d'entrée, indique la présence d'un médecin ; Léonie entre sans attendre. Immédiatement, elle tombe sur Bastien, debout dans le vestiaire en train d'enfiler son manteau. Leur gendre les envisage avec stupéfaction et une vive inquiétude se peint sur son visage. Léonie s'empresse de le rassurer :

— C'est une visite de courtoisie. J'ai une requête à vous faire.

Simon grommelle :

— Excusez-la, la journée a été dure, ma femme n'est pas dans son état normal.

Bastien raccroche son manteau à la patère, saisit la lampe à huile et entraîne le couple dans la salle d'attente. Tous trois s'assoient et le jeune homme frotte ses yeux un long moment, avant de diriger vers eux la maigre attention qu'il peut rassembler à cette heure tardive. Le dos très droit, Léonie bredouille avec désespoir :

— Je sais qu'il est bougrement tard mais... mais il fallait que je vous voie. Voulez-vous m'apprendre le maniement des fers ?

Abasourdi, le jeune médecin la fixe un long moment, la bouche grande ouverte. Avec une patience d'ange, Simon dit encore :

— Je crois, ma femme, que tu devrais lui raconter le déroulement de ta journée.

Léonie s'exécute, Simon prenant le relais lorsque le fil de son récit s'embrouille. Penché vers eux, les coudes appuyés sur les cuisses, Bastien boit leurs paroles. Lorsque Léonie conclut, il se redresse avec une moue ébahie.

– Bistouri à ressort! Belle-maman, si j'avais été sur place, j'aurais foutu Rousselle à la porte avec des coups de pied au derrière!

– Moi de même! renchérit Simon avec ardeur. Je l'aurais saisi par le nœud du col et je l'aurais éconduit comme le polisson qu'il est...

Leur impétuosité est touchante et Léonie leur adresse un mince sourire de remerciement. Bastien affiche une moue hilare, songeant sans doute au spectacle réjouissant de son petit et mince beau-père tenant tête à une armoire à glace... Redevenue extrêmement grave, elle explique enfin à son gendre à quelle conclusion elle en est arrivée concernant le forceps. Il se rembrunit d'un seul coup et baisse les yeux vers ses mains jointes, qu'il frotte machinalement l'une contre l'autre un long moment. C'est dans cette position qu'il répond d'une voix sourde:

– Flavie m'a fait exactement la même demande. J'ai refusé. Comment voudriez-vous alors que j'accepte pour vous?

– Flavie a osé? s'insurge Simon.

Léonie souffle:

– Vous avez refusé?

Il relève la tête et Léonie est frappée par sa mine triste. Manifestement, il lutte contre le même puissant accès de désarroi que lors de leur conversation précédente, rue Saint-Joseph, au jour de l'An... Il balbutie finalement:

– Cela vous indigne? Moi aussi. D'avoir dû refuser à Flavie, j'en suis profondément affligé.

– Alors pourquoi l'avoir fait? réagit Léonie avec brusquerie.

— Ne vous accablez surtout pas ! s'exclame Simon avec vigueur, jetant un regard de reproche à sa femme. Votre réaction est dans l'ordre naturel des choses. Chaque profession à sa place : les sages-femmes pour les accouchements naturels, les médecins pour les autres…

Bastien écoute son beau-père avec un air absent, comme absorbé en lui-même. Puis, soudainement, il répond à Léonie dans un éclair de hargne :

— Parce que j'ai eu la chienne ! Je ne pouvais plus supporter les regards moqueurs et les allusions déplacées ! Pas seulement envers moi, belle-maman. Envers moi, j'aurais pu endurer. Mais *envers elle* ! Flavie n'a aucune idée de ce qui se dit à son propos, Dieu merci, mais moi… Depuis l'affaire de la dissection, les plus terribles ne se gênent plus. Ils attaquent tout, même sa féminité, même son *humanité*… Oh ! Ils médisent avec art, je vous assure ! Ils médisent comme pour prémunir une personne chère, c'est-à-dire moi, contre une atteinte à sa réputation. Si au moins je pouvais leur graisser la peau !

Le visage cramoisi, le souffle court, le jeune médecin saute sur ses pieds et marche avec agitation dans la pièce. Simon et Léonie échangent un regard effaré, avant de se lever simultanément. Elle balbutie :

— Je m'excuse sincèrement, Bastien. Je n'imaginais pas… vous mettre dans cet état.

Il lui fait face et écarte les bras dans un geste exprimant une souveraine impuissance.

— C'est moi qui suis désolé. Adressez-vous à un autre médecin. Peter Wittymore, peut-être… Quoique… Pour dire vrai, Léonie, je souhaite de toute mon âme qu'il n'y ait aucun médecin dans toute la colonie disposé à vous enseigner son savoir. Vous savez pourquoi ?

– Vous craignez que Flavie ne s'engouffre dans la porte ainsi ouverte.

Il hoche fortement la tête. Léonie ne peut se retenir :

– Nous partons, Bastien. Mais avant… Écoutez-moi. Flavie a un caractère bien trempé. Je doute que les médisances, même les plus cruelles, réussissent à la briser…

Après un sourire qu'elle souhaite réconfortant, Léonie tourne les talons, et bientôt Simon referme la porte derrière eux. Il glisse son bras sous le sien :

– À la maison, et au galop ! J'en ai plein mon casque de me faire mener par des femmes trop entreprenantes !

Il a pris un ton mi-figue, mi-raisin, mais Léonie n'a pas le cœur à rire. Elle murmure gravement :

– Il a refusé de lui enseigner… C'est cruel, Simon. C'est cruel, parce que c'est comme refuser un morceau de pain à une personne affamée sous prétexte que le blé n'est pas bon pour sa santé ! Je n'exagère pas, je t'assure ! Pense à tes propres réactions quand des personnes naïves et trop bien intentionnées se mêlent de ton travail ! Quand les marguilliers veulent t'interdire tel ou tel auteur parce qu'il n'est pas assez catholique à leur goût ! Si Flavie ou moi, nous estimons qu'il nous faut apprendre le maniement des fers pour devenir meilleures, ne sommes-nous pas les seules juges ?

– Cesse ton prêchi-prêcha, grommelle-t-il avec mauvaise humeur.

Avec un soupçon d'amusement, Léonie devine qu'il ne peut rien opposer à une si implacable logique… rien que des phrases creuses et des lieux communs sur le rôle particulier conféré aux femmes par la loi divine, et qu'il serait malséant de transgresser. Léonie bougonne encore :

– Quelle douche! Je t'assure que la réaction de Bastien m'a vitement dessaoulée…

– Pauvre garçon, en effet… Quoique tu puisses en penser, ma femme, je suis d'avis qu'il fait bien de protéger notre fille des méchancetés, quitte à la froisser temporairement!

Songeuse, Léonie prend un moment avant de murmurer:

– Notre fille est si entière… J'espère qu'il le sait. J'espère qu'il sait qu'en voulant la protéger des risques il en prend un autre, d'une grande conséquence…

Léonie rassemble tout son courage pour souffler:

– Une Flavie hostile, qui aliène son cœur de lui…

– Si son éducation était à refaire, gronde soudain Simon, je t'assure que je m'y prendrais autrement: j'empêcherais ma fauvette de se farcir l'esprit de toutes ces idées d'égalité et de liberté!

– Autant l'empêcher de respirer… Autant l'empêcher de te ressembler, mon mari, parce que tu sais bien que du côté de l'appétit pour les connaissances, elle est toi tout craché!

Il grogne indistinctement, mais demeure coi. Éreintée, Léonie s'appuie lourdement sur lui, ne pouvant cependant retenir ses idées de papillonner dans sa tête au sujet de leur si impétueuse Flavie, qui déteste et qui aime avec tant d'emportement! Puis, se remémorant le conseil de Bastien, Léonie évoque la petite silhouette et le visage placide de Peter Wittymore. Oserait-il? Oui, peut-être… C'est un homme d'une grande droiture, qui fait un heureux contrepoids aux prétentions de son confrère Nicolas Rousselle. Mais Flavie? Comment réagira-t-elle quand elle apprendra que sa mère a obtenu un privilège qui lui est refusé?

Pelotonnée dans ses couvertures, celle qui est le sujet de si intenses réflexions attend avec impatience le retour de Bastien, avide de connaître sa réaction à la requête inusitée de Léonie. Peut-être que cette dernière aura réussi à l'amadouer ? Peut-être qu'ainsi il acceptera enfin de la considérer comme apprentie ? Son espoir est mince et tranchant comme un fil, mais elle s'y accroche, même au risque de se blesser...

Le bruit de la porte qui s'ouvre la fait sursauter. Un bougeoir à la main, Bastien entre dans la chambre, torse nu après son passage à la salle de bain. En silence, il se déshabille, puis enfile sa chemise de nuit. Parfaitement immobile, Flavie fixe sur lui des yeux grands ouverts, qu'il n'aperçoit pas. Finalement, en désespoir de cause, elle se résout à l'interpeller d'une voix qui sonne désagréablement à ses propres oreilles :

— Et alors ? Qu'est-ce que tu lui as répondu ?

Il se tourne vers elle dans un mouvement empreint de lassitude.

— Je l'ai dirigée vers un autre médecin.

— Lequel ?

— Qu'importe. Celui de son choix. Je suis mort de fatigue... Bonne nuit, Flavie.

Il tue la flamme et se glisse, à plat ventre, sous les couvertures. Pétrifiée, la respiration suspendue, la jeune femme finit par expirer lourdement. Elle aurait dû s'en douter ! Même un mobile aussi noble que celui de Léonie ne peut l'ébranler. Le Canada-Uni n'est pas paré pour les accoucheuses professionnelles, Bastien ne veut pas en démordre ! Soudain furieuse, Flavie se lève d'un bond pour aller se planter devant la fenêtre, posant ses poings fermés contre les petits carreaux. Le verre épais déforme les faibles lueurs de la ville, les magnifiant d'une aura démesurée…

Parfois, comme à l'instant même, Flavie voudrait que son obsédant besoin disparaisse comme par enchantement. Elle voudrait être seulement une petite sage-femme qui est fière de son métier et qui le pratique benoîtement en attendant le moment ultime, celui qui est censé lui procurer les joies les plus sublimes, la mise au monde de ses propres enfants… Bastien ne lui a-t-il pas signifié à plusieurs reprises que rien ne pourrait le combler davantage? À cette idée, Flavie a envie de se recroqueviller sur le sol, ne pouvant supporter le sentiment qui l'envahit: celui de le trahir, de le décevoir. Elle le déçoit en tout, n'est-ce pas? Il n'a pas l'épouse qu'il mérite, celle qui sacrifierait, ainsi qu'il se doit, son propre bonheur au sien… Parfois, comme ce soir, Flavie a l'impression d'être un monstre, une grosse et laide ogresse qui fait rire la foule par le spectacle de sa démesure.

– Viens te coucher, plaide Bastien du lit. Ne reste pas là, toute seule dans le frette…

Ramenée par la voix de son mari à des proportions normales, à sa forme humaine, Flavie retourne se coucher. Sans changer de position, il tâtonne et lui prend la main, qu'il serre avec force un court instant. La tenant ainsi, il s'endort très vite, mais Flavie, elle, vogue pendant plusieurs heures sur une mer agitée. Depuis quelque temps, elle se bat souvent contre une intense angoisse et, chaque fois, elle retrouve intact, encore plus exigeant, son désir ardent de conquérir ce savoir humain. On l'en croit indigne, mais c'est un tort, un tort immense que l'on fait non seulement à elle-même, mais à toutes celles qui sont sous ses soins!

CHAPITRE XXXIII

Au cours de la semaine qui suit, le souvenir de la déli-vrance de Victoire hante les esprits et une atmos-phère plutôt morne règne à la Société compatissante. Comme Léonie semble lui tenir rigueur de la manière dont elle l'a interrogée au sujet des fers, Flavie est sou-lagée que le hasard fasse en sorte qu'elle ne la rencontre qu'en passant, pour de très brefs moments.

En son for intérieur, Flavie valse entre la gêne et l'en-têtement. Même si le moment était mal choisi, elle avait raison de remettre en question l'attitude empreinte de pré-jugés de sa mère! Repassant le fil de l'accouchement de Victoire dans sa tête, elle est persuadée que Léonie, par entêtement, a négligé de saisir le moment propice pour appliquer le forceps.

Même si la jeune femme aurait préféré qu'il en soit tout autrement, les événements semblent lui donner rai-son. En compagnie de Sally Easton, elle est témoin du moment pénible où quatre membres du conseil d'ad-ministration de la Société viennent présenter à Léonie la plainte officielle déposée par Nicolas Rousselle contre elle, dans laquelle il lui reproche d'avoir péché par abus de pouvoir, ce qui l'aurait rendue coupable de négligence criminelle.

Pour une fois, le flegme écossais de Sally vole en miettes. Cramoisie, elle confronte les conseillères en tempêtant :

– Je compte sur vous, mesdames, pour rabattre le caquet de ce prétentieux une fois pour toutes ! C'est un geste terriblement offensant qu'il commet ainsi, par cette dénonciation…, cette doléance…, ce torchon !

Blanche comme un drap, Léonie parcourt le feuillet à plusieurs reprises, comme si elle n'arrivait pas à en saisir le sens exact. La regardant avec sollicitude, son amie Marie-Claire, la présidente du conseil, est en train de l'assurer de leur soutien inconditionnel. Léonie n'écoute pas vraiment, envahie par une vive souffrance à l'idée que quelqu'un, quelque part, puisse remettre ainsi en question sa capacité de jugement, au point d'avoir causé la mort d'une patiente ! L'accusation est d'une terrible gravité et elle se sent tomber dans un précipice.

Sally proteste encore :

– Seul un opérateur téméraire aurait osé tenter l'introduction des fers ! Rares sont les cas d'hémorragie où cet engin est nécessaire. Si le fœtus est trop haut, le risque est trop grand pour la mère, et s'il est trop bas, c'est totalement inutile puisque l'expulsion est imminente !

Très froidement, Vénérande Rousselle riposte :

– Entre le trop haut et le trop bas, il y a un juste milieu, n'est-ce pas ?

Un lourd silence tombe. Ses yeux lançant des éclairs, Sally lui fait face :

– Qu'il n'appartient surtout pas à vous, qui êtes plus préoccupée par les succès de votre mari que par le bien-être des patientes, de déterminer.

Vénérande pâlit sous l'insulte, mais Marie-Claire ne lui laisse pas le temps de réagir.

– Suffit, mesdames. Nous déciderons du sort de cette plainte au conseil. Vous serez appelées, Léonie et Sally, à venir défendre votre position, de même que M. Rousselle.

– Ainsi que Peter Wittymore, s'empresse d'ajouter Sally.

– Néanmoins, intervient Françoise Archambault, il est clair dans mon esprit que nos sages-femmes bénéficient d'un préjugé extrêmement favorable. Nous remettons d'office entre leurs mains expertes le sort des patientes. Les médecins résidents et ceux qui font partie du comité médical ne peuvent leur contester ce pouvoir légitime.

Vénérande veut protester, mais, sans ménagement, Françoise la force à s'éloigner pour laisser enfin Léonie respirer à son aise. Aussitôt, Sally se met à fulminer à haute voix contre l'arrogance de certains médecins hautains et de quelques dames pincées. Léonie lui sourit faiblement, reconnaissante de son soutien, mais encore trop secouée, elle n'écoute pas vraiment. Le mouvement de Flavie, qui glisse discrètement vers la sortie du salon, attire alors son attention.

Mal à l'aise, incapable d'offrir à sa mère le moindre réconfort, même pas un petit geste de compassion, Flavie est en train de s'enfuir, les yeux fixés droit devant elle. Si elle réprouve le grief spectaculaire de Nicolas Rousselle, elle ne peut s'empêcher d'estimer qu'il a raison quant au fond de l'affaire. Léonie ne l'a-t-elle pas laissé implicitement entendre lorsqu'elle est venue à la recherche de Bastien, le soir même? Sentant que sa mère la suit obstinément du regard, Flavie ne peut résister à cet appel et elle croise ses yeux un court moment.

Comme piquée par une guêpe, Léonie se détourne avec ostentation pour s'approcher de Sally et s'absorber dans une conversation à mi-voix avec elle. Tout en bavardant, soulagée de laisser libre cours à ses émotions, Léonie jongle avec l'attitude de sa fille. Si prompte habituellement à défendre le savoir des sages-femmes, Flavie garde dans tout ce brouhaha un silence suspect. Manifestement, elle estime encore que sa mère est fautive dans cette affaire. Elle a choisi le camp de Rousselle, le camp de ces hommes de l'art qui fondent leur prestige sur une pince au métal luisant ! À la fois chagrinée et outragée, Léonie se laisse envahir par l'onde puissante d'un bienfaisant ressentiment.

Dès qu'elle a vent de la nouvelle, Marguerite prend l'initiative de réunir d'urgence les accoucheuses diplômées du cercle d'études, dans le dessein explicite de manifester leur solidarité envers Léonie. En l'absence de cette dernière, qui souhaite laisser à ses consœurs toute la liberté pour s'exprimer, une résolution est adoptée dans laquelle les membres du cercle réitèrent leur confiance envers la sage-femme en chef de la Société compatissante. Dans la foulée, elles exigent que le conseil d'administration affirme sans ambiguïté que les accoucheuses engagées sont les seules et uniques responsables, en dernier ressort, des actes à poser lors d'un accouchement.

L'audace d'un tel énoncé ne plaît cependant pas à toutes et les discussions entre les six femmes sont houleuses. Si Marguerite, Flavie et Sally n'hésitent pas un seul moment avant de parapher une telle déclaration, Marie-Barbe Castagnette, Magdeleine Parrant et Marie-Julienne Jolicœur tergiversent un long moment, non qu'elles contestent la compétence de Léonie, mais parce qu'elles sont apeurées par une affirmation aussi péremptoire. Certains cas relèvent de la science médicale, font-elles valoir, et c'est souvent au médecin à décider de la pertinence de son intervention...

Flavie défend la proposition bec et ongles, trop heureuse de pouvoir signifier ainsi à sa mère qu'elle est entièrement de son avis concernant la place prépondérante des sages-femmes dans le vaste champ des accouchements. Si le consensus est impossible à atteindre avec le médecin, les sages-femmes de la Société compatissante doivent avoir le dernier mot. Enfin, Marie-Julienne se range à cet avis, puis Marie-Barbe. Malgré toute son amitié pour Léonie, seule Magdeleine résiste et finit par se résoudre à quitter la petite réunion, demandant d'une voix chagrinée à Marguerite de la rayer sur-le-champ de la liste des membres.

Toutes les accoucheuses se dispersent ensuite, sauf Flavie et Marguerite qui épiloguent ensemble un long moment sur les récents événements. Elles conviennent qu'il faut donner à leur petit groupe une unité de pensée qui manquait jusque-là et prennent donc la résolution de se réunir sous peu, toutes les deux, pour rédiger une déclaration de principes qui relie les activités du cercle d'études au besoin d'encourager la formation, au Canada-Uni, d'une classe d'accoucheuses « savantes » et professionnelles.

Au terme de cette discussion, Flavie félicite Marguerite : ses fiançailles avec Joseph ont été annoncées dans les gazettes. Elle accepte le compliment avec un sourire hésitant, presque une grimace, et Flavie reste déconcertée par son manque d'enthousiasme. Après un regard en coin, Marguerite bredouille :

— Tu sais, miss Blackwell? À la Maternité de Paris, elle éprouvait un tendre sentiment pour un médecin interne, M. Blot. Elle n'y a jamais fait allusion devant moi, mais c'était manifeste… Lui aussi l'aimait. Quand elle a eu son infection à l'œil, il l'a soignée avec un tel dévouement! Et pourtant… Elle s'interdisait tout attachement. Plusieurs fois pendant notre séjour là-bas, elle m'a affirmé que le mariage était incompatible avec son choix de vie. Comme un sacerdoce.

Très sombre, Marguerite reste un moment silencieuse, se débattant contre ses émotions, puis elle reprend sourdement:

— J'étais si contente! J'avais l'impression que le monde était à mes pieds! Je pensais à Elizabeth et j'exultais parce que *moi*, je n'aurais pas ce choix à faire! J'aurais une profession passionnante, du moins j'essaierais, *et* un mari attentionné!

— Et alors? s'enquiert Flavie, le cœur serré. N'est-ce pas vrai?

Frémissante, Marguerite répond avec une intensité farouche:

— Non. Non, ce n'est pas vrai. Même lui, même cet homme qui représente quasiment mon idéal…, eh bien, même lui considère qu'il a une emprise sur ma destinée. Dès qu'une femme est promise à son cavalier… Joseph voudrait que je cesse mon travail à la Société compatissante après nos épousailles.

Estomaquée, Flavie envisage son amie sans rien dire, avant de s'écrier:

— Mais dans l'amphithéâtre, il disait…, il proclamait que la science était en train de renverser les préjugés au sujet de la nature féminine et de sa prétendue faiblesse!

Il nous a soutenues dans nos requêtes! Il connaît les nouvelles philosophies, le socialisme, même le communisme utopique!

Marguerite s'emballe :

— Je suis prête à fermer ma pratique. Mais cela, uniquement à condition que je puisse continuer à offrir mes services aux femmes dans le besoin, par charité! Pour l'instant, Joseph fait mine d'agréer, mais je vois bien que... Il est persuadé que ma récente maladie est due aux miasmes des faubourgs.

— Et ton apprentissage de la médecine? demande Flavie avec un pincement de jalousie. Je veux dire, il aura toute liberté pour t'enseigner, maintenant, n'est-ce pas? Je compte sur lui pour ouvrir le chemin et pour convaincre un autre médecin de ma connaissance de m'accepter comme apprentie!

Avec un sourire empreint d'un mélange de tendresse et de commisération, Marguerite étreint affectueusement le bras de Flavie.

— Ma pauvre, ma toute belle... À quoi me servirait un apprentissage si je ne peux plus pratiquer? Si je suis confinée entre les quatre murs de mon salon? C'est étrange, Flavie, mais... Joseph est devenu impatient au sujet de mon apprentissage. J'ai beaucoup réfléchi à ses réactions dernièrement... Comme s'il craignait que je ne l'épouse surtout dans un but intéressé. Comme s'il avait besoin que je lui prouve le contraire en sacrifiant mon ambition! Dis-moi, qu'est-ce que je peux faire de plus pour qu'il comprenne que je l'aime pour tout ce qu'il est, que je l'aime d'abord pour l'homme qu'il est? Ne me fais pas cet air de mère supérieure, Flavie Renaud! Parce que nous sommes allés aussi loin qu'un couple le peut avant le mariage!

Flavie fait une mine innocente en levant les deux mains.

— Je jure sur la tête de ma mère que je te crois! De toute façon, tu ne peux rien me cacher. Ça paraissait à ton air satisfait.

Outrée, Marguerite écarquille les yeux avant de lui tirer la langue. Flavie pouffe de rire, puis toutes deux se regardent sans rien dire, un long moment, tandis qu'une intense fragilité se peint sur les traits de Marguerite.

— C'était trop beau pour être vrai. Nous étions parfaitement accordés en tout, corps et âme. Mais jusqu'où a-t-il le droit de diriger ma vie? Jusqu'où suis-je prête à renoncer à ma liberté?

— Personne n'y trouve à redire si une accoucheuse est sollicitée nuit et jour, fulmine Flavie. Personne ne proteste devant le fait que bien des femmes travaillent soixante-dix heures par semaine pour joindre les deux bouts, dans leur logis ou à l'atelier. Mais qu'une femme souhaite embrasser une profession masculine et y consacrer l'essentiel de ses énergies, oh là là! C'est la levée de boucliers! Les femmes, nous sommes censées travailler par nécessité, pour nourrir nos enfants, ou par esprit de charité, pour soulager les misères. À la rigueur, pour soutenir l'entreprise de notre tendre époux. Les mœurs sont cruelles!

Marguerite murmure avec une moue chagrinée:

— De toute façon, que faire de la question des enfants et de la tenue de maison? Impossible de tout confier à des domestiques ou à des gouvernantes, n'est-ce pas?

— Pas seulement impossible, mais immoral.

— Toi et moi, Flavie… Toi et moi, nous sommes à part des autres. Je veux dire… Tu n'aimes pas qu'un homme te dicte ta conduite, n'est-ce pas? Tu as une force en toi, comme un fanal allumé qui te guide. Perdre de vue cette lueur, c'est comme...

Flavie souffle :

– Comme la mort.

Les deux amies échangent un regard anxieux. La voix enrouée par le chagrin, Marguerite reprend :

– Il n'est pas encore né, l'homme qui saura attiser cette flamme.

Une larme déborde de son œil, puis une autre. Tremblante d'émotion, Flavie lui presse faiblement l'épaule. Une phrase lue dans un roman épistolaire signé par une Française du siècle dernier lui revient en mémoire : «... je n'admets point de distinctions entre des créatures qui sentent, pensent et agissent de même. » Marguerite et elle avaient alors amplement déconstruit et discuté ce passage dans lequel Mme Riccoboni affirme qu'hommes et femmes ont droit aux mêmes avantages et aux mêmes défis ; bref, qu'ils sont égaux en tout, libres de mener leur vie à leur guise...

Flavie est terrifiée par la perspective que Marguerite renonce à se marier. Comme ce serait absurde, comme ce serait triste ! Elle-même n'aurait jamais pu tourner le dos ainsi à Bastien, même pour tout l'or du monde ! Vraiment ? En fait, elle l'aurait refusé pour une foule de raisons : ivrognerie ou despotisme, mesquinerie ou stupidité... Et s'il avait exigé qu'elle abandonne son métier ? Littéralement déchirée intérieurement, Flavie console Marguerite d'une étreinte hésitante.

À la suite de la plainte officielle de Nicolas Rousselle, Léonie passe quelques journées dans un état d'abattement alarmant. Puis, grâce aux discussions avec les hommes de la maison, elle se réveille chaque matin plus combative, déterminée à prouver au monde entier et surtout à elle-même que la voie qu'elle a choisie pour soulager Victoire était aussi bonne, sinon meilleure, qu'une autre. S'improvisant avocat, Simon l'encourage à étayer sa preuve par des exemples précis et des avis scientifiques tirés des plus célèbres ouvrages d'obstétrique.

Ainsi, lorsqu'elle se présente devant le conseil d'administration, Léonie est intimement persuadée de la pertinence de son procédé thérapeutique et elle se défend avec un tel art que tous les membres de l'assemblée, Nicolas Rousselle y compris, en restent pantois. Après les brefs mais percutants exposés de Sally Easton et de Peter Wittymore, le plaignant s'empêtre lamentablement dans ses phrases, accumulant reproches non fondés et attaques personnelles.

Marie-Claire ne peut le supporter longtemps et elle coupe court à sa plaidoirie. Ensuite, les quatre praticiens sont chassés du salon de la présidente de la Société compatissante vers le hall d'entrée et Françoise referme soigneusement les grandes portes vitrées. Conversant à mi-voix, Sally et Peter prennent congé après une machinale salutation aux deux autres et Léonie se retrouve en compagnie de Nicolas Rousselle planté à l'autre extrémité de la pièce.

Bien entendu, elle ne peut quitter la maison avant de connaître la décision du conseil et comme elle est en proie à un accès soudain de fatigue, elle se laisse tomber sur l'une des marches du monumental escalier qui mène à l'étage. De toute son âme, elle espère que Nicolas la laisse tranquille et, pour l'encourager en ce sens, elle appuie son coude sur sa jambe et couvre ses yeux de sa main. Peine perdue : avec un tressaillement, elle reçoit comme un coup la phrase susurrée par son adversaire qui a marché silencieusement jusqu'au pied de l'escalier.

— Je suis ravi d'avoir l'occasion de jaser un peu avec toi... Le monde évolue, chère Léonie, et ce qui semblait immuable pourrait bien s'avérer inconstant...

Interloquée, Léonie se redresse avec effort pour l'envisager.

— Prenons, par exemple, l'accord conclu entre la Société compatissante et l'École de médecine et de chirurgie...

Léonie l'interrompt avec un mépris à peine dissimulé :

— Un accord donné du bout des lèvres, à ce que nous avons pu voir !

Un pli prononcé se forme au-dessus du nez de Rousselle. Il rétorque, d'un ton badin mais derrière lequel se devine une immense rancœur à son égard :

— À qui la faute ? Entre deux maux, il faut savoir choisir le moindre...

— Les religieuses, s'ébahit Léonie, un moindre mal ?

— Elles, au moins, sont sensibles à l'argument de l'autorité !

Fatiguée par cet échange contraint qui tourne autour du pot, Léonie laisse tomber avec un regard franc :

— Je suis déçue, Nicolas. Je ne croyais pas que le conseil d'administration de l'École de médecine s'abaisserait à signer en catimini une entente avec les Sœurs de Miséricorde, sans même en piper mot à la présidente de la Société compatissante.

Il ne peut retenir une grimace de regret :

– Le geste est cavalier, je le reconnais… Mais tu ne peux pas imaginer à quel point il est pressant, pour nous, d'augmenter la valeur des stages cliniques offerts aux étudiants. La concurrence…

– La concurrence ? Le McGill College n'arrête pas de se plaindre : le nombre d'étudiants inscrits a radicalement baissé au profit de ton école !

– Je n'ai aucune pitié pour cette vénérable institution ! C'était à elle de prendre en considération la clientèle française, ce qu'elle a refusé de faire ! Il y avait là un criant besoin que nous avons comblé !

Le silence retombe et ils s'échangent un regard hostile. Avec un soupir d'exaspération, Léonie reprend :

– Alors ? Vous ne pouvez pas, éternellement, courir deux lièvres à la fois ! Qui allez-vous privilégier, les sœurs ou nous ? Le conseil de la Société vous inonde de questions mais…

– Nous ne savons pas encore, répond-il avec hauteur. Pour l'instant, l'hospice Sainte-Pélagie accueille seulement quelques étudiants. Nous évaluons…

– J'ai entendu dire, insinue Léonie, que les religieuses sont encore moins malléables que nous…

Dans le monde médical, il est de notoriété publique que, pressées par l'évêque de Montréal, les Sœurs de Miséricorde n'ont accepté la présence des étudiants qu'avec une extrême réticence. Obsédées par la crainte que des secrets soient dévoilés et que la rumeur publique ne s'empare de l'identité de certaines parturientes, elles entourent les stages de contraintes sévères. Si, à la Société compatissante, les sages-femmes respectent le désir d'intimité, elles y attachent une moins grande importance, selon la logique que les filles-mères sont bien plus victimes que coupables. Du moins, c'est ce que Léonie, louvoyant parmi les strictes valeurs morales de quelques dames patronnesses, tente de faire valoir...

Comme s'il se souvenait soudain que Léonie et lui sont présentement des adversaires, Rousselle se redresse de toute sa taille et bougonne :

– Trêve de badinage. Les dames qui siègent au conseil de ton refuge savent très bien quoi faire pour conserver notre estime.

– Dérouler le tapis rouge devant vous, bien entendu. S'incliner devant votre science...

La nuque de Léonie se couvre d'une sueur froide et elle glisse un regard égaré vers celles qui, de l'autre côté de la porte vitrée, discutent ferme. Elle n'avait pas songé que... que dans ce contexte, les conseillères n'oseront peut-être pas rabrouer Nicolas ! Devinant son trouble, le médecin jette avec une pétulance consternante :

– Je vois que tu as saisi ce qu'il en coûte de jouer les prétentieuses !

Il glousse et se dandine sur place, ce qui indispose Léonie à un tel point qu'elle a envie de le frapper au visage. Persuadé d'être le vainqueur de leur duel, il devient magnanime :

– À la Société compatissante, il faut avouer que vous nous offrez un avantage avec lequel les religieuses ne peuvent rivaliser : les dons de cadavres. Voilà entre autres pourquoi nous hésitons tant... Comme je suis l'un des professeurs les plus engagés dans l'École, Lainier a bien dû me mettre au courant dès le lendemain de la toute première dissection. J'ai bien ri quand j'ai su que ta fille et sa copine s'étaient cachées dans le placard tout juste avant mon arrivée...

— Tu as bien ri? relève Léonie avec acidité.

— C'était plutôt cocasse, non? Bien entendu, par après, il a fallu que mon aventurier confrère se justifie. Il a réussi de justesse à me convaincre de la pertinence de cette concession pour obtenir un approvisionnement frais de qualité.

Sa voix se durcit sensiblement:

— Lainier a dû vous informer que maintenant, le conseil en entier de l'École de médecine et de chirurgie de Montréal est au courant.

Croyant déceler une menace derrière sa phrase en apparence anodine, Léonie lui jette un regard pénétrant. Après une pause soigneusement étirée, Rousselle ajoute encore, d'un ton d'autant plus terrible qu'il est contenu:

— Nous prendrons soin que cette information ne parvienne pas aux oreilles de notre cher évêque.

Il faut à Léonie quelques secondes pour expirer, puis elle s'oblige à considérer attentivement sa mine victorieuse et sa bouche au rictus moqueur, avant de répliquer enfin, d'une voix sans timbre:

— Je vais faire semblant, Nicolas, que je n'ai pas entendu ta dernière phrase.

— Tu aurais tort, Léonie. Tu aurais, pour singer l'expression que ta ragoûtante de fille emploie à tous crins, fièrement tort...

De manière inattendue, il se penche vers Léonie, qui recule le plus possible, se retenant par orgueil de se hausser d'une marche ou deux.

— Prends bien garde à tes actes. Ma patience est à bout. Il ne suffirait que d'une autre rebuffade, même la plus modeste... Si jamais Bourget a vent de la mixité des dissections… Tu imagines l'ampleur de son courroux, n'est-ce pas?

Les portes du salon s'ouvrent brusquement et Françoise se dépêche vers eux, les sourcils froncés. Elle s'enquiert :

– Tout va bien, Léonie ? Je vous voyais à travers la vitre…

Sans un mot d'excuse, Rousselle recule de plusieurs pas et Françoise les convie à revenir dans le salon. Vénérande Rousselle est debout, drapée dans sa dignité, et Léonie en comprend la raison lorsque Marie-Claire explique qu'en majorité les dames ont tenu à réaffirmer la position prépondérante des accoucheuses engagées pour prendre soin des patientes de la Société, même si un consensus avec les médecins associés est toujours éminemment souhaitable.

Un éclair tombé à ses pieds n'aurait pas davantage pétrifié Rousselle, qui reste stupidement cloué sur place, envisageant chacune des conseillères avec égarement. Intensément soulagée, Léonie cherche le regard de Françoise et lui adresse un large sourire de gratitude, auquel elle répond par une moue lasse, mais réjouie. Léonie devine qu'elle a dû user de toute sa force de persuasion !

Soudain furieux, le médecin pivote sur ses talons et file sans demander son reste, imité par son épouse qui vient de remettre sa démission comme membre du conseil. Personne n'ose regarder Euphrosine Goyer, manifestement déchirée entre sa loyauté envers son amie et son engagement personnel. Après avoir exprimé sa reconnaissance aux conseillères, Léonie prend congé à son tour et elle chemine d'un pas léger et dansant, comme si des ailes d'ange venaient subitement de lui pousser dans le dos.

Cependant, son emballement est de courte durée, car sa discussion avec son ancien prétendant lui revient tout à coup en mémoire. Il a été très clair : dès que la coupe débordera, il informera l'évêque de Montréal de la présence des élèves de Léonie aux dissections. Peut-être est-il même déjà en train de courir jusque-là ? Léonie se raisonne, mais la réaction du prélat ne fait aucun doute. Il fera cesser cette promiscuité grâce à la toute-puissante menace d'excommunication ! Qui sait, alors, jusqu'où sa colère se déversera ? Sans doute jusqu'à exiger la fermeture de l'École de sages-femmes…

Maudissant son ancien cavalier qui l'empêche de savourer pleinement sa victoire, Léonie prend sur-le-champ la décision de mettre fin immédiatement à cette pratique devenue trop risquée. Après tout, les jeunes filles y apprennent bien peu… Si les professeurs de l'École de médecine veulent encore leurs cadavres non réclamés, il faudra qu'ils y mettent le prix ! Joseph Lainier en sera informé aussitôt que possible.

Découragée soudain, Léonie fait halte face à la devanture d'un apothicaire, feignant de s'absorber dans la contemplation des flacons. Elle se sent comme une malade en sursis. Les accoucheuses et les dames qui les appuient ont si peu d'atouts dans leurs manches ! Alors que les médecins, eux… Nicolas la suit de près, de bien trop près, et au plus léger faux pas, il abusera de sa position de force pour lui faire courber l'échine !

Deux jours plus tard, dès que l'occasion se présente, Léonie fait à Peter Wittymore la demande qui la tarabuste. Elle en ressent une certaine honte, mais elle est bien obligée de s'avouer que Flavie n'avait peut-être pas tort, qu'il est vital pour toutes les accoucheuses, et pas seulement pour Léonie, d'accroître leur savoir dans cette direction! Comme la réalité est complexe, soupire-t-elle tout juste avant d'aborder son collègue masculin, et comme il est parfois malaisé de s'y retrouver... Le médecin s'accorde quelques jours de réflexion, puis, comme elle l'espérait, il lui répond favorablement, tout en lui suggérant de ne pas donner trop de publicité à cet enseignement du maniement du forceps. Cependant, Léonie est bien obligée de dire la vérité à Flavie qui, malgré l'atmosphère contrainte qui règne entre elles deux, l'interroge à ce sujet chaque fois qu'elles se croisent au refuge.

— Crois-tu qu'il... accepterait une deuxième élève?

Léonie fait une moue d'ignorance et lui répond que ce n'est pas à elle qu'il faut poser la question. Elle sait que Flavie est parfaitement consciente de sa réticence, qui tient non seulement au fait que sa fille semble reconnaître une supériorité à la science médicale au détriment du savoir des sages-femmes, ce qui l'offusque profondément, mais aussi à son insistance déplacée lors de la délivrance de Victoire et dont Flavie ne s'est nullement excusée.

Néanmoins, l'appétit de Flavie est tel qu'elle passe outre et qu'elle fait sa demande au médecin anglais dès qu'elle le peut. Ennuyé, Wittymore finit par répondre qu'il préfère, pour l'instant, une seule élève, et Flavie n'ose insister. Le glorieux mois de mai chasse les derniers relents de froidure, mais elle reste insensible à la beauté printanière. Comme une mendiante sans feu ni lieu, elle ne se sent chez elle nulle part. Rue Sainte-Monique, elle a le net sentiment d'être la cible de railleries et de persiflages dès qu'elle a le dos tourné. Rue Saint-Joseph, Léonie lui garde rancune, Daniel la convoite du regard et Cécile reste claquemurée dans son absence émotive exaspérante, trois situations qui provoquent en elle un sérieux malaise.

Si la ville a repris ses allures de ruche bourdonnante, de vastes secteurs ne sont encore que décombres. Maçons, briqueteurs et cimentiers envahissent même les trottoirs, où ils déposent les briques, les pierres et le mortier ! Les promenades les plus en vogue étant ainsi empêchées, Flavie se rend au jardin Guilbault dès que la température le permet et que son métier ou ses tâches ménagères lui laissent du répit. Elle a fait son nid dans un recoin sauvage du domaine où personne ne vient jamais, une large roche plate légèrement inclinée et entourée de buissons, dont de magnifiques lilas sauvages qui ne tarderont pas à embaumer les environs. Coiffée de son chapeau de paille, pieds nus, Flavie lit ou somnole, consolée par cette parfaite solitude qu'elle recherche avec tant d'intensité.

Un midi, Flavie reçoit la visite, rue Sainte-Monique, d'une adolescente pauvrement habillée qui lui transmet un message de sa consœur Marie-Barbe Castagnette, laquelle sollicite son aide pour une délivrance ardue. Flavie se laisse aussitôt conduire par la messagère jusqu'à la frontière de Griffintown, dans une petite rue où se serrent des maisonnettes abritant, comme chacun le sait, des ateliers de production manufacturière. À l'étonnement de Flavie, elles pénètrent dans l'une d'entre elles.

L'atmosphère est saturée de poussière et Flavie tousse à plusieurs reprises, puis elle distingue enfin les alentours : une salle commune encombrée de rouleaux de tissu, de tables de coupe et d'étagères contenant un assortiment complet d'outils de couture. Assises sur des chaises basses près des petites fenêtres aux volets grands ouverts, des femmes sont en train de coudre des vêtements et ne leur accordent qu'un bref mais intense regard. Une odeur tenace d'urine traîne dans la pièce, mêlée à d'autres, indéfinissables, un mélange irritant qui donne à Flavie l'envie de repartir en courant.

L'adolescente conduit la jeune accoucheuse jusqu'à un réduit sans fenêtre où, grâce à la lueur d'une misérable bougie, elle distingue, sur une paillasse à même le sol, une maigre femme assise en train de haleter, adossée au mur, les jambes allongées devant elle. Agenouillée à ses côtés, Marie-Barbe l'encourage à mi-voix. Dès que la contraction est terminée, cette dernière commande à sa messagère de tenir compagnie à la parturiente, puis elle entraîne Flavie hors de la pièce.

Elle explique alors qu'on l'a fait appeler d'urgence ce matin parce que la jeune ouvrière, en train de tailler des vêtements, venait de perdre ses eaux et s'était du coup trouvée dans un tel état de faiblesse qu'il avait fallu l'allonger dans le réduit. Convaincue que c'est un accouchement avant terme, Flavie veut en discuter avec sa consœur, mais cette dernière la contredit aussitôt. L'ouvrière, Anastasie, est bel et bien à terme, mais elle ne pouvait survivre sans le maigre revenu de son travail.

Flavie échange avec Marie-Barbe un regard ébahi. Elle murmure :

— Tu en vois souvent, des ouvrières aussi désespérées ?

— C'est ma deuxième. L'autre, elle s'est délivrée toute seule, près de son métier à tisser, et je suis arrivée seulement pour l'arrière-faix...

Sans plus tarder, les deux jeunes femmes retournent auprès d'Anastasie. Son cas est préoccupant : les membranes sont rompues et la matrice presse le fœtus de sortir, mais sans résultat concret, puisque le toucher révèle que le bébé est encore placé très haut. Manifestement mal nourrie, épuisée par son travail, Anastasie dispose d'une bien maigre réserve d'énergie… Marie-Barbe chuchote encore :

— Il faut agir vite, mais je répugne à le faire ici, dans cet endroit si miteux…

— Occupe-toi d'elle, tranche Flavie résolument. Je me charge de lui trouver un transport vers la Société compatissante.

Faisant irruption dans la salle commune, elle interroge à la cantonade :

— Où est le maître d'atelier ?

Après un long moment de flottement, une femme répond enfin qu'il est parti effectuer une livraison rue Saint-Paul. Flavie avise un jeune garçon d'une douzaine d'années, occupé à même le sol à une tâche indéfinissable, et lui commande d'un ton impérieux :

— Toi ! Cours le chercher. Anastasie doit être transportée d'urgence.

Ahuri, le gamin reste la bouche grande ouverte, puis il tourne la tête vers l'une des femmes, qui marmonne que le patron déteste que l'on quitte l'ouvrage. Furieuse soudain, Flavie s'écrie :

— J'en prends la responsabilité ! Cours dire à ton patron que s'il n'arrive pas dans l'heure, je dépose une plainte contre lui devant les tribunaux pour mauvais traitements à l'endroit de l'une de ses ouvrières !

Le garçon détale aussitôt. Vingt minutes plus tard à peine, un homme petit et bien en chair, une casquette de marin vissée sur le crâne, pénètre dans la pièce comme un taureau dans l'arène. Adossée au cadre de porte du réduit, Flavie ne lui laisse pas le temps de reprendre son souffle.

– Amenez la charrette devant la porte. Garnissez-la de paille. Hardi donc! Il ne faut pas perdre une seule minute!

Démonté par l'attitude souveraine de Flavie, il n'hésite qu'un court moment avant d'obtempérer. La jeune accoucheuse requiert l'assistance de deux femmes pour aider à transporter Anastasie et, quelques minutes plus tard, le cheval se met au trot. Les secousses sont pénibles à supporter pour une femme dans les douleurs mais elles sont heureusement de courte durée, puisque la rue Henry est bientôt atteinte. Sur les lieux, Magdeleine prend vite la décision de procéder à une version et à un accouchement par les pieds, manœuvres qu'elle est en train d'apprivoiser sous la supervision de Sally.

Pendant les heures qui suivent, Flavie est hantée par le triste sort d'Anastasie, si terrifiée de perdre sa place qu'elle est restée à l'ouvrage jusqu'aux derniers moments de sa grossesse. Elle revoit les lieux sinistres, elle imagine le travail abrutissant de routine, les gestes répétés pendant des années, pendant toute une vie, six jours par semaine, dix heures par jour... Harassée, Flavie laisse ses pas la conduire jusqu'au domicile de Marguerite. Mais son amie est absente... Généreusement, sa mère, qui prévoit un retour imminent, lui propose de l'attendre dans le jardin arrière.

Alors que les cloches sonnent six heures du soir, Marguerite émerge enfin de la maison, belle et grande silhouette vêtue d'un mélange harmonieux de bleu ciel et de gris tendre. Aussitôt, elle s'inquiète et Flavie lui explique la cause de ses tourments. Longuement, tandis que le soleil descend sur l'horizon, elles discutent des cruautés du nouvel ordre industriel, de l'esclavage auquel doit s'astreindre une classe entière de personnes pauvres et peu instruites, et, surtout, du laisser-faire de la classe dirigeante, que cette dépendance n'arrange que trop bien…

Lorsque ce sujet est épuisé, après un long moment de silence, Marguerite bredouille :

– Flavie, je voulais te dire… Je suis contente que tu sois venue, parce que je voulais que tu sois la première à savoir que…

Alarmée par son embarras, Flavie examine son profil d'un œil sourcilleux. Elle note l'aspect translucide de la peau de son visage, la veine qui bat, affolée, sur sa tempe, et la moue qui ressemble à une grimace…

– Je pars, Flavie. J'ai réfléchi, tant réfléchi… Au point d'en devenir folle. Je pars pour Oneida.

Ébahie, Flavie la fixe sans rien dire, cherchant désespérément à se rappeler ce que cela signifie, Oneida… En même temps qu'elle se souvient de cette communauté utopique fondée par un exalté dans le nord des États-Unis, elle réalise toute la portée des propos de son amie.

– Tu pars ? Que veux-tu dire ? Un voyage d'agrément ?

– J'ai rompu mes fiançailles avec Joseph. Je pars pour une longue période. J'ai tant besoin de faire le point ! J'ai besoin de savoir ce qu'il est nécessaire que je fasse de ma vie. C'est plus fort que tout, plus fort même que…

Sa voix se brise et elle balbutie :

– Plus fort que mon amour pour lui.

Terrassée par cette nouvelle, Flavie lutte contre une puissante détresse, contre un terrible sentiment d'abandon qui se déploie en elle et qui, elle le sait, remonte à d'anciennes trahisons... Assise sur ce banc de jardin, elle se sent lourde comme une pierre, incapable de parler, la respiration coupée.

Se tournant à demi vers elle, Marguerite jette, le visage contracté par une vive souffrance :

– Je ne suis pas normale, Flavie. Je suis un être monstrueux... Tout le monde me regarde comme si j'étais la pire des cinglées. Refuser un si plaisant parti! Jamais je ne trouverai un homme meilleur. Peut-être que là, il s'oppose à me laisser visiter les pauvresses, mais les personnes intelligentes savent changer d'idée, n'est-ce pas? Un jour, je l'aurais convaincu de me redonner mon entière liberté...

D'un geste rageur, Marguerite essuie les larmes qui débordent de ses yeux.

– Un jour... Mais peut-être aussi que ce jour ne viendra jamais. Peut-être qu'en me mariant je tombe sous la coupe d'un tyran? Un doux tyran, sans doute... Mais un tyran quand même! Je ne veux plus de maître. J'ai tant discutaillé avec mon père! J'ai tant négocié, plaidé, intercédé! Pourquoi cela, Flavie? Sur quelle loi repose cette autorité que tous les hommes tiennent pour naturelle, pour légitime? Vais-je accepter que Joseph me semonce et me batte s'il n'aime pas mon comportement?

Flavie objecte faiblement :

– Il n'irait pas jusque-là...

– Sans doute. Il paraît que ce que femme veut...

Songeant à la réaction de Bastien, Flavie remarque avec amertume :

– Les hommes cèdent peut-être à nos caprices, mais quand il s'agit d'affaires plus graves...

Les maris agissent alors avec leurs femmes comme avec leurs enfants, conviennent-elles toutes deux. Quand il s'agit d'affaires plus graves, ils n'hésitent pas à les corriger vertement, tout en prétextant que c'est pour leur bien ! Comme s'ils savaient toujours, mieux qu'elles-mêmes, ce qui est juste et bon... Marguerite se mouche et Flavie songe avec égarement que le soir tombe et qu'il lui faut bientôt rentrer. Assise très droite, son amie la retient en disant encore, avec un mélange étonnant d'embarras et de dignité :

— J'ai voulu... Je suis allée voir Joseph et je lui ai proposé...

Se mordant les lèvres, elle glisse vers Flavie un regard exalté.

— Je voulais... Oh ! Flavie, il y a une seule chose qui aurait pu me retenir. Je voulais la preuve qu'il me respecterait pour ce que je suis. Je voulais la rencontre ultime, celle où on se révèle entièrement, celle où on ne peut pas user de faux-semblants ! Celle qui est au-delà des mots, celle où on ne peut pas se cacher derrière la parade des mots ! Je voulais le connaître entièrement, avant...

Frappée par le sens de son propos, Flavie ouvre de grands yeux stupéfaits. Quelle vision romantique de l'accouplement ! Mais aussi, quelle hardiesse !

— À cette condition seulement, je l'aurais marié... Mais il a refusé. Depuis, il me considère sûrement comme une dévergondée, une de celles qu'un homme du monde n'épouse pas...

— Il a refusé ?

En un éclair, Flavie imagine l'ampleur de son sentiment d'humiliation.

– Oh! Il a hésité un long moment… Il s'est abandonné tout d'abord si délicieusement dans mes bras! Mais ensuite…

Abasourdie par la témérité de son amie, Flavie la dévisage avec une admiration croissante. Son être tout entier refuse la moindre atteinte à son intégrité, y compris celle, si terrible, de se livrer pieds et poings liés à son mari le soir des noces! Flavie tâtonne pour saisir sa main et la serrer fortement. Des larmes dans la voix, Marguerite murmure:

– Je ne peux en parler à personne d'autre que toi. Tous les bien-pensants me feraient enfermer dans un monastère, comme ces épouses infidèles que les maris forçaient ainsi à la réclusion et au repentir… Mais toi, Flavie, tu me comprends, n'est-ce pas?

Elle acquiesce vigoureusement de la tête. Après avoir inspiré profondément, Marguerite lève le visage vers le ciel qu'elle contemple, muette, un long moment. Le cœur lourd de chagrin, Flavie murmure:

– Ma sœur, tu m'écriras?

Avec un gémissement sourd, Marguerite l'étreint contre elle, puis elle la délivre aussi vite, saute sur ses pieds et s'enfuit en courant. Brisée par les émotions et la fatigue, il faut quelque temps à Flavie pour trouver le courage de se mettre debout et de quitter le havre du jardin pour rentrer rue Sainte-Monique. Elle monte directement à sa chambre et, ouvrant toute grande la porte de sa penderie, elle examine méthodiquement, l'une après l'autre, les quatre jolies robes que, depuis son mariage, elle s'est procurées dans une boutique de la rue Notre-Dame.

Elle les décroche de leur support et les jette par-dessus son épaule, puis elle redescend au rez-de-chaussée et pénètre dans la cuisine brillamment éclairée. Ignorant la présence de la mère et de la sœur de Bastien, elle se dirige tout droit vers Lucie et lui tend son fardeau :

– C'est pour vous. Je n'en veux plus.

Interdite, la domestique contemple les robes, puis Flavie, et répond :

– Un gros merci, petite madame, mais je ne peux pas accepter. C'est trop.

– Je vous assure, vous me rendriez un grand service !

Gênée, Lucie secoue farouchement la tête.

– Je vous donne jusqu'à demain pour y réfléchir. Sinon, je les apporterai à la Société compatissante. Les patientes seront ravies...

Archange intervient avec une froide impatience :

– Ma bru, avez-vous perdu la tête ? Savez-vous tout l'argent que Bastien a consacré à ces vêtements ? À ce que j'ai entendu, ce n'est vraiment pas le temps de renouveler votre garde-robe...

Flavie réplique farouchement :

– Plus jamais je ne m'attiferai comme une bourgeoise vaniteuse. Vous m'entendez ? Plus jamais !

De manière inattendue, Julie appelle, goguenarde :

– Frérot ! Ta charmante épouse fait encore une crise !

Quelques secondes plus tard, Bastien et Édouard entrent dans la cuisine et le jeune médecin contemple la scène sans comprendre. Sans lui laisser le temps de réagir, Flavie s'agrippe au regard chaleureux de son beau-père et, comme pour lui seul, elle se met à raconter d'une voix monocorde la délivrance d'Anastasie, ce qui réduit tous les autres à un silence contraint. La tension est palpable dans la pièce. Elle conclut avec force :

– Pour combler les envies de luxe de la classe la plus riche, des femmes passent leurs vies recluses dans un sombre et humide atelier ! Elles y accouchent même ! C'est épouvantable, je refuse d'être complice de cette exploitation ! Alors, je vous prierais de me débarrasser de ces robes. J'ai déjà trop tardé !

Ce disant, elle laisse choir les robes par terre, puis elle s'enfuit, aveuglée par les larmes brûlantes qui se mettent à ruisseler sur son visage. Elle claque la porte du boudoir, puis celle de la chambre, et se jette à plat ventre sur son lit où elle pleure à gros sanglots déchirants. Une main légère sur son avant-bras la fait tressaillir : elle n'a pas entendu venir Bastien, qui se tient debout à côté du lit. Lentement, il s'agenouille sur le sol et, le torse très droit, l'expression émue, il dit :

– Comme tu prends les choses à cœur… Prends garde de ne pas porter, sur tes seules épaules, toute la misère du monde.

Sans le regarder, le visage tourné du côté opposé, elle l'informe du départ de Marguerite. Plutôt que de compatir avec elle, il s'exclame :

– Pour vrai ? Je ne suis pas fâché de la voir déguerpir pour un temps. C'est elle qui te met dans la tête toutes ces idées de grandeur…

Choquée, elle se relève sur ses coudes et le dévisage avec une froide rancune.

– Tu crois ça ? Tu verras, quand elle sera partie… Tu verras si elles disparaissent, mes idées de grandeur ! Si c'est tout ce que tu as à me dire, décanille !

Sur ce, elle rampe jusqu'à l'autre côté du lit et se couche sur le flanc, face à la fenêtre. Après un temps, elle entend Bastien se relever et partir. Intensément soulagée, elle se laisse emporter par la vue du ciel nocturne à travers les carreaux, dans lequel elle a l'impression de voir voler un cerf-volant coloré traînant une longue queue… C'est ainsi, seulement, qu'elle a la force d'affronter son vif sentiment de honte d'avoir succombé, depuis son mariage, à l'attrait des vanités, de ces biens luxueux que d'autres fabriquent pour un salaire de misère, à la sueur de leur front.

CHAPITRE XXXIV

À la toute fin du mois de mai, le doux printemps de l'année 1853 se change en un été torride et c'est par une température accablante que Marguerite, ses parents et Flavie embarquent dans le vapeur qui les fait traverser le Saint-Laurent jusqu'à Longueuil, au départ du train. La jeune femme a fait des adieux très discrets, et c'est en douce qu'elle monte dans le train qui la conduira dans ce coin perdu du nord-est des États-Unis, dans l'État de New York, où une centaine d'hommes et de femmes ont choisi de suivre leur maître à penser et d'y fonder une communauté.

Comme elle l'a confié à Flavie, elle ignore encore si on l'y acceptera, puisque le maître n'a pas répondu formellement à sa demande, mais sa lettre au ton bienveillant nourrit son espoir... Heureusement, ses parents ne savent de la communauté que ce que Marguerite a bien voulu leur dire : d'abord la piété sans compromis du fondateur, alimentée au *revival* américain à l'origine de la fondation de plusieurs églises dérivées du protestantisme, et aussi son goût pour les arts et la science.

Il paraît que le bâtiment principal d'Oneida abrite une vaste bibliothèque ouverte aux idées modernes et qu'un orchestre improvisé anime les veillées! Tous les repas se prennent en commun et plusieurs ateliers de production ont été établis, de même qu'une imprimerie où le papier-nouvelles dirigé par Mr. Noyes est composé. Tout cela, combiné au « nouvel ordre amoureux » inspiré par les idées du Français Charles Fourier, intrigue Marguerite au plus haut point!

Manifestement dépassés par les événements, c'est avec un oppressant mélange de peine et d'incompréhension que les parents de Marguerite la regardent se hisser sur le marchepied. La vue brouillée par le chagrin, Flavie ne peut détacher ses yeux des efforts du cheval de fer qui halète sous sa charge et qui prend si péniblement de la vitesse... Quand le bruit d'enfer diminue et que le nuage de vapeur se dissipe, le couple Bourbonnière échange un long regard tandis que Flavie, par pudeur, détourne la tête. Se tournant vers elle, le père de Marguerite articule enfin, la gorge contractée:

– Que Dieu la protège, madame Renaud! Que Dieu protège cette enfant chérie qui refuse avec tant d'obstination de suivre la voie que nous avions tracée pour elle!

Se tamponnant les yeux avec son mouchoir, Flavie ne peut s'empêcher de répliquer d'une petite voix:

– Chacun est en droit de faire son bonheur... Chacun et chacune, monsieur.

Une main menue se glisse sous son bras et Flavie constate avec émotion que Mme Bourbonnière s'est placée entre son mari et elle, se reliant affectueusement à eux deux. Sans les regarder, elle murmure:

– Notre Margot n'est pas contre nous, mais pour autre chose, quelque chose de grand et de noble qui nous dépasse. Georges et moi, nous l'avons bien compris, allez...

– Marguerite est fièrement chanceuse de vous avoir comme parents.

Avec un petit hoquet qui ressemble à un sanglot, Mme Bourbonnière baisse la tête, tout en les obligeant avec l'énergie du désespoir à quitter ce sinistre quai de gare et à s'éloigner du déchirant sifflet, déjà lointain, de la locomotive.

Il semble à Flavie qu'elle ne s'habituera jamais à l'absence de sa sœur d'armes, celle qui partage toutes ses aspirations, celle qui lutte et qui s'indigne à ses côtés... Mais, jour après jour, la perte se fait moins sensible, moins cruelle, et au jardin Guilbault, Flavie admire l'épanouissement spectaculaire de la feuillaison des arbres et de l'éclosion des fleurs sauvages.

Malgré le passage de quelques orages, la température reste très chaude, au point que les gazettes racontent que, le 1er juin, un homme est tombé raide mort en pleine rue, victime d'un coup de chaleur! Tous les Montréalistes, Flavie y compris, sont alors distraits de leurs préoccupations coutumières par un événement lointain qui éclate, grâce aux moyens modernes de communication, comme une bombe. Le 8 juin, presque toutes les gazettes locales rapportent qu'un homme de robe qui a renié la foi catholique, l'Italien Alessandro Gavazzi, vient de déchaîner de telles passions dans la ville de Québec qu'il a manqué y laisser sa vie aux mains d'émeutiers! Or la métropole est placardée d'avis qui annoncent une imminente conférence de ce prophète...

La rumeur qui colporte que Gavazzi est en train d'embarquer dans un vapeur à destination de Montréal est bientôt confirmée. Aussitôt, des feuilles volantes sont imprimées en hâte par le Catholic Institute, sur lesquelles le secrétaire, un Irlandais, exhorte ses compatriotes à faire la sourde oreille aux propos de Gavazzi et à ne pas se déshonorer en troublant l'ordre public.

À Québec comme à Montréal, la population irlandaise s'est accrue de façon spectaculaire au cours des dix dernières années, celle-ci trouvant au Bas-Canada une vie paroissiale presque aussi fervente que dans la mère patrie. Connue comme «l'île des saints» depuis le cinquième siècle, l'Irlande a résisté à tous les orages et ni persécutions ni exodes n'ont eu raison de la vitalité catholique qui y règne et qui est devenue partie intégrante du nationalisme irlandais. Or ce peuple très pratiquant déraciné sur les rives du Saint-Laurent, d'autant plus fier de sa foi qu'elle incarne toute sa nostalgie, est d'une susceptibilité extrême.

Rue Sainte-Monique, la maison est en effervescence. Bastien ne prend aucune part à l'agitation, retenu à sa clinique, mais Julie, pour une fois détournée de la préparation fiévreuse de son trousseau, s'indigne à tout bout de champ du comportement immoral du frère apostat, qui n'hésite pas à déployer ses talents oratoires pour combattre le papisme et, de manière plus générale, les «abus» dont est coupable, à ses yeux, l'Église catholique depuis deux millénaires.

Nettement plus modérée, Archange ne peut cependant s'empêcher d'abonder dans le même sens que sa fille. Quels que soient les torts du pouvoir catholique à Rome, la hiérarchie catholique du Bas-Canada défend avec énergie les intérêts du peuple canadien-français qui, sans l'acharnement des évêques, aurait depuis longtemps perdu son identité, sa langue et sa religion! De plus, Archange réprouve fortement toute déclamation violente contre un système religieux quelconque. Ces questions soulèvent trop de passions, dans la colonie, pour qu'il soit prudent de les aborder !

Le lendemain, 9 juin, descendant déjeuner assez tard parce qu'elle a longuement tourné dans son lit avant de s'endormir, la veille au soir, Flavie s'informe auprès des deux servantes de la tournure des événements. Il y a bien longtemps qu'elle a compris le rôle vital de la domesticité dans la propagation des nouvelles ! En effet, Lucie et Guillemette sont déjà au courant de l'arrivée de Gavazzi au débarcadère, vers six heures du matin. L'homme en est descendu escorté d'une suite impressionnante, soit une cinquantaine de protestants de Québec qui se sont constitués sa garde personnelle, qui l'ont reconduit jusqu'à son hôtel, le St. Lawrence Hall, dans la Grande rue Saint-Jacques.

Bien leur en prit : les fauteurs de trouble, dont certains mercenaires renommés, engagés habituellement comme fiers-à-bras lors des élections, erraient dans les environs. La présence d'un détachement de constables municipaux n'impressionnait personne. Armés seulement de bâtons, payés la misérable somme de cinquante cents par jour, les agents étaient parfois recrutés parmi les prisonniers tout juste libérés ! Leur réputation lamentable tenait également à leur goût immodéré pour l'alcool. Fonction dénuée de tout prestige et dont les membres sont issus de la frange la moins instruite de la colonie, la police est généralement fort sympathique à la gueusaille !

Tout en mangeant machinalement, Édouard a étalé les gazettes autour en lui et il brosse, pour le bénéfice de Flavie, un portrait inquiétant de la situation telle qu'elle s'est présentée à Québec. La première lecture de Gavazzi, le 4 juin, a été accueillie dans un calme relatif. Se disant chrétien plutôt que protestant, il aborda l'un des thèmes chers à son cœur : l'aveuglement qu'entraîne le « système du papisme ».

Puisque les catholiques ne peuvent lire la Bible, ils n'ont pas la parole de Dieu. Leur ignorance est souhaitée par l'Église, qui veut ainsi étendre sa domination parmi le peuple et qui est parée, pour cela, à faire la guerre ! Malgré la gravité de la situation, Flavie et Édouard s'amusent franchement de la transcription légèrement goguenarde que font quelques papiers-nouvelles québécois du style inimitable de l'Italien. « *Oh ! de prriests, dey arre the devil, my dearr brodderrs ! Dey are murrderrerrs, men of blood and slaughterrs, and de Iesuits dey arre de soul of de devil !* »

Après cette première lecture du 4 juin, l'entourage de Gavazzi, fort de son succès, se mit en tête de lui en organiser une seconde, le 6 juin. C'était ajouter l'insulte à l'injure, commente Édouard Renaud en secouant la tête devant cet aveuglement. C'était faire fi non seulement des haines religieuses qui divisent la population de la colonie, mais également de l'orgueil du peuple irlandais, qui se fait copieusement traiter de tous les noms par les protestants les plus enflammés. Les catholiques sont représentés comme des imbéciles, des ignorants et des mendiants, et parmi eux, les Irlandais en sont la lie !

Dans ce contexte, il était à craindre que, déjà mis à mal à la première conférence, l'amour-propre irlandais ne proteste haut et fort contre tout outrage supplémentaire ! Parmi les huit ou neuf cents personnes qui assistèrent à la conférence du 6 juin, intitulée *L'Inquisition ancienne et moderne*, la voyoucratie avait placé quelques observateurs, subrepticement armés des célèbres bâtons ferrés irlandais. Dehors, une foule nombreuse s'était assemblée, plusieurs centaines d'hommes et de garçons irlandais maniant ostensiblement leurs bâtons et bourrant leurs poches de cailloux.

Une heure après le début de la conférence, Gavazzi était encore intarissable au sujet des persécutions de l'Inquisition. Il assurait qu'en 1848, quand les patriotes italiens entrèrent dans Rome, ils y trouvèrent un four où l'on faisait rôtir les enfants, ainsi que les oubliettes où tombait la victime par un jeu de bascule. Il affirmait que, rétablie par le pape, l'Inquisition s'étendait partout, mais que nulle part elle ne sévissait avec plus de rigueur qu'en Irlande! La Ribbon Society, une société secrète ultra-catholique transportée d'Irlande en Amérique, n'était-elle pas noyautée par des prêtres?

Un manœuvre irlandais hurla aussitôt son désaccord. Exaspérés, des auditeurs se jetèrent sur le trouble-fête, et l'empoignade dégénéra en une bataille générale entre Anglais et Irlandais. Dans les secondes qui suivirent, l'un de ces derniers sortit sa tête par une fenêtre du jubé et lança un appel sonore. Une bordée de pierres firent alors voler les vitraux en éclats, éteignant les lampes à gaz, tandis qu'une trentaine d'hommes armés de bâtons se ruaient dans l'édifice, en hurlant: «*Pull him out! Have his heart's blood!*» Bibles et livres de prières furent projetés en direction de Gavazzi pendant que la foule, en panique, déferlait comme un torrent hors du temple protestant.

Si Gavazzi réussit à s'enfuir jusqu'à une petite pièce où il s'est barricadé, son secrétaire n'eut pas cette chance; confondu avec Gavazzi, il fut sauvagement battu. Le désordre s'était ainsi terminé, laissant la ville entière «toute en émoi», selon les mots d'un journaliste du *Pays*. Se réunissant en assemblées spontanées, signant lettres publiques et articles de journaux, les protestants ont exprimé leur indignation de ne pouvoir, sans déplaire à ceux qui professent un credo religieux différent, s'assembler dans leurs propres sanctuaires dans un but tout à fait légitime! On réclamait auprès des autorités non seulement la punition des coupables, mais aussi des garanties concrètes pour que de tels actes ne se reproduisent plus.

Curieuse de sentir l'atmosphère qui règne dans la cité, libre de projets précis, Flavie passe une partie de la journée à déambuler dans les rues. Des attroupements se forment spontanément et chacun y va de ses commentaires. Certains lisent à voix haute les articles imprimés dans les papiers-nouvelles, et Flavie prend successivement connaissance de l'opinion des rédacteurs du *True Witness*, de la *Montreal Gazette* et du *Pays*. L'intelligence de l'éditorial de cette dernière gazette, d'un radicalisme plus modéré que *L'Avenir*, lui plaît tout particulièrement. Celui qui s'est improvisé orateur, un petit homme à la crinière blanche, proclame :

– Nous espérons que nos concitoyens seront assez sages pour ne pas exercer de violences contre le lectureur, comme beaucoup de personnes paraissent le craindre. Nous avons déjà entendu lecturer M. Gavazzi. Si ces lectures avaient le caractère calme et raisonné que produisent une sincère conviction et une étude consciencieuse, nous ne les réprouverions pas; mais nous nous devons de reconnaître que ce sont plutôt des déclamations furibondes d'où ne peuvent jaillir que des luttes regrettables entre les hommes de différentes croyances.

Fixée à six heures trente du soir pour qu'elle se termine avant la nuit, l'allocution de Gavazzi se fera dans un petit temple, Zion Church, où se réunissent habituellement les membres d'une secte issue du protestantisme, les congrégationalistes. Des billets pour y assister se vendent dans divers *bookstores* de la cité et Flavie s'ébahit de l'inconscience de ces Anglais qui, malgré la possibilité de violences, se pressent pour les acheter.

Le reste de la journée se déroule pour Flavie, rue Sainte-Monique, dans un calme relatif et dans la solitude absolue. Elle est tenaillée par l'envie de voir en personne le célèbre orateur, dont elle a admiré la prestance sur les portraits. Le prédicateur, de haute taille, porte son ancien costume monastique de l'ordre des Barnabites, une ample soutane noire ornée de deux croix tricolores, l'une sur la poitrine, l'autre sur l'épaule gauche. Ces médailles militaires aux couleurs de l'Italie rappellent à tous que Gavazzi fut tout récemment un révolutionnaire italien dévoué à la cause de l'unité politique italienne, mais amèrement déçu par la «trahison» du pape Pie IX.

Elle profitera donc de son envie d'assister au départ du dernier contingent du 20e régiment, ce soir, au débarcadère, pour tenter d'apercevoir Alessandro Gavazzi lorsqu'il se rendra, à pied, à l'église. Après un souper en solitaire, elle se vêt le plus confortablement possible pour sortir dans la chaleur encore lourde de la toute fin de la relevée, soit d'une jupe qui bat ses mollets, d'une chemise dont les manches lui vont jusqu'aux coudes et d'un corsage très léger. Elle dégringole la côte jusqu'à la rue Bonaventure, qu'elle emprunte avant de déboucher sur la vaste place du Marché au foin, à l'extrémité nord de la rue McGill.

De sa position, Flavie embrasse un vaste panorama : plus haut sur la place, flanquée par le bâtiment qui abrite la pesée, se dresse, au coin des rues Sainte-Radegonde et Latour, la sobre Zion Congregational Church, et derrière celle-ci, en haut du raidillon, un autre temple protestant, l'Unitarian Church, et enfin la rue Lagauchetière. Au sud se trouve le carré des Commissaires, qui loge une caserne de pompiers. Les deux places grouillent déjà de monde, beaucoup d'hommes et quelques femmes sobrement vêtus qui se rendent écouter l'orateur, mais surtout des Irlandais qui arrivent, par la rue McGill, de Griffintown...

Le cœur battant, Flavie réalise qu'escorté par plusieurs dizaines de ses amis Alessandro Gavazzi est en train de traverser la rue Craig. Nécessairement, il passera à proximité ! Vêtu seulement de sa soutane noire, massif et de haute taille, l'homme a un port de tête impressionnant, couronné de cheveux foncés, et un nez aquilin proéminent. Bientôt, il s'engouffre dans le temple et c'est alors que Flavie remarque la présence, près des portes, de plusieurs dizaines de constables, armés de leurs bâtons bleus. Une défense naïve dont les Montréalistes se gaussent lorsqu'elle est comparée aux pistolets et aux gourdins en vogue parmi la gueusaille !

Sans plus attendre, Flavie s'empresse de traverser la place encombrée, mais d'un calme impressionnant, pour se précipiter au port. Après trois années de bons et loyaux services, le dernier contingent du 20ᵉ régiment est en train de monter à bord d'une barque à vapeur à destination de Québec, salué par la fanfare du 26ᵗʰ Cameronians, son remplaçant fraîchement arrivé de Gibraltar avec une réputation de fiabilité et de stabilité. Parmi la foule, Flavie assiste à la cérémonie haute en couleur, admirant la splendeur des uniformes magnifiés par les rayons du soleil couchant.

Renommés pour leur galanterie, les officiers du régiment anglais partant ont animé la belle société de leur présence grâce à des bals somptueux, d'amusantes batailles rangées de boules de neige sur le fleuve gelé et des assemblées populaires sur la tempérance et l'hygiène publique. Les soldats et leurs officiers n'ont eu, depuis l'incendie du parlement du Canada-Uni en 1849, aucune altercation majeure à réprimer. Depuis l'élection, en 1851, du maire Charles Wilson, d'ascendance à la fois française et écossaise et de surcroît marié à une Irlandaise, le conseil de ville a fait des efforts notoires pour tenter de pacifier la cité et de la délivrer de l'esprit de rébellion qui se manifestait à chaque élection et qu'encourageait la coutume d'embaucher des mercenaires pour «contrôler le poll».

Néanmoins, le spectacle ne peut rivaliser avec celui qui se déroule à ce moment dans les environs de Zion Congregational Church et, dès que sa curiosité initiale est assouvie, Flavie retourne sur ses pas à belle allure. Le carré des Commissaires et la place du Marché au foin accueillent maintenant une foule compacte, parmi laquelle elle décèle immédiatement la présence de nombreux Irlandais, mais également de citoyens qui, comme elle, sont curieux de la suite des événements.

Peu à peu, elle réussit à s'approcher du temple protestant, où elle voit que les constables, qui sont environ au nombre de soixante-dix, ont été déployés en deux rangées parallèles, l'une vis-à-vis du lieu de l'événement, l'autre à une certaine distance, face à la foule. La force policière est dirigée par un capitaine à cheval, qui s'empresse de disperser tout attroupement qui se forme dans les parages.

Un éclat de voix parvient à Flavie, qui réalise avec surprise que, par les portes grandes ouvertes du temple, la voix tonitruante de Gavazzi se déverse sur toute la largeur de la place. Plutôt que de s'éloigner comme elle en avait l'intention, Flavie demeure clouée sur place, fascinée par la grandiloquence pleine de musicalité de l'Italien, qui ne s'interrompt que pour laisser ses auditeurs, dans le temple, l'applaudir avec un enthousiasme délirant.

Prêtant l'oreille, elle constate avec une grimace que, comme à Québec, Gavazzi est en train de disserter sur la question des écoles séparées, qui est un brandon de discorde dans la colonie. Les tumultes des débats actuels des députés du Canada-Uni se répercutent dans toute la colonie! Au Bas-Canada, on clame à tout vent que des écoles neutres mettraient en danger la survie du peuple canadien-français. Mgr Ignace Bourget et ses compères tiennent mordicus à ce que les écoles soient confessionnelles et à ce que l'enseignement soit sous leur supervision, tandis que les protestants penchent nettement pour des écoles neutres.

Tournant en ridicule l'école catholique italienne, qui préfère l'étude prolongée du latin et du grec à toute autre discipline, Gavazzi est en train d'affirmer que le clergé de son pays a besoin du latin pour aveugler et dominer, et que le but des autorités catholiques romaines est «de détruire toute lumière, toute vraie science, toute liberté d'examen». Il en va de même, prétend-il, en Irlande, où les prêtres laissent les pauvres catholiques dans une ignorance brute. Favorisé de nature par un cœur ardent et un esprit souple, ce peuple ressemble aux Italiens, mais demeure grossier et sauvage parce qu'il est asservi à ses prêtres!

Exaspérée, la foule qui environne Flavie ponctue chaque déclaration de Gavazzi par des huées, puis finit par chercher à s'approcher du temple dans un mouvement irrésistible. Effrayée d'être ainsi entraînée à son corps défendant, Flavie décide de s'éloigner et elle pivote résolument en ce sens... pour tomber nez à nez sur un visage familier, qui lui arrache un cri de surprise.

– Daniel! Que diable fais-tu ici?

– Je pourrais te retourner la question! Ce n'est vraiment pas prudent, Flavie!

– Je partais, viens!

Comme il est fort malaisé d'aller dans le sens contraire du mouvement de la masse, Daniel se place derrière Flavie et la saisit vigoureusement par les épaules. Tous deux pressés l'un contre l'autre, ils réussissent finalement à se dégager du plus dense de la foule et vont se placer parmi les rangées de spectateurs qui, de loin, observent la scène tout en échangeant moult commentaires entre eux. «Gavazzi est comme le moulin de Lachine, qui ne s'arrête plus quand il est parti!» Et à propos des agitateurs irlandais: «La race des gueux ne se perdra pas, il n'y a pas de mortalité de canaille!»

Essoufflée et le corps couvert de sueur, mais ravie de l'arrivée providentielle de son ami d'enfance, Flavie cède au désir subit de pirouetter pour lui donner une brève accolade. Daniel l'étreint sans se faire prier, prenant un plaisir manifeste à se presser de tout son long contre elle. Troublée par l'intensité de sa propre réaction, elle se dégage aussitôt et jette un regard songeur sur ses traits animés, sur ses grands yeux d'un vert sombre, sur sa bouche large et son nez fort qui semblent lui manger le visage. Ses courts cheveux blonds, habituellement repoussés vers l'arrière, volettent en tous sens.

Flavie ne peut retenir un large sourire de plaisir et le jeune homme ébauche le geste surprenant de se pencher vers elle, comme s'il voulait l'embrasser… Saisie, elle s'écarte rapidement, pour se retourner ensuite vers le temple où les constables luttent maintenant au corps à corps avec les Irlandais en colère. D'un geste possessif qui émeut la jeune femme, Daniel entoure d'un bras protecteur le haut de sa poitrine, avant de glisser à son oreille :

— Il était temps de s'écarter… Quand je t'ai aperçue là, mon sang n'a fait qu'un tour ! La troupe est stationnée tout près d'ici, rue Craig, dans un petit bâtiment. J'ai vu les soldats, il fait chaud comme le diable, ils ont dû laisser toutes les portes ouvertes… Bon sang, qu'est-ce qu'on attend pour l'appeler ?

Même à près de cent pieds de distance, Flavie entend parfaitement chacune des phrases du conférencier, qui proclame dans un anglais mâtiné d'un épouvantable accent italien la nécessité des écoles séparées. « Il appartient à l'État d'éduquer ses citoyens. Les écoles catholiques du Haut-Canada sont, dit-on, d'esprit libéral ? Ne vous y trompez pas ! Le système catholique ne peut pas changer. Le clergé préfère l'ignorance, la grossièreté et la brutalité chez ses fidèles à la civilisation éclairée des classes laborieuses protestantes ! » Les événements récents survenus à Québec, tonitrue Gavazzi, sont la preuve de l'ignorance irlandaise et de son corollaire, l'intolérance !

– L'imprudent! gronde encore Daniel. La foule est gonflée à bloc! Toute la journée, son escorte réchauffée par le gin a claironné qu'elle allait faire feu sur les manifestants si l'occasion s'en présentait, pour se venger enfin de l'assaut des Irlandais de la basse-ville de Québec! C'est de l'inconscience, Flavie, et notre homme devra en répondre devant le Créateur!

Soudain, l'attroupement devant le temple refuse de céder davantage aux pressions des constables, qui ont alors droit à une volée de roches. Une courte mais intense mêlée s'ensuit, à l'issue de laquelle la force constabulaire, débordée en nombre et en force, de surcroît parfois sympathiques aux protestataires, doit prestement abandonner le contrôle des lieux au peuple en colère. Les deux chefs de police, blessés par les pierres lancées à bout de bras, sont en train d'être transportés chez le Dr Mac-Donnell, dont la maison donne sur la place.

À l'instant même, comme c'est la brunante, les lampes à gaz de l'église Zion s'allument, révélant comme sur une scène de théâtre la sortie en trombe d'un individu coiffé d'un haut-de-forme. Aussitôt, il est assailli de projectiles et deux coups de pistolet retentissent. Le chapeau s'envole et l'homme bat précipitamment en retraite. Ces détonations alarment la multitude autant que les constables, et tous reculent en un puissant mouvement de ressac. Tous les sens en alerte, Flavie est pétrifiée. Elle voudrait se persuader que les choses vont en rester là, mais Daniel la détrompe en affirmant, le souffle court:

– Que crois-tu? Ceux qui sont à l'intérieur, y compris l'escorte de Gavazzi, sont armés jusqu'aux dents! Cette après-dînée, on a proposé au maire les services de deux cents hommes comme agents de police supplémentaires.

— Les agents de police spéciaux! s'exclame Flavie, moqueuse. Plus souvent qu'autrement, aux élections, ce sont eux qui partent la bagarre!

— Ces hommes ne se sont pas laissé abattre, crois-moi. Ils noyautent la foule des auditeurs de Gavazzi...

La voix du jeune homme meurt. L'atmosphère est électrisante: les Irlandais, maintenant maîtres du parvis, sont en train de rassembler leurs forces pour, semble-t-il, lancer une attaque en règle contre l'orateur italien! Fascinée et affolée tout à la fois, Flavie entoure de son bras la taille de son ami et se presse contre lui. Soudain, venant de l'intérieur du temple congrégationaliste, des dizaines d'hommes apparaissent, armés de fusils de chasse, de pistolets et de bâtons, et font feu incontinent. Par réflexe, comme tous ses voisins, Flavie se laisse tomber sur le sol, sa chute encore accélérée par Daniel qui la pousse par terre.

Ils ne distinguent plus rien, mais entendent des cavalcades, des cris et des tirs isolés. Chacun lève la tête avec précaution, à temps pour constater que les défenseurs de Gavazzi ont fait détaler vers la rue Craig la gueusaille qui, rassemblée au coin du bâtiment de la pesée, agite chapeaux et armes en vociférant. Un peu plus bas, d'autres voyous sont en train de se regrouper, dans la semi-obscurité, près du poste de pompiers au carré des Commissaires.

Enfin, les défenseurs de Gavazzi se replient vers le temple, accueillis à leur entrée par une tempête de vivats. Quelques-uns d'entre eux restent sur le parvis pour garder la porte. Abasourdis, les deux jeunes gens se remettent debout et Daniel époussette avec sollicitude les vêtements de Flavie, qui le laisse faire sans protester. Répétée par toutes les bouches, une nouvelle leur parvient alors : deux jeunes Irlandais ont été grièvement touchés par les tirs et on est en train de les transporter au domicile du Dr Mac-Donnell.

Enragés par la tournure des événements, tous ceux qui ont détalé devant la charge furieuse en provenance de l'intérieur de l'église reviennent dans les parages sans que les constables y puissent grand-chose. Flavie serre convulsivement la main de Daniel :

– Je ferais mieux de rentrer.

Le jeune homme réagit avec un intense dédain :

– Ton mari va te sermonner quand il apprendra ta présence ici !

Avec une violence soudaine, elle riposte :

– Je m'en balance, de l'opinion de mon mari !

Un sourire de surprise et de contentement mêlés étire ses lèvres, et de nouveau, Flavie a l'impression qu'il ne pourra résister à l'envie de se pencher pour l'embrasser. Mais un brouhaha se fait parmi les spectateurs voisins. Rue Craig, les soldats viennent d'arriver d'un pas rapide, suivis par un groupe de badauds vociférant. La petite troupe d'hommes armés qui garde Zion Church lève ses armes en signe d'allégresse, hurlant : « *Hurrah for the 26th, the gallant Cameronians!* »

Faisant face aux rebelles irlandais, les soldats sont déployés en une ligne, au repos, leurs armes abaissées. Daniel pousse un audible soupir de soulagement :

– Et voilà. Les troubles sont terminés. Plus rien ne presse, jolie fauvette…

Et ce disant, il place ses deux mains sur la taille de sa compagne qui lui fait dos. Saisie, Flavie reste parfaitement immobile. La décence lui commanderait de repousser fermement les attentions de Daniel, et la plus élémentaire prudence, de quitter les lieux, mais elle ne peut se résoudre à ni l'un ni l'autre, retenue captive par la pression et la chaleur de ces deux mains d'homme, celles de son Daniel, de qui elle a reçu son premier baiser... Elle a l'impression de retrouver le fil d'une belle histoire, d'un récit abandonné après avoir tourné seulement quelques pages du livre.

Languissante, elle murmure :

— Tu crois qu'à Gibraltar ces soldats avaient l'habitude d'affronter des *hoodlums* ?

— Pour le sûr, devant un tel déploiement de force, les *hoodlums* n'auront pas le choix que de sacrer leur camp !

Sous les murmures de la foule de badauds qui apprécie le spectacle, et tandis que l'église paroissiale sonne huit heures du soir, les soldats se remettent bientôt en marche afin d'adopter une nouvelle position plus haut sur la place du marché, en deux rangées placées dos à dos et séparées d'environ cent cinquante pieds, l'une faisant face à Zion Church, l'autre, à la rue Craig et au poste de pompiers en contrebas.

Pendant un bon moment, Flavie et Daniel commentent la mine de ces soldats anglais fraîchement débarqués, puis admirent les uniformes dont les couleurs se devinent sous la poussière des chemins. Comme s'il était son cavalier et Flavie, une demoiselle, Daniel se permet des effleurements suggestifs qui plongent la jeune femme dans un véritable enchantement qu'elle est incapable de rompre.

Après quinze ou vingt minutes, Daniel murmure d'une voix rauque à l'oreille de Flavie qu'il serait temps qu'il la reconduise jusque chez elle. Frémissante, Flavie accepte d'un signe de tête et tous deux choisissent le chemin qui semble le plus sûr, soit vers le haut de la place, par la côte du Beaver Hall. Ils se sont à peine éloignés que Daniel profite d'un coin sombre pour, de nouveau, emprisonner la taille de Flavie entre ses deux mains. Ses yeux luisant dans la pénombre, il la regarde gravement et murmure :

– Je n'en peux plus, Flavie. Depuis des mois… Depuis des mois, tu as envahi mes pensées.

Fugacement, Flavie songe au regard énamouré que Cécile coule à la moindre occasion vers leur ami irlandais. L'image de Bastien lui apparaît ensuite, qu'elle repousse avec une sorte de férocité. Elle se sent comme hors du temps, dans un univers parallèle où le monde réel n'existe plus… Le feu de la révolte s'échappe d'elle comme une lente mais souveraine coulée de lave et, sans rien dire, elle se presse contre Daniel de tout son corps. Avec un grognement affamé, il se penche sur elle et la ploie vers l'arrière en l'embrassant avec une sauvagerie qui précipite Flavie dans les affres d'un désir impérieux.

Elle le force à s'appuyer contre le mur, elle se hausse sur la pointe des pieds et s'arc-boute de ses mains contre le mur tout en le dévorant de la bouche et de toute la faim de son corps appuyé contre le sien, en un geste viril. Daniel la saisit par les fesses et pivote pour, à son tour, peser sur elle de tout son long. Il balbutie avec un mélange de fièvre et de provocation :

– Fichtre ! Il y a si longtemps que ton mari t'a honorée ?

Elle souffle :

– Ces temps-ci, je suis plutôt refroidie à son égard.

– Il me semblait bien, aussi… Parce que, autrement, bien entendu, je t'aurais respectée.

– Bien entendu...

Sans se presser, par-dessus la chemise et le corsage de Flavie, il pétrit ses seins tout en frottant lascivement la bosse dans son pantalon contre son entrejambe. Lorsqu'il veut insinuer ses doigts entre les boutons de son corsage, elle s'arrache à son baiser pour murmurer :

– Pas ici...

À regret, il se détache d'elle et tous deux s'accordent une minute, face à face, pour calmer leur souffle. C'est Flavie qui lui saisit la main et l'entraîne à marcher. Ils reprennent contact avec la réalité, la vaste place séparée par la rue Craig et éclairée par des torches fixées à des parois, par quelques réverbères et par les lampes à gaz de Zion Church, les soldats postés sur deux rangées de part et d'autre du temple, et les centaines de badauds qui vont et viennent. Les auditeurs de Gavazzi sont en train de sortir de l'église, s'attardant pour contempler, manifestement étonnés, l'aspect insolite des lieux.

Une agitation soudaine attire l'attention des deux jeunes gens, qui, de leur position, dominent la scène des hostilités. En provenance du bâtiment de la pesée, une volée de roches fend l'air en direction du porche de l'église. La masse d'auditeurs, qui comprend quelques femmes et enfants, cherche aussitôt protection en se précipitant vers les soldats. Estomaqué, Daniel s'exclame :

– Les trouble-fêtes ont contourné la place ! Mais que font les constables ?

Quelques détonations éclatent et, en riposte, les hommes armés qui se sont donné pour mission de protéger Gavazzi font feu pour la deuxième fois. Du côté du bâtiment de la pesée, les Irlandais vindicatifs malmènent quelques membres de l'auditoire qui tentent de gagner la rue Notre-Dame. En l'espace d'une minute, la confusion est devenue totale. Dominant les cris, la voix reconnaissable du maire de la cité, Charles Wilson, se fait entendre, hurlant de ne pas s'approcher des troupes.

Un mouvement dans le secteur sud du Marché au foin attire l'attention de Flavie et de Daniel : des dizaines d'hommes courent en direction du temple, hurlant et tirant des coups de feu. À mesure que les soldats sont pressés de toutes parts par la foule, incapables de savoir s'il s'agit de protestants ou d'Irlandais, le maire se met à lire le *Riot Act* d'une voix chevrotante. « *Our Sovereign Lady the Queen chargeth and commandeth all persons, being assembled, immediately to disperse themselves, and peaceably to depart to their habitations or to their lawful business...* »

L'inconcevable se produit alors. À peine le maire a-t-il terminé qu'un cri déchire l'air : « *Fire! Fire!* » Sous les yeux stupéfaits de Flavie et Daniel, les soldats situés en contrebas, et qui leur font dos, tirent une salve. Ils n'ont pas le temps de s'étonner que les fusils aient été armés : des balles sifflent à leurs oreilles. La division supérieure des fantassins, qui leur fait face, vient d'ouvrir à son tour le feu. Comme une machine sans âme, l'armée tire sur des innocents !

Clouée sur place, Flavie voit un officier courir au-devant de ses troupes au péril de sa vie, forçant les canons des fusils à se redresser vers le ciel. Tandis que d'autres gueulent « *Cease firing!* », Flavie tressaille : quelques personnes s'affaissent autour d'elle. Daniel pousse un cri de douleur, puis il porte la main à son bras gauche, où sa chemise s'orne déjà d'une tache de sang. Flavie se jette sur lui pour le forcer à se précipiter par terre. Mais déjà, un grand calme tombe sur la place, un calme étrange et terrifiant que vient commander, mais trop tard, le son du clairon.

Autour des deux jeunes gens, des blessés se lamentent, aussitôt secourus par les bonnes âmes qui sont à proximité. Rongée d'inquiétude, Flavie détache fébrilement la chemise de Daniel et la retire, découvrant le triceps de son bras gauche proprement troué par une balle qui, par miracle, en semble ressortie. Déchirant une manche du vêtement, Flavie en fait un garrot qu'elle installe au-dessus de la blessure. Blême comme un drap, Daniel respire difficilement. L'écoulement de sang cesse bientôt, d'autant plus que Flavie lui tient le membre relevé vers le ciel. Après quelques minutes, elle panse sommairement la blessure avec une autre partie de la chemise et lui ordonne de tenir son bras contre sa poitrine.

À ce moment seulement, elle s'autorise à jeter un regard autour d'elle. Plusieurs hommes sont allongés sur le sol et gémissent; à ce qu'elle peut constater, ils sont pour la plupart blessés aux jambes. Récapitulant mentalement les événements récents, elle comprend qu'une partie des fantassins ont délibérément pointé le canon de leurs fusils vers le ciel, mais cet angle devenait extrêmement dangereux pour tous ceux qui se tenaient sur la côte du Beaver Hall!

Flavie saisit Daniel par le cou et l'embrasse d'abord sur la joue, puis sur la tempe, et enfin sur la bouche, avec passion. Le jeune homme, qui reprend progressivement ses esprits, réussit à lui sourire faiblement et murmure:

— Ne cesse surtout pas. Toutes les gardes-malades devraient agir ainsi. Le sang se concentre principalement au milieu du corps…

Flavie lui obéit et continue un moment, puis elle s'assoit à ses côtés, tremblante d'une puissante frayeur rétrospective. Tous deux l'ont échappé belle! Daniel grommelle avec un mélange de fureur et d'incompréhension:

— Celui qui a ordonné le tir devra en répondre devant la cour martiale!

— Un officier?

— M'étonnerait, à moins qu'ils soient tous de fieffés couards...

Autour de Flavie et de Daniel, des torches et des lanternes sont tenues à bout de bras pour assister les efforts des secouristes qui transportent les blessés vers le domicile du docteur MacDonell. Les deux jeunes gens se mettent enfin debout, se moquant de leurs jambes flageolantes; le bras de Daniel sur l'épaule de Flavie, ils s'ébranlent en direction de la rue Saint-Joseph et des bons soins de Léonie.

Comme chaque pas provoque une douleur lancinante dans le bras du jeune homme, ils cheminent lentement en plein milieu de la rue étonnamment déserte. Les Montréalistes se terrent! Flattant de sa main libre l'épaule de Flavie, Daniel regrette à voix basse la tournure des événements, qui les empêche de s'adonner à leur libertinage... Pour l'en consoler, Flavie glisse sa main sur sa croupe et caresse un moment les muscles qui se durcissent à chaque foulée. Ils passent alors devant une porte cochère; le jeune homme y pousse sa compagne et l'adosse de nouveau à la paroi pour entreprendre, fébrilement, de détacher les boutons de son corsage. Elle proteste en riant:

— Mais que fais-tu? Tu es bien mal équipé...

— Si peu...

Instantanément soumise, elle s'abandonne à son étreinte gourmande, mais, comme il ne peut se permettre des gestes brusques, tout empreinte de retenue. Le danger auquel ils ont échappé fait courir dans leurs veines un tel appétit pour la vie et la jouissance que bientôt, à moitié dénudée, Flavie remonte sa jupe et baisse ses pantalettes pour le laisser la pétrir de ses doigts... Mais soudain pris de faiblesse, il s'affaisse contre elle et Flavie lutte pour ne pas le laisser s'écraser au sol comme un pantin désarticulé.

Heureusement, il se ressaisit aussitôt et secoue la tête un long moment, sans comprendre. Flavie souffle :

— Daniel, tu as perdu du sang, il faut rentrer...

Il se laisse glisser, assis par terre, contre la paroi et pose sa tête sur son bras replié. Pendant qu'il récupère ainsi, Flavie se rhabille soigneusement, puis elle lui enjoint de se relever. Dix minutes plus tard, ils sont en vue de la maison. Flavie refuse de l'accompagner à l'intérieur. Elle est pressée de rentrer chez elle et, en plus, elle se sait incapable, en présence de Daniel, de jouer devant les autres le rôle d'une bonne amie, d'une presque sœur...

Il s'inquiète de la savoir seule dans les rues, mais elle le rassure d'un geste chaleureux de la main, puis elle prend son envol. Surexcitée à la fois par les attentions de Daniel et par les événements de la soirée, elle court jusque rue Sainte-Monique. Son entrée fait sensation parmi sa belle-famille, alarmée par l'écho des détonations qui s'est répercuté, sans nul doute, jusqu'au faîte du mont Royal ! Aussitôt, Bastien s'écrie :

— Ma pauvre chérie, tu es blessée ?

Le sang de Daniel macule sa chemise et son corsage. Elle s'empresse de le rassurer, puis elle réclame un grand verre d'eau. Enfin désaltérée, elle se laisse tomber dans un fauteuil du salon et se met à raconter son odyssée à la maisonnée entière, les deux domestiques y compris. Lorsque Bastien finit par réaliser qu'elle se trouvait à l'endroit même où les violences étaient susceptibles de faire éruption, il réagit avec emportement, l'accusant d'une sotte inconscience. Pour une fois, Julie se fâche contre lui :

– Mais laisse-la ! C'est passionnant, ce qu'elle nous raconte !

Soulagée que son émoi soit attribué à une tout autre cause, Flavie narre sa rencontre avec Daniel, puis les événements subséquents jusqu'aux salves des fantassins. Ses auditeurs n'en reviennent tout simplement pas, son beau-père se montrant le plus véhément parmi eux :

– Les soldats ? Ce sont les soldats qui sont responsables de cette fusillade ? Corne de bouc ! Enfer et damnation !

Flavie ne l'a jamais entendu jurer de la sorte, comme un charretier, et elle s'en amuse fort. Puis, croisant le regard de Bastien, elle plaide :

– Demain, tu iras vérifier si maman a bien soigné Daniel ?

Il acquiesce d'un hochement de tête machinal, avant de se pencher vers elle et d'articuler :

– Je veux être sûr de t'avoir bien comprise… Si Daniel était à côté de toi et s'il a été touché…

– Par le bon Saint-Joseph ! s'écrie Archange. Ma bru, vous avez risqué votre vie !

– Tout à fait sans le vouloir, je vous l'assure ! Nous étions déjà éloignés, en chemin vers la maison ! Bien malin qui aurait pu prévoir la suite des événements !

Une discussion générale s'ensuit, dans laquelle s'enchaînent les reproches d'abord envers le comportement imprudent de Flavie, puis envers la témérité de Gavazzi et de ses partisans, et enfin envers l'intolérance excessive de quelques poignées d'Irlandais. Le sujet épuisé, Bastien se tourne vers sa femme et lui propose de monter se changer, ce à quoi elle consent. Après avoir souhaité une bonne nuit, malgré tout, à ses parents et à sa sœur, le jeune médecin entraîne Flavie à l'étage. Dans leur boudoir, il l'enlace et l'embrasse avec ferveur sur la tempe.

– Moi qui te croyais en sécurité chez tes parents... Je devrais pourtant avoir ma leçon, depuis le temps!

L'étreinte de Bastien fait frissonner Flavie des pieds à la tête, comme si chacun de ses nerfs communiquait directement avec la surface de sa peau. En même temps, elle se sent singulièrement déplacée entre les bras de son mari et elle s'ennuie de son grand et sinueux Daniel qu'elle désirait tant, tout à l'heure... Elle veut s'écarter, mais Bastien la retient un moment:

– Tu sens la poudre, tiens... Et un mélange de toutes sortes de choses...

Il la délivre enfin, un léger sourire aux lèvres. Ne pouvant plus supporter ses vêtements poisseux, Flavie se retrouve nue en un tournemain et elle s'empresse de se laver à la débarbouillette. La sensation de l'eau fraîche sur son corps est délicieuse et Flavie s'y abandonne avec l'impression bienheureuse, néanmoins illusoire, d'effacer de sa mémoire toute la violence dont elle a été témoin...

Elle enfile ensuite une légère chemise de nuit et elle se penche vers l'avant pour défaire ses tresses, démêler ses cheveux avec ses doigts, et se donner quelques coups de peigne. Ses jambes ne la supportent plus et elle s'assoit à l'extrémité de sa couche. Il fait chaud dans la pièce et, installé à la tête du lit, le dos supporté par des coussins, Bastien a retiré sa chemise et son pantalon à bretelles, pour ne garder que son sous-vêtement dont les jambes s'arrêtent aux mollets. Il ronchonne :

— Mais ne reste pas là ! On croirait que tu vas t'affaisser comme une poupée de son ! Viens me voir...

Elle lui jette un regard surpris. Déchiffrant sa réaction, il s'empourpre légèrement. Il y a bien longtemps qu'il ne lui a pas offert, ainsi, l'abri de son bras ! Depuis cette soirée enivrante du début du printemps, alors que Marguerite était tirée d'affaire, leurs rares étreintes sont devenues presque machinales... Avec un profond soupir, Flavie traverse toute l'étendue du lit. Confortablement calée contre lui, elle ferme les yeux, envahie par un curieux mélange de contentement et d'amertume. Il faut donc qu'elle mette sa vie en péril pour qu'il semble apprécier sa présence ? Il murmure :

— Tu avais oublié le chemin jusqu'à moi...

Elle fait une moue de remords. C'est vrai que, ces temps-ci, elle reste blottie de son côté de lit, avec une fierté plutôt ombrageuse ! Elle répond sur le même ton :

— Je ne peux pas faire autrement. Il paraît que les épouses doivent se sacrifier pour leur mari, mais moi... moi...

— Toi, je peux te lire comme un grand livre ouvert. J'aime mieux ça, va. J'aime mieux que tu ne fasses pas semblant. Parce qu'un jour tu finirais par faire semblant que tu tiens à moi...

Flavie reste muette, troublée par les mots doux de son mari, troublée aussi par le combat farouche que deux hommes se livrent en elle, deux hommes auxquels, à l'instant même, elle tient comme à la prunelle de ses yeux… Si elle s'ennuie intensément de Daniel au point d'en avoir l'estomac noué, elle voudrait tant entendre Bastien lui dire qu'il l'aime encore et qu'il n'est pas fâché des problèmes qu'elle lui cause!

Harassée, elle déclare bientôt forfait, se laissant aussitôt couler dans un double bien-être, celui d'être étroitement collée à Bastien et celui de caresser mentalement Daniel. Elle imagine ce dernier, couché sur sa paillasse, revivant leurs caresses en pensée… Deux fois stimulé et deux fois inassouvi, son désir se ranime alors, faisant circuler dans tout son corps une énergie revigorante. Machinalement, elle pose sa main sur le torse de Bastien, puis elle fige et se sent rougir. Quelle indécence! Après avoir failli se rendre coupable du péché d'infidélité, elle continue de convoiter son prétendant tout en faisant des avances à son mari! Le curé Chicoisneau se croirait en droit de lui imposer une très sévère pénitence!

Elle veut retirer sa main, mais Bastien vient la maintenir fermement en place en y posant la sienne. L'évidence la frappe comme un coup de poing: elle est capable de vouloir deux hommes en même temps. Bastien lui semble rayonner d'un tel charme… Ses formes mâles, la texture de sa peau, et surtout le souvenir de la beauté de leurs anciennes étreintes, tout cela la réchauffe plus sûrement qu'un grand feu de joie.

En quelque sorte éblouie par cette révélation, Flavie repousse le plus loin possible le remords et la culpabilité que ce comportement devrait susciter en elle. Avec Françoise, elle a souvent débattu de la question du Mal, de la femme tentatrice portant le péché dans sa chair. Elle a retiré de ces discussions un enseignement très clair : comme en bien des domaines, elle préfère se fier à son propre instinct, qui la convainc que ce que les hommes détestent par-dessus tout, ce sont des femmes libres d'accorder leurs faveurs à d'autres qu'eux-mêmes. Sur cette jalousie et cet instinct de possession s'est érigé un système de valeurs fort complexe !

Mais ce sont encore des pensées confuses, que Flavie n'a aucune envie d'approfondir en cet instant. Envahie par une intense jubilation à la perspective de baiser deux hommes en même temps, elle tourne la tête pour poser ses lèvres sur l'épaule ronde et musclée de son mari. Il répond aussitôt à ce signal en l'attirant vers lui et en la faisant s'asseoir à califourchon sur le haut de ses cuisses. Son emportement, mâtiné d'une évidente tendresse, émeut profondément Flavie qui avait oublié à quel point, à défaut d'une déclaration d'amour, il sait lui parler avec ses gestes...

Lorsqu'elle veut se pencher pour ouvrir le tiroir de la table de chevet, il la retient de toute la force de ses bras. Avec un sourire, elle murmure :

– C'est encore trop tôt ? À ta guise, mon ange. Mais prends garde, ce n'est pas pour rien que je te convoite tant...

Il néglige de répondre et, la tenant fermement de ses mains sous les aisselles, il parcourt son torse entier de sa bouche, la faisant gémir et bouger lascivement des hanches contre son membre gonflé. Parfois traversée d'images de Daniel l'honorant de ses caresses, elle est grisée par l'impression que c'est sa main ou son sexe qui la touche... Elle ignorait que de telles pensées, d'une impudicité outrancière, pouvaient stimuler à ce point l'envie de luxure !

D'un mouvement irrésistible, Bastien la soulève pour la pénétrer aussitôt. Captive de l'exquise sensation, elle ne peut s'empêcher d'aller l'embrasser avec avidité jusqu'à ce qu'une voix, d'abord imperceptible, enfle dans son esprit. Ses fleurs se sont terminées cinq ou six jours auparavant. Il y a danger de concevoir... Elle cherche alors à se dégager, mais il emprisonne ses hanches de ses bras avec une telle force! Sa langue sur la pointe de son sein l'enivre et elle ne peut faire autrement que de répondre à ses poussées intenses en l'enserrant de toutes ses forces.

Cependant, son malaise s'intensifie et elle se ressaisit suffisamment pour l'agripper par les cheveux et tirer sa tête vers l'arrière. Il la contemple avec des yeux agrandis par la concupiscence. Elle intime :

— Suffit. Je veux une baudruche.

Et ce disant, elle quitte sa position pour descendre en bas du lit et tirer l'engin de son tiroir. Mais déjà, debout devant elle, Bastien le lui arrache et le jette au loin, à l'autre extrémité de la pièce, avant de refermer le tiroir avec un bruit sec. Estomaquée, elle le considère avec égarement tandis qu'il l'empoigne et la fait reculer jusqu'au mur, à côté de la fenêtre béante par laquelle entre la touffeur de la nuit. La plaquant de tout son poids, il soulève une de ses jambes et la place autour de ses hanches, avant de s'insinuer de nouveau en elle tout en venant capturer sa bouche avec la sienne.

Il veut lui faire un enfant! L'esprit tout entier de Flavie se rebelle contre cette intrusion. Elle ne veut pas d'enfant! Du moins, pas encore... Elle veut passer ses soirées à lire des livres, ou à assister à des conférences, ou à accompagner une délivrance, mais pas à torcher une meute de marmots! Cependant, elle imagine un petit visage confiant et un amollissement irradie en elle du centre de son corps. Leurs rejetons, à Bastien et elle! Le fruit de leur union... Cette union qu'elle apprécie encore, malgré les désaccords, et dans laquelle, ce soir, elle a envie de couler comme, par une glaciale nuit d'hiver, dans un lit aux couvertures pesantes.

Il paraît que les maris ont un droit inaliénable sur celles qu'ils ont épousées. Il paraît qu'ils peuvent exiger autant d'étreintes que ça leur chante, et de même, autant d'enfants. Il paraît que leur autorité s'étend jusque sur les entrailles de leurs femmes, qu'ils peuvent engrosser à loisir! La phrase insultante de Louis Cibert résonne aux oreilles de Flavie, puis certaines confidences des patientes de la Société compatissante, qui insinuent que leurs maris ont la délicatesse de taureaux en rut...

Ces pénibles songeries se succèdent dans la tête de Flavie, mais elle est physiquement incapable de s'insurger contre les langoureux assauts de Bastien, qui l'asservissent bien plus sûrement qu'une poigne de fer. Car même avec toute sa force déployée, il ne pourrait la soumettre sans être obligé de commettre un viol honteux, se faisant mordre, griffer et rouer de coups! Mais bien au contraire, il la comble avec un art consommé et comme elle était déjà, à son entrée dans la chambre, frémissante comme une biche à la saison des amours...

Transportée vers le sommet du plaisir, Flavie écarte les bras et les plaque contre le mur. Il s'arc-boute encore davantage contre elle, puis il vient mettre ses avant-bras sous les siens, posant ses doigts dans la paume de ses mains. S'immobilisant un instant, il plonge son regard dans le sien et chuchote:

— Je voudrais tant… être père. J'ai une dette envers mes jumeaux… Je m'en veux de les avoir abandonnés.

— Comment peux-tu être si sûr que ce sont les tiens ?

— Peu importe. J'ai tant de remords… Je rêve à eux, parfois, même si je ne les ai jamais vus. L'enfant que tu me donneras, je l'aimerai pour trois, je te le jure…

Bouleversée, Flavie glisse ses doigts entre les siens et lui serre les mains à se faire mal. Elle est écartelée entre des sentiments contraires d'une intensité farouche : le goût de lui offrir ce bonheur, mais un ressentiment encore vif envers ses colères et ses tentatives d'intimidation, l'envie de vivre l'expérience de la maternité, mais la peur de perdre son indépendance…

Il reprend son mouvement impérieux de va-et-vient, la contemplant avec une telle ferveur, une telle reconnaissance qu'elle sent sa gorge se serrer. L'âme frémissante, tous ses sens gorgés de sensualité comme jamais auparavant, elle se laisse enfin emporter par la sauvage chevauchée dans un jaillissement si puissant qu'il en est presque douloureux. Emprisonné par la bouche de Bastien, son cri d'abord sonore se termine par un long gémissement, puis, à son tour, il jouit en lui mordant férocement la lèvre inférieure, jusqu'au sang.

Tremblant de tous leurs membres, ils finissent par se désunir et se laissent glisser vers le sol. S'assoyant, il cale Flavie contre lui, entre ses jambes. Elle a l'impression d'être une poupée de coton, sans colonne vertébrale et sans muscles… Après un temps, leurs respirations calmées, il dit en rigolant :

— Si je t'avais laissée faire, tu ameutais toute la maison !

Elle bafouille :

– Je n'ai jamais rien ressenti… d'aussi fort.

– J'en suis fort aise. D'habitude, je me méfie des vieilles croyances, mais on ne sait jamais…

Étonnée par cette phrase sibylline, Flavie se creuse la cervelle un fugace moment, puis, en quelques secondes à peine, la tête renversée sur l'épaule de son mari, elle sombre dans un profond sommeil.

CHAPITRE XXXV

Le lendemain de l'éruption de violence populaire suscitée par l'allocution d'Alessandro Gavazzi, Flavie se réveille très tard, la vessie parée à exploser et la gorge sèche comme de l'étoupe. Une fois soulagée, elle passe une bonne demi-heure assise au bord de la fenêtre, à contempler la ville recouverte d'un silence inhabituel, puis elle finit par se rendre à l'évidence : Morphée l'a si bien bercée que son corps refuse de se ranimer tout à fait !

Une fois de plus, c'est le babillage de Lucie qui la renseigne sur la suite des événements de la veille. Tandis que les deux femmes ramassent les vêtements, vident le pot de chambre et défont le lit dont les draps n'ont pas été changés depuis longtemps, la jeune domestique raconte que des coups de feu se faisant entendre rue McGill, des soldats ont sillonné cette dernière ainsi que la Grande rue Saint-Jacques pendant plusieurs heures.

Surtout pour éviter qu'elle ne soit la cible d'incendiaires, des constables ainsi que cinquante soldats ont gardé Zion Church. Un piquet a été placé devant le St. Lawrence Hall, où dormait Gavazzi, et devant la maison du maire Wilson, que certains citoyens croyaient coupable d'avoir donné l'ordre fatidique de faire feu. Toute la nuit, les rues de la cité ont été parcourues par des patrouilles à cheval et, raconte Lucie avec force gestes, les chantiers, les magasins et les édifices publics sont déserts ce matin.

Pendant tout le reste de l'avant-midi, Flavie prête l'oreille au bavardage et aux exclamations indignées des servantes, de l'homme à tout faire et des deux autres dames de la maisonnée, mais elle ne s'y mêle pas. Son esprit est obsédé par la présence des deux hommes qui se sont succédé dans ses bras, le soir précédent. Elle oscille de la confusion à l'allégresse, du repentir à la béatitude...

Vers une heure, Édouard fait irruption dans la maison, plusieurs papiers-nouvelles sous le bras. Avalant un rapide dîner, il prend le temps de renseigner les cinq femmes confinées. Les activités sont au point mort, confirme-t-il, et les soldats patrouillent encore les rues. L'émotion populaire est à son comble après la fusillade inexplicable des troupes de Sa Majesté! Appelés par des affiches placardées, des centaines de citoyens sont en train de se réunir pour délibérer de la pertinence d'annuler la seconde lecture promise la veille par Gavazzi et prévue pour le soir même.

Pendant la discussion, Flavie se plonge dans l'article du *Montreal Herald* qui dresse la liste des victimes : une demi-douzaine de morts et une cinquantaine de blessés, dont quelques-uns très grièvement, en majorité des protestants, partisans armés de Gavazzi ou auditeurs innocents de la conférence. Plus des deux tiers des victimes ont été atteintes non par la salve des militaires, mais par des tirs de pistolet et des coups de couteau.

Un peu plus tard, Bastien arrive à son tour. Malgré la gravité des événements récents, il est habité par une pétulance qui n'échappe pas à l'œil de Flavie... Il prend le temps d'expliquer aux femmes qu'une proclamation vient d'être publiée, enjoignant à toute personne bien intentionnée de demeurer dans la sécurité de sa demeure après la nuit tombée. Son appel à la prudence s'adresse plus particulièrement à Flavie, qui le rassure incontinent : elle n'a aucune envie de mettre, de nouveau, son existence en péril!

Elle s'empresse de s'enquérir de l'état de Daniel. Respectant sa promesse, le jeune médecin est descendu ce matin rue Saint-Joseph, pour constater que Léonie était aussi habile que lui à appliquer un onguent antiseptique et bander une blessure. Mis au repos, nourri et abreuvé à volonté, Daniel ne semblait point trop malheureux de son sort! Rassurée, Flavie adresse à son mari un large sourire et il en rosit de plaisir, avant de s'empresser de dévorer le contenu de son assiette.

C'est seulement après son départ, alors qu'elle est en train de suspendre des vêtements frais lavés sur la corde à linge, qu'elle se souvient de son tout dernier propos, la veille, avant qu'elle ne succombe à la fatigue. «D'habitude, je me méfie des vieilles croyances, mais on ne sait jamais!» Au soir, dès qu'ils se retrouvent tous les deux dans l'intimité de leur chambre, elle l'interroge sur la signification de cette phrase mystérieuse. S'empourprant, il répond cependant avec émotion :

– J'ai travaillé fort pour te transporter au paradis… Les anciens étaient persuadés que l'orgasme féminin favorise la conception. On sait aujourd'hui que la chose n'est pas nécessaire, mais je voulais mettre toutes les chances de mon côté.

Muette d'étonnement, Flavie le scrute du regard tandis qu'il se détourne en sifflotant pour vaquer à ses occupations. Son ardeur et sa fièvre s'expliquent donc ainsi? Il s'est appliqué à déployer toute sa technique, il a fait montre d'une parfaite maîtrise, sciemment dans le but de multiplier ses chances de l'engrosser? En quelque sorte, il l'a *manipulée*? Offensée, le souffle coupé par cette révélation, elle va s'isoler dans leur boudoir et s'affale dans le fauteuil, où elle se recroqueville, les bras entourant ses genoux relevés.

Pendant un moment, elle lutte de toutes ses forces pour se persuader du contraire, pour se faire croire que c'est d'abord par amour pour elle que son mari souhaite tant devenir père, mais bientôt, épuisée, elle abdique devant l'évidence. Quand il évoque son désir d'enfant, ce n'est qu'en rapport avec ses pseudo-fils illégitimes! Elle n'est à ses yeux qu'un réceptacle, qu'une génitrice, qu'il pourrait à la rigueur changer sans que cela porte trop à conséquence!

Un sourd ressentiment s'accumule en elle, devenant au fil des minutes plus intense, plus envahissant. Elle compare la passion brute de Daniel à ce comportement calculé et un profond dégoût la gagne. Elle voudrait tant aller rejoindre son ami irlandais, se précipiter dans ses bras, l'embrasser jusqu'à ce qu'il demande grâce! Mais elle est enchaînée à son mari bourgeois, à sa maison, à sa terrifiante mission d'épouse…

Bastien vient à elle et, lui flattant les épaules, il lui enjoint de venir se coucher. Tout à sa joie d'avoir réussi à la persuader d'accueillir sa semence mâle, il semble insensible à son trouble. L'expression victorieuse qu'il arbore comme un trophée agace au plus haut point Flavie, qui souffle :

— Tue la chandelle, je te rejoins bientôt.

Cinq minutes plus tard, elle s'oblige à traverser dans la chambre. Elle se dévêt dans l'obscurité et se glisse sous le drap. Aussitôt, il tâtonne pour lui saisir la main et elle panique à l'idée qu'il ait envie de répéter ses prouesses de la veille... Mais il se met à ronfler doucement et dès que possible, sans le réveiller, elle retire sa main de la sienne, puis elle laisse couler des larmes brûlantes et silencieuses.

Le jour suivant, Flavie ne refrène plus son désir d'aller visiter Daniel et, sitôt sa routine accomplie, elle se met en route. La seconde lecture de Gavazzi, prévue pour la veille au soir, a été annulée et le prêtre apostat devrait déjà avoir quitté la ville. À part ses plus ardents partisans, qui sont prêts à tout pour favoriser la liberté d'expression, tous les Montréalistes en seront immensément soulagés !

En effet, constate Flavie, la nouvelle est sur toutes les lèvres. Ce matin même, à cinq heures, Gavazzi a quitté son hôtel par une porte donnant sur l'arrière-cour ! L'entrée principale de l'édifice était, depuis deux jours, constamment épiée par les voyous irlandais. Dans un fiacre fermé, l'Italien a été conduit au traversier qui lui a fait franchir le Saint-Laurent jusqu'à la gare de Laprairie. Les citoyens se font une légitime fierté du service ferroviaire ultramoderne, inauguré deux semaines auparavant, qui relie maintenant Montréal à New York, avec transit à Burlington, en une douzaine d'heures !

De clarté, la cité et ses faubourgs reprennent donc, peu à peu, leur animation habituelle. Installé dans la berçante sur la galerie, le bras en écharpe et un large sourire aux lèvres, Daniel regarde Flavie qui s'approche. Il lui tend sa main valide, qu'elle presse avec émotion, et tous deux échangent un regard lourd de sous-entendus.

– Simon est à l'école, Léonie, au refuge et Cécile, au marché avec Lizzie et Aurélie. Tu entres?

Flavie acquiesce et le suit à travers la salle de classe jusque dans la cuisine. Là seulement, il entoure ses épaules de son bras et la presse contre lui. Il hésite un moment, mais elle lève le visage vers lui et ils s'unissent en un baiser grave, empreint de retenue. Flavie a l'impression bienfaisante qu'il est comme une bouée à laquelle elle s'accroche tandis que la tempête fait rage autour d'eux... Il murmure:

– Tu as les traits tirés... Tu t'ennuies à ce point de moi?

Elle voudrait répondre par une boutade, mais sa gorge est trop serrée pour laisser passer un son.

– Mais peut-être que tu as des remords. Après tout, je suis sur le point de faire de toi une épouse infidèle... Comme je te connais, ça ne te fatiguera pas outre mesure... Si j'osais... Si j'osais, je te basculerais sur-le-champ, en haut, sur ma paillasse.

Rebutée par la perspective de se livrer à un acte d'une telle indécence dans la maison de ses parents, Flavie ne peut retenir un regard furibond et se délivre de son étreinte. Il éclate de rire:

– C'était une plaisanterie! Je t'avoue que, moi aussi, je serais légèrement mal à l'aise...

Elle le jauge d'un œil critique. Vraiment pas autant qu'elle, à ce qu'il semble bien! Si elle avait acquiescé à sa proposition, aurait-il pu lui résister?

– C'était pour te montrer à quel point tu occupes mes pensées. Je te vénère, ma jolie fauvette!

Lancé sur un ton paillard, le compliment indispose Flavie bien plus qu'il ne la flatte. Le jeune homme ne fait aucun mystère de ce qu'il éprouve pour elle : une attirance toute charnelle ! Elle en est contente et fâchée tout à la fois. Obligée de s'avouer qu'elle espérait un attachement d'un autre ordre, un véritable sentiment amoureux, elle ravale sa déception et se détourne en balbutiant :

— Moi aussi, Daniel, je t'aime fièrement. J'ai le net sentiment... de réparer une erreur du passé.

— Une erreur ? Si tu veux. L'automne dernier, quand tu venais nous visiter... Tes charmes m'ont ensorcelé. Comment ai-je pu y être insensible aussi longtemps ?

— C'est un exercice périlleux, pour une femme, que de tromper son mari.

Un sourire lascif aux lèvres, il vient l'enlacer de nouveau.

— Les faubourgs regorgent de lieux secrets... Tant que monsieur le docteur se montrera distant, je veux bien te tenir au chaud à sa place.

Il n'a aucun scrupule à la partager avec Bastien. Il n'en conçoit aucune jalousie !

— Et Cécile ?

L'exclamation s'est échappée des lèvres de Flavie sans qu'elle puisse la retenir, comme elle ne peut brider son imagination. Elle est en train de chevaucher Daniel à l'étage, mais ils sont surpris par une Cécile blessée de cette flèche en plein cœur... Si, deux jours plus tôt, emportée par l'étrangeté des événements, Flavie a réussi à faire fi de l'estime de sa sœur pour Daniel, c'est impossible aujourd'hui.

Le visage de Daniel s'est assombri d'un seul coup et il repousse Flavie.

— Qu'est-ce qu'elle a, Cécile ?

— Elle est amoureuse de toi.

Il reste coi un long moment. Il ne le sait que trop bien...

– Je n'y peux rien.

– Certes. Mais comme tu ne ressens rien pour elle, j'imagine que tu as l'intention de délivrer Cécile de ses tourments en t'éloignant d'elle. En te louant une maison, par exemple. N'est-ce pas?

Les sourcils froncés, un rictus de colère au coin de la bouche, il affronte Flavie du regard, puis lance:

– Mais de quoi je me mêle? Je rends un fier service à tes parents en habitant ici! Tu voudrais que je me sauve, comme un ingrat?

D'une seule enjambée, elle vient se placer sous son nez et, les bras tendus le long de son corps, les poings serrés, elle déclare, la voix tremblante:

– Si je te baisais, Daniel..., je tromperais non seulement Bastien..., mais aussi Cécile. Et ça, je ne pourrais pas le supporter.

– Cécile ne m'est rien!

– Rien, pour le sûr?

Démonté, il recule de deux pas avant de préciser, retournant spontanément à sa langue maternelle:

– *I always had a soft spot for her, ye know it. But...*

– Mais?

Il chuchote:

– *I want thee.*

– Moi maintenant, une autre plus tard... Tu voudrais que je risque de perdre le respect de Cécile pour... un éclair de jouissance? Une jouissance que je peux, en outre, trouver auprès de mon mari?

Flavie est volontairement dure, espérant qu'il se récrie, qu'il lui affirme qu'elle est la seule qui soit chère à son cœur et que si elle se refuse à lui, il va sombrer dans un morne désespoir… Mais, bien que heurté, il est surtout perplexe, comme Flavie peut le déchiffrer sur les traits de son visage. Il murmure :

— Me voilà bien penaud… J'espérais tout bonnement pouvoir t'embrasser à mon goût, jusqu'à ce que tu te lasses.

Repentante, Flavie lui fait une rapide caresse sur la joue.

— Pour une femme mariée, les conséquences sont graves si ça vient à se savoir. Tout ça mis dans la balance… Tout ça et Cécile…

Le visage fermé, il la considère un instant avant de se détourner et de s'asseoir dans la berçante. Il appuie la tête et ferme les yeux :

— Je crois que j'ai besoin de repos. Je ne suis pas encore très solide…

— Pardonne-moi. L'autre soir, je n'aurais pas dû…

Il ne réagit pas et, après un moment d'hésitation, Flavie se résout à rebrousser chemin vers la porte d'entrée, les jambes tremblantes et le cœur chamboulé. La rencontre avec Daniel a pris une tournure qui l'ébahit rétrospectivement. Elle venait pourtant à lui avec la ferme intention de se jeter dans ses bras! Dire que le temps d'une fabuleuse soirée, elle s'est crue doublement aimée… Mais son mari comme son prétendant ne désirent que son corps, l'un pour porter son enfant, l'autre pour s'offrir du bon temps! Son enfant… Frappée de plein fouet par l'idée qu'il est possible qu'elle soit enceinte, Flavie pose une main furtive sur son ventre, mais ce n'est pas un éclair d'allégresse qui la parcourt tout entière, plutôt une terrible poussée d'amertume.

Pendant la semaine qui suit, la cité est en état de siège. Les guets-apens se multiplient dans Griffintown et plusieurs personnes y sont férocement battues. Une nuit, deux temples protestants situés dans cette partie du faubourg Sainte-Anne ont leurs vitraux brisés par des volées de pierres. Le souvenir de la flambée de violence de 1849, alors que le parlement du Canada-Uni était incendié, ajoute au climat de terreur qui règne dans la ville et à la méfiance qui s'installe entre les personnes de différentes origines et pratiques religieuses.

La réprobation publique à l'endroit du maire Charles Wilson atteint son apogée. Ce qui avait d'abord été un soupçon tenace – on l'accusait d'avoir donné l'ordre de tirer – est devenu, grâce à la rumeur, un fait avéré dont il est impossible de nier l'évidence. On attribue à ce maire papiste des intentions malfaisantes, motivées par son antipathie pour les protestants! Les soldats du 26e régiment récemment débarqué subissent, eux aussi, leur part de la vindicte populaire et plusieurs sont assaillis par des citoyens en colère. Les passions raciales et religieuses sont exacerbées et la réaction d'intolérance des fanatiques Irlandais semble démontrer hors de tout doute que les catholiques romains veulent conquérir le pays tout entier, et donc interdire aux protestants de prêcher contre leur Église...

Deux juges sont nommés prestement pour présider à une enquête visant à identifier les coupables ; les témoins commencent à défiler devant les dix-neuf membres du jury. Reproduits par presque toutes les gazettes, les témoignages sont avidement lus et amplement commentés par les habitants de Montréal, y compris par la famille Renaud qui en fait, pour ainsi dire, un rituel quotidien.

Émotivement, Flavie reste en dehors du débat, posant sur le monde qui l'entoure un regard détaché. Ce souverain détachement, elle le transporte même auprès des parturientes. Leurs manies, leurs préjugés et même leur désarroi, tout cela la laisse maintenant indifférente. Même les nouveau-nés qu'elle amène pour le compte de la Société compatissante chez les sœurs grises ne réussissent pas à s'insinuer jusqu'à son âme.

Bastien ne semble pas remarquer cette froideur. Il lui envoie de larges sourires, il la presse dans ses bras et l'embrasse dans le cou… Lorsqu'il fait allusion à leurs vacances toutes proches, elle grince des dents intérieurement. La dernière chose dont elle a envie à l'heure actuelle, c'est de partager une maison de campagne avec Archange et Julie, tel qu'ils l'ont promis l'année dernière! Bastien se met à la caresser avec ardeur. Elle lui murmure qu'elle est très fatiguée ces temps-ci et qu'il gaspillera son énergie à tenter de la transporter au septième ciel, ce à quoi il acquiesce sans rechigner, un sourire plein de sous-entendus aux lèvres.

Mais son corps parcouru par l'énergie de la jeunesse se rebelle devant un tel dessèchement, comme son esprit avide de connaissances renâcle sous le joug de l'apathie! Flavie saisit donc le premier prétexte, soit la première lettre de Marguerite, pour laisser un rayon de soleil la réchauffer tout entière.

Son amie lui annonce qu'elle a fait bon voyage malgré l'inconfort du cheval de fer. Si la communauté d'Oneida l'a vue débarquer avec surprise, le maître a finalement accepté sa présence après un entretien de plusieurs heures, au cours duquel il l'a interrogée sur sa vie, sur sa philosophie personnelle et sur son but en sollicitant une place parmi eux.

Marguerite réserve la description des lieux pour une autre missive, car elle tient à narrer à Flavie un événement de conséquence qui est survenu deux jours avant son départ. À sa grande surprise, Joseph s'est ravisé et lui a proposé une rencontre pour le lendemain à la relevée, dans une auberge à quelque distance de la cité!

«Il était prêt à tout pour passer cette demi-journée en ma compagnie, affirma-t-il, y compris venir m'enlever dans ma chambre pendant la nuit! Ma demande d'une "nuit de noces" avant notre union officielle l'a plongé dans un abîme de réflexions tourmentées dont il n'est pas sorti indemne. Tout son système de valeurs a été retourné comme une crêpe dans un poêlon! Il a été poussé dans ses derniers retranchements, obligé de reconsidérer la sanctification du mariage de même que l'importance accordée à la virginité de l'épouse et à l'autorité de l'époux!

«Il s'est prétendu incapable de me laisser partir sans partager avec moi ce moment d'intimité. Si je me dérobais, mon départ allait le précipiter dans un enfer, celui des affres du regret! À cet instant précis, jamais je n'ai ressenti un tel sentiment de liberté, plus grisant que du champagne. J'ai eu si envie d'accepter! Tant pis si Joseph en venait à me considérer, ensuite, comme souillée, impropre à marier. Je ne peux rien contre ces conventions d'une absurdité désespérante, qui transforment une offrande en occasion de vice!

«Comment te dire…? Mon émoi initial n'a pas duré longtemps. Suis-je détachée à ce point de lui? J'ai tant lutté contre moi-même pour oublier que je l'aimais! Je ne voulais pas partir en étant obsédée par ce que j'abandonnais. Je voulais avoir le cœur libre, ouvert à l'aventure! Comment, alors, aurais-je pu prendre le risque de renouer le lien, peut-être encore plus solidement? Le cadeau que Joseph croyait m'offrir avait bien davantage le goût du sacrifice...

« Je crains que mes piètres explications n'aient pas réussi à l'atteindre, tellement il était hors de lui. Je lui ai écrit, mais saura-t-il me lire sans colère, sans voile devant les yeux? Oh! Flavie, comme l'existence est cruelle, parfois, et comme l'accord entre deux êtres est fragile, susceptible de se rompre à la moindre risée! Les occasions d'incompréhension et de blessures sont mille fois plus nombreuses que les moments de grâce... »

Les dures phrases ébranlent Flavie jusqu'au tréfonds de son être. Ce n'est pas la première fois que son amie met les mots exacts sur ce qu'elle ressent elle-même, qu'elle nomme avec justesse des émotions puissantes mais encore confuses... Songeant à la jeune fille timorée que Marguerite était au moment de leur première rencontre, plus de quatre années auparavant, Flavie s'ébahit du chemin parcouru. Du faubourg Saint-Jacques jusqu'à Oneida, en passant par Paris... Et à chaque étape, elle s'affranchit des conventions et des lieux communs, pour se retrouver avec une âme dépouillée, avide de l'essentiel, c'est-à-dire l'amour, le partage et la solidarité...

La gorge serrée par la douleur que lui cause son absence, Flavie déchiffre la fin de la missive en faisant une éloquente grimace: Marguerite s'inquiète du sort du cercle d'accoucheuses. Une seule réunion a eu lieu depuis celle du printemps au cours de laquelle elles ont signé une déclaration pour signifier leur appui à Léonie concernant la délivrance de Victoire. Le départ de l'âme dirigeante du cercle, de même que de Magdeleine, s'est fait cruellement sentir. Afin d'augmenter le nombre de membres, elles ont planifié une nouvelle rencontre à la toute fin de l'été et chacune doit s'y faire accompagner d'une consœur.

Ce soir-là, déterminée à alléger ses rapports avec certains membres de sa famille, Flavie s'offre une virée rue Saint-Joseph. Après avoir pris des nouvelles de son frère, d'Agathe et de leur rejeton, qui viennent d'emménager dans une maisonnette plus à l'ouest dans le voisinage, elle ose une visite chez ses parents. Peu à peu, elle a réalisé que l'attachement de Daniel à son égard avait sa part de noblesse et de grandeur... Si le contact avec le jeune Irlandais est contraint au premier abord, il finit par se détendre et par retrouver, ce soir-là, une partie de son allant. Flavie voit tout de suite que son attitude envers Cécile a changé et qu'il ne considère plus son affection comme un poids... Quant à Léonie, encore plutôt distante à la suite des doutes de sa fille concernant les fers, Flavie ne désespère pas de l'adoucir!

Bastien rentre très tard et Flavie l'attend dans la quiétude de la chambre. Elle ne peut se résoudre à fermer les paupières avant de lui avoir souhaité une bonne nuit et d'avoir placé quelques doigts entre les siens, qu'il étreint avec un mélange d'hésitation et d'ardeur.

– Flavie?

– Oui?

– Je risque de troubler ton sommeil, mais... J'ai appris cette après-dînée que Marcel Provandier a succombé hier à une attaque ou quelque chose du genre.

Flavie ouvre de grands yeux dans l'obscurité.

– Le pauvre homme! Il donnait pourtant l'impression d'avoir une belle santé...

— La cérémonie a lieu demain. Tu viendras?

— Pour le sûr. Tu es triste?

— Un peu.

— Viens là…

Le jeune homme se blottit contre Flavie, qui pousse un profond soupir. Bastien est un être bien trop sensible pour la réduire à un rôle de génitrice. S'il se réjouit tant d'une possible grossesse, c'est aussi pour perpétuer leur union! Quand elle fait fi de leurs querelles au sujet de ses projets, elle est bien obligée de s'avouer qu'il est un homme charmant et qu'il valorise son intelligence et son savoir. C'est sur cette pensée réconfortante qu'elle se laisse glisser, tout doucement, presque insensiblement, dans le monde des rêves.

Le lendemain après-dînée, après avoir exprimé leurs condoléances à Mme Provandier et à ses proches, le jeune couple revient en silence rue Sainte-Monique. Taciturne et d'humeur sombre, Bastien monte aussitôt à leur chambre pour se changer avant de retourner à son cabinet. Flavie s'apprête à l'imiter lorsque Lucie surgit de la cuisine et lui explique qu'un messager est venu porter une valise pour elle, qui a été déposée dans l'entrée.

Une valise? En effet, lorsqu'elle suit la direction du doigt de Lucie, son cœur fait une embardée. Une valise de médecin! Elle se penche pour lire le nom qui est tracé sur le cuir, près de la poignée. Il est à moitié effacé, mais elle réussit à déchiffrer *Docteur Marcel Provandier*. Incrédule, Flavie se redresse pour considérer l'étrange objet qui semble avoir atterri comme par magie dans sa maison! À ses côtés, Lucie tousse discrètement pour attirer son attention et lui remet une petite enveloppe, où le nom de Flavie est tracé d'une écriture large et toute en volutes.

La jeune femme saisit la valise et la missive et monte prestement l'escalier. Elle entre dans le boudoir au moment où Bastien allait en sortir et elle lui résume l'affaire en deux phrases. Il pâlit comme s'il apercevait un revenant et Flavie attribue son trouble au chagrin d'avoir perdu son vieux maître. Elle lui étreint l'épaule avec compassion, puis s'assoit sur la chaise la plus proche et se dépêche de décacheter la lettre. Mme Provandier lui écrit tout bonnement que son mari a exigé, dans son testament, que sa valise de praticien lui soit remise et qu'elle s'empresse donc d'accomplir sa volonté.

Flavie tend la lettre à Bastien, qu'il saisit d'une main tremblante. Interloquée, elle caresse du regard la mallette au cuir patiné. Provandier lui a légué, *à elle*, sa valise de médecin avec tous les instruments qu'elle contient ? Flavie est paralysée par une puissante montée d'émotion et des larmes lui viennent aux yeux. Quel cadeau touchant ! Quel hommage au talent et au savoir d'une accoucheuse flouée dans son désir de se perfectionner ! Comme si le vieil homme l'encourageait à faire fi des préjugés et à persévérer…

Brusquement, elle se penche et fait sauter les solides fermoirs. Aussitôt, une odeur d'humidité lui parvient mêlée de relents de médecines. Ouvrant la valise toute grande, elle distingue une profusion d'instruments de toutes tailles et de toutes natures, et par-dessus, bien en évidence, une seconde lettre où, de nouveau, son nom est tracé… Le souffle coupé, elle s'en empare, et aussitôt, Bastien s'exclame d'une voix éteinte :

– Qu'est-ce que c'est ? Tu es sûre que c'est pour toi ?

Elle réalise alors qu'il aurait quelques raisons d'être vexé. Provandier n'ayant pas de fils, c'est à Bastien, son dernier apprenti, celui à qui il a cédé sa pratique, qu'il aurait dû logiquement faire ce cadeau ! Mais tout entière à son excitation, Flavie est bien incapable de compatir. D'un coup d'ongle, elle décachette l'enveloppe. Bastien se met à marcher de long en large dans la pièce tandis qu'elle lit à haute voix la missive, datée de janvier 1853, six mois auparavant.

Chère Flavie,

J'ignore quelle heure, quel jour, quelle année ce sera quand vous lirez cette lettre. Si j'espère que ce sera dans dix ans d'ici, peut-être même quinze ans, je n'ai aucun contrôle sur ma destinée... Après avoir mûrement réfléchi, j'ai pris la décision de réparer, par le cadeau de mes instruments, le tort que je vous ai causé, mais surtout que la société tout entière vous cause en vous interdisant d'étudier la science médicale. Peut-être est-ce le sentimentalisme du vieil âge, mais j'ai eu l'impression de voir en vous une formidable praticienne pendant cette semaine où votre beau-père nous a hébergés, ma femme et moi !

Flattée dans son orgueil, Flavie jette un coup d'œil triomphant à Bastien, qui s'est immobilisé en plein milieu de la pièce et qui la fixe d'un air hagard. Elle retourne à sa lecture :

Je suis habité par le regret d'avoir dû vous refuser mon secours, terrifié par l'idée que vous me jugiez comme un être pleutre et inconstant... Je tiens à vous assurer que les principes qui ont mené ma vie, ces principes qui me font estimer que chaque être humain devrait avoir la possibilité de choisir son chemin, sont encore bien vivants en moi. Mon refus de vous accepter comme apprentie...

– Cesse, bon sang !

Bastien a crié et la jeune femme, saisie, l'envisage avec égarement. À le voir, poings serrés, tempes luisantes de sueur, visage contracté, il semble subir une véritable torture ! Elle s'étonne :

– Mais qu'est-ce que tu as ? Si tu ne peux pas en écouter davantage, rien ne t'oblige à rester…

En même temps, un soupçon lui envahit l'esprit et elle fronce les sourcils. Craindrait-il une quelconque révélation ? C'est la peur au ventre qu'elle reprend sa lecture, à bouche fermée cette fois.

Mon refus de vous accepter comme apprentie tient uniquement à une circonstance hors de ma volonté, que je me dois de vous révéler par lettre interposée. C'est un péché que j'ai sur la conscience, non pas l'une de ces niaiseries du dogme catholique, mais un vrai, une entorse à mon intégrité morale, la trahison d'un idéal. Dussé-je vous faire croire pendant quinze ans que je suis de trop faible santé pour vous enseigner, je le ferai. Mais je me dois d'effacer cette tache sur ma conscience et seule vous pouvez le faire, en accueillant ma confidence avec bonté d'âme.

Flavie s'exclame avec agitation :

– Il n'était pas malade ? Mais alors…

Du coin de l'œil, elle voit Bastien se faufiler vers la sortie. Relevant la tête, elle intime, d'un ton terrible :

– Reste ici !

Il s'immobilise, lui faisant dos, la respiration oppressée.

Je ne vise aucunement, par ma franchise, à accabler votre mari. C'est un homme que j'ai beaucoup apprécié, dans le temps, et qui chemine dans la profession avec une ouverture d'esprit qui lui fait honneur. Pour tout vous dire, il fut mon apprenti de prédilection... Je suis persuadé que sa requête avait comme but premier de protéger sa charmante épouse des cruautés dont nos contemporains se rendent chaque jour coupables. Soyez indulgente envers lui et n'oubliez pas que le sort d'un jeune praticien est intimement lié à l'opinion que ses semblables ont de lui.

Estomaquée, Flavie laisse retomber ses bras. C'est Bastien qui a convaincu Provandier de ne pas la prendre comme apprentie! Tel un mari autoritaire et manipulateur, il a manigancé dans son dos! Cette révélation stupéfiante la laisse désarmée et fragile comme une feuille d'automne sous la bise. Elle a l'impression de n'être plus rien du tout, un jouet, un pantin, une poupée de son...

— Comment tu as pu faire ça? Comment tu as pu, Bastien Renaud?

Son balbutiement est devenu un cri et le jeune homme vient vers elle, les mains tendues. Elle se recroqueville pour ne pas qu'il la touche et il finit par s'agenouiller par terre, à quelques pieds, une expression à la fois farouche et navrée sur le visage.

— Je n'ai pas eu le choix, Flavie. Tu ne m'en as pas laissé le choix!

— C'est faux! Ce n'est pas un crime que j'allais commettre ni un geste désespéré! Je suis une personne douée de raison, tu entends? Une personne douée de raison et que, pendant un certain temps, tu affirmais aimer! On n'agit pas ainsi avec une personne qu'on aime et qu'on respecte!

— Calme-toi, je t'en supplie!

Sous peine d'être submergée par la colère, elle n'a pas le choix que de lui obéir. Il en profite pour articuler :

— Écoute-moi. Tant que vos efforts étaient vains, à Marguerite et à toi, on vous considérait comme des originales, comme des femmes capricieuses et déraisonnables. Des hystériques à la limite, mais aux lubies plutôt divertissantes.

— Divertissantes ? répète-t-elle dans un souffle.

— Votre visite dans l'amphithéâtre de dissection, même si elle a soulevé les passions, ne portait pas tant à conséquence, de même que votre requête à l'École de médecine et de chirurgie, qui a beaucoup fait rire. Enfin... des rires jaunes, entendons-nous. Mais obtenir un apprentissage avec un médecin licencié, ça, c'était administrer une gifle retentissante à la face du monde. C'était prouver aux yeux du public que la profession n'est pas unanime, et donc que les discours adverses ne sont pas d'immuables vérités, mais des croyances humaines sujettes à discussion ! Je ne pouvais pas te laisser risquer...

— Risquer quoi ? l'interrompt-elle avec véhémence. Ma réputation ? Elle était déjà tout de bon atteinte, non ? Risquer les railleries, les méchancetés, le mépris ? Je les attendais de pied ferme. À qui veux-tu faire des accroires, Bastien Renaud ? À qui veux-tu faire croire que ce n'est pas pour *ta* réputation que tu as peur, pour *ton* prestige, pour *ton* succès ?

— Et alors ? réplique-t-il, défiant. Et alors, si c'est vrai, de surcroît ? Depuis quand une femme est-elle censée nuire à son mari ? Depuis quand une femme peut-elle compromettre à ce point l'entreprise tout à fait légitime de son mari ?

— Mais je ne voulais pas te nuire !

— J'en suis parfaitement conscient. Cependant, là où je rechigne, c'est quand tu ne veux pas entendre raison, quand tu t'acharnes à ne considérer que ton propre intérêt au détriment de celui de tes proches. Puisque tu ne voulais pas désarmer, je n'ai pas hésité à prendre les grands moyens pour faire échouer ton projet avec Provandier. Je me devais de le faire, Flavie, pour notre bien-être à tous.

— Ce n'est pas de ma faute si ta clinique connaît des difficultés, j'en suis persuadée. Tu dis toi-même que la nouveauté de ta thérapeutique fait peur !

— C'est vrai, mais on ne peut pas attribuer la baisse de clientèle à cette cause seulement. À chaque jour qui passe, la faillite nous pend au bout du nez !

Il se penche vers Flavie et pose ses mains de part et d'autre sur le siège.

— Tu sais ce qui serait arrivé après que la nouvelle de ton apprentissage aurait eu fait le tour de la ville ? Les commérages auraient commencé à circuler, des commérages indignés insistant sur l'indécence de ton comportement. Et dès qu'il est question d'indécence et de scandale, les curés rappliquent ! Pour briser ta volonté, Chicoisneau aurait fait des pressions sur moi, puis sur ta mère et même sur la mienne si nécessaire ! Si tu avais persisté, Bourget en personne aurait pris le relais pour te forcer à rentrer, comme ils disent, dans le droit chemin ! Je refuse de te voir soumise à un tel assaut. Ça me brise le cœur rien que d'y penser, Flavie…

Touchée par son évidente émotion, Flavie est déchirée entre l'attendrissement et l'exaspération. Redevenant maître de lui-même, Bastien ajoute plus sèchement :

— Au Bas-Canada, un comportement aussi audacieux est inadmissible parce qu'il contrevient aux prescriptions de l'Église catholique concernant le rôle des femmes. Notre évêque ne peut supporter un tel affront à son autorité de la part d'un croyant.

Flavie riposte avec défi :

— Alors, je ne suis pas croyante.

— Tu risquerais le refus de l'absolution ? À la limite, l'excommunication ?

Elle affirme avec une franchise absolue :

— Je n'hésiterais pas à me faire protestante pour pouvoir me perfectionner. Je n'hésiterais même pas à renier toute appartenance à une Église.

Il s'assoit sur ses talons en secouant la tête d'un air abasourdi.

— À ce que je vois, tu te contrefiches des conséquences pour moi… Tu te contrefiches de me voir mis au ban de la société !

— Je ne m'en contrefiche pas, mais ce n'est pas de ma faute !

— Oui, c'est de ta faute ! Fais-tu exprès de ne pas comprendre ? C'est la précise et inévitable conséquence de tes excès ! Bon Dieu, Flavie ! Je croyais que tu m'aimais ? Je croyais que tu ne voudrais jamais rien faire pour me nuire…

Incapable de supporter son visage défait, elle se lève d'un bond. Implacable, Bastien poursuit tandis qu'elle marche furieusement dans la pièce :

— Et ma mère ? Je ne t'en parle pas, mais tu sais ce qui lui arrive, à ma mère ? Ses amies les plus pieuses lui tournent le dos ! D'accord, c'étaient des bigotes, mais c'étaient ses amies quand même! Chez les dames de la Charité, c'est pareil, on commence à la trouver indigne d'une si noble confrérie! Vas-tu comprendre que notre association, c'est pour l'instant le plus loin que l'on puisse aller?

Elle revient vers lui, qui s'est mis debout à son tour, et se plante devant lui:

— C'est à ton tour de m'écouter, Bastien Renaud. Ton geste m'horripile, ton geste me... me pue au nez!

La phrase est très dure et, vexé, il fronce dangereusement les sourcils.

— Tu aurais dû courir le risque de me prévenir de tes intentions. Je n'aurais pas pu t'empêcher de visiter Provandier ni de le convaincre de se parjurer, comme tu l'as fait il y a des années, après la délivrance de Constance Leriche! Ce pauvre homme a regretté si amèrement d'avoir dû mentir pour vous protéger!

— Je n'ai pas souhaité ce mensonge!

Flavie en est parfaitement consciente, mais possédée par l'envie de frapper, elle s'acharne:

— Peu importe. Tu l'as accepté. Plutôt que de me faire confiance, tu as préféré partir comme un sauvage, comme un rustre! Comme un lâche! De la même manière, plutôt que de m'affronter, tu préfères intimider un vieux médecin! C'est ainsi que tu procèdes, n'est-ce pas? Par-derrière, sournoisement...

Sa gifle vigoureuse et sonore lui coupe le souffle. Ahurie et humiliée, Flavie se précipite hors de la pièce et court s'enfermer dans la salle d'eau, la joue brûlante. Traversée par un tumulte d'émotions, elle se laisse tomber assise par terre. Posant sa tête dans ses bras, elle reste prostrée jusqu'à ce qu'elle ait retrouvé un semblant de calme. Puis, ayant entendu Bastien dévaler l'escalier, elle sort et retourne dans sa chambre où elle s'affaire à remplir sa besace de quelques effets.

Elle griffonne un mot qu'elle place sur la table de chevet. Sans un regard en arrière, elle quitte la maison. Elle ne peut décemment demander asile à Léonie, mais Agathe ne refusera sans doute pas de l'héberger. En effet, après une vague explication, la jeune femme l'accueille à bras ouverts. Au soir, à son retour du travail, Laurent est davantage inquisiteur, mais il se garde de tout commentaire.

Le lendemain à la première heure, désireuse de contribuer aux frais de son entretien, elle se rend à la banque faire un retrait. Lorsqu'elle examine le bordereau que lui remet le commis de la banque, elle n'en croit pas ses yeux : ses avoirs ont diminué sensiblement depuis son dernier dépôt ! Interloquée, elle réfléchit à toute vitesse, se livrant mentalement à des additions et à des soustractions, sans oublier la somme qu'elle a dû donner à Bastien.

L'évidence lui saute en plein visage et une bouffée de chaleur lui monte à la tête. Bastien ! Il est venu piger dans son compte à son insu ! Anéantie, elle termine sa transaction comme un automate. Elle est sur le point de quitter le guichet, mais elle se ravise : d'une voix blanche, elle demande au commis de vider son compte et de lui remettre la somme. Interdit, il obéit cependant.

C'est seulement dans la rue, en marchant, qu'une vive colère remplace sa confusion. Bastien n'a même pas osé venir lui en parler avant ! Il n'a pas osé *demander* ! Il s'est servi comme un voleur ! Il savait qu'elle s'en apercevrait fatalement et malgré cela, il a préféré agir ainsi, avec une telle poltronnerie ! Lorsqu'elle s'en ouvre à son frère ce soir-là, ce dernier réagit avec beaucoup moins d'emportement qu'elle ne s'y attendait. S'il se retient d'accabler son beau-frère, sa mâle assurance en est également la cause :

— Il ne t'a rien volé, il t'a emprunté ! Et c'est un peu *votre* argent, tu ne penses pas ? Un salaire qu'il te permet de conserver pour toi, mais qui devrait aller dans la communauté de biens, comme le sien !

Plus tard, allongée sur le matelas placé dans un coin de la cuisine, Flavie se laisse aller à un éprouvant soliloque. Si le salaire de Bastien est versé dans la communauté de biens, il le gère néanmoins à son aise, libre de tenir compte ou pas de l'avis de son épouse ! Mettre sur un pied d'égalité leurs deux comptes en banque est aussi outrancier que comparer leur degré de liberté personnelle ! Bastien n'a de comptes à rendre à personne, sauf à ses créanciers, tandis qu'elle…

Un sentiment croissant de vulnérabilité l'envahit tout entière. Elle a l'impression que le câble de son ancre s'est rompu et qu'elle vogue à la dérive, incapable de s'amarrer nulle part. La cruelle, l'implacable réalité lui saute aux yeux : elle n'est qu'un jouet entre les mains d'autrui. À sa naissance, elle a été placée d'office sous l'autorité de son père. Par sa mansuétude, par son ouverture d'esprit, Simon avait réussi à le lui faire oublier… À son mariage, elle a été placée d'office sous l'autorité de son mari. Elle a cru que l'amour et la considération de Bastien refréneraient toute velléité d'abus de pouvoir. Comme elle a été naïve !

Ce n'est que deux jours plus tard, au crépuscule, que Bastien surgit. Laurent et Agathe s'éloignent, mais restent à portée. La mine contrite, le jeune médecin s'excuse pour sa réaction violente. Il n'a pas le temps d'en dire d'avantage : Flavie brandit sous son nez le bordereau de retrait. Décontenancé, il y jette un rapide coup d'œil, assez pour déchiffrer le nom de la banque et pour littéralement figer sur place, sans oser lever les yeux vers Flavie qui, les dents serrées, espère ardemment qu'il ne lui fera pas l'affront de tout nier.

Se détournant, le jeune homme pousse un profond soupir où se devine une immense lassitude. Dans cette position, il laisse tomber :

— Je suis désolé. J'aurais dû t'en parler avant. Mais j'avais trop peur d'un refus.

— Un refus ? s'insurge Flavie. Mais comment j'aurais pu te refuser, si ta clinique est en péril ?

Lentement, il pivote pour lui faire face et c'est d'un ton parfaitement retenu qu'il s'explique :

— La vraie raison, comme tu peux t'en douter, c'est que j'avais honte. En t'épousant, j'ai promis de prendre soin de toi. Jamais je n'aurais cru qu'il me faudrait quêter de même…

Après un temps, avec chagrin, Flavie murmure :

— Si tu penses que j'en aurais été déçue, tu me connais bien mal. Bien rares sont ceux qui s'enrichissent tout en gardant les mains propres !

— Je te ramène à la maison, Flavie ?

Déstabilisée par le changement abrupt de sujet, elle hésite avant de refuser en secouant la tête. Il grommelle :

— Ce petit jeu va durer jusqu'à quand ? Ta place est chez nous, auprès de moi ! Et puis, qu'est-ce que je réponds aux clientes qui viennent requérir nos services ?

– Mais que tu iras tout seul, bien entendu! N'est-ce pas ce qu'elles souhaitent, en vérité? Un jeune et plaisant docteur, habile de surcroît...

Il la foudroie du regard, mais, implacable, elle ajoute:

– À quoi bon s'acharner? Nous nous battons contre le progrès, c'est-à-dire engager un homme de science! Le progrès, c'est d'avoir un homme à son chevet, de lui confier nos petites misères et de le laisser nous toucher les parties intimes... Ça procure de délicieux frissons!

– Je te prierais de cesser ces insinuations déplacées, Flavie Renaud!

Elle l'affronte des yeux, défiante:

– Profites-en pour te débarrasser de moi. Professionnellement parlant, je veux dire. Pour le sûr, je suis devenue un boulet à ton pied...

Estomaqué, il la considère avec égarement.

– Pourquoi est-ce que tu me provoques ainsi? Par vengeance? Je croyais que notre association te tenait à cœur...

Si découragée soudain, elle murmure, le regard au loin:

– Je suis fatiguée, Bastien. Fatiguée de me faire regarder comme une drôlesse, comme une moins que rien! Fatiguée d'avoir à défendre mes positions comme une forteresse assiégée! Ces dames ne veulent pas marcher, mais rester à demi étendue sur leurs sofas! Ces dames discutent tous mes diagnostics comme si elles étaient plus savantes que moi! Par contre, ces dames voudraient bien me garder à leur chevet pendant leurs relevailles, pour leur prendre le pouls à toutes les cinq minutes et faire agir une magie miraculeuse qui leur fasse retrouver une taille de jeune fille! Pff... J'en ai ma claque, je t'assure.

— Très bien, déclare-t-il froidement. Si je te comprends bien, tu veux que je liquide notre association?

Son ton péremptoire heurte Flavie, qui hésite avant de répondre :

— Liquider? Comme tu y vas fort... Je pensais plutôt à la mettre sur une tablette un certain temps.

Lui jetant un regard en coin, elle répète :

— Pour le sûr, je suis devenue un boulet à ton pied... Maintenant, tu es capable de tout faire aussi bien que moi. À quoi je te servirais?

Il dit sourdement :

— À ce que je vois, tu es ravie de te débarrasser de moi... Pourquoi je me fendrais en quatre si tu ne souhaites qu'une chose, reprendre ta liberté? C'est ce que j'aurais dû faire dès que j'ai compris que mes confrères et leurs tendres épouses ne me pardonneraient jamais cette hérésie! Pourquoi je supporterais les rebuffades et les remarques mesquines, pourquoi je persisterais à te traiter en égale, si tu te fiches de mes efforts comme de ta première chemise?

— Une égale? Mais je n'ai jamais été ton égale, si je compte mes heures, comparées aux tiennes! Tu la connais aussi bien que moi, la place que j'avais aux yeux de tous : j'étais ton employée, ta subordonnée!

— Aux yeux de tous peut-être, mais pas aux miens.

— Alors, pourquoi tu ne veux pas faire de moi ton égale professionnelle?

Détournant la tête devant cette allusion à son refus de prendre Flavie comme apprentie, il fait une grimace d'exaspération.

– Et c'est reparti! Les fers, la science médicale et tout le tralala… Reviendras-tu, maintenant?

Flavie baisse la tête et recule de quelques pas. Croisant ses bras contre sa poitrine, elle fait un ample signe de tête négatif.

– Et nos vacances à la campagne?

Comme piquée par une guêpe, elle répond:

– C'est bien la dernière chose dont j'ai envie.

– Alors, je n'irai pas.

Elle le considère avec surprise. Avec une intensité farouche, il jette:

– Je pourrais faire venir un huissier pour t'intimer l'ordre de rentrer au bercail. Je pourrais, mais je ne le ferai pas, parce que ce serait le plus sûr moyen de te perdre. Mais c'est trop me demander que de placer cinquante milles entre nous. Je t'attendrai, Flavie. À moins que ton estime de moi soit à ce point basse que…?

Il laisse sa phrase en suspens, ne pouvant s'empêcher de l'interroger du regard. Chamboulée, Flavie détourne les yeux. Ses sentiments sont si confus… Les épaules soudain voûtées, le jeune homme fait demi-tour et s'éloigne de quelques pas avant de se mettre brusquement à courir. Le cœur chaviré et les idées qui s'entrechoquent, Flavie cherche refuge auprès de son neveu et de sa toute neuve joie de vivre.

Peu à peu, l'évidence l'inonde: son association avec Bastien est rompue! Comme si elle venait de perdre un être cher, elle est submergée par un extrême chagrin, qui se décuple lorsqu'elle songe avec quelle promptitude son mari a sauté sur l'occasion ainsi offerte. Elle aurait tant voulu qu'il refuse! Elle aurait tant voulu qu'il lui dise à quel point elle est importante pour lui, en tant que sage-femme du moins… La remarque désabusée de Marguerite lui revient alors en mémoire. « Il n'est pas encore né, l'homme qui saura attiser cette flamme. » Celui qui, pénétré de la valeur de la quête de sa bien-aimée, traitera les sarcasmes et les mauvaisetés avec un souverain mépris…

Les premières semaines de juillet s'écoulent, pour Flavie, à un rythme étrangement saccadé. Le jour, elle ne voit pas le temps passer. D'abord uniquement occupée à rendre divers services à Agathe ou à accompagner les patientes de la Société compatissante, elle est ensuite sollicitée par une femme du voisinage, puis une deuxième, qui ont eu vent de sa présence. Étant donné que Flavie a quitté le faubourg pour s'élever dans l'échelle sociale, les rapports sont légèrement contraints au début, mais la méfiance s'estompe au fil des délivrances.

La nuit, cependant, les heures s'égrènent si lentement ! Quand Flavie dort, son sommeil est léger, entrecoupé de rêves. Quand elle veille, elle se sent écartelée entre la crainte de retourner là-haut, rue Sainte-Monique, et l'ennui de son homme. Son homme si tendre avant qu'il soit question de pratique médicale et de requêtes dans les écoles de médecine ! Son homme qui lui a dit : « Je t'attendrai »…

Un soir, comptant les jours sur le calendrier, Flavie réalise avec un sursaut de tout son corps que six semaines ont passé depuis la fin de ses dernières fleurs. Un raz-de-marée d'angoisse lui donne une telle bouffée de chaleur qu'elle est obligée de se laisser tomber sur la chaise la plus proche. Heureusement, Laurent, Agathe et bébé Sylvain sont sortis et elle peut donner libre cours à la panique et au découragement qui la gagnent à l'idée que, peut-être…

Mais compte tenu de tous les événements bouleversants des dernières semaines, ce ne serait pas étonnant qu'elle ait pris du retard. Elle se sent comme à la veille de saigner, portant une fatigue accrue, les seins sensibles et pesants... À moitié rassurée, en quête d'une distraction instantanée, elle saute sur ses pieds et court jusque chez ses parents, qui veillent sur la galerie en compagnie de quelques voisins. Nulle trace de Daniel, de Cécile et des deux mioches. Une étincelle dans l'œil, Marquis Tremblay, le cousin de Simon et épicier d'en face, apprend à la jeune femme que les quatre sont partis en promenade.

Au début de son séjour chez Laurent, sa sœur et leur ami irlandais lui ont jeté quelques regards interloqués, mais, tout à leurs fréquentations, ils ont rapidement perdu intérêt. Avec un empressement qui laisse Flavie pantoise, Daniel s'est mis à courtiser Cécile. Le fait que tous deux habitent sous le même toit en fait commérer plus d'un... Après une sérieuse discussion entre Simon et lui, Daniel s'est empressé de demander Cécile en mariage et, depuis, elle rayonne littéralement... D'accord, il n'y avait guère autre chose que de la convoitise entre Daniel et Flavie, mais cette dernière s'interroge néanmoins sur les motivations du promis de sa sœur. Cependant, elle ne peut guère creuser la question !

Très inquiets de sa fuite du domicile conjugal, Léonie et Simon ont soumis Flavie à un véritable interrogatoire. Rassurés de savoir qu'elle n'avait été ni violentée ni battue, ils se contentent aujourd'hui de suivre ses allées et venues avec étonnement. Flavie s'attendait à plus de curiosité de la part de sa mère, mais elle a été déçue... La rancune n'est pas le moindre défaut de Léonie, qui s'est claquemurée dans une indifférence forcée. Puisqu'elle ne peut davantage se confier à Agathe, qui a bien d'autres chats à fouetter, Flavie a écrit une longue lettre à Marguerite, lui narrant l'épisode de la valise de Provandier et sa situation actuelle.

Cette nuit-là, Flavie dort très mal et, dès l'aube, elle guette, mais en vain, la trace d'un écoulement menstruel. Elle ne s'est pas aussitôt mise en route vers la rue Henry qu'une odeur forte de carcasse d'animal en décomposition, provenant d'une cour clôturée, lui met l'estomac à l'envers au point qu'elle croit qu'elle va vomir. Mais à peine s'est-elle éloignée de cet endroit funeste que la nausée diminue, pour prendre la forme d'un léger mal de mer qu'elle réussit cependant à oublier pendant les moments les plus occupés.

Un peu après six heures du soir, lorsqu'elle pénètre dans la maison de son frère, un arôme de fromage bien fait la prend à la gorge. En revenant de la Commission géologique, Laurent est passé au marché et il a mis la main sur ce puissant fromage fermier! Habituellement, Flavie s'en régale, mais ce soir, elle balbutie une excuse et s'empresse de ressortir pour aller trouver refuge dans le havre du jardin Guilbault.

Épuisée et le corps couvert de sueur, elle se rend au bosquet qui lui sert de cachette. Lentement, elle se laisse glisser au sol, se recroquevillant sur la mousse fraîche. Comme elle se sent lasse! Comme elle s'ennuie de la solitude de sa chambre et de sa couche accueillante, où elle dormirait pendant des jours, lui semble-t-il! Comme elle s'ennuie de la proximité rassurante de Bastien et de son étreinte confortable... Des larmes brûlantes débordent de ses yeux. Elle est enceinte... Les symptômes qu'elle ressent actuellement ne sauraient tromper une sage-femme d'expérience.

Une tempête de sentiments contradictoires s'agite en elle. D'un côté, même si son ventre n'a pas changé encore, elle se sent mûre et comblée, emplie d'un doux émerveillement à l'idée d'abriter, en germe, un futur être humain. Mais de l'autre... De l'autre, elle est possédée par la rage! La rage d'être utilisée à son corps défendant, la rage d'être ainsi muselée! Non seulement Bastien souhaitait-il la mettre enceinte pour réparer un ancien outrage, mais... quoi de mieux qu'une succession de grossesses pour faire taire une épouse encombrante?

Lorsqu'elle se retourne enfin sur le dos, elle réalise que les premières étoiles sont en train de s'allumer dans le ciel. Elle ne peut se retenir de poser ses deux mains sur le galbe de son ventre, sur cette rondeur que Bastien trouvait si agréable et sensuelle. Il la flattait de l'avant vers l'arrière, suivant la courbe de ses hanches et de ses fesses, pour revenir enfin, en un grand cercle, vers cet abdomen où une étincelle de vie s'est maintenant nichée...

À l'instant même, sa décision est prise. Demain, elle retournera rue Sainte-Monique. Déjà, elle ne peut faire autrement que d'aimer leur enfant. Déjà, elle accepte de se laisser emporter par cette nouvelle aventure, celle de la maternité. L'aventure de la science médicale attendra! Il faut bien qu'elle finisse par comprendre qu'elle s'est amplement démenée. Elle a bien assez créé d'ennuis aux personnes de son entourage, et surtout à Bastien...

Chapitre XXXVI

Ce sont les pleurs de Sylvain qui réveillent Flavie à l'aube, un son qui la remue jusqu'au tréfonds de son être. Au déjeuner, elle informe en quelques mots son frère et sa belle-sœur de sa décision, prise la veille au soir, de réintégrer le domicile conjugal, mais elle reste cependant muette au sujet de sa grossesse. Il lui semble inconcevable que Bastien n'en soit pas le premier informé... Un intense soulagement se peint sur le visage d'Agathe, qui se penche pour lui étreindre la main.

– Oh! Ma mie... Te connaissant, j'avais si peur... Ton homme est un bon mari sur lequel tu aurais bougrement tort de lever le nez!

Pour sa part, avant de partir pour sa journée de travail, Laurent pose sur sa joue un long baiser chaleureux. Peu après, Flavie rassemble ses affaires, puis elle serre très fort son neveu sur son cœur avant de prendre congé. La montée lui semble rude et, malgré elle, un peu effrayante, comme si elle s'enfonçait dans une contrée inhospitalière. Pour se donner du courage, elle imagine le sourire de Bastien à son arrivée, ses bras accueillants, sa joie lorsqu'elle lui murmurera à l'oreille le doux secret...

Normalement, Archange et Julie devraient avoir quitté la ville, alors Flavie s'étonne de voir des signes tangibles de leur présence dans le hall d'entrée. Elle dépose sa besace et, avec gêne, comme si cette maison n'était plus son foyer, elle progresse lentement jusqu'à la cuisine. Très intimidée, elle fait un arrêt dans l'embrasure de la porte et son regard capte une scène étrange. Tous les membres de la famille Renaud, ainsi que les deux domestiques, sont réunis dans la cuisine en une sorte de cercle épars et désorganisé. Même s'ils font mine d'être occupés à quelque tâche, leur attention est fixée sur celui qui est perché sur un banc et qui dévore avec avidité le contenu de l'assiette posée sur le comptoir devant lui.

Fronçant les sourcils, Flavie l'examine sans vergogne. C'est un garçon de cinq ou six ans en triste équipage, très maigre, le visage tanné et les cheveux mi-longs en broussaille, ses vêtements rapiécés de partout. Un mendiant qui a éveillé la pitié d'Archange ? Ce ne serait pas la première fois… Mais pourquoi est-il, ainsi, la cible de l'attention générale ? Serait-il relié d'une quelconque façon à Guillemette ou à Lucie ?

C'est lui qui, le premier, remarque la présence de Flavie. Il cesse aussitôt de mastiquer et lui renvoie son regard avec tant d'aplomb qu'elle réprime une moue amusée. Archange s'exclame :

– Flavie ! Vous voilà ?

Une commotion frappe les occupants de la cuisine, qui se tournent aussitôt vers elle. Lucie la gratifie d'un large sourire qui lui réchauffe le cœur et elle s'accroche à son visage accueillant comme à une bouée de sauvetage. Édouard balbutie :

– Par tous les feux de l'enfer ! Vous surgissez comme un bouffon qui jaillit d'une boîte à surprise…

Une note d'alarme dans le ton de sa voix met la puce à l'oreille de Flavie, qui le scrute du regard. Manifestement, il balance entre la joie de la revoir et une inquiétude qui la mystifie... Enfin, elle ose poser les yeux sur Bastien, cloué sur place. Elle voudrait tant qu'il vienne à elle, qu'il lui prenne la main, qu'il la fasse de nouveau *sienne*, aux yeux de tous! Mais il reste immobile, comme touché par la foudre. Nulle trace d'allégresse sur son visage, rien qu'un embarras évident qui plonge Flavie dans un terrible malaise.

Rompant le silence chargé, Julie s'exclame enfin:

– Chère belle-sœur, vous tombez à pic! Nous avons un nouveau pensionnaire et je suis sûre que vous brûlez d'envie de faire sa connaissance!

Comme si son timbre sarcastique rompait un enchantement, Bastien bégaye:

– Pourriez-vous nous laisser, Flavie et moi?

– Bien sûr, répond Archange faiblement. Viens, Julie, et je te prie de tenir ta langue.

Cette injonction tranchante met Flavie encore davantage sur la défensive. Comme le jeune garçon, après un regard de regret vers son assiette, s'apprête à suivre le mouvement général, Bastien pose une main sur son épaule:

– Pas toi. Tu peux terminer.

Sans un mot, il contourne maladroitement Flavie pour refermer la porte battante. Épouvantée par sa froideur, elle bredouille désespérément:

– Je crois que je ferais mieux de repartir. Je crois que... je n'ai pas pris la bonne décision en venant ce matin... On se parlera plus tard, n'est-ce pas? Je préfère te laisser tout de suite. Je ne sais pas ce qui m'a pris... Je croyais te faire plaisir, mais… Vraiment, il vaut mieux que je parte.

Il lui saisit la main et la serre fortement.

– Calme-toi, je te prie. C'est déjà assez difficile… Calme-toi, mon petit chat sauvage.

Flavie s'oblige à ralentir le rythme de sa respiration et son affolement diminue légèrement. Retirant sa main de celle de Bastien, elle recule jusqu'au mur et s'y adosse, croisant étroitement les bras contre la poitrine. D'une enjambée, Bastien vient se placer à côté du garçon, qui mange en observant Flavie du coin de l'œil, et il pose de nouveau la main sur son épaule tout en le contemplant. Flavie voit son expression se charger d'une étonnante tendresse, comme un père aimant envers son fils… L'évidence la terrasse comme un coup de tonnerre foudroyant et elle sait exactement ce qu'il va dire avant qu'il ouvre la bouche.

– Je t'ai déjà confié à quel point je regrettais d'avoir engendré des enfants dont je n'avais pu m'occuper. Depuis longtemps, je songeais à tenter de les retrouver… Voilà, c'est fait. Son frère jumeau, Aymeric, n'a malheureusement pas survécu, mais Geoffroy a eu plus de chance.

Hagarde, Flavie réussit à balbutier :

– Mais jamais tu… tu ne m'avais dit…

– Que je voulais les rechercher ? C'est vrai. Je ne pensais pas…

Il détourne la tête.

– Quand tu es partie…, mon remords a envahi toute la place.

À contrecœur, Flavie se résout à poser de nouveau un œil méfiant sur le garçon, dont l'appétit a manifestement été coupé par l'atmosphère pesante qui règne dans la pièce. Rebutée par son prénom étrange, par son apparence sale et déguenillée, et surtout par le fait accompli de sa présence, Flavie se sent couler comme une noyée dans un désarroi total et intense. Faisant un effort surhumain, elle s'arrache à sa contemplation pour s'accrocher au regard de Bastien et lui poser cette question muette qu'elle n'ose prononcer... Il inspire profondément avant d'articuler :

— Geoffroy, je te présente Flavie, mon épouse. Puisque je t'adopte comme mon fils, tu la considéreras comme ta mère.

À cette annonce, le garçon reste de marbre, mais Flavie croit voir passer sur son visage une expression fugace de mauvaiseté. Aussitôt, les entrailles de la jeune accoucheuse se tordent, et ce refus viscéral lui met le cœur au bord des lèvres. Pendant un moment, elle lutte désespérément contre cette nausée amplifiée par l'arôme des tresses d'oignons qui pendent à proximité. Elle reprend pied avec difficulté, comme si un puissant ressac freinait son élan vers la grève. Bastien se dresse devant elle, l'expression préoccupée :

— Ça va ? Tu es toute pâle...

Les dents serrées, elle rétorque :

— On le serait à moins ! Laisse-moi !

D'un geste faible mais furieux, elle le repousse. Il s'empresse de saisir son poignet et de le serrer fortement.

— Nous en reparlerons ce soir, n'est-ce pas ? Je te défends de repartir. Tu m'entends ?

Elle hoche la tête tout en tordant son bras pour se libérer, puis elle s'enfuit de la pièce. En chemin vers sa chambre, elle croise d'autres membres de la maisonnée, mais elle ne leur accorde aucune attention. Tout en sanglotant, elle se déshabille et revêt sa plus jolie chemise de nuit, celle que sa mère lui avait fabriquée pour ses noces. Elle se glisse dans le lit défait et, malgré la chaleur ambiante, elle tire la courtepointe jusqu'à être presque totalement dissimulée. C'est ainsi pelotonnée qu'elle pleure jusqu'à sombrer dans un assoupissement fébrile.

Au soir, Lucie lui apporte son souper. Flavie refuse d'ouvrir la porte et exige qu'elle dépose le plateau dans le corridor puis reparte. Elle n'a aucun appétit, mais elle s'oblige à avaler quelques bouchées pour ne pas rester l'estomac vide. Ensuite, elle recouvre ses épaules d'un léger châle avant d'aller s'asseoir sur le rebord de la fenêtre ouverte. Heureuse d'être enveloppée par la brise tiède, elle contemple longuement les formes changeantes de la ville à la tombée du jour. Intérieurement, elle tremble comme une voyageuse en partance, terriblement attirée par un horizon inconnu et magnifique…

L'entrée de Bastien dans la chambre la fait sursauter. Il lui jette un regard ahuri, puis s'exclame, d'une voix contenue:

— Te voilà! Maman me dit que tu n'es pas descendue de la journée…

Elle néglige de répondre. Il scrute son visage un moment avant de bredouiller, navré:

— Tu as la mine de quelqu'un qui a beaucoup pleuré.

Elle lui fait une grimace de défi et il interrompt son geste de la toucher à l'épaule. Tous deux s'affrontent du regard. Finalement, elle jette:

— Tu sais très bien que tu aurais dû me consulter. Je refuse de me faire imposer un fils de la sorte! C'est fièrement trop me demander!

– Je suis désolé. J'aurais dû, en effet. Mais…

– Il ne te ressemble même pas une miette! Je n'ai jamais vu ton Alex en question, mais, pour le sûr, c'est son portrait tout craché!

Du même ton exagérément tranquille, il réplique:

– Je n'irais pas jusque-là, mais en effet, quand je l'ai vu, j'ai compris tout de suite que Geoffroy n'est pas mon fils. Mais peu m'importe. Au fil des années, j'en suis venu à l'aimer comme tel.

– Et puis son prénom à coucher dehors! Qu'est-ce qui leur a pris, aux sœurs?

– C'est Anne, sa mère. J'ignore où elle les a pêchés, mais elle tenait dur comme fer à les baptiser ainsi. Ce qui m'a surpris, compte tenu de son détachement initial… Elle est tombée sur une religieuse bienveillante.

La respiration terriblement oppressée, Flavie ne peut cependant s'empêcher de demander:

– Ils ont été séparés à la naissance?

En train d'ôter sa redingote, il hoche brièvement la tête.

– Aymeric n'a pas été bien traité par sa nourrice. Il est mort de la diarrhée à deux mois. Geoffroy, lui, a profité du malheur de la sienne, qui a perdu son propre enfant peu après l'avoir pris en charge.

– Tu l'as trouvé à l'orphelinat?

De nouveau, il acquiesce, se laissant tomber sur le bord du lit.

– Je n'avais qu'une idée en tête: le sortir de là. Malgré toute la bonne volonté des sœurs, ça ressemble à une prison, là-dedans… Ou du moins, à un pensionnat horriblement sévère.

Il lui jette un regard attendri.

— Comme il est né le 20 décembre 1846, ça lui fait six ans et demi. Tu veux venir le voir ? Il est frais lavé des pieds à la tête. Lucie lui a coupé les cheveux très court, tu devines pourquoi… Maman lui a trouvé des vêtements convenables. Tout un changement, je t'assure.

Flavie détourne les yeux pour contempler de nouveau le spectacle de la ville en contrebas. Dire qu'elle venait offrir à Bastien le cadeau de son propre enfant… Qui sait, maintenant, comment il réagirait ? Qui sait même s'il en veut encore… Peut-être que son désir venait uniquement de son sentiment de culpabilité ? Complètement déboussolée, Flavie sent ses entrailles se tordre comme si elles cherchaient à expulser l'intrus qui s'y est niché.

Deux enfants à la fois… C'est trop, fièrement trop ! De tout son être, elle refuse d'accepter la responsabilité de ce Geoffroy qui vient de lui tomber du ciel, ou plutôt, paraît-il, de l'enfer… Parce que c'est à elle qu'il reviendra de l'élever. Bastien, lui, se contentera de le cajoler le soir, en rentrant du travail ! C'est elle qui devra supporter ses rebuffades et apaiser ses frayeurs, elle qui devra lui inculquer un semblant de bonnes manières ! Elle qui, en un mot, devra le faire renaître au monde, pour le meilleur et pour le pire… Tout cela, en même temps que de mettre au monde son premier enfant ? Deux fois mère, d'un seul coup… Bastien ne peut lui demander une telle chose, c'est impossible !

Elle articule entre ses dents :

— Mais moi… Moi, tu m'obliges à en prendre soin comme si je l'aimais, alors qu'il ne m'est rien. Rien, qu'un pauvre enfant perdu…

Bastien se lève d'un bond et vient à elle, l'expression suppliante.

– Mais tu l'aimeras ! Tu finiras par l'aimer, j'en suis persuadé ! Les femmes ont un tel instinct de protection ! N'es-tu pas émue par les épreuves qu'il a vécues ? Ne souhaites-tu pas, comme moi, lui offrir un foyer chaleureux ? Toi-même, tu t'indignes du sort des enfants abandonnés, ceux que toi-même, tu as souvent déposés chez les sœurs…

Soudain, elle voudrait le supplier de la prendre dans ses bras. Elle voudrait lui faire comprendre qu'elle n'a pas le choix d'être si dure, parce qu'elle souffre trop, mais qu'il ne doit pas se laisser rebuter ! Sa tendresse seule saurait l'atteindre, alors que ses mots la traversent comme si elle était une coquille vide… Ne sent-il pas que, pour rallumer la flamme éteinte, il doit lui parler d'amour ? Ne sent-il pas que, pour être capable d'accueillir cet enfant sauvage, elle doit s'abreuver à sa passion ?

Mais il reste les bras ballants et, peu à peu, son visage se ferme. D'un ton très froid, il lâche :

– Tu veux que je le ramène à l'orphelinat ?

Elle tressaute comme s'il l'avait frappée.

– Tu me crois capable de cette cruauté ? Après lui avoir fait goûter à un véritable foyer, tu crois que j'aurais la cruauté de l'y arracher ?

– Alors ?

Elle détourne la tête sans répondre. Alors… Si elle ne peut s'habituer à sa présence, c'est elle qui devra partir. Terrassée par ce retournement de la situation, elle lutte farouchement contre une puissante remontée du chagrin. Enfin, elle balbutie :

— Tu m'imposes un enfant et tu me dis qu'il faut qu'il soit *notre* enfant, et tu voudrais que je saute de joie?

Il riposte avec force:

— Ce sera sans doute *mon* seul enfant et tu voudrais que je le laisse croupir dans la misère?

Elle pâlit.

— Ton seul enfant?

Vivement, il se détourne en disant avec une extrême rudesse par-dessus son épaule:

— J'en suis venu à croire que toi et moi, ensemble, ça ne marchera pas. L'étincelle de vie n'est pas à la veille de jaillir! D'ailleurs, je parierais cent louis que tu le fais exprès. Tu as décidé que tu ne veux pas t'encombrer de marmots et tu t'arranges pour! Peut-être même que... que tu utilises des trucs secrets, pourquoi pas? Peut-être que je me fais manipuler depuis le début...

Le souffle coupé, Flavie reste pétrifiée. Comment ose-t-il? Son sang ne fait qu'un tour, remplaçant toute l'hébétude qui l'envahissait par une puissante colère. Tout en défaisant avec des gestes saccadés les boutons de sa chemise, il articule encore:

— J'ai décidé pendant ton absence que je ne te parlerais plus jamais d'enfant. Ta réaction me cause trop de chagrin. Je ne t'en parlerai plus et je ferai tout ce que tu voudras pour ne pas t'engrosser. Si ça te chante, tu peux même m'imposer de longues périodes d'abstinence. Maintenant que j'ai Geoffroy, tout le reste est secondaire.

D'un seul mouvement, Flavie se projette loin de la fenêtre avec l'intention de quitter cette pièce au plus vite et de se réfugier dans le boudoir, mais au même moment lui parviennent des bruits provenant de derrière la porte fermée. Aussitôt, Bastien dit très sèchement :

– Notre boudoir devient la chambre de Geoffroy, du moins tant que Julie n'a pas quitté la maison. C'est la seule pièce disponible. Lucie m'a bien proposé de le prendre avec elle, mais je préfère qu'il reste proche de moi.

Ulcérée par cet envahissement de son espace, Flavie reste néanmoins parfaitement immobile. Enfin, elle lance sans le regarder, la voix rauque :

– Dans ce cas… Tu ferais mieux de dormir avec lui.

– Bonne idée.

Préoccupé par l'installation de son fils, Bastien est déjà sorti de la pièce. Son mari la fuit avec un soulagement si manifeste ! Flavie se mord les lèvres jusqu'au sang tandis que la tête lui tournoie comme si vacillait jusqu'à la plus infime particule de son être. Elle se sent tomber dans un trou noir… Elle ouvre les yeux et fixe le plafond éclairé par la lueur tremblotante de deux chandelles, puis réalise avec stupéfaction qu'elle a perdu connaissance et s'est affaissée sur le sol.

Elle porte son attention sur le bavardage de Bastien, d'Archange et de Geoffroy qui lui parvient du boudoir. Surprise par la voix flûtée et rieuse du garçonnet, elle écoute cette musique tout en reprenant ses esprits. Une douleur sourde irradie de son bras gauche. Flavie le dégage de sous son corps et se met machinalement à le masser. Avec effort, elle se relève et se traîne jusqu'au lit, dans lequel elle s'allonge.

Elle n'a que vaguement conscience du retour de Bastien dans la chambre ; son esprit vogue au loin, des bosquets enchantés du jardin Guilbault jusqu'à des paysages exotiques magnifiés par la force de son imagination. Enfin, il sort, refermant soigneusement derrière lui, et Flavie se laisse couler dans la détresse de sa solitude. Elle n'a plus rien, ni amoureux, ni maison, ni occupation… Elle n'est plus rien.

Au petit matin, elle a compris qu'il ne lui reste au monde qu'un seul port d'attache, qu'une seule personne qui tienne véritablement à elle : Marguerite. Tout à l'heure, elle s'achètera un billet de train, un aller simple pour Oneida… Mais avant de partir, il lui faut accomplir un acte qui l'épouvante. Si seulement Bastien pouvait lui témoigner juste un tout petit peu d'affection ! Si seulement il pouvait la regarder franchement, lui sourire, s'enquérir de son bien-être… Alors, elle lui tendrait la main, elle se blottirait contre lui et elle lui chuchoterait qu'il a tort d'être si cassant avec elle, qu'il sera bientôt doublement père et qu'elle est heureuse de porter son enfant !

Mais c'est en vain qu'elle guette une telle ouverture. À l'évidence, Bastien a tout prévu pour ne pas avoir à revenir dans leur chambre ce matin. Peu à peu, une grande froidure descend en Flavie, qui fige tous les élans de son âme et qui anesthésie toutes les exigences de son cœur. En automate, elle procède à ses ablutions, elle s'habille et elle passe une bourse en bandoulière, dans laquelle elle glisse son petit pécule ainsi que ses guenilles pour ses fleurs.

À son grand soulagement, la maison est déserte de tous ses habitants, sauf de Lucie qui la regarde avaler un fruit et une tranche de pain beurré. Touchée par sa sollicitude muette, Flavie descend de son banc et va lui donner l'accolade. Elle lui murmure à l'oreille :

— Je t'aime fièrement, Lucie. Quoi qu'il arrive, tu pourras toujours compter sur moi.

Lucie la saisit par les épaules et l'écarte pour l'examiner, soupçonneuse, les sourcils froncés.

— Pourquoi vous me dites ça ?

— T'occupe. À ce soir, ma toute belle.

Flavie s'élance sur les chemins, mue par l'énergie du désespoir. Elle espère ardemment que sa mère soit demeurée rue Saint-Joseph ce matin, mais elle doit se résoudre à aller la quérir rue Henry. Léonie est à l'étage, en train d'examiner une patiente nouvellement arrivée. Résolument, Flavie se dirige vers elle et l'interpelle :

— Maman ? Est-ce que tu pourrais descendre ? Il faudrait que je te parle.

Abasourdie, Léonie la considère avant de répliquer :

— Il y a urgence ? Je commençais à peine…

Flavie se contente de hocher la tête, puis tourne les talons. Perplexe, Léonie s'excuse auprès de la jeune femme enceinte avant de lui emboîter le pas. Sans parler, elles se rendent jusqu'au bureau de Léonie, dont Flavie referme soigneusement la porte. Avisant le papier-nouvelles qui traîne sur son secrétaire, Léonie a le cœur qui se serre et, lissant les feuillets avec sa main, elle murmure :

— J'ai lu une triste nouvelle, ce matin… Tu sais, ma vieille amie Scholastique Thompson ? Elle n'est plus de ce monde. Je l'ai appris par une notice nécrologique…

Un visage ridé comme une vieille pomme, mais dans lequel brillent d'une jeunesse éternelle des yeux vifs et narquois, hante l'esprit de Léonie. Elle a l'impression qu'un monument vient de s'écrouler, tel un orme ou un chêne centenaire que l'on sacrifie aux exigences du monde moderne... Altière et cultivée, Mme Thompson représentait le meilleur de l'Ancien Régime et de son goût pour l'indépendance de pensée. Petite-fille d'un membre de la petite noblesse bas-canadienne, on lui avait appris de surcroît à tempérer ce privilège par une extrême bienveillance pour les moins fortunés.

Avec le sentiment d'avoir perdu le nord, de ne plus savoir où trouver un tel havre à l'abri des vicissitudes du monde, la maîtresse sage-femme se tourne vers sa fille. Elle est soudain frappée par son teint blême, par ses traits tirés et par son expression à la fois hagarde et obstinée. Flavie inspire avec difficulté, puis elle murmure :

– J'ai besoin de ton aide. J'ai besoin...

Sur le point de perdre pied, elle lutte un instant contre son désarroi avant de poursuivre enfin :

– Je porte un enfant et... je veux que tu le fasses passer.

Léonie cligne des yeux en même temps qu'une profonde stupéfaction l'inonde tout entière. Machinalement, elle dirige son regard vers l'abdomen de sa fille pour tenter de trouver, mais sans succès, la confirmation de ses dires. Assommée, elle reste sans voix. Son cœur se met à battre la chamade et elle y porte la main comme pour le retenir. Enfin, d'une voix éteinte, elle dit :

– Enceinte ? Tu es sûre ? Décris-moi tes symptômes.

Flavie obtempère et, convaincue, Léonie balbutie :

– Il n'est pas de Bastien ?

Puis, frappée par une pensée outrageante, elle s'écrie sans attendre :

– Daniel ! Ne me dis pas que le père, c'est Daniel ? J'ai vu comme il te regardait, mais jamais je n'aurais cru...

Flavie saisit l'avant-bras de sa mère et y enfonce ses ongles.

— Écoute-moi : ce n'est pas Daniel. Ça aurait pu. Un soir, ça a passé proche… Mais je sais à quel point Cécile est énamourée de lui. Moi, ce n'était pas sérieux.

— Alors, c'est qui ?

— C'est Bastien, maman.

Léonie l'envisage avec une telle incrédulité que Flavie souffle encore, les yeux dans les siens :

— Je jure sur… sur la tête de mon père que c'est la vérité. C'est l'enfant de Bastien, mais je ne peux pas le garder. Il ne m'aime plus. Je m'en vais.

Confuse et égarée, Léonie étreint l'épaule de Flavie avant de chuchoter :

— Je suis complètement perdue…

La voix tremblante de détresse, Flavie répond :

— Moi aussi. Si tu savais… Bastien ne veut plus de moi.

— Explique-moi.

À coup de phrases hachées, Flavie narre les événements qui se sont succédé depuis le mois précédent. À la fin, Léonie plaide :

— Tu ne serais pas la première à élever un enfant qui n'est pas le tien. Tu y trouveras ton content, crois-moi ! Et puis, tu es choyée par l'existence, tu n'as pas de maison à tenir ! Ressaisis-toi, enfin !

D'une torsion du corps, Flavie se délivre de l'étau de la main de sa mère avant de reculer d'un pas et de répliquer farouchement :

— Je le ferais, maman, mais pour un homme qui m'aime et que j'aime !

— Mais Bastien t'aime ! Ce n'est pas parce qu'il…

— Cesse donc! Tu ne l'as pas vu, hier et ce matin! Je suis revenue à lui avec confiance et il est resté frette comme glace! Je n'ai plus son estime et jamais, tu m'entends? jamais je ne supporterais de vivre avec un homme qui n'a que dédain pour moi!

La voix blanche, Léonie articule:

— As-tu dit que... que tu t'en allais?

Flavie la met au courant de son projet d'aller rejoindre Marguerite aux États-Unis. Léonie proteste violemment:

— Ma fille, c'est de la folie! Une épouse ne peut quitter son mari ainsi, sur un coup de tête! S'il te maltraitait, je comprendrais, mais là, Flavie, ton orgueil t'aveugle!

— Mon orgueil? Peut-être bien. Appelle ça comme tu veux, je m'en contrefous.

Léonie secoue la tête d'un geste véhément.

— Faire passer ton enfant... Un enfant légitime, Flavie, un enfant désiré, par ton homme du moins! C'est trop me demander!

— Fort bien. J'irai voir ailleurs.

De justesse, Léonie rattrape Flavie sur le point de franchir la porte.

— Reste ici!

Essoufflées comme si elles avaient couru, les deux femmes demeurent face à face. Enfin, Léonie grommelle, les dents serrées:

— Je ne veux pas que tu ailles voir ailleurs.

Sur le même ton, Flavie réplique:

— Je le ferai pourtant, si tu me refuses ton aide.

Elles s'affrontent du regard. Léonie réalise que Flavie est d'une opiniâtreté désespérée et qu'elle mettra son projet à exécution, coûte que coûte! Même si tout son être se rebelle à l'idée d'accomplir un tel acte, elle ne peut se résoudre à laisser sa fille placer son sort entre les mains d'une autre sage-femme, la plus experte faiseuse d'anges soit-elle. Elle murmure enfin, avec une rage contenue :

— Reviens en début d'après-dînée. Le dortoir sera vide et on s'installera dans l'alcôve. D'ici là, penses-y bien...

Immensément soulagée, Flavie hoche brièvement la tête, puis elle tourne les talons et s'enfuit à l'extérieur. La chaleur de juillet la surprend comme si elle s'attendait à émerger dans la bise glaciale de janvier... Elle laisse ses pas la mener jusqu'au guichet de vente de la compagnie de chemin de fer. Son billet enfoui dans le fond de son sac, elle se rend ensuite chez le maître de poste. C'est par acquit de conscience qu'elle demande s'il y a du courrier pour elle mais, par une coïncidence qui la trouble, on lui remet une seconde missive de Marguerite. Sans oser l'ouvrir, Flavie la presse sur son cœur, puis elle se procure un feuillet vierge sur lequel elle trace quelques mots informant son amie de son arrivée imminente. Elle ignore cependant si cette lettre arrivera avant elle...

Dans une boulangerie, Flavie s'achète deux petits pains qu'elle fait garnir de jambon dans la charcuterie voisine avant de les manger lentement, assise sur un banc de parc. Avec la froide détermination d'un condamné à mort, elle retourne ensuite à la Société compatissante. Les patientes, une demi-douzaine, sont éparpillées au diable vauvert. Au moment où Léonie aperçoit sa fille, ses traits se décomposent, puis elle reprend la maîtrise d'elle-même. D'un signe de tête, elle lui ordonne de se rendre à l'étage où, par la force de l'habitude, Flavie prépare l'alcôve comme pour une délivrance compliquée.

Elle s'assoit ensuite sur le lit, les épaules voûtées, le cœur dans la gorge. Il est toujours temps de changer d'idée…, mais la vie aux côtés d'un Bastien indifférent lui semble un enfer bien plus terrifiant. Se laissant glisser en bas du lit, elle se débarrasse de ses pantalettes. Au même moment, Léonie pénètre dans l'alcôve, sa valise à la main. Elle referme étroitement le rideau derrière elle en grommelant :

— Marie-Zoé est prévenue que je veux une intimité absolue.

Hochant imperceptiblement la tête, Flavie se couche sur le dos et place son bras replié sur ses yeux fermés. La contemplant ainsi, recluse dans sa souffrance muette, Léonie en a le cœur chaviré. Elle ne peut s'empêcher de se pencher pour lui caresser les tempes avec ses paumes, comme quand sa toute petite fille avait besoin d'apaisement.

— Ma pauvre chérie… Laisse-moi parler à Bastien. Parfois, on se retrouve comme… comme dans un étrangloir, mais il suffit de bien peu…

Flavie s'écrie :

— Je t'en supplie, fais ce qu'il faut !

Léonie interrompt son doux geste pour serrer les poings avec impuissance. Elle se cabre encore :

— Te rends-tu compte de ce que tu exiges de moi ?

Sans déplacer son bras, Flavie profère, implacable :

— Oui. Je te demande de faire passer ton petit-enfant. Mon enfant. Celui de Bastien et de moi…

— Vas-tu te taire !

Comme une chape de plomb, un silence chargé d'un mélange de révolte et de douleur contenue tombe entre elles. Enfin, d'une voix sans timbre, Léonie l'interroge sur la date de conception et sur le déroulement précis des premières semaines de grossesse. Se penchant pour préparer ses instruments, elle se laisse inonder d'un froid détachement, refoulant jusqu'au plus creux toute sa tendresse de même que l'impression de commettre un acte impudique sur la personne de sa fille.

D'un ton monocorde, elle lui explique que l'intervention est passablement douloureuse puisqu'il lui faut dilater légèrement le col de la matrice afin de procéder au curetage et à l'aspiration. Elle glisse un coussin sous ses hanches et relève sa jupe jusqu'à son abdomen. Le seul moyen que Flavie trouve pour ne pas céder à l'affolement, c'est d'analyser chaque geste de sa mère, chaque pression et chaque douleur, même la plus intense, comme s'il s'agissait d'une autre patiente, comme si elle prenait une leçon clinique. Dans sa tête, elle commente la progression de la main de Léonie, puis de ses instruments, comme si elle était un professeur volubile tenant à décrire d'abondance le déroulement de l'intervention.

Bientôt, Léonie grommelle d'une voix éteinte :

– Ça y est, tout est extrait, je crois. Tu vas saigner encore pendant quelques heures au moins. Si jamais les écoulements augmentent ou que tu ressens les signes avant-coureurs d'une infection, reviens aussitôt me voir. C'est rare, mais c'est possible.

Flavie balbutie :

– Je peux me reposer ici ?

– Aussi longtemps que tu voudras. Te sens-tu prise de faiblesse ?

Elle fait un signe de dénégation, puis elle souffle :

– Merci de ce que tu viens de faire pour moi. Tu aurais pu refuser… Tu aurais eu toutes les raisons du monde de refuser. Je te remercie tant…

— Suffit! ordonne Léonie d'une voix rauque. Laisse-moi quérir une couverture, il ne faut pas risquer que tu prennes froid…

Flavie entend des bruits d'eau : sa mère se lave les mains hors de l'alcôve. Peu après, elle sent sur son corps la caresse rugueuse de la laine.

— Voilà. Je serai en bas. Je dois me dépêcher de faire tout disparaître…

Il faut à Flavie un temps infini pour retirer son bras de son visage, puis pour ouvrir les yeux. Son émoi reflue lentement et, bercée par les bruits familiers du refuge, elle se laisse aller à somnoler. L'après-dînée est avancée lorsqu'elle se relève pour installer ses guenilles entre ses jambes, renfiler ses pantalettes et se rechausser. Elle remet de l'ordre dans sa tenue générale, puis elle replie les linges souillés en un paquet discret. Elle descend l'escalier avec précaution et, venant à elle, Léonie souffle :

— C'est parfait. Donne-moi ce tapon… File maintenant, pendant qu'il n'y a personne.

Enfouissant les linges rougis dans la poche de son tablier, Léonie la reconduit à l'extérieur. Flavie lui donne l'accolade en murmurant :

— Adieu… Je pars demain matin.

Tressaillant sous ce nouveau choc, Léonie l'envisage avec égarement :

— Demain matin ? Mais ce n'est pas possible, après ce que tu viens de subir ! Et puis, tu dois venir nous dire au revoir ! Flavie, je t'en supplie…

— J'ai déjà mon billet de train. Quand je serai partie…, tu leur diras que je n'ai pas pu faire autrement. Je vous écrirai, et à Cécile aussi…

— Et Bastien ?

Inspirant profondément, Flavie bredouille :

– Je vais lui parler ce soir. Je t'embrasse, maman, et à la revoyure. Je suis désolée de vous causer tant d'embêtements... Je vous aime très fort, tous.

– Mon entêtée ! s'exclame Léonie, les yeux pleins d'eau. Ma terrible fille !

Flavie bafouille :

– Tu sais, pour la délivrance de Victoire..., je ne voulais pas t'accabler, tu me crois ? Je voulais t'aider... Mais je t'ai fait du tort. J'espère que tu me pardonneras...

Après un moment de stupéfaction, Léonie hoche vigoureusement la tête. Son geste pour retenir Flavie est vain : cette dernière s'éloigne à rapides enjambées. Effarée, elle suit du regard la petite silhouette aux jupes virevoltantes, fixant longuement le point où elle a disparu. Fébrilement, elle essuie les larmes qui roulent sur ses joues. Pour ne pas céder à la panique, elle s'agrippe à la certitude que Flavie reviendra d'ici un mois, deux tout au plus... À moins que Bastien ne l'empêche de partir ? Si vraiment il est devenu un mari égoïste et froid, il ne se gênera pas... Même si Léonie tremble de frayeur à l'idée d'un éloignement de sa fille, elle préfère la savoir à l'autre bout du monde que victime d'un si funeste sort. Elle la préfère telle une hirondelle qui profite de la risée pour s'envoler au loin !

La jeune accoucheuse se fait le plus discrète possible en entrant rue Sainte-Monique, mais son beau-père surgit aussitôt de la salle à manger. Le visage préoccupé, il vient à elle en bredouillant :

– Chère Flavie, je guettais votre retour... Je veux croire que vous n'en voulez pas trop à Bastien pour le choc qu'il a dû vous causer. Je suis tombé en bas de ma chaise quand, avant-hier soir, il nous a avoué que vous ignoriez tout de son projet. Geoffroy était déjà parmi nous! Je lui ai passé tout un savon, je vous assure, de même qu'Archange! Quel rustre, parfois, que mon fils! On ne met pas son épouse devant un fait accompli de cette nature!

Touchée par sa sollicitude, Flavie reste un moment clouée sur place, respirant avec difficulté. Comme s'il sentait la précarité de son équilibre, Édouard lui saisit le coude et ajoute, avec une grande douceur :

— Quand il a voulu vous ramener ici et qu'il est revenu bredouille…, il est devenu obsédé par… ceux qu'il considérait comme ses fils. Vous savez quoi, Flavie ? Ni Archange ni moi n'étions au courant de toute cette affaire. Pendant toutes ces années, Bastien nous l'a soigneusement cachée… Et vous ?

— Je le savais. Leur mère s'était confiée à moi.

Les traits détendus par un vif soulagement, Édouard lui presse le coude :

— Vous m'enlevez tout un poids! Cela aurait été ajouter l'insulte à l'injure… Bastien nous en a fait vivre, en quelques semaines, des hauts et des bas! Peut-être vous étonnez-vous que nous ayons accepté si promptement d'héberger ce garçon, mais… l'intention est noble et, de surcroît, il est demeuré sourd à toutes nos protestations. Je vous en conjure, chère Flavie… Malgré tout, mon fils est encore digne de votre estime…

Affolée par son expression suppliante qui l'atteint au cœur, Flavie balbutie :

— Je suis comme un animal sauvage. Quand j'ai mal, je me cache… J'espère que vous me pardonnerez.

Ce disant, elle entend l'écho des dernières paroles qu'elle a lancées à Léonie, quinze minutes plus tôt. Elle a tant de mauvaiseté à se faire absoudre? Hagarde, elle monte lentement l'escalier. Le désordre du boudoir la prend au dépourvu. Ce matin, elle est passée sans voir… Les meubles ont été déplacés et deux couches de fortune ont été installées pour Geoffroy et Bastien dans un coin de la pièce. Flavie n'en a cure… Ce n'est plus sa maison. Elle est déjà ailleurs.

Pendant les heures qui suivent, tout en ménageant ses forces, elle prépare son bagage. Elle est en train de faire le tri dans la valise du Dr Provandier, écartant tout ce qui est démodé ou trop abîmé, lorsqu'elle entend Bastien entrer dans leur chambre. Absorbée, elle ne lui accorde pas même un coup d'œil. Il finit par balbutier:

— Qu'est-ce que tu fais?

— Je fais le ménage, comme tu vois. Je veux emporter la valise avec moi.

— Emporter? Mais où?

— En voyage. Je pars rejoindre Marguerite.

Il pousse une exclamation étranglée et vient s'agenouiller devant elle, à même le sol, de l'autre côté de la valise. Lui immobilisant les mains, il force son attention:

— Qu'est-ce que tu me chantes?

Posément, elle répète sa phrase. Égaré, il la dévisage sans rien dire, puis il scrute la pièce, notant la présence, près de la porte, de la besace remplie à craquer. Une extrême dureté sur les traits du visage, il jette avec mépris:

— Je te reconnais bien là! Prendre une décision d'une si grande conséquence sans m'en parler d'abord…

— Tous les deux, nous sommes passés maîtres à ce petit jeu, n'est-ce pas?

Il accuse le coup et redresse lentement le dos, les yeux rétrécis. Délestée d'un pesant fardeau, Flavie retire ses mains des siennes. Il ne tentera pas de l'attendrir ni ne la suppliera. Comme elle craignait qu'il ne la pousse dans ses derniers retranchements! Mais c'était escompter la manifestation d'un attachement qui n'est plus... Son courroux et son mépris, elle peut les supporter. Ils glissent sur son dos comme l'eau sur les plumes d'un canard.

— Je pourrais te retenir, Flavie. Je *devrais* te retenir. J'en ai le droit!

Elle reste de marbre, les yeux fixés sur les fers de Provandier, un peu rouillés mais d'une belle facture. Il souffle encore:

— Mais comment pourrais-je? Ce serait d'une telle indignité! Ce serait...

Il s'interrompt, la respiration sifflante. Enfin, il se relève et s'éloigne d'un pas lourd. Lorsqu'il sort, Flavie ferme les yeux un court instant, combattant une puissante bouffée d'émotion. Enfin, le tumulte s'apaise, remplacé par une vive exaltation. Elle est libre! Elle peut aller de par le monde, sans attaches et sans regrets...

Ses bagages parés, elle revêt sa tenue de voyage. Peu après, alors que la nuit tombe sur Montréal, elle s'endort paisiblement en regardant les étoiles. Comme il le fallait, elle s'éveille à la barre du jour. Cinq minutes plus tard, elle sort de la chambre et traverse le boudoir. Une seule respiration rythmée par le sommeil lui parvient, celle de Geoffroy. Bastien ne dort pas... Elle ne peut s'empêcher de contempler la longue forme allongée. Avec un sursaut, elle croise ses yeux grands ouverts, dont la blancheur luit dans la semi-obscurité. Elle chuchote aussitôt :

– Adieu. Je t'écrirai…

Mécontente de cet accès d'attendrissement, Flavie s'empresse de quitter la pièce pour traverser la maison encore silencieuse et prendre la route vers le débarcadère du traversier. Elle achète à des vendeuses itinérantes quelques provisions pour le voyage et elle monte à bord de la barque à vapeur, silhouette anonyme parmi l'imposant groupe de voyageurs qui, comme elle, embarquera tout à l'heure dans le train pour les États-Unis. La vibration du navire lui procure une sensation si grisante qu'elle a envie de crier.

Ce n'est qu'une fois secouée par les cahots du train qu'elle se résout à ouvrir la lettre de Marguerite, ramassée la veille chez le maître de poste. Elle avait si peur que son amie lui annonce son retour ! Mais, après une longue introduction dans laquelle Marguerite s'inquiète des bouleversements dans la vie de Flavie, elle enchaîne sur sa surprise et son ravissement d'avoir atterri au beau milieu d'un groupe d'originaux attachants qui tentent de vivre, le plus intensément possible et dans toutes les sphères de l'existence, sous le règne du communisme.

«Impossible de résumer en quelques phrases leurs coutumes et leurs croyances. Je te conseille la lecture des quelques livres publiés par le fondateur, surtout *Bible Communism* qui te renseignera assez précisément sur leur credo religieux et sur la manière dont ils tentent de le concrétiser en créant de toutes pièces une société égalitaire. Leurs choix sont parfois discutables, mais dans l'ensemble, je t'assure que leurs règles de vie sont cohérentes, autant sur le plan du travail que sur le plan de l'éducation des enfants et des mœurs!

«Au moyen d'une lettre interminable qu'il m'a fallu des semaines à compléter, j'ai cru bon d'informer précisément mes parents sur l'aspect le plus controversé de cette communauté et qui est la cible de commérages et de médisances. J'ai déjà joué trop longtemps avec le feu et je ne veux pas que mes parents en soient les victimes impuissantes! Il me fallait leur dire que les membres d'Oneida ont banni l'esclavage du mariage et qu'il y règne une totale liberté dans le choix amoureux. J'ai tenté de leur faire comprendre que, malgré les apparences, cela ne signifie pas que les comportements impudiques s'y multiplient! Au contraire, sans doute à cause de cette franchise, de cette absence totale de dissimulation, les esprits sont étonnamment chastes… L'apparente liberté est tempérée par deux coutumes qui surprennent au premier abord, soient les séances publiques de *Free Criticism* auxquelles chacun des membres peut être astreint, ainsi qu'un singulier mais providentiel apprentissage que tous les mâles doivent subir et qui les rend en parfaite maîtrise de leur virilité, pour dire pudiquement… Je suis désolée d'attiser ta curiosité sans pouvoir l'assouvir totalement, mais je donnerai plus de précisions dans une prochaine missive.

«Tu vois, je suis encore sous le choc de cette communauté utopique dans laquelle l'existence coule comme une paisible rivière. Je ne suis pas malheureuse, je t'assure…, sauf peut-être le soir, parfois, quand je me couche et que de douloureux souvenirs me reviennent à la mémoire. Ai-je pris la bonne décision en refusant Joseph? Si tu savais comme ces deux mots sont pénibles à accoler dans mon esprit: refuser Joseph… Je ne le saurai sans doute jamais. À l'instant même, je suis persuadée que, jusqu'à mon dernier souffle, je serai hantée par une terrible ambivalence, par une constante oscillation de mon âme entre le regret et l'orgueil. Crois-tu que l'on porte ainsi, toute sa vie, le poids de nos décisions passées?»

Flavie replie les feuillets et les glisse dans l'enveloppe, puis elle passe un très long moment à regarder le paysage défiler. À maintes reprises, Marguerite et elle ont vibré ainsi, à l'unisson, comme si leurs existences suivaient des chemins parallèles, dans les enchantements comme dans les désillusions! Cette missive émue lui paraît comme une lueur dans le brouillard, comme le seul point d'ancrage de son existence dévastée. Maintenant qu'elle s'est mise à l'arrêt, maintenant que le cheval de fer bouge à sa place, Flavie sent un puissant désarroi se déployer en elle. La perte de Bastien la frappe de plein fouet, marquant au fer rouge sa chair et son âme, et elle s'élance vers sa belle amie comme vers son ultime refuge, celui d'une amitié sincère et indestructible.

Note de l'auteure

La science et le parfum de l'Histoire (2)

Comme je l'ai fait pour le premier tome de cette série romanesque, il m'apparaît important de donner un aperçu des recherches historiques et des documents d'époque qui ont alimenté mon travail pour ce deuxième tome. J'en profite pour lever mon chapeau à l'adresse des chercheuses et des chercheurs en histoire qui, avec beaucoup de patience et de ténacité, reconstituent prudemment le casse-tête de notre passé !

À tout seigneur tout honneur : ma dette est immense envers les maîtresses sages-femmes françaises Marie-Anne Boivin et Marie-Louise Lachapelle, qui ont signé respectivement *Mémorial de l'art des accouchements* (1824) et *Pratique des accouchemens* (1821). Ce sont ces traités scientifiques qui m'ont permis de détailler le savoir et de décrire les gestes de Léonie, de Flavie et des accoucheuses qui les entourent.

Je me suis également abreuvée à quelques autres ouvrages signés par des accoucheuses : *A Complete Practice of Midwifery* (1737), de l'Anglaise Sarah Stone, et surtout, *La cause de l'humanité, référée au tribunal du bon sens & de la raison* (1771), traduction du livre d'Elizabeth Nihell. Toutes deux m'ont fourni, pour alimenter la controverse opposant médecins et sages-femmes, un argumentaire que j'ai raffiné grâce à la lecture de *Man-Midwifery Analysed and the Tendency of that Practice Detected and Exposed* (1764), de Philip Thicknesse.

De nombreux chercheurs contemporains ont fouillé le sujet des tensions entre les sages-femmes et le corps médical depuis le xviiie siècle ; il me faut cependant signaler l'ouvrage fort intéressant d'Adrian Wilson, intitulé *The Making of Man-Midwifery: Childbirth in England, 1660-1770* (1995), dans lequel l'auteur met l'accent sur le développement des instruments obstétricaux, transmis sous le couvert du secret d'un praticien à l'autre, pour expliquer la place grandissante occupée par les médecins-accoucheurs auprès des parturientes.

Les données sur les prescriptions médicales de l'époque abondent dans le journal tenu par le Canadien Lactance Papineau, qui a été publié par Georges Aubin et Renée Blanchet sous le titre *Journal d'un étudiant en médecine à Paris*. D'autres renseignements ont été glanés dans *Le dictionnaire des dictionnaires de médecine français et étrangers ou traité complet de médecine et chirurgie pratiques...* (1851-1852), sous la direction du Dr Fabre, et disponible en version électronique sur le site de la Bibliothèque interuniversitaire de médecine et d'odontologie.

Les coutumes vestimentaires de l'époque, associées à la question plus générale des mouvements hygiéniste et féministes, sont décrites dans *Bound to Please: A History of the Victorian Corset*, de Leigh Summers, ainsi que dans *Health, Art & Reason: Dress Reformers of the 19th Century*, de Stella Mary Newton. La délicate question de la sexualité à l'époque victorienne est remise en question dans « What Ought to Be and What Was: Women's Sexuality in the Nineteenth Century », de Carl N. Degler (*American Historical Review*, vol. 79). Enfin, le discours médical de l'époque et les préjugés entourant la nature spécifique des femmes ont été documentés notamment dans *Maternité et pathologie: étude du discours médical sur la grossesse et l'accouchement au Québec (1870-1900)*, d'Hélène Naubert.

Les études sociologiques effectuées au xixe siècle par plusieurs médecins hygiénistes européens et américains, et qui m'ont servi pour documenter les conditions de vie dans les villes au début de l'industrialisation, sont les suivantes : *Report on the Sanitary Condition of the Labouring Population of Great Britain* (1842), d'Edwin Chadwick, et *Report of the Sanitary Commission of Massachusetts* (1850), de Lemuel Shattuck. Sur le mouvement hygiéniste et ses réformes en matière de santé publique, il faut consulter *Vers la médecine sociale*, de René Sand. Des extraits de l'enquête fascinante réalisée par le Français Alexandre Parent-Duchâtelet sur la prostitution à Paris ont été réédités par Alain Corbin sous le titre *La prostitution à Paris au XIXe siècle*.

Le mouvement socialiste de l'époque a fait l'objet de plusieurs recherches, dont les suivantes : *Les saint-simoniens : raison, imaginaire et utopie*, d'Antoine Picon ; *A History of Socialist Thought*, de G. D. H. Cole ; *Fourier : le visionnaire et son monde*, de Jonathan Beecher. J'ai découvert la communauté d'Oneida dans les livres suivants : *L'Amérique des utopies*, de Daniel Vitaglione, et *Oneida Community : An Autobiography, 1851-1876*, de Constance Noyes Robertson.

J'ai pu davantage creuser le sujet de la montée du féminisme grâce aux ouvrages suivants : *Femmes de conscience : aspects du féminisme américain (1848-1875)*, de Susan Goodman et Daniel Royot, ainsi que *Intimate Encounters : Love and Domesticity in Eighteenth-Century France*, sous la direction de Richard Rand, pour lequel il me faut remercier l'écrivaine Mylène Gilbert-Dumas, qui a pris soin de le photocopier et de me le faire parvenir.

Sur la question des barrières dressées pour empêcher les femmes d'obtenir le diplôme de médecin, j'ai puisé dans les ouvrages du Dr Elizabeth Blackwell et de sa biographe, cités dans la « Note de l'auteure » du premier tome, mais également dans *Doctors Wanted : No Women Need Apply*, de Mary Roth Walsh. L'article de Marie-Aimée Cliche, « Les procès en séparation de corps dans la région de Montréal, 1795-1879 » (*Revue d'histoire de l'Amérique française*, vol. 49, n°1), a constitué toute ma documentation sur le sujet.

Le manuel controversé écrit par un médecin américain, et qui a été qualifié d'immoral et de pervers par l'épiscopat montréalais, a réellement existé, sous la signature du Dr A. M. Mauriceau, « Professor of Diseases of Women ». Il est doté d'un titre interminable qui commence par : *The Married Woman's Private Medical Companion, Embracing the Treatment of Menstruation, or Monthly Turns [...], Pregnancy, and How it May be Determined...* (1847). Les imprécations de l'évêque Ignace Bourget à son sujet, ainsi que moult renseignements édifiants, sont contenus dans *Mandements, Lettres pastorales, Circulaires et autres documents*.

Le climat socioreligieux dans le Québec du XIXe siècle et les tensions entre ultramontains et modérés, vues par le biais de leurs organes de presse, sont abondamment documentés dans un numéro spécial de la revue *Recherches sociographiques* (vol. 10). Un livre fort inspirant, *Le printemps de l'Amérique française: américanité, anti-colonialisme et républicanisme dans le discours politique québécois, 1805-1837*, de Louis-Georges Harvey, m'a permis de replacer cette lutte dans le contexte plus vaste de la mouvance des philosophies politiques de l'époque.

Au sujet de l'Institut Canadien et de ses démêlés avec les autorités épiscopales de Montréal, il faut lire notamment: *Les premières difficultés entre Mgr Bourget et l'Institut Canadien de Montréal*, de Marcel Dandurand, ainsi que «L'Institut Canadien de Montréal et l'Institut national», de Léon Pouliot (*Revue d'histoire de l'Amérique française*, vol. 14, n° 4).

Les renseignements sur la vie culturelle de l'époque ont été glanés dans: «L'ordre des choses: cabinets et musées d'histoire naturelle au Québec (1824-1900)», de Raymond Duchesne (*Revue d'histoire de l'Amérique française*, vol. 44, n° 1); «Culture et exotisme: les panoramas itinérants et le jardin Guilbault à Montréal au XIXe siècle», de Raymond Montpetit (*Loisir et société*, vol. 6, n° 1); «Le tour de la montagne», de E.-Z. Massicote (*Les Cahiers de Dix*, vol. 4); «Scènes de rues à Montréal au siècle passé», de E.-Z. Massicote (*Les Cahiers de Dix*, vol. 7); la magistrale *Histoire du livre et de l'imprimé au Canada*, sous la direction de Patricia Lockhart Fleming et Yvan Lamonde; et enfin *L'hiver dans la culture québécoise*, de Sophie-Laurence Lamontagne.

Le développement urbain à Montréal au milieu du XIXe siècle est décrit dans «Creation of a Victorian Suburb in Montreal», de David B. Hanna (*Urban History Review*, vol. 9, n° 2), et dans «The Development of an Early Suburban Industrial District: The Montreal Ward of Saint-Ann, 1851-1871» (*Revue d'histoire urbaine*, vol. 19, n° 3). La transformation économique de Montréal et l'expansion du chemin de fer sont minutieusement exposées dans *The River Barons*, de Gerald Tulchinsky.

L'incendie dévastateur de 1852 à Montréal est raconté dans les journaux de l'époque ainsi que dans quelques ouvrages: *Jour-*

nal d'un Fils de la liberté, 1838-1855, d'Amédée Papineau ; *Passages in the Life of a Soldier*, de Sir James Edward Alexander ; un *Appel aux catholiques du diocèse de Montréal*, signé par « Un catholique de Montréal » ; le rapport intitulé *Procédés du Comité général de secours nommé par les citoyens de Montréal...* ; ainsi que *British Regulars in Montreal: An Imperial Garrison, 1832-1854*, d'Elinor Kyte Senior, qui m'a non seulement informée sur le rôle des militaires pendant les catastrophes, mais sur leur présence au quotidien.

La visite mouvementée d'Alessandro Gavazzi au Bas-Canada est minutieusement racontée dans *Alessandro Gavazzi (1809-1889), clerc, garibaldien, prédicant des deux mondes*, de Robert Sylvain, de même que dans deux ouvrages cités ci-dessus, ceux de Sir Alexander et de Mme Senior.

Le *Traité sur la tenue générale d'une terre dans le Bas-Canada*, écrit par un « Habitant du district de Montréal » et publié par ordre du gouverneur général Lord Elgin, se trouve dans plusieurs bibliothèques de la province. La conférence de Joseph Doutre intitulée *Les Sauvages du Canada en 1852* a été reproduite dans *Institut Canadien en 1855*, de J.-L. Lafontaine.

LETTRE AUX LECTRICES
ET AUX LECTEURS

Chères lectrices, chers lecteurs,
D'entrée de jeu, je me confesse : je caresse l'espoir qu'après avoir refermé ce livre vous ayez le goût et la curiosité de poursuivre vos lectures en ma compagnie. Pour vous éviter une fastidieuse recherche, laissez-moi vous dire quelques mots des livres que j'ai signés depuis que, à l'âge de dix ans, j'ai commencé à écrire de petits romans d'aventures… J'ai dû cependant (et heureusement pour le public lecteur !) noircir des milliers de pages avant de me retrouver sur les rayons des librairies.

Depuis longtemps, je suis fascinée par l'histoire, qui nous fournit un extraordinaire recul pour étudier les actes humains. Mais comme l'envie d'écrire était plus forte que tout, j'ai combiné ces deux passions et me suis consacrée d'abord à des publications et à des guides historiques, puis à une première et fort ambitieuse biographie en deux tomes du dramaturge et producteur de spectacles Gratien Gélinas. En 1995 paraissait ainsi *Gratien Gélinas : la ferveur et le doute*.

Dix ans plus tard, l'intérêt pour le travail de biographe m'habitant toujours et ayant un jour constaté que l'une des plus importantes féministes québécoises était honteusement ignorée, notamment parce que le récit de sa vie dormait encore dans de nombreuses boîtes de documents d'archives, je me lançais dans la recherche et entreprenais la rédaction de ce qui est devenu une monumentale biographie, *Marie Gérin-Lajoie : conquérante de la liberté*, qui a paru en 2005.

Entre-temps, selon ce même désir de mettre les richesses et les enseignements du passé à la portée du grand public, je signais, en 2004, un recueil intitulé *Quartiers ouvriers d'autrefois*, qui raconte en images l'industrialisation des villes de Sherbrooke, Québec et Montréal. Sollicitant nos sens et nos émotions, les vieilles photographies évoquent l'« ancien temps » de manière agréablement vivante et éveillent à la science historique comme peu d'ouvrages savants peuvent le faire.

Tout récemment, en 2007, je récidivais dans le même sens avec *Femmes de lumière : les religieuses québécoises avant la Révolution tranquille*. L'idée de cet ouvrage m'est venue au cours de mes recherches sur la place de la religion et du discours « sacré » dans l'histoire du Québec. J'ai réalisé qu'il était impossible d'écrire l'histoire des femmes en niant le rôle majeur qu'y ont joué les religieuses, comme nous avons eu tendance à le faire depuis la fin de la « grande noirceur ». Mon livre est une modeste tentative pour remettre ces images dans la mémoire collective.

Pendant tout ce temps, je dois le dire, j'aspirais à retrouver une liberté créatrice quelque peu ensevelie sous des montagnes de documents et de notes... L'appel de la fiction murmurait en moi comme le ressac de la marée depuis ma prime jeunesse, mais surtout depuis 1992, alors qu'une de mes nouvelles remportait le grand prix du concours annuel du journal Voir (nouvelle qui a été reproduite dans l'ouvrage collectif *Circonstances particulières*).

Ce désir profond, je l'ai d'abord assouvi en écrivant deux courts récits biographiques romancés : *Gratien Gélinas, du naïf Fridolin à l'ombrageux Tit-Coq* et *Justine Lacoste-Beaubien, au secours des enfants malades*. Voyant que ma prose romanesque n'effrayait personne, j'ai remis en chantier un roman dont j'avais esquissé la trame une quinzaine d'années auparavant, soit un huis clos pendant lequel une jeune femme se rebelle devant les silences et les fuites de ses parents qui l'ont élevée dans une grande solitude. C'est ainsi qu'en 2003 était finalement publié mon premier roman, *Les amours fragiles*.

Mon deuxième roman, un roman jeunesse intitulé *Le lutin dans la pomme*, a pris forme quelques mois après les événements tragiques de septembre 2001, à New York. J'ai eu envie de raconter la guerre aux enfants et, en même temps, de leur faire comprendre le changement historique. J'ai illustré ces deux thèmes à travers la destinée d'un lutin séparé de sa famille par la guerre et qui, devenu très âgé, demande à une fillette, Ernestine, de l'aider à la retrouver.

Je vous remercie de m'avoir lue jusqu'ici et j'espère de tout mon cœur que vous en redemanderez, à votre bibliothécaire ou à votre libraire... Le sort des écrivaines et des écrivains, en tant que professionnels, dépend beaucoup de votre intérêt. Si la motivation pour écrire vient bien souvent de l'intérieur de soi, seule la reconnaissance publique peut faire de nous de véritables auteurs, qui s'inscrivent dans la durée.

Merci de vivre avec moi ce doux bonheur de plonger dans une histoire... et dans l'Histoire !